Una biblioteca, un'alluvione

Il 4 novembre 1966 alla Nazionale di Firenze: storia di un'emergenza

.

PREMIO
"Giorgio De Gregori"
2008

Una biblioteca, un'alluvione

Il 4 novembre 1966 alla Nazionale di Firenze: storia di un'emergenza

Elisa di Renzo

Introduzione di Neil Harris

Roma
Associazione italiana biblioteche
2009

Redazione: Andrea Paoli
Editing: Maria Teresa Natale

L'editore si dichiara disponibile a regolare
eventuali spettanze per quelle immagini di cui non è stato
possibile reperire gli aventi diritto

Stampa: La tipografia s.r.l., Roma

Produzione e diffusione: Associazione italiana biblioteche
Casella Postale 2461 - Ufficio Roma 158
Via Marsala, 39 - 00185 Roma
Tel. 064463532, fax 064441139
e-mail aib@aib.it, http://www.aib.it

ISBN 978-88-7812-201-7

INDICE

Il mistero della Cinquecento bianca

Bliss was it in that dawn to be alive,
But to be young was very heaven!

William Wordsworth, *The prelude*, 1805, book xi

Chi conosce i capricci dell'Arno sa che sono gli umori di un torrentaccio di montagna, talvolta dolce, talvolta amarognolo, che un giorno fa una bizza e quello dopo finge che nulla è successo. Di solito è placido e tranquillo, anche se, pur nei giorni migliori, non è mai acqua di fontana chiara: il colore rimane brunastro e il fondale si nasconde. Basta però che ci sia qualche goccia di pioggia sopra Pontassieve e il fiume cambia carattere. Se poi si tratta di un giornata lungamente piovosa, il flusso diventa più insistente e l'acqua si colora di marrone. Nel caso che il maltempo duri, magari con un tocco di scirocco che sciolga le nevi sull'Appennino, la corrente si fa più frettolosa ancora, portando con sé sterpaglie, detriti e ogni sorta di sporcizia, mentre alle pescaie di San Niccolò e di Santa Rosa fa spettacolo il vortice che casca fragorosamente nel letto sottostante. Quando le precipitazioni si prolungano invece per più giorni, l'acqua raggiunge il livello di guardia con il rischio che ancora una volta il fiume «ospite malcontento e traditore»[1] esca dagli argini per sommergere la città.

A partire dal Medioevo si contano più di cinquanta alluvioni, alcune di piccole dimensioni, sufficienti soltanto per bagnare i piedi ai fiorentini, e altre invece devastanti, come quelle del 1177, 1269, 1288, 1333, 1547, 1557, 1589, 1740, 1758, 1844 e, ultima e peggiore di tutte le altre, 1966. L'uso di ricordare le inondazioni della città con lapidi affisse sui muri che segnano il punto massimo raggiunto dalla piena è antichissimo. Quella posta in alto, quasi invisibile agli occhi dei passanti, sull'angolo di via San Remigio con via dei Neri dice: «DI.QUATRO.DI.NOUEMBRE.GIOUE - DI.LANOCTE.POI.UENGNENDOL.UENERDI.FUALTA.LAQUA.DARNO.IN.FINO.A.QUI».

La concomitanza del giorno, nonostante il carattere vetusto del linguaggio, fa pensare all'alluvione del 1966, ma l'anno segnato sopra

---

[1] Giovanni Targioni Tozzetti, *Disamina d'alcuni progetti fatti nel secolo XVI, per salvar Firenze dalle inondazioni dell'Arno*, Firenze: nella stamp. di S.A.R. per Gaet. Cambiagi, 1767, p. V.

la didascalia è invece il 1333. Sullo stesso muro la targa per il 1966 è più alta ancora, di ben 70 cm^2.

Chi scrive non ha partecipato all'alluvione, né all'esperienza di militanza politica a cui in qualche modo essa fece da preludio, per la semplice ragione che si trovava ancora alla scuola elementare. Se mi è consentita tuttavia qualche pagina di richiamo personale, oltre alle cose di famiglia e alla vita di una piccola città inglese, che era la mia a tale epoca, ricordo mio padre che mi mostrava la prima pagina di un quotidiano con l'immagine di Firenze sott'acqua. Confesso però che fu un altro evento dello stesso periodo a incidere maggiormente nella mia memoria: venerdì 21 ottobre 1966, alle 9.15 di mattina, la discarica collinare della miniera di carbone che lo sovrastava scese come una valanga sul villaggio di Aberfan, nel Galles, travolgendo sul suo cammino le case e la scuola. Oltre alle colpe del National Coal Board, l'industria nazionalizzata delle miniere, che aveva trascurato il pericolo, la causa principale della tragedia era l'autunno eccezionalmente piovoso, che aveva fatto ingrossare una sorgente nascosta sotto la discarica. Mezz'ora prima la scuola sarebbe stata pressoché vuota, mentre nei giorni successivi, per la pausa di *half-term*, non erano previste lezioni per la prima metà della settimana; per fatalità, invece, le classi erano piene di scolari e non ci fu alcun avvertimento. Morirono 144 persone, di cui 116 bambini e cinque loro maestri. Ricordo ancora i grandi manifesti che apparvero nei corridoi della mia scuola di Barnstaple con le foto e i nomi dei bambini morti, nostri coetanei, per la maggior parte fra i sette e i dieci anni di età.

Quelle piogge autunnali, che nel Galles avevano inzuppato d'acqua la collina fatale di Aberfan, fecero sì che, esattamente due settimane dopo, a Firenze toccasse l'alluvione più disastrosa della sua storia. Seppure differenti in tanti aspetti, il confronto fra le due tragedie avvenute in rapida successione ci permette non solo di capire il nesso che ebbero nell'opinione pubblica dell'epoca, ma anche la reazione che seppero scatenare. D'altronde, se la seconda guerra mondiale per il vecchio continente aveva rappresentato la prova del

---

[2] Le misure ufficiali danno l'alluvione del 1333 a un'altezza di 4,22 metri e quella del 1966 a 4,92 metri. Il punto più alto misurato nel 1966 si trova in via dei Conciatori a Santa Croce, dove l'acqua raggiunse il 5,20 metri, cfr. *Firenze. Rassegna del Comune 1965-1968*. Fascicolo speciale a cura dell'ufficio stampa del Comune, aprile 1968, p. 167. L'affissione delle targhette per il 1966, in totale una settantina per tutta la città di Firenze, ebbe inizio il 28 dicembre dello stesso anno.

fuoco, non era la prima volta che uno o più paesi europei venivano messi alla prova dall'acqua. Nel novembre 1951 la piena del Po, durata una settimana, sommerse il Polesine e causò lo sgombero di 160.000 persone, ma per fortuna le perdite di vite umane furono minime. Diversamente andarono le cose quindici mesi dopo, nei giorni in cui, fra gennaio e febbraio 1953, la combinazione di una marea eccezionale e un forte maltempo devastarono le coste dell'Inghilterra orientale e dei Paesi Bassi. Nella sola Olanda, dove la furia delle acque fece breccia nella diga eretta contro il mare, ci furono più di 1.800 morti e il paese ne rimase profondamente segnato. Non tanto le condizioni climatiche avverse quanto errori umani furono le cause della calamità del Vajont, nell'ottobre 1963, con quasi duemila morti. Nello stesso 1966, il 19 luglio, dopo alcuni giorni di pioggia, lo smottamento di più palazzi costruiti abusivamente ad Agrigento, fortunatamente senza perdite di vite umane, fece capire come, di fronte alle ferite inflitte dall'uomo sul paesaggio, la natura talvolta rispondesse in modo devastante.

È stato notato da più di un commentatore come il totale dei decessi dell'alluvione fiorentina fosse sorprendentemente basso[3]. Con eccezione forse del cartellone del Teatro Verdi, che in quei giorni stava proiettando il polpettone kolossal *La Bibbia*, diretto da John Huston (1966), in cui la fittizia ricostruzione cinematografica del diluvio universale ben presto sarebbe stata superata dalla realtà, la città non ebbe alcun segnale del pericolo che incombeva. Le poche morti non si dovettero alla preveggenza delle autorità, ma a fattori contingenti, soprattutto al fatto che venerdì 4 novembre era la festa delle forze armate. Quindi non solo i fiorentini non andarono al lavoro, ma molti avevano deciso di approfittare del ponte di fine settimana per trascorrere la pausa fuori città. Le pessime condizioni metereologiche poi – fra il mezzogiorno del 3 e la stessa ora del 4 novembre, soprattutto durante le ore notturne, caddero più di diciotto centimetri di pioggia – indussero chi restava a stare tranquillamente a casa, mentre la circostanza che le prime acque fuoruscirono nelle ore piccole del mattino, al momento cioè in cui c'era meno gente in circolazione, salvò altre vite. Non voglio dire con ciò che le morti comunque avvenute non fossero importanti, né che alcune fra esse non fossero terribili. Ai fiorentini però furono risparmiate scene come quella delle madri gallesi che scavavano a mani nude e sanguinanti fra le scorie,

---

[3] Più autorevole di tutti: Indro Montanelli, *"Piove, Governo ladro!"*, «La domenica del corriere», 66 (1966), n. 48, datato 27 novembre, p. 7.

oppure quella dell'identificazione delle salme nella cappella presbitera Bethania di Aberfan, trasformata in obitorio, dove i corpi dei bambini, divisi per sesso, ma altrimenti resi uguali dalla divisa scolastica, giacevano in fila, ognuno su un banco nascosto da una coperta[4].

Se Firenze avesse dovuto fare i conti con una vera e propria strage compiuta dal fiume, non solo la reazione sarebbe stata di disperazione e di amarezza, ma anche il tenore di questa introduzione sarebbe stato diverso. La reazione istintiva dei fiorentini, invece, fu di dare pan per focaccia all'Arno che aveva fatto tanto dispetto. Questo spirito fu espresso da chi incarnò la voce della città, il sindaco e storico, Piero Bargellini, il quale aveva casa a poca distanza dalla BNCF, in via delle Pinzochere[5]. Un anno dopo egli scriveva[6]:

---

[4] *Testimonianza di un minatore:* «The women were already there, like stone they were, clawing at the filth – it was like a black river – some had no skin left on their hands. Miners are a tough breed, we don't show our feelings, but some of the lads broke down»; testimonianza di un poliziotto: «As soon as the word swept around Aberfan that the bodies were being taken to Bethania chapel, parents and relatives arrived at the front door. They waited in a long patient line to be permitted in, to try and identify the daughter, son, wife, husband, mother or father. Because of the cramped conditions in which we were operating we could only deal with two sets of relatives at a time. When we established the age and sex of the person they were seeking they were shown all the bodies that matched. The task was not made easier by the fact that most of the boys wore grey short trousers and the girls a standard dress and cardigan». Entrambe le testimonianze, che sono anonime, sono state tratte dal sito ufficiale dedicato alla sciagura gestito dal Nuffield College, Oxford (www.nuffield.ox.ac/politics/aberfan/home.htm), consultato nel gennaio 2009. In Italia il disastro ricevette ampia attenzione da parte dei media di allora: di particolare importanza è il contributo dell'inviato di *Epoca*, Guido Gerosa (1933-1999), che due settimane più tardi venne spedito anche a Firenze (per l'articolo sul disastro gallese, si veda *Le piccole ombre di Aberfan*, «Epoca», 17 (1966), n. 841, datato 6 novembre, p. 44-47; per quelli su Firenze, si vedano *Il giorno in cui tutto il mondo si domandò: Firenze è morta?*, ivi, n. 842, del 13 novembre, p. 48-52; *Qui Firenze. Dopo il diluvio a denti stretti*, n. 843, datato 20 novembre, p. 36-43, che diventano base del libro *L'Arno non gonfia d'acqua chiara: cronaca dell'inondazione di Firenze*, Milano: Mondadori, 1967).
[5] Per la figura di Bargellini, si vedano Pier Francesco Listri, *Tutto Bargellini: l'uomo, lo scrittore, il sindaco, con il diario inedito dei giorni di Palazzo Vecchio*, Firenze: Cardini, 1989. Una versione più personale, raccontata dalla figlia Bernardina, si trova in Bernardina Bargellini Nardi, *L'alluvione di Piero Bargellini*, a cura di Annegret Höhler e Gregorio Nardi, Firenze: Edizioni Polistampa, 2006. Bargellini stesso descrive gli eventi dell'alluvione nel IV volume, aggiuntivo, con il sottotitolo *Dal diluvio del 1870 al diluvio del 1966*, della sua *Splendida storia di Firenze* (1964-1969). Il capitolo relativo al novembre 1966 è stato

Sembrava da prima uno scherzo, un divertimento da giorno festivo, e fu invece una vera tragedia, con pochi morti, ma danni ingentissimi. Si temette che la città stessa potesse perire, ricoperta dalla funebre coltre di fango. Quando i fiorentini si riebbero dal tramortimento, non maledirono il loro fiume, responsabile di tanto tramascio. Ci scherzarono sopra. «Ha fatto un po' d'acqua fuori del letto». «È vecchio e non sa più trattenersi. Gli ci vuole l'urologo».

Il loro atteggiamento di fronte alla beffa portata dal fiume suscitò il plauso anche degli osservatori stranieri, come la rivista londinese *The Economist*, che titolava come, dopo il passaggio delle acque, a Firenze di secco ci fosse rimasto soltanto l'umore arcigno dei fiorentini[7].

Sempre in chiave personale, questa introduzione è l'espressione di una curiosità per la storia dell'alluvione in quanto catastrofe bibliografica causata da precise azioni umane, nata più di venticinque anni fa, quando con una borsa di studio giunsi per la prima volta a Firenze. A tale epoca le tracce fisiche lasciate dalla sciagura per la maggior parte erano scomparse; erano rimaste però quelle psicobibliografiche, soprattutto per quanto riguardava la disponibilità dei materiali all'interno della BNCF. Lo schedario infatti non distingueva i volumi danneggiati, cosicché, nel momento in cui si richiedeva un libro dei fondi Magliabechiano e Palatino, era necessario verificare l'elenco dei palchetti finiti sott'acqua e poi, se il volume in questione malauguratamente si era trovato su uno di essi, vedere una seconda lista, che veniva aggiornata di tanto in tanto, dei libri restaurati. Chiedere un libro equivaleva a un percorso a ostacoli, cosicché si imparava grosso modo quali fossero le segnature finite sott'acqua, di modo che diventava possibile calcolare con anticipo le probabilità di ottenere il titolo desiderato. Un altro segno visibile del disordine por-

ripubblicato in Piero Bargellini, *Il miracolo di Firenze. I giorni dell'alluvione e gli "angioli del fango"*, Firenze: Società Editrice Fiorentina, 2006, unendo anche la testimonianza della moglie, Lelia Cartei, pubblicata precedentemente in una edizione privata *in memoriam* (*Lelia Cartei Bargellini, Firenze 7 dicembre 1903-6 aprile 1977*, [Firenze: s.n., 1979]).

[6] Piero Bargellini, *Il fiume*, nel numero speciale di «La Nazione», 4 novembre 1967, p. 1. La stessa reazione sarcastica motivava i cittadini che, il giorno della befana del 1967, appeso un grande sacco di carbone sul Ponte Vecchio, per avvisare tutti come l'Arno era stato "cattivo" (cfr. la foto riportata in Giuseppe Di Leva, *Firenze: cronaca del diluvio. 4 novembre 1966*, Firenze: Le Lettere, 1996, p. 125).

[7] *There is nothing dry in Florence but the wit*, «The economist», 221 (1966), n. 6430, datato 19 novembre, p. 786.

tato dall'alluvione stava nel fatto che per tutti gli anni Ottanta al pian terreno i cataloghi a scheda si trovavano nell'atrio e la sala dei cataloghi era adibita alla lettura, perché la vera sala di lettura era stata trasformata in magazzino. Quando infatti nel 1990 quest'ultima venne ripristinata e riaperta, fu una sorpresa autentica per i lettori più giovani, che non sospettavano dell'esistenza di questo grande spazio. Era palese anche una volontà, in qualche modo giustificata, di rimuovere il pensiero dell'alluvione e di guardare al futuro.

Il fatto poi che venni ad abitare nel rione di Santa Croce, in una delle strade più duramente colpite dalla piena, fece crescere l'interesse per il disastro e la volontà di studiarlo meglio. Nella seconda metà degli anni Novanta, nell'ambito di un periodo di docenza presso l'Università di Firenze, anche con lo stimolo di indagini parallele sulla storia della Biblioteca Magliabechiana, chi scrive decise di far svolgere una ricerca sistematica sulla storia dell'evento e sugli effetti per la BNCF. Il collaboratore ideale per questo progetto si è presentato con l'autrice di questo libro, che, oltre agli studi universitari, si stava formando nell'ambito del corso europeo per restauratori, di durata triennale, con sede a Spoleto. In tale ambito Elisa di Renzo aveva conosciuto, come docenti, Anthony Cains e Christopher Clarkson, due fra i principali artefici del recupero e del restauro dei libri dell'alluvione.

In tutte testimonianze importanti relative a Firenze nel 1966 si trovano riferimenti alla BNCF. Essa fu il luogo dove – come ricordano le parole di Bruno Migliorini nella lapide posta al primo anniversario della sciagura – l'acqua «più aveva imperversato»: esso perciò calamitò il numero maggiore di volontari e ne ebbe bisogno più a lungo. Chi scorre però la letteratura relativa si accorge di una lacuna cospicua, ossia la mancanza di uno studio firmato dai bibliotecari stessi, che fornisca un'esposizione professionale dell'accaduto. Chi avrebbe saputo scrivere meglio di ogni altro tale contributo sarebbe stato Emanuele Casamassima (1916-1988), il direttore e figura simbolo dell'alluvione, a cui i giudizi all'unisono attribuiscono il merito di aver salvato la Biblioteca e le sue collezioni. Con eccezione però di qualche intervista e di qualche breve scritto, spesso di carattere ufficiale, egli non raccontò mai la propria esperienza dell'esondazione e, quando lasciò la Biblioteca per passare a una cattedra universitaria di paleografia, prima a Trieste, poi a Firenze, in un atto voluto di oblio, eliminò le carte personali relative a quegli eventi traumatici. Il presente lavoro rappresenta perciò un cambiamento significativo nella storiografia dell'alluvione, nella quale finora la cronaca

12

e la testimonianza oculare hanno fatto la parte del leone. A più di quarant'anni dai fatti, nel momento in cui gli ultimi protagonisti di quanto è accaduto nella BNCF si ritirano in vita privata, non solo constatiamo il passaggio delle consegne, ma viene meno anche l'esperienza diretta degli eventi. La ricostruzione avviene però attraverso la luce fredda della storia, utilizzando la documentazione conservata sia in Italia che all'estero, che talvolta rivela una versione diversa rispetto al ricordo di chi all'epoca si è trovato a lottare con la melma e con l'acqua. Solo infatti negli ultimi mesi dell'indagine è stato possibile accedere alla messe di documentazione conservata presso la BNCF e il Centro di Restauro, oggi collocato in spazi attigui alla chiesa di Sant'Ambrogio, benché tutto l'archivio moderno necessiti di un sistematico riordino e inventariazione.

La ricerca ha dovuto fare i conti fin dall'inizio con la lunga inagibilità dell'archivio moderno della Biblioteca, quello in pratica post-1966, che, come in tante situazioni odierne, pone l'ostacolo di un'abbondanza di documentazione e di una mancanza di risorse per la relativa gestione. Nell'indagine ci siamo accorti poi di una sorta di buco documentario, una lacuna cioè nella conoscenza degli eventi dei giorni più intensi del disastro, che corre dal 4 novembre stesso fino alla fine del mese, quando la macchina internazionale dei soccorsi cominciò a dare risultati e arrivarono i restauratori inglesi. L'obbligo di coordinare e di rendicontare queste operazioni ha fatto sì che si siano costituiti, anche all'estero, archivi pubblici e privati, cosicché un punto di forza di questo libro è il modo in cui l'autrice ha saputo approfittare di queste fonti. Per quanto riguarda la BNCF stessa, l'assenza di documentazione si spiega, almeno in parte, con la situazione in corso: con tutta la Biblioteca imbrattata di melma, non era il momento per imbrattare carta. Questo libro, quindi, contribuisce a colmare la lacuna, ricorrendo ad altre forme di documentazione, vuoi alla grande quantità di fotografie relative all'alluvione, vuoi alle testimonianze di natura verbale, alcune rilasciate all'epoca, altre nelle ricorrenze dell'evento.

Ogni considerazione sulla BNCF e sull'alluvione comincia con il trasloco nell'edificio odierno. In tempi recenti gli spostamenti analoghi di Parigi e di Londra hanno insegnato come le biblioteche grandissime siano essenzialmente come i paguri, per cui ogni tanto, via via che crescono, hanno bisogno di disfarsi del vecchio guscio e di trasferirsi in uno nuovo e più capiente. Si pongono quindi due questioni: la scelta del sito e la natura dell'edificio. Con il fatale e nocivo senno del dopo 1966, la decisione primonovecentesca di collocare la Biblioteca in riva all'Arno è stata assai criticata. Sono giudizi tuttavia che peccano forse di ingenuità, qualora sia considerato il contesto della città in rapida espansione edilizia, per cui gli spazi disponibili, per lo meno entro la cerchia dei viali, erano limitati. È lecito anzi dire che, salvo una scelta radicalmente diversa in termini dell'ubicazione o della costruzione dell'edificio, in una calamità di questa portata ci sarebbe stato un danno in ogni caso. Furono considerate all'epoca altre due possibilità, la prima nell'area fra il Battistero e piazza della Repubblica e la seconda in corrispondenza alle attuali Poste Centrali[8]. Entrambe queste locazioni, seppure meno gravemente, furono alluvionate nel novembre 1966. La seconda infatti si trova in pratica fra il fiume e il Gabinetto Vieusseux, che, dopo la BNCF, è stata la biblioteca a subire i danni più gravi della piena, a causa della collocazione di buona parte delle collezioni nei sotterranei del rinascimentale Palazzo Strozzi.

L'opzione che prevalse, quella di demolire la caserma dei cavalleggeri, che ha dato il proprio nome alla piazza antistante, e di costruire l'edificio attuale, fu giustificata e si giustifica ancora per lo spazio maggiore del sito, quattro volte più grande rispetto alla prima alternativa e più del doppio rispetto alla seconda, mentre, sul piano simbolico, aveva il vantaggio di collegare la Biblioteca alla basilica di Santa Croce, luogo per eccellenza della memoria italiana. Dal bando del concorso promulgato nel 1902 per la costruzione dell'edificio è chiaro come il direttore di allora, Desiderio Chilovi, avesse ben presente la minaccia rappresentata dall'Arno, per cui prescrisse che la struttura non potesse contenere zone sotterranee adibite a magazzino librario. Nei trenta e passa anni necessari per completare la struttura, la saggezza di tale requisito venne dimenticata e all'interno della costruzione apparvero i grandi sottosuoli. Quando nel 1935, sotto la direzione di Domenico Fava, il trasferimento avvenne dagli spazi angusti degli Uffizi, il nuovo edificio fu accolto con pareri discordanti, sia da parte dei bibliotecari che del pubblico[9].

---

[8] Vedi p. 49-50. Come considerazione in margine, è lecito notare che, nel caso che la BNCF fosse stata ubicata in uno di questi siti alternativi, seppure la quantità di acqua sarebbe stata minore, i danni causati dalla nafta sarebbero stati molto più seri, come infatti accadde con numerosi edifici e affreschi all'interno della città. A causa dell'ubicazione in riva all'Arno, l'acqua che giunse nell'edificio attuale della BNCF era infatti meno inquinata.

[9] Vedi p. 54.

Nell'aggiornamento della voce "Biblioteca" apparso nella prima appendice dell'*Enciclopedia italiana*, il successore di Fava, Anita Mondolfo, scrisse una descrizione particolareggiata della nuova sede. Se la collocazione dello scritto in un altro monumento della cultura fascista imponeva un giudizio elogiativo, colpisce l'assenza di qualunque riferimento alla questione del fiume [10]:

Nel 1935 la Biblioteca Nazionale Centrale di Firenze trasportava, con piano ben ideato e attuato con esemplare rapidità, la sua ingente suppellettile nei nuovi locali costruiti sui disegni di C. Bazzani, sulla riva destra dell'Arno, accanto al tempio di Santa Croce intorno a un chiostro antico, tra i più belli di Brunelleschi [...]. L'edificio consta di una fronte a due piani e seminterrato, la quale termina in una sontuosa duplice tribuna circolare che accoglie i cimelî danteschi e galileiani. Ad essa, come agli adiacenti musei, si accede per scala riservata d'onore. Alla fronte si appoggiano 5 magazzini dai 5 ai 6 piani. L'edificio, progettato un quarantennio fa e costruito su area in più modi obbligata, non segue in tutto le linee dell'odierna edilizia delle biblioteche, e pure congiunge un'essenziale praticità al gusto e al sontuoso decoro adeguati alla ricchezza delle sue raccolte: armonica è la distribuzione degli spazî, che per larghe corsie ed ampî atrî evita ogni interferenza tra i servizî; ampie le linee e le forme; ben temperata la chiarità dell'abbondante luce dei soffitti a lucernarî; bene innestata la maggior parte dei magazzini librari al centro di distribuzione. Moderna è l'attrezzatura; scaffalatura quasi tutta metallica (45 km), schedario metallico nella bellissima sala dei cataloghi dai pilastri e ballatoi di acciaio, invio pneumatico di schede di richiesta, distribuzione elettromeccanica orizzontale, ventilazione, aria condizionata, avvisatori automatici; signorile il gusto dell'arredo per largo impiego di marmi e legni pregevoli, acciaio e vetro. Per gli studiosi si dispone di circa 300 posti, distribuiti in sette sale. In occasione del trasporto furono avviati molti lavori di assetto e di riordinamento di fondi di manoscritti, carteggi e stampati; e nella collocazione dei libri fu seguita la linea di sviluppo storico della biblioteca. La costruenda ala di via Magliabechi, che congiungerà la tribuna dantesca e galileiana a Santa Croce, darà sviluppo ai musei, accoglierà in migliore sistemazione manoscritti e carteggi, e i periodici in apposita grande sala di lettura.

Per quanto riguarda la costruzione il male non è venuto tanto dal luogo, quanto dalla volontà politica di farne una maestosa struttura museale, atta a esprimere una funzione celebrativa, ma meno efficace in termini di funzionamento bibliotecario. L'errore più grave

---

[10] *Enciclopedia italiana di scienze, lettere ed arti. Appendice I*, Roma: Istituto dell'enciclopedia italiana, 1938, I, p. 273.

senz'altro è stato quello di non aver reso la struttura capace di resistere neppure a un'esondazione di medie dimensioni: per esempio, rafforzando la base dell'edificio, costruendo i seminterrati di modo che potessero essere ermeticamente chiusi, e soprattutto ovviando alla debolezza rappresentata dalla sequenza di finestre esterne, di misura 116×155 cm, ubicata a circa un metro da terra con lo scopo di dare illuminazione al sottosuolo. Nell'ala ovest, incluse quelle sotto la tribuna di via Magliabechi, sono in tutto quindici, ma le più pericolose sono quelle sull'angolo di via dei Tintori. Se questi falli nel muro della Biblioteca non fossero esistiti, o avessero avuto una fisionomia diversa, o semplicemente fossero stati dotati di un vetro in grado di resistere alla pressione dell'acqua, la storia della catastrofe sarebbe stata diversa[11].

Ritornando alla questione della documentazione disponibile presso la Biblioteca, constatata l'allora inagibilità dell'archivio moderno, è emersa la soluzione alternativa di lavorare sulla collezione di immagini dell'alluvione conservata presso il Laboratorio fotografico della BNCF. Il primo contributo di Elisa di Renzo è consistito perciò nel riordino e nella catalogazione di tale fondo. Pur trattandosi di una documentazione notevole, la raccolta ha rivelato tuttavia lo stesso desiderio di dimenticare evidenziato in altri ambiti[12]. Le fotografie non erano infatti giunte attraverso una politica di acquisto e di docu-

---

[11] L'ala include anche una porta, il n. 2 di corso dei Tintori, che apre a una scala che conduce all'appartamento sotto il tetto di uno dei custodi. Per la rapidità con cui il sottosuolo si riempì d'acqua, si veda Giorgio de Gregori, *Un anno fa: il 4 novembre. Milioni di libri sotto il fango*, «La parola e il libro», 50 (1967) , n. 11, p. 707-711; n. 12, p. 787-796 [emesso anche come estratto con paginazione propria].

[12] Con eccezione di un'inventariazione sommaria, questa raccolta era priva di catalogo, mentre l'utilizzo delle immagini, in occasione dei successivi anniversari dell'alluvione (1976, 1986, 1996), era avvenuto in base a criteri sostanzialmente velleitari. All'interno della collezione le stampe non erano gestite con criteri precisi, per quanto riguarda la provenienza delle immagini: anzi in molti casi l'identificazione della paternità si limitava a un appunto in matita sul retro del documento. È stata svolta quindi un'indagine certosina per identificare sia i luoghi fotografati che gli estremi cronologici, e in certi casi l'autore; cfr. Elisa di Renzo, *Il luogo e la memoria: l'alluvione e la Biblioteca nazionale centrale di Firenze attraverso la raccolta fotografica (4 novembre-31 dicembre 1966)*, tesi di laurea in Bibliografia e biblioteconomia, Università degli studi di Firenze, Facoltà di lettere e filosofia, aa. 2001-2002, relatore prof. Neil Harris. Una descrizione dell'impostazione metodologica della ricerca si trova anche in Id., *Fotografare l'alluvione*, «Biblioteche oggi», 22 (2004), n. 8, p. 43-49.

mentazione; il fondo si era formato, invece, in modo passivo, quasi involontario, con l'accettazione di doni di stampe da parte dei fotografi che avevano registrato le scene di quanto stava accadendo dentro e fuori l'edificio.

Si pone quindi una grande questione di metodo in una città che è perennemente in lotta con la propria memoria. Firenze non contiene soltanto depositi di idee e di parole, dalla BNCF all'Accademia della Crusca, essa possiede anche numerosi archivi dell'immagine, antichi e moderni. In fin dei conti gli Uffizi non sono altro che un immenso assemblaggio di raffigurazioni che documentano dieci secoli di vita toscana, italiana ed europea. Poi ci sono gli archivi più recenti che tengono conto di processi nuovi, come per l'appunto la fotografia, alcuni famosi a livello mondiale, come i Fratelli Alinari; altri ancora piccoli, come Locchi, New Press Photo, Torrini, le cui risorse, anche perché si tratta di aziende del settore privato, non sono state esplorate a fondo.

Stando in tema di fotografia, conviene riflettere sul significato dell'alluvione di Firenze dal punto di vista della cultura dell'immagine. A distanza di vent'anni dalla seconda guerra mondiale, essa coincise con un'epoca in cui sia la tecnologia che il costo di un apparecchio erano diventati abbordabili per il cittadino comune. A differenza di una zona di guerra, come il conflitto in corso all'epoca in Vietnam, il cui accesso era permesso soltanto all'inviato speciale, l'esondazione fiorentina non fu una situazione di pericolo, coprì una grande area fisica e consentì a molte persone di essere testimoni, per quanto involontari, dei fatti. Le centinaia e centinaia di immagini e di filmati delle strade invase dalle acque scattati dalle finestre delle case e dai punti alti della città e poi, nei giorni e nei mesi successivi, delle operazioni di salvataggio e recupero costituiscono così un grande archivio di testimonianze visive. Accanto alle riprese degli operatori professionisti che fin dall'inizio, per mero caso, si trovavano nelle vicinanze della città, come Balthazar Korab[13], David

---

[13] Architetto e fotografo, nato a Budapest nel 1926, si trasferì in Francia nel 1949 e negli Stati Uniti nel 1955, scattò a rischio della propria vita alcune immagini dell'acqua sul punto di esondare vicino a Ponte Santa Trinità. Le sue fotografie relative all'alluvione non sono state raccolte, ma diverse si trovano nel volume pubblicato nel dicembre 1966: *4 novembre. L'Arno straripa a Firenze*, a cura di Donatello De Ninno, Firenze: Gloria edizioni, 1966. Altre immagini si trovano in Joseph Judge, *Florence rises from the flood*, «National Geographic», 132 (1967), n. 1, p. 1-43.

Lees[14], e Cesare "Red" Giorgetti[15], o i tanti inviati che giunsero a Firenze qualche giorno dopo l'evento, ci sono numerose immagini di "dilettanti", nel senso migliore della parola, come Swietlan Nicholas Kraczyna[16] e Alessandro Olschki[17]. Nella documentazione fotografica della BNCF nei giorni del dopo alluvione, un posto particolare spetta a Guido Sansoni (1928-1988), che per lunghi anni fu il fotografo della Biblioteca per quanto riguardava la riproduzione di manoscritti e stampati.

Un'immagine vale mille parole, senz'altro, ma l'interpretazione di una fotografia richiede lo stesso rigore filologico e la stessa attenzione critica di un testo fatto con parole, anzi per certi versi di più, perché – come scrisse Marshall McLuhan nel 1964 – una fotografia isola un singolo momento nel tempo[18]. La maggior parte degli scritti relativi all'alluvione si caratterizza, invece, per la scarsa acribia e quasi disinteresse dell'interpretazione del corredo visivo. Le fotografie di quarant'anni fa vengono riportate per lo più lasciando al lettore il compito di intuire la data, l'ora e il luogo dai dettagli ivi presenti, mentre, salvo nel caso di qualche antologia personale, l'identità del fotografo viene taciuta oppure nascosta dietro la sigla di un'agenzia. Per quanto sia preziosa la stampa di una fotografia, l'archetipo è rap-

---

[14] Per la figura di David Lees vedi p. 137-138.

[15] Nato a Grosseto nel 1926, fotoreporter de *L'Unità*, le sue fotografie illustrano il pamphlet *Per Emanuele Casamassima. Firenze, Palazzo Riccardi, 23 ottobre 1970*, [Firenze: Provincia di Firenze, 1971]. Si veda anche l'intervista di Enrico Zoi, *"Io c'ero". Una memoria fotografica*, «Arti & mercature», 43 (2006), n. 2, p. 125-135.

[16] Nato a Kamienkoszyrski (Polonia) nel 1940, nel 1951 emigrò con la famiglia negli Stati Uniti e nel 1964 si stabilì a Firenze. È attivo come pittore e grafico, e collabora come docente con le università americane con sede a Firenze. Una raccolta delle immagini più conosciute si trova ora in Swietlan Nicholas Kraczyna, *The great flood of Florence, 1966. A photographic essay*, edited by Dorothea Barrett, Florence: Syracuse University Press, 2006 (le immagini sono pubblicate anche in «Doc Toscana», 5 (2006), n. 20, numero monografico con il titolo *Arno '66: fango e ideali*).

[17] Nipote (n. 1925) di Leo S. Olschki ed erede dell'omonima casa editrice, le sue fotografie, che includono i primi scatti della BNCF la mattina del 4 novembre dall'altra parte del fiume, sono apparse in varie pubblicazioni relative all'alluvione, come le otto immagini riprodotte in *Firenze domani*, Firenze: Vallecchi, 1967. Si veda anche Alessandro Olschki, *Prima, durante e dopo il diluvio*, «La Bibliofilia», 108 (2006), n. 2, p. 185-196.

[18] Marshall McLuhan, *Understanding media. The extensions of man*, New York: McGraw-Hill, 1964, p. 169: "It is one of the peculiar characteristics of the photo that it isolates single moments in time".

presentato dal negativo, che solitamente viene conservato nell'archivio di chi ha eseguito l'immagine e che, dopo il trascorso di più decenni, in molti casi è diventato irreperibile o è andato distrutto. Oltre a costituire la matrice figurativa, lo studio della pellicola rivela quale fosse l'ordine degli scatti e il rapporto intercorso fra loro, fornendo quindi evidenza alla datazione. Cogliamo l'occasione pertanto per insistere sulla necessità di una filologia dell'immagine fotografica che sappia distinguere con chiarezza fra elementi esterni e interni. Esterni sono il luogo o la scena ritratti, la data e l'ora, e l'identità del fotografo; interni sono le notizie relative alla sequenza di scatti, che si registrano – nel caso che sia posseduta la pellicola – attraverso il meccanismo di un *contact print*, nonché una classificazione precisa delle stampe derivate dal negativo originale. Nel migliore dei mondi sono disponibili anche indicazioni relative al tipo di macchina fotografica e alle caratteristiche della pellicola utilizzata.

Fra le immagini più famose di tutta l'alluvione, alcune, soprattutto relative ai momenti in cui l'Arno superò le spallette e irruppe in piazza dei Cavalleggeri, sono state riprese dal tetto della BNCF, di un edificio cioè in quell'orario chiuso al pubblico, anche perché il giorno era festivo. Il fotografo, Pier Luigi Brunetti (1939-2005), si trovava nella Biblioteca per caso, essendo figlio di uno dei custodi. Dopo l'accaduto le cedette a titolo gratuito al negozio fotografico Gieffe (il cui archivio fotografico nel 2001 venne acquistato dall'attuale Foto Locchi), il quale provvide a farne commercio, senza però rivelarne la paternità effettiva. Nelle molte pubblicazioni poi in cui compaiono queste fotografie raramente si trova una menzione della Biblioteca che dà la prospettiva sulla piazza sottostante. Benché Brunetti fosse nel proprio diritto, non essendo in alcun modo dipendente dell'istituto, è plausibile che all'epoca preferì rimanere anonimo per evitare fastidi[19].

In tutta questa messe di documentazione visiva relativa al mattino del 4 novembre risulta un dettaglio che mi ha sempre affascinato. Mentre le acque stanno invadendo la piazza davanti alla Biblioteca,

---

[19] Sebbene una copia delle stampe di queste immagini sia pervenuta in dono alla BNCF – non si sa da parte di chi, perché solo una di loro reca il timbro dell'agenzia – l'istituto stesso non ha mai manifestato alcuna curiosità per la vicenda; si veda di Renzo, *Il luogo e la memoria* cit., p. 163-166. All'interno dell'archivio Locchi, nel corso degli anni, i negativi delle pellicole di Brunetti sono stati separati e ritagliati, con lo scopo di facilitare la stampa e la conservazione; di conseguenza non è possibile ricostruire la sequenza degli scatti né identificare con certezza quali fotografie siano sue.

più fotografie mostrano una Fiat Cinquecento bianca, targata FI 282333, parcheggiata – nella frase di Bargellini – nel "dente" formato dai sei scalini, che portano dal marciapiede rialzato del lungarno nella più bassa piazza [Fig. 7][20]. Dietro ad essa si vede anche una bicicletta appoggiata al muro. Acquistata qualche anno prima la macchina apparteneva a una giovane fiorentina, Grazia Maglietta, che abitava con i genitori al n. 3 di corso dei Tintori; il 3 novembre la Cinquecento bianca era stata utilizzata dal marito di lei, Massimo Moroni, per recarsi al lavoro. Ritornando a casa verso le otto di sera egli la parcheggiò, come era sua abitudine, nel dente che calzava a perfezione le dimensioni del veicolo. Ai nostri occhi, abituati come frequentatori della Nazionale a vedere piazza dei Cavalleggeri come un parcheggio sul confine della Zona Traffico Limitato creata negli anni ottanta, lo spazio davanti alla Biblioteca la mattina del 4 novembre 1966 pare quasi sgombro. All'epoca invece, oltre alla circostanza del giorno festivo, c'erano meno veicoli in circolazione ed erano generalmente più piccoli, cosicché la prassi era di parcheggiare solo ai lati della piazza, senza occupare la parte centrale.

In quanto oggetto il mezzo è banale, perché nella Firenze coeva c'erano migliaia di queste automobili: anzi, non solo nei primi nove mesi del 1966 era il veicolo più venduto in Italia, con 219.929 esemplari[21], ma, quasi in ossequio obverso rispetto al *dictum* di Henry Ford, secondo il quale il cliente poteva aver un'automobile dipinta in qualunque colore volesse, purché fosse nero, la Fiat Cinquecento è stata sempre bianca. Era l'automobile universale, simbolo del miracolo industriale italiano, un misto di tecnologia e artigianato, modesta nelle dimensioni e straordinariamente durevole. Così la mattina del 4 novembre la piena sommerge la piazza e in più immagini è visibile la Fiat Cinquecento che lentamente si annega sotto il fango e il diluvio. Una foto di Brunetti fatta dal tetto dell'ala ovest la ritrae sommersa a metà: le acque l'hanno alzata e un po' girata, ma altrimenti non si è mossa [Fig. 11][22]. Poi scompare del tutto.

---

[20] Bargellini, *La splendida storia di Firenze* cit., IV, p. 251.

[21] Notizia pubblicata in «Oggi», 22 (1966), n. 52, datato 29 dicembre, p. 73.

[22] La fotografia è stata riprodotta in numerose pubblicazioni relative all'alluvione, il più delle volte senza specificare il luogo: si vedano Eugenio Pucci, *Il diluvio su Firenze*, Firenze: Bonechi, 1966, p. 8; *4 novembre 1966 ... inizio di una tragedia non ancora compiuta*, numero unico di «Iniziativa sociale», 12 (1966), n. 6, p. 10; *Il diluvio oggi*, Messina-Firenze: D'Anna, 1967, n. 7 [con attribuzione a Foto Fiorenza]; *Firenze anno zero*, Firenze: Giunti-Bemporad-Marzocco, 1967, p. 10; *Firenze domani* cit., tav. 13 [dettaglio]; Paolo Paoletti –

Illustrare la sorte di un'automobile sembra frivolezza, ma si tratta anche di una paglia gettata sull'acqua per scoprire la direzione della corrente, che permette di leggere in filigrana come l'esondazione colpisse la città. Quando arrivò l'inondazione infatti le macchine cessarono d'essere mezzi di trasporto e diventarono scatole trasportate dal flusso, in grado di rimanere a galla per un breve lasso di tempo. Dove l'acqua giunse improvvisamente d'urto, esse furono sballottate via, come mostrano i filmati d'epoca; dove invece arrivò più gradualmente, soprattutto nelle strade in periferia, furono sommerse senza muoversi, per poi riemergere, come le rocce alla bassa marea, quando il flutto scese.

Nei pochi accenni al modo in cui l'acqua assalì la BNCF, la presunzione inevitabile è stata che il flusso sia venuto dalle strade a monte e a est, ovvero dal lungarno della Zecca Vecchia e dalla parallela via Tripoli[23]. E invece le cose sono andate diversamente, come è facile accorgersi anche oggi andando a posizionarsi dove fu parcheggiata la Fiat Cinquecento. Guardando verso oriente, dal marciapiede rialzato si vede Ponte San Niccolò, costruito con un arco unico nel 1949 per rimpiazzare il "Ponte di ferro" fatto saltare in aria dai tedeschi; più vicino, si vede come la pescaia, collocata circa 200 metri dopo il ponte, e poi l'allargamento dell'alveo del fiume dopo il bastione di piazza Giuseppe Poggi avrebbero allentato la pressione del flusso sugli argini, anche perché la spalletta dalla parte opposta era più bassa, cosicché le prime esondazioni furono nel quartiere di San Niccolò. Per quanto riguarda il lungarno della Zecca Vecchia, che corre dalla piazza davanti alla Biblioteca fino alla torre antica, che segna il confine con il viale, pur andando verso monte, esso è in lieve pendio, soprattutto nel primo pezzo fino all'imbocco di via delle Casine, che forma quasi una rampa fino all'incrocio con via Tripoli, e quindi l'acqua non poteva venire da quel senso.

Mario Carniani, *Firenze guerra & alluvione, 4 agosto 1944-4 novembre 1966*, Firenze: Becocci, 1986, p. 142, n. 3; *L'alluvione '66* cit., p. 64; Di Leva, *Firenze: cronaca del diluvio* cit., p. 24; *Contro al cieco fiume: quarant'anni dopo*, a cura di Silvia Alessandri, Siena: Protagon, 2006, p. 30-31 [dettaglio]; Giorgio Batini, *4 novembre 1966. Diluvio su Firenze: quarant'anni dopo*, Firenze: Bonechi, 2006, p. 32.
[23] Cfr. De Gregori, *Un anno fa* cit., p. 709; Antonia Ida Fontana, *Introduzione*, in: *Contro al cieco fiume* cit., p. 5-6: 5: «Il 4 novembre 1966, alle 6.50 del mattino fu proprio dalla spalletta del Lungarno della Zecca Vecchia di fronte alla Biblioteca Nazionale Centrale di Firenze che l'Arno cominciò ad invadere la città».

Il vero danno alla BNCF è venuto – in modo proditorio e quasi di spalle – dall'altra direzione, ovvero da ovest. Rivolgendo lo sguardo verso Ponte alle Grazie, ricostruito nel 1955-57 dopo la distruzione bellica di quello originale, è subito evidente non solo come quest'ultimo avrebbe ostruito il flutto, agendo come una diga, ma anche come il lungarno delle Grazie, mentre corre verso piazza dei Cavalleggeri, sia in discesa. Con eccezione della volta dei Tintori, a pochi metri dal ponte stesso, gli edifici sulla parte della strada opposta al fiume formano un blocco unitario, di modo che l'acqua che trasbordò il parapetto, più basso di circa un metro e mezzo rispetto a quello del lungarno della Zecca Vecchia, fosse costretta a ritornare indietro e colare per la discesa, abbastanza marcata, della piazza. Questo rigurgito fu certamente rafforzato dal forte vento di ponente, che, incanalato dagli edifici lungo le sponde, causò anche delle grosse onde visibili nelle fotografie.

Con l'istinto per la tragedia che caratterizza il mestiere, diversi fotoreporter erano già presenti in piazza dei Cavalleggeri fin dalla primissima luce del mattino del 4 novembre – nel giorno fatale l'alba era alle 6.53 e il tramonto alle 17.03 – e, prima del sorgere del sole, riprendono la base del porticato della Biblioteca, che era stato transennato per il pericolo della caduta di frammenti del cornicione, già lambita dall'acqua: nel semi-buio si scorge l'ennesima Cinquecento posizionata davanti alla prima finestra che dà sul sottosuolo dell'ala est, in cui il livello del flutto ha già sommerso le ruote per metà [Fig. 6][24]. Una immagine successiva – è questione però forse di minuti – mostra il drammatico crescere dell'esondazione: il livello ha raggiunto i finestrini della Cinquecento, coperto i primi quattro gradini del porticato, e ha catturato un furgoncino Fiat 850T [Fig. 9][25], che fra poco porterà via galleggiante come una papera[26].

Poi le cose precipitano: l'arrivo della grossa onda di piena, che si abbatte sulla città alle 7.30, ingolfa la piazza e costringe il nugolo di fotografi a battere una ritirata precipitosa all'angolo con il lungarno della Zecca Vecchia, e poi a risalire lo stesso lungarno, dove il mar-

---

[24] New Press Photo, immagine inedita.

[25] New Press Photo, immagine inedita.

[26] Si veda *Firenze 4 novembre 1966. Rapporto sui danni al patrimonio artistico e culturale*, Firenze: Giunti-Barbèra, 1967, fig. 58; Erasmo D'Angelis, *Angeli del fango. La meglio gioventù nella Firenze dell'alluvione*, Firenze: Giunti, 2006, p. 100.

ciapiede rialzato e un centinaio di metri di strada rimangono per breve tempo come un'isola.

In questi minuti vengono scattate più immagini delle acque sul lungarno delle Grazie: una fotografia in particolare è diventata fra le più note e rappresentative di tutto il disastro [Fig. 8], essendo pubblicata in quotidiani quali *L'Unità* e *Paese sera* già il 7 novembre 1966. Essa provenne dall'obiettivo di Giulio Torrini (1914-2005), all'epoca fotografo dell'Associated Press, e mostra la violenza delle onde che si rovesciano sul lungarno e corrono impetuosamente verso la piazza. Nel centro, un po' a destra dell'immagine, si vede una Seicento bianca parcheggiata sull'angolo con il lungarno della Zecca Vecchia, che successivamente sarà spazzata via dal flutto. A sinistra, invece, tranquillamente stazionaria nel dente e con le acque che hanno ormai raggiunto la targa, si trova la Cinquecento[27]. Un dettaglio curioso, che non è mai stato commentato in questa e in altre immagini è l'albero intero, con i rami e le foglie ancora intatti, divelto dall'acqua e temporaneamente imprigionato dalla pressione del fiume contro il muro esterno del dente, nel punto cioè

---

[27] Associated Press (La presse, Torino). In conformità all'obbligo contrattuale, il negativo dell'immagine fu ritagliato dalla pellicola e spedito alla sede romana dell'Associated Press. Per i servizi giornalistici sull'alluvione che si sono serviti di questa fotografia, si vedano: *Immagini del disastro*, «L'Unità», 7 novembre 1966, p. 12; «Paese sera», 7 novembre 1966, p. 15; Giovanni Battista Arduini, *Non è solo fatalità: terre del finimondo*, «Vie nuove», 21 (1966), n. 45, p. 8-13: 10; Ugo Maraldi, *Ascoltiamo i tecnici: si può evitare che i fiumi portino la morte*, «Panorama», 5 (1966), n. 51, p. 14-20: 14-15; Aristide Selmi, *Firenze un anno dopo il diluvio*, «La domenica del corriere», 63 (1967), n. 43, p. 23-33: 25; Luciano Zeppegno, *Dieci anni fa l'Arno straripò e la città fu sommersa dal fango*, «Corriere della sera», 5 novembre 1976, p. 13. Dopo aver lavorato per il *Giornale del mattino*, Torrini fondò l'omonima agenzia che ha sempre sede in via San Gallo; si veda inoltre Giulio Torrini, *Firenze: immagini 1944-1994*, Firenze: Giorgi & Gambi, 1994. L'archivio di Torrini, conservato sempre presso la ditta, contiene altre fotografie riprese dal lungarno della Zecca Vecchia, in cui si vede l'avanzata violenta delle acque dal lungarno delle Grazie in piazza dei Cavalleggeri. Immagini riprese da altri fotografi presenti simultaneamente nello stesso punto si trovano in *Novembre 66: non è successo niente*, a cura di Tullio Ristori, Firenze: Club degli autori, 1967, tav. [1]; Silvia Messeri – Sandro Pintus, *4 novembre 1966: L'alluvione a Firenze: 4th November 1966. The flood in Florence*, Empoli: Ibiskos editrice Risolo, 2006, p. 31-32 [New Press Photo]; *Contro al cieco fiume* cit., p. 22 [con attribuzione a Foto Masotti, Firenze].

in cui l'acqua ha ormai superato il parapetto[28]. In una fotografia scattata un po' più tardi dall'altra riva dell'Arno, forse poco dopo le otto di mattina, in cui piazza dei Cavalleggeri è completamente sommersa, sono visibili due persone con ombrelli sull'estremità del marciapiede, in pratica sopra il punto in cui era parcheggiata la Cinquecento bianca [Fig. 10][29].

Nel momento in cui l'Arno superò il Ponte alle Grazie, l'acqua scolava anche per via de' Benci e in via dei Neri, ma a questo punto entrò in gioco un altro elemento, ciò che gli antichi fiorentini chiamavano il *tuorlo*, ossia il quadrilatero romano, corrispondente a piazza della Signoria e adiacenze, che è formato da un piccolo tumulo, spiegando la scelta del sito in antichità. A ciò si aggiunse la natura massiccia di edifici come il complesso degli Uffizi e Palazzo Vecchio, cosicché l'acqua straripata in città non aveva una via di fuga verso occidente, ma fu sospinta verso nord e addirittura verso est. Alla lunga gran parte di essa sarebbe transitata per piazza del Duomo, il che spiega la violenza della sua azione intorno al Battistero, e, correndo per la lieve discesa di via Panzani, sarebbe uscita dal centro città attraverso piazza della Stazione e via della Scala, con un eventuale deflusso nel Mugnone. Ritornando alla geografia della BNCF e delle strade circostanti, fotografie riprese durante la mattina del 4 novembre dalle finestre di case in via Tripoli, in corrispondenza al giardino che si trova alle spalle della basilica, mostrano le acque che, raggiunta un'altezza di circa un metro, fluiscono verso oriente[30]. Una grande quantità passò infatti lungo via delle Casine, dove ci sono testimonianze sulla violenza del flutto, raggiungendo via Ghibellina e il mercato di Sant'Ambrogio. L'ultima strada a finire sotto acqua co-

---

[28] Si veda in particolare la sequenza di scatti riportata in Messeri – Pintus, *4 novembre 1966* cit., p. 32-33, che includono un'immagine dell'albero intrappolato ripreso direttamente dall'angolo del parapetto.

[29] Tale immagine fu scattata dall'artista Lorenzo Pezzatini (n. 1944) e pubblicata ne «Il Ponte», 22 (1966), n. 11-12 (numero speciale con il titolo *Firenze perché*, fig. 7). Il negativo originale purtroppo è stato perduto, come le stampe fatte all'epoca, per cui ripubblichiamo l'immagine dalla rivista.

[30] Più a nord, lo stesso fenomeno è visibile in alcuni scatti fatti in via di Mezzo, che mostrano la crescita delle acque che gradualmente sommergono le macchine parcheggiate in strada. Di nuovo la direzione del flusso è verso est, nella direzione cioè della chiesa di Sant'Ambrogio in fondo alla strada, si vedano Messeri – Pintus, *4 novembre 1966* cit., p. 95; D'Angelis, *Angeli del fango* cit., p. 94.

sì fu il lungarno della Zecca Vecchia, che fu gradualmente sommerso dalla piena che rimontava da piazza dei Cavalleggeri[31].

Benché siano state fatte molte considerazioni relative alla collocazione della BNCF in riva all'Arno, non è stato finora notato che nell'evento di una esondazione grande come quella del 1966 sul piano idrodinamico piazza dei Cavalleggeri diventa lo scolo principale del fiume in città. Il grosso dell'acqua che assalì l'edificio, soprattutto nelle prime fasi della piena e in quelle del ritiro, veniva perciò dal lungarno delle Grazie e il turbine, creato dal contrasto violento con il flusso dell'Arno, spiega come fossero distrutti il parapetto e parte del manto stradale da piazza dei Cavalleggeri per un centinaio di metri verso Ponte alle Grazie[32]. Tale acqua precipitò per la discesa della

---

[31] La resistenza della spalletta del marciapiede rialzato, anche qualora le acque avessero raggiunto il livello del porticato della Biblioteca, è visibile in uno scatto della New Press Photo da piazzale Michelangelo, si veda D'Angelis, *Angeli del fango* cit., p. 87. Il progresso dell'esondazione, che rimonta lungarno della Zecca Vecchia a partire da piazza dei Cavalleggeri, cioè da ovest a est, è testimoniato da una fotografia di Alessandra Giannini, che mostra il momento in cui le acque superano le spallette e cominciano a riversarsi direttamente sul marciapiede, si veda *L'alluvione '66* cit., p. 53 (una nota a matita sulla stampa della foto in BNCF ne attribuisce la provenienza a «Foto Pullman, Scandicci»; cfr. Di Renzo, *Il luogo e la memoria* cit., n. 25, inv. 1368). Lo stesso fenomeno è visibile in una fotografia inedita di Alessandro Olschki. Qualche fonte accenna a un cedimento della riva fra Ponte San Niccolò e lungarno della Zecca Vecchia, ma questa circostanza viene smentita dallo stesso Olschki, che ringraziamo.

[32] Alcuni scritti sull'alluvione parlano di una breccia del parapetto del lungarno delle Grazie intorno le sette di mattina, in coincidenza con l'alba del 4 novembre, ma questa affermazione viene decisamente contraddetta dalla documentazione fotografica, sia nelle immagini riprese dal lungarno della Zecca Vecchia la mattina presto, sia in quelle scattate dal tetto della BNCF da Brunetti. In tutte queste fotografie la spalletta chiaramente sta resistendo e poi scompare sommersa, cosicché non è possibile conoscere il momento preciso del collasso del muro. Nelle fotografie del dopo alluvione, si vede come la parte del muro asportata dalla furia delle acque cominci con la parte esterna del dente rialzato, che altrimenti rimane intatto, e continua verso ponente per l'equivalente dei primi due grandi palazzi di lungarno delle Grazie; cfr. *Il diluvio su Firenze*, Firenze: Bonechi, 1966, p. 57; foto Locchi, scattata dall'estremità del marciapiede rialzato, con ogni probabilità fra la fine di novembre e l'inizio di dicembre 1966 (essa viene pubblicata sul «Diario de Lisboa» il 12 dicembre 1966, p. 10; si veda anche D'Angelis, *Angeli del fango* cit., p. 111). Una fotografia apparsa su *La Nazione* il 10 novembre 1966, p. 7, ripresa dalla fine di lungarno delle Grazie, mostra il dente in perfetto stato fino all'angolo con la piazza, dopo il quale manca tutto, mentre una successiva, ripresa dall'altro greto del fiume, con ogni probabilità nei mesi primaverili, fa vedere la nuda terra dove il muraglione è stato distrutto

piazza e si infranse contro l'ala ovest dell'edificio, creando un altro vortice sull'angolo con corso dei Tintori. Così si spiegano non solo la devastazione dell'emeroteca, ubicata in quei seminterrati, ma anche l'ingente quantità di fango e di detriti portata dentro l'ala ovest oppure depositata sul porticato dal tormento dell'acqua[33]. Tanto per avere una misura della differenza, nei magazzini sul retro della BNCF, dove l'alluvione entrò in modo più graduale e per così dire filtrato, i danni – soprattutto quelli dovuti al vortice acquoso – furono molto minori.

Nel momento in cui la piena raggiunse il colmo, qualche ora dopo il calar del sole del 4 novembre, la pioggia cessò e la notte esibì un cielo gelido e stellato sopra una città piombata nell'oscurità. Chi trascorse quella notte nel buio e nel freddo ricorda il gorgoglio dell'acqua nelle strade e il rumore attutito dei clacson delle automobili sommerse causato dal corto circuito elettrico. Durante le ore notturne l'Arno, fedele alla propria natura di torrente di montagna, ritornò nell'alveo, liberando dall'acqua le strade lungo le sponde, benché altrove in città rimanessero piccoli laghi e grandi pozzanghere, dove il deflusso era più lento. Alcuni fotografi, la mattina del 5 novembre, catturarono poi la scena di un gruppo di persone sulla barca di un renaio, come se Firenze si fosse trasformata in Venezia[34]. Per i testimoni oculari, alla prima luce della mattina la scena fu di straordinaria bellezza, con il materiale deposto nelle strade che sembrava la sabbia dopo il ritiro dell'alta marea. Presto, invece, quando la gente cominciò ad avventurarsi fuori, alla ricerca di viveri e di notizie, la bellezza si trasformò in un liquame schifoso. Con qualche remini-

---

dalla violenza del fiume, si veda Di Leva, *Firenze. Cronaca del diluvio* cit., p. 78.

[33] Si veda Nicolas Barker, *The Biblioteca nazionale at Florence*, «The book collector», 18 (1969), n. 1, p. 11-22: 11.

[34] Si veda Kraczyna, *The great flood of Florence* cit., p. 38-39. La zona interessata è quella delimitata da via della Ninna e piazza del Grano, alle spalle degli Uffizi, dove a tutti gli effetti il terreno forma una depressione in cui il liquido everso stagnò per qualche tempo. La scena, per quanto pittoresca, non era perciò rappresentativa della situazione generale in città, dove l'acqua da diverse ore aveva ceduto il posto alla melma. In alcune immagini del giorno prima sono visibili, mentre le acque salgono, due barche di renaio ormeggiate accanto al parapetto di piazza dei Giudici, mostrando come questo antico mestiere, oggi scomparso, fosse ancora praticato.

scenza letteraria, sono le parole, o piuttosto una parola, di Bargellini scrittore quelle che meglio descrivono la situazione[35]:

La mancanza dell'acqua rendeva impossibile ogni lavaggio detersivo, e tutto perciò restava o diventava fango. Il mito di Mida, in quei giorni, a Firenze, riceveva una nuova interpretazione, nella quale il fango sostituiva l'oro. E fango era il pane, fango era la sigaretta, fango era il fazzoletto, il portafoglio, l'orologio. E fango colava dai capelli, fango usciva di tra le dita, fango entrava nelle unghie, fango si fermava agli angoli della bocca, fango,si posava sui lobi delle orecchie.
Si lavorava fango, nel fango; si riposava del fango, nel fango; si parlava del fango, col fango. Tutto era fango, ogni cosa sapeva di fango, dovunque era sentore di fango.
Si pensava soltanto al fango; si parlava esclusivamente di fango; si operava prevalentemente sul fango, facendo esperimenti e osservazioni sempre in materia di fango. Ci s'accorgeva, per esempio, come non fosse facile caricare quel fango scivoloso e sbrodolante sui comuni mezzi di trasporto, servendosi di pale piatte o d'altri strumenti a superfici lisce. Molto più difficile ancora risultava lo scaricamento di quei tali mezzi pieni di quel tale fango.
Si sperimentò come spesso questa ultima operazione risultasse inutile, perché carri e carretti, partiti pieni di fango, giungevano quasi vuoti a destinazione, avendo perduto brodaglia e fanghiglia lungo il tragitto, attraverso congiunzioni o fessure.
Per questo, le strade già sgombrate, venivano di nuovo allagate di fango al passaggio dei carri di scarico.

Dalla mattina del 5 novembre il sole arrise alla città allibita e anche i giorni successivi furono tiepidi, per cui le strade si riempirono di un fetore da cloaca. E il peggio doveva ancora cominciare.
Durante il giorno del 4 novembre Emanuele Casamassima era rimasto a lungo, incurante della pioggia, sull'altra riva dell'Arno con gli occhi fissi sulla Biblioteca in mezzo al flutto, nell'attesa di un'imbarcazione, promessa, che non arrivò; trascorse la notte poi, senza andare a casa, presso il Commissariato di via Maggio. Egli giunse alla BNCF all'alba del 5 novembre, insieme a Ivaldo Baglioni e Alfiero Manetti, trovandovi i custodi residenti impauriti e scossi. La scena davanti alla Biblioteca era stranamente tranquilla: sulla parte occidentale il selciato era pulito e lucido per il flusso dell'acqua

---

[35] Bargellini, *La splendida storia di Firenze* cit., IV, p. 264. Mi pare che Bargellini stia ricalcando il famoso esordio, in cui la parola insistentemente ripetuta è "Fog", di Charles Dickens in *Bleak House* (1852-1853).

che fino all'ultimo era corso come un ruscello dall'angolo con lungarno delle Grazie; sulla parte orientale si era accumulata una pila immensa di fango e detriti, con in mezzo semisepolte una Renault Dauphine nera e una Fiat Cinquecento e, più vicina al porticato della Biblioteca, dove l'acqua che passava per via Tripoli aveva impedito alla melma di depositarsi, un'altra Cinquecento rovesciata sul lato [Fig. 13][36].

Per riprendere brevemente la narrazione dell'automobile che dà il titolo a questo saggio, nonostante la distruzione del muro per la violenza delle acque a solo un paio di metri di distanza, trovandosi per così dire in un punto morto della corrente, la Fiat Cinquecento era rimasta esattamente dove l'aveva lasciata il Massimo Moroni la sera prima. Cosi è sopravissuta non solo all'ingresso delle acque in città, ma anche al forte risucchio durante la notte causato dal ritorno delle

---

[36] Lo stato della piazza si evince in modo particolare attraverso quattro fotografie, di cui due in possesso della Biblioteca. La prima [Fig. 13], attribuita all'agenzia Gieffe in una fonte e quindi forse opera di Brunetti, mostra la piazza dal tetto dell'ala est alle 16 circa, a giudicare dall'angolo delle ombre, si vedano *Traversando l'alluvione in Toscana*, numero monografico de «La Regione», 13 (1966), p. 37; *L'alluvione '66* cit., p. 78; *Contro il cieco fiume* cit., p. 23. Sono visibili la Dauphine e la seconda Fiat Cinquecento giacente su un lato (la prima Cinquecento è oscurata dall'angolo dell'edificio di fronte), entrambe impantanate nella mota e nel liquido. La seconda, giustamente famosa, scattata sempre il 5 novembre dall'angolo con il lungarno della Zecchia Vecchia, fu opera di Ivo Bazzechi e all'epoca fu pubblicata ne «The book collector» (1967), plate 2 [a p. 12 attribuita a «Foto-optica Bazzecchi [sic!]»], nel numero speciale di «Arti & mercature», 3-4, ottobre 1966-maggio 1967, p. 21, e nell'articolo di Arthur T. Hamlin, *The library crisis in Italy*, «Library journal», 92 (1967), n. 13, p. 2516-2522: 2516. Nel 2006 è stato riprodotta nuovamente nel numero speciale con il titolo *Il fango, l'orgoglio, il ricordo: oggi e quarant'anni fa* di «Arti & mercature», 43 (2006), n. 2, p. 36. Nell'immagine il portone della BNCF è ancora chiuso e non ci sono segni di movimento sul porticato. Un dettaglio particolare è la bicicletta parcheggiata contro la colonna sinistra. Una terza immagine, dall'angolo opposto della piazza, poco prima o poco dopo (la bicicletta non c'è), mostra il portone sempre chiuso e la seconda Fiat Cinquecento rovesciata sul lato, si veda «Arti & mercature», 43 (2006), n. 2, p. 234-235 [la stampa proviene dalla raccolta della BNCF, in cui un appunto in matita attribuisce l'immagine all'agenzia Vaghi di Parma, ma per ovvie ragioni di cronologia la tesi sembra dubbia]. Una quarta immagine, fatta quasi dallo stesso punto della seconda, si trova in Valdo Zocchi, *Quattro alla finestra*, Firenze: Istituto professionale «Leonardo da Vinci», 1967, tav. [2]. Essa mostra il portone della Biblioteca aperta con un piccolo gruppo di persone sul porticato. È visibile anche la sterpaglia depositata sulla prima finestra del seminterrato dell'ala ovest, mostrando la pressione con cui l'acqua è penetrata nell'edificio.

acque nell'alveo del fiume. Seppure piena d'acqua e fango, nel corso del primo giorno del dopo alluvione Moroni, aiutato dal cognato, riuscì a portarla via. Le prime fotografie che inquadrano la piazza mostrano infatti lo spazio del dente come vuoto[37], mentre è visibile il crollo del muro interno del marciapiede rialzato nella strada: esso non è mai stato ricostruito ma sostituito con un'inferriata[38]. Nonostante la straordinaria sopravvivenza, il proprietario, come tanti altri fiorentini, approfittò dell'offerta della Fiat di una nuova vettura a metà prezzo e la fece rottamare[39].

---

[37] In un'immagine, che mostra una prima ruspa al lavoro nello smassamento del fango della piazza, il dente è chiaramente visibile, mentre la Dauphine e la seconda Cinquecento si trovano ancora visibili in mezzo al pantano del centro della piazza, cfr. *Contro al cieco fiume* cit., p. 26-27 [con la rimozione del margine superiore originale, che mostra la scomparsa del muretto interno del marciapiede rialzato]. È difficile datare l'immagine, ma con ogni probabilità è di due o tre giorni dopo la catastrofe. Un'immagine precedente, anonima e finora inedita, mostra la situazione della piazza con ogni probabilità il giorno 5 novembre, con la seconda Cinquecento sempre giacente sul lato in una pozzanghera, si veda Di Renzo, *Il luogo e la memoria* cit., n. 55 (inventario 1352).

[38] Il crollo del muro continuò anche sul lungarno della Zecchia Vecchia. Si vedono i resti in alcune fotografie di Guido Sansoni scattate nei giorni successivi al disastro, di cui una è riprodotta in *Contro al cieco fiume* cit., p. 29.

[39] Nell'articolo di Arminio Savioli, *Moro per poche ore a Firenze in visita semiclandestina*, «L'Unità», 19 novembre 1966, p. 3, l'offerta Fiat viene stigmatizzata come «una bassa speculazione, ammantata di falso umanitarismo, che renderà decine di migliaia di automobilisti ancora più soggetti al monipolio torinese» [la frase si trova solo nell'edizione toscana del giornale]; si veda anche Diego Novelli, *Un cimitero di auto Fiat alluvionate in un acquitrino presso Moncalieri*, «L'Unità», 22 gennaio 1967, p. 8. Secondo fonti coeve, in un parco macchine complessivo di sette milioni di veicoli, cinquantamila, di cui quarantamila del marchio Fiat, furono distrutte nelle alluvioni italiane del novembre 1966; cfr. G. Piazzi, *È possibile che un bagno di fiume basti a distruggerci l'automobile?*, «Oggi», 22 (1966), n. 49, datato 8 dicembre, p. 92-93. Leggende per niente metropolitane raccontano poi che anche chi non aveva perso la macchina nel disastro, per approfittare dell'offerta, trovò modo di "annegare" la propria automobile in quei luoghi dove l'acqua era rimasta, per esempio il sottopasso di via delle Cascine (si vedano Selmi, *Firenze un anno dopo il diluvio* cit., p. 26, e la testimonianza di Vieri Wiechmann in «The Florentine», nel numero speciale dedicato all'alluvione fiorentina, datato 4 novembre 2006, p. 26). Un anno dopo l'alluvione il giornalista Franco Nencini, commentando ironicamente la mancanza di un balzo delle natalità nove mesi dopo il disastro, scrisse che «queste auto in gran parte con targhe nuove, da FI 340000 circa a FI 405000 sono a loro modo figlie del diluvio» (*Firenze è rinata; però trema*, «Quattrosoldi», 7 (1967), n. 10, p. 50-52: 50)

All'interno della BNCF in breve tempo si unirono al direttore altri impiegati e bibliotecari. Apparvero anche i primi volontari – segno fausto di quanto stesse per accadere – con due giovani studentesse americane, rimaste anonime, che si presentarono con l'interrogativo: «Possiamo essere utili?»[40]. Essendo sabato mattina, l'istituto sarebbe dovuto essere aperto al pubblico, ma per molto tempo non ci furono sabati, né domeniche, né altri giorni della settimana.

Sono numerose le testimonianze relative a quanto fece Casamassima a partire da questo momento. Provengono per la maggior parte da persone che hanno lavorato al suo fianco, che lo conoscevano e che lo amavano. A queste parole sul piano umano non posso né voglio aggiungere altro, ma credo sia utile fare qualche riflessione in chiave generale. Sebbene gli interventi dei giorni del dopo alluvione siano entrati di pieno diritto nel pensiero estero relativo al *disaster management*, in Italia non si è ancor appresa la lezione del 1966[41]. Eventi successivi, però, come l'alluvione del Po del 1994, insegnano che, in una penisola in cui fiumi torrenziali che convivono con centri abitatati sono all'ordine del giorno, queste situazioni, molto probabilmente, si ripeteranno anche in futuro. Quanto accadde a Firenze, prima, durante e dopo l'alluvione, è quindi una grande lezione di metodo. Ciò che colpì maggiormente gli esperti stranieri che giungevano a Firenze nei giorni e nelle settimane del dopo catastrofe era la lucidità del piano d'intervento, meditato da Casamassima durante la lunga attesa sull'altra sponda del fiume, e la chiarezza con cui riuscì a comunicare la propria volontà a ciò che facilmente sarebbe potuta diventare un'armata Brancaleone e che invece, pur eterogenea per quanto riguardava la provenienza, la preparazione, la cultura e la conoscenza, si trasformò in un esercito disciplinato, pronto al sacrificio e alla sofferenza.

In un libro di grande successo, *Schindler's Ark* (1982), a metà fra biografia storica e romanzo, Thomas Keneally ha esplorato le ragioni profonde del bene e del male dell'olocausto nazista. In particolare, egli si sofferma sulla banalità del male: sul fatto cioè che i grandi criminali del Terzo Reich furono a tutti gli effetti uomini ordinari, a cui capitò di vivere in circostanze inusuali. Esiste però una reciproca banalità del bene. In un'esistenza comune, un uomo come Oskar

---

[40] Vedi p. 207-208.
[41] Si veda ora però Libero Rossi, *Vecchie e nuove alluvioni. Il piano di emergenza per biblioteche e archivi*, Manziana: Vecchiarelli, 2005.

Schindler, con una carriera di piccolo uomo d'affari, in apparenza rispettabile, non avrebbe inciso il proprio segno sulla lastra della storia; quando invece la situazione si fece eccezionale, anche lui diventò eccezionale. Fra le tante altre cose, all'interno della BNCF l'alluvione aveva spazzato via le gerarchie e i gradi, cosicché Casamassima, quasi nella veste di un generale popolare, scelse i suoi uomini in base a ciò che sapevano fare. Impiegati sconosciuti e funzionari di basso livello, come Baglioni e Manetti, si rivelarono così giganti instancabili, pignoli, coscienziosi, capaci di infondere nei volontari accorsi il proprio senso di rigore e di dovere. A loro in particolare toccava affrontare i formidabili problemi logistici insiti nel mantenimento sul campo di un esercito di giovani.

Fin dall'inizio il direttore si trovò a condurre due battaglie: contro il residuo del fiume da una parte e contro la burocrazia della città capitale dall'altra. Da quest'ultimo punto di vista fu quasi una fortuna che i magazzini in cui l'invasione delle acque aveva colpito più duramente contenessero anche i fondi antichi. Fortuna per due ragioni: primo, perché i libri impressi sulla carta di fibre di canapa e lino fatta manualmente al tino resistevano meglio a una sciaquatura in Arno; secondo, perché il pregio delle raccolte sommerse bloccò sul nascere le velleità di qualche funzionario romano, che avrebbe preferito prendere tutto il materiale alluvionato e spazzarlo nel fiume con una ruspa. Con la liberazione del porticato dei detriti e della melma, l'attenzione si spostò sul problema di come recuperare milioni di volumi dai seminterrati, dove il fango era sempre profondo e dove mancava ogni luce. Nella città infatti l'elettricità era venuta meno qualche minuto prima delle 7.30 del 4 novembre e all'interno della Biblioteca non fu ripristinata per lungo tempo. Così per parecchi giorni, come ricordò Edward Kennedy, che visitò la Nazionale la sera del 16 novembre, molte operazioni proseguirono anche a lume di candela.

In questi giorni e in queste ore iniziarono il mito e la mitologia di quelli che furono battezzati gli angeli del fango (sebbene Bargellini da buon fiorentino preferisse la grafia "angioli"). Nel 1966 la generazione dei ragazzi partorita durante e subito dopo la guerra, quando il tasso delle nascite subì un'impennata, e cresciuta nel grigiore degli anni Cinquanta, stava raggiungendo la maturità e la convinzione di non voler essere come i padri. I loro idoli erano giovani come loro, i Beatles e i Rolling Stones in testa, e la parola d'ordine era divertirsi. Negli Stati Uniti la reazione alla guerra in Vietnam, che di lì a poco sarebbe sfociata in rivolta aperta nel campus californiano di Berkeley, stava dando nascita a una società alternativa, quella *hippy*. Ovunque in Europa, soprattutto in Inghilterra, inevitabilmente più sensibile a quanto stesse accadendo oltre Atlantico, la generazione delle persone mature, quella che aveva passato gli orrori della guerra e che chiedeva soprattutto di mantenere lo *status quo*, che si stava sciogliendo invece come la neve in primavera, si era fissata sui "capelloni" come simbolo ed espressione dei mali giovanili. Ad Aberfan però i criticoni benpensanti di mezz'età erano già rimasti di stucco di fronte alla celerità con cui quei giovani ribelli e antipatici si erano precipitati al soccorso.

Per la meglio gioventù fiorentina, toscana e italiana del 1966 – secondo la definizione tratta da una poesia friulana di Pier Paolo Pasolini – la ribellione, a scapito di qualche esagerazione giornalistica, nella maggior parte dei casi si annidava ancora *in pectore*: la documentazione fotografica mostra infatti ragazzi e ragazze, per così dire, di buona famiglia, che di lì a qualche anno sarebbero forse diventati, in tutti i sensi della parola, irriconoscibili. Nei loro occhi il caos sociale e la sospensione delle regole conseguenti al disastro erano soprattutto un'avventura, cosicché corsero a Firenze per essere parte di un grande *happening*, fatto di altruismo e di generosità. Nelle parole del poeta romantico inglese William Wordsworth, quasi due secoli prima, salutando l'alba di una nuova era inaugurata dalla rivoluzione francese, vivere in quei giorni era già motivo per essere felici, ma chi era giovane toccava il cielo con un dito. Una testimonianza pregnante di cosa significasse avere l'alluvione nella propria città ed essere giovane fu comunicata, trent'anni dopo, dal popolare attore fiorentino Mario Pachi (1943-2004), che lavorò come volontario presso la BNCF[42].

Quelli che erano nati durante la guerra o immediatamente dopo, sino ad allora non avevano avuto quella che si usa definire "una gioventù brillante". Pochi soldi in casa e in tasca, un sistema scolastico penitenziale, una vita sessuale immaginata e forse mai realizzabile, una nazione che stava già tuffandosi a capo fitto nello *Stimmung* ferial-televisivo. Quanto alle prospettive, c'era poco da scegliere: un impiego qualsiasi, una moglie qualsiasi, un'esistenza qualsiasi, e rizzati! come si dice a Firenze.

---

[42] Mario Pachi, *Il bello venne dopo*, in: Di Leva, *Firenze. Cronaca del diluvio* cit., p. 66-68: 66. Lo stesso attore rilasciò un'altra descrizione della sua esperienza dell'alluvione che si legge in Maro Marcellini – Gian Luigi Corinti, *Acqua passata. L'alluvione del 1966 nei ricordi dei fiorentini*, Firenze: Giunti, 2006, p. 40-48.

L'alluvione, invece, ci aprì inaspettati orizzonti e forse ci salvò, alcuni per qualche anno, altri più a lungo, e altri ancora per tutta la vita, da quel grigiore che l'Italia d'allora sembrava volerci apparecchiare.

Ho scritto "l'alluvione", ma avrei fatto meglio a scrivere "il dopoalluvione", perché fu proprio quello il periodo cruciale. Il dopoalluvione fu come un dopoguerra, con tutte le euforie, gli entusiasmi e le libidini che zampillano da una sensazione di scampato pericolo e dal manifestarsi d'insperate novità. Certo che anche l'alluvione vera e propria fu uno spettacolo eccitante, specie per un giovane, che, proprio in quanto tale, adora assistere allo sconvolgimento dell'odiato mondo degli adulti o dei "matusa", come si diceva a quell'epoca, operato da una qualche catastrofe naturale o artificiale. Intanto, la mattina dopo non si va a scuola; poi c'è il divertimento (con risvolti morali a buon prezzo) di partecipare ai soccorsi, degli elicotteri che atterrano al Campo di Marte, della città al buio, dei pacchi viveri e vestiario (la Befana fuori stagione!), degli stivali di gomma e di quel minimo di sciacallaggio che non incorra nell'attenzione dei carabinieri [...].

Ma il bello venne dopo.

Firenze non è il Friuli, il Belice o la Valtellina. Un'alluvione che sommerga Firenze è un avvenimento mondiale, e sinché dura il clamore della notizia questa provincia astiosamente e presuntuosamente stitica assurge, per un attimo, a una dimensione universale e cosmopolita. Di conseguenza Firenze si popola di stranieri d'ambo i sessi: non dei soliti turisti, ma di gente particolare e molto più interessante. Diventa un luogo d'incontro privilegiato; cambia faccia; non è più Italia, ma mondo. Nel 1966 accadde una cosa del genere, e per noi più o meno ventenni fu un rito iniziatico che si prolungò per diverso tempo.

Chi meglio d'ogni altro fissò sul momento l'idea dei giovani accorsi per salvare Firenze fu il critico cinematografico del *Corriere della sera*, fiorentino di nascita, Giovanni Grazzini, inviato qualche giorno dopo la calamità[43]. Fu il primo inviato a occuparsi delle conseguenze dell'alluvione per le biblioteche fiorentine, pubblicando i due *reportages* importanti del 9 e del 10 novembre, in cui compare una forte testimonianza a favore del contributo dei giovani già all'opera. Nel

---

[43] Per la figura di Grazzini (1925-2001), si veda il ricordo di Francesco Adorno [e altri], *Giovanni Grazzini, fiorentino. Critico, giornalista, scrittore*, «Nuova antologia», 137 (2002), n. 2222, p. 261-281. Per la biblioteca e l'archivio, si veda Filippo Grazzini, *Cinema e cultura. Il fondo librario e archivistico di Giovanni Grazzini (1925-2001)*, «Cartevive», 17 (2006), n. 1, p. 79-86.

primo in particolare, con il sottotitolo «Onore ai "beats"», egli scrive[44]:

> Bisogna venire, guardare con i propri occhi, camminando dieci ore nel fango che in qualche caso arriva ancora ai ginocchi, bisogna vedere i visi tirati, le pallide occhiaie dei direttori dei musei e delle biblioteche, bisogna stringere le mani melmose dei soldati e degli studenti che in lunga catena si passano codici, libri, dipinti, arazzi, bronzi, vecchie riviste e carta da musica, bisogna sentire il fetore che si sprigiona dai fondachi e dalle cloache, per cercare di capire le ferite che la piena dell'Arno ha inferto al patrimonio artistico e culturale di Firenze, e che si aggiungono al colpo quasi mortale subito da tutta l'economia cittadina. [...] E chi viene, anche il più cinico, anche il più torpido, capisce subito tre cose: che le perdite sono spaventose, che per restituire a Firenze un volto luminoso e il benessere occorreranno miliardi e forse decenni, che d'ora innanzi non sarà più permesso a nessuno fare dei sarcasmi sui giovani beats. Perché questa stessa gioventù, che sino a ieri ha attirato le vostre ironie, oggi ha dato, a Firenze, un esempio meraviglioso, spinta dalla gioia di mostrarsi utile, di prestare la propria forza e il proprio entusiasmo per la salvezza di un bene comune.

Nell'articolo del giorno successivo, oltre a una descrizione puntigliosa delle operazioni di soccorso in BNCF, il giornalista ha nuove parole di elogio per gli sforzi prodigati dai volontari, soprattutto quelli giunti dall'estero[45]. Dopo il ritorno a Milano, una settimana dopo, nella pagina dedicata ai giovani, egli redige una strigliata spietata all'indirizzo della generazione dei padri[46]:

> Se è vero che l'acqua spenge il fuoco, l'alluvione dovrebbe aver ridotto in poltiglia la "gioventù bruciata". Com'è allora, che in questi giorni, in tutte le cronache del diluvio si sente dire un gran bene dei giovani? Delle due, l'una: o la furia dei fiumi è stata un miraggio ottico, una delle solite iperboli dei giornalisti, oppure questa gioventù è come la fenice, che dopo essersi bruciata rinasce dalle proprie ceneri. Risolviamo il dilemma, più semplicemente, col dire che ancora una volta il grosso dell'opinione pubblica (quella che in questi giorni scioccamente si meraviglia dello slancio con cui i giovani aiutano a salvare vite umane, libri e opere

---

[44] Giovanni Grazzini, *Si fruga ancora nel fango per ritrovare i capolavori di Firenze*, «Corriere della sera», 9 novembre 1966, p. 3.

[45] Id., *Si calano nel buio della melma per amore di libri e di Firenze*, ivi, 10 novembre 1966, p. 3 (vedi p. 177-178).

[46] Id., *Nel diluvio di fuoco della gioventù*, ivi, 16 novembre 1966, p. 11. Alcuni stralci sono riportati anche in Di Leva, *Firenze. Cronaca del diluvio* cit., p. 68.

d'arte, a restituire un volto a paesi e città) ha dovuto aprire gli occhi, rendersi conto dell'abbaglio che ha preso quando ha condannato con frettoloso moralismo, e facendo di ogni erba un fascio, tutti i ragazzi e le ragazze di oggi. Non è sempre colpa sua: catoncelli debitamente ipocriti, professionisti di cipiglio, ruderi di cartapecora hanno fatto di tutto, in questi anni, per confondere le idee, e additare al pubblico disprezzo certi atteggiamenti, certe iniziative dei giovani che avevano il solo torto di non corrispondere ai cliché del "giovine dabbene", ossequioso dei poteri costituiti, dei notabili e della barba del nonno. In migliaia, gli anziani hanno creduto a questa immagine catastrofica della gioventù, priva di freni morali, ribelle alla disciplina, irriverente verso Dio, la Patria, la Famiglia, "angeli selvaggi" venuti a distruggere, col chiaro di luna, la carità e la grazia. E ora? Ora si guardano intorno come instupiditi, persino si commuovono vedendo questi "bravi ragazzi", a fianco a fianco coi preti e i soldati, sudare e smaniare, impazienti di fare, di dare agli altri la forza delle proprie braccia il calore del proprio entusiasmo (certo, anche il loro gusto dell'avventura). Com'era facile capire. Il buon senso, anzi la buona fede, e quel minimo di senso critico che gli adulti dovrebbero esercitare a conferma d'un maggiore sviluppo delle facoltà razionali, avrebbero consigliato di distinguere: da una parte gli avventizi della delinquenza minorile, i pallidi profeti dell'anarchia, coloro che nascondono sotto i capelloni non tanto una rivolta contro la classe dirigente quanto un puerile esibizionismo da barboni-snob (tutti casi isolati, facilmente lavabili col sapone dell'indifferenza); dall'altra una generazione di ragazzi in polemica con i genitori non tanto per il gusto di distruggere i valori che questi ultimi rappresentano (l'amore, la dedizione, il coraggio di vivere) quanto il cattivo uso che gli anziani, con poche eccezioni ne hanno fatto.

Oltre all'accenno al titolo italiano del film mito sulla gioventù della generazione precedente (*Rebel without a cause*, 1955), inevitabile forse nel più importante critico cinematografico del tempo, per il lettore odierno la frase relativa agli *angeli selvaggi* va chiosata, perché riferisce alla pellicola controversa *The wild angels* (1966), la cui violenza fu all'epoca oggetto di numerose proibizioni, oggi ricordata soprattutto come precursore del più famoso *Easy rider* (1969). Contrariamente a quanto è stato affermato, invece, Grazzini non impiega mai in questi scritti l'espressione "angeli del fango"[47].

È lecito parlare di alluvione "felice"? In qualche modo sì, nonostante l'immensa portata della tragedia culturale ed economica, per il semplice fatto che molte volte il vero valore di un oggetto si conosce

---

[47] Si veda, per esempio, D'Angelis, *Angeli del fango* cit., p. 148.

solo nel momento in cui rischiamo di perderlo. Firenze poteva morire, ma rinacque; la BNCF poteva annegare, ma risorse dalle acque. In primo luogo entrambe le cose, nonché tutto il complesso dei musei e delle biblioteche, furono salvate dai fiorentini, che per primi si rimboccarono le maniche e si misero al lavoro, con soltanto una pausa per invitare il gippone del Presidente della Repubblica, tallonato da tanto di troupe televisiva e stracolmo di benvestiti arrampicatori politici, a proseguire la visita turistica in quell'altro paese[48]. D'altronde è rimasta nella cronaca la risposta secca di Casamassima – lo stesso pomeriggio del 6 novembre – di fronte alla breve incursione del capo dello stato nella BNCF: «Presidente, ci lasci lavorare»[49].

Per fortuna, invece di altri ministri e di sottosegretari, giunse spontaneamente e inaspettatamente, come se fosse la Settima Cavalleria, poi l'Ottava, la Nona, la Decima, l'aiuto enorme dei volontari di più paesi, spesso attirati dal semplice passaparola, senza una lingua e una cultura comuni, che vollero salvare la città per gli altri, per l'umanità. Per tanti fra loro la BNCF era un posto che non frequentavano, e in cui non avrebbero mai più messo piede, salvo che per una sbirciatina nostalgica di passaggio, ma di cui intuivano il significato profondo, in quanto luogo della memoria, anche a livello sociale e politico. Quando si è trattato di recuperare libri che nessuno di loro avrebbe mai letto, annegati nei sotterranei bui e puzzolenti, centinaia di persone non esitarono a immergersi nell'acqua, nella nafta, nella

---

[48] L'episodio, avvenuto nel quartiere di Santa Croce il 6 novembre, suscitò viva discussione all'epoca, anche per il tentativo di dissimularlo da parte di alcune cronache; cfr. Montanelli, *"Piove, Governo ladro!"* cit.; Di Leva, *Firenze. Cronaca del diluvio* cit., p. 55-64, con fotografie e ampi stralci dall'articolo di Enrico Mattei su *La Nazione* al riguardo. Il ricordo dello stesso Mattei nel diario di quei giorni ne costituisce l'analisi migliore: «È una protesta che si esprime con linguaggi e contorni misurati. Si sente che i fiorentini non ce l'hanno con Saragat, che la presenza di Saragat è da loro istintivamente apprezzata. Sono offesi dall'imponente apparato che circonda Saragat, da tutto quel gerarcume governativo e paragovernativo, da quella sfilata di automobili, di poliziotti, di giornalisti, di telecronisti. Da quarantott'ore attendono i segni visibili della presenza dello Stato, e lo Stato si presenta per la prima volta a loro, in questa tragica vicenda, con una parata di fatui esibizionismi ufficiali, con un Capo che vuole onestamente vedere e con tanti sottocapi che vogliono solo farsi vedere con lui. Volevano essere soccorsi, e si sentono soltanto cinematografati» (*I lunghi giorni del mese terribile*, in: *Firenze domani* cit., p. 21-38: 29).Vedi anche p. 87.

[49] Si veda Messeri – Pintus, *4 novembre 1966* cit., p. 94 (testimonianza di Riccardo Conti, n. 1951).

melma. Nella babele delle lingue e delle nazionalità fu necessario il linguaggio della segnaletica stradale, inclusi i simboli per l'acqua più o meno profonda.

Nei primi giorni, chi si trovava in testa alla linea, proprio all'interno dei magazzini, in mezzo al freddo, all'umido, al tanfo, senza la maschera non resisteva a lungo, forse venti minuti, una mezz'ora, prima di cedere il posto a un altro; e c'era sempre un altro. Alle loro spalle si formarono lunghe catene di giovani e adulti – centinaia e centinaia – che, con un passamano continuo, estraevano dagli scantinati blocchi grondanti di fango. Essendo fortemente igroscopici, quando i libri erano bagnati, il peso più che raddoppiava. Qualcuno così ricorda come aiutasse «a portare su dalle cantine i pacchi delle raccolte dei quotidiani, completamente zuppi d'acqua e mota facendoli scorrere lungo il corrimano delle scale, dal peso che avevano mi sembrava di essere un egiziano che trasportava le pietre per costruire le piramidi»[50].

Soltanto lo spirito di altruismo e di avventura di quei giorni avrebbe saputo trasformare quelle condizioni proibitive non solo in una consuetudine, ma addirittura in un grande divertimento. Un esempio fu il modo in cui venivano rifocillate le catene umane senza interrompere il lavoro. Come per il vecchio marinaio del poema di Coleridge di fronte al dilemma «Water, water, every where, nor any drop to drink», in una città di mezzo milione di persone che per tre settimane fu rifornita con le autobotti, ogni goccia d'acqua pulita doveva essere portata a mano, cosicché non era destinata alle esigenze minime quotidiane, come lavarsi le mani. Per questo i ragazzi che preparavano le cibarie nell'attuale sala consultazione del primo piano procedevano lungo le catene, mettendo le vivande direttamente in bocca – un morso di un panino, una sorsata di vino, una soffiata di sigaretta – e via al prossimo[51]. Non a caso, come nell'esercito in marcia, i volontari intonarono canzoni – *Oh! When the saints come marching in* e *Bella ciao* stavano in testa a questa particolare *hit parade* – per dare un ritmo al lavoro e per darsi coraggio nei momen-

---

[50] Testimonianza di Domenico Casadei (n. 1945), che prestò servizio come volontario nella BNCF il 7 novembre 1966, lasciata sul Forum Rai il 1 novembre 2006 (www.community.rai.it). Un altro resoconto evocativo è quello di Massimo Somigli, *Angeli del fango? (ah! fiume crudele ...)*, «Arti & mercature», 43 (2006), n. 2, p. 136-141.

[51] Testimonianza di Andrea Innocenti, posta il 4 novembre 2006, sul sito www.angelidelfango.it.

ti di stanchezza e di scoramento, il cui ricordo commuove ancora chi all'epoca sentì tali voci.

In una situazione come quella fiorentina, di catastrofe e di caos, in cui migliaia di persone spontaneamente si prestavano come volontari per svolgere un'azione essenzialmente dura, faticosa e ripetitiva, le testimonianze sono molte, ma anche molto simili fra loro. Alcuni pregevoli progetti di storia orale, soprattutto in occasione del recente quarantennale, hanno assemblato centinaia di interviste. È necessario però constatare al loro interno una sostanziale uniformità, perché, come disse Casamassima a una giornalista, «le nostre preoccupazioni sono quelle di un'immensa lavanderia»[52] e le liste della lavanderia, si sa, non variano. Dal punto di vista dell'interpretazione storica, il pericolo è quello di confondere la verità in senso assoluto con l'assunzione di archetipi narrativi, perché certi eventi, soprattutto quelli che servivano ad alleviare il lavoro, vengono raccontati più volte, di modo che non sia possibile distinguere fra un fatto successo in più d'una occasione, un fatto successo una volta ma raccontato da più persone in modo differente, e un fatto che non è mai successo, ma che viene comunque narrato, perché più vero del vero.

In quest'ottica un episodio emblematico è quello della ragazza alla moda, perfettamente elegante e truccata, vestita in un *tailleur* verde smeraldo e tacchi a spillo – come abbia fatto ad arrivare alla Biblioteca con quelle scarpe, non si sa, ma non importa – che appare di fronte alla catena che sta portando i libri su dal sotterraneo e chiede «Qui c'è bisogno d'aiuto?». La risposta quasi burlona è un tomo spalmato di melma e poi un altro, che lei, per tenere, è costretta a stringere al petto; dopo un momento di sorpresa però si inserisce nel passamano come se niente fosse, dopo cinque minuti è inzaccherata come tutti gli altri e alla fine della giornata è sempre lì[53]. La memoria

[52] Emilia Granzotto, *I libri all'ospedale*, «Panorama», 6 (1967), n. 52, datato gennaio, p. 22-28: 28.
[53] Racconto la versione di questo episodio riferitami in una conversazione con Domenico Casadei. Lo stesso aneddoto viene riportato, di seconda mano, in inglese da Hamlin, *Libraries of Florence* cit., p. 145, naturalmente con dettagli diversi. Un altro celebre esempio del "più vero del vero", se vogliamo, entrato a pieno titolo nella mitologia dell'alluvione, è il motto narrato da Indro Montanelli, il quale raccontò come, pochi giorni dopo l'alluvione, giungesse a casa del sindaco Bargellini in via delle Pinzochere, dove «quel panorama di devastazione mi toglieva il coraggio di affrontare la vittima. Stavo infatti per tornarmene mestamente alla ricerca del mio caronte di melma, quando una voce mi gridò dal pianerottolo della scala: "Guarda chi si vede". Era lui, Bargellini, vestito da pa-

di questo e di altri eventi si forma perciò intorno a paradigmi narrato-
logici che hanno la funzione non tanto di raccontare cos'è successo
quanto di comunicare la sensazione di essere stato lì e di avere partecipato.

Con questa fatica lunga, lenta e monotona, il patrimonio della Biblioteca venne salvato quasi per intero. Con l'arrivo degli specialisti
inglesi all'inizio di dicembre 1966, la prima fase dell'emergenza cedette il posto a un sistema di interventi più organizzato e più specializzato, cosicché tiriamo le fila di questa introduzione, lasciando spazio all'analisi circostanziata che forma il resto di questo libro.

In conclusione, questa è la storia di una alluvione e di una biblioteca.
Dopo quel salvataggio incredibile *in extremis*, insieme al crocefisso
di Cimabue custodito a pochi metri di distanza, la BNCF è assurta
con il tempo a simbolo di una città rinata, ma anche profondamente
diversa.

Eppure, riguardo a quanto è successo all'interno di essa, nel corso
degli anni sono state dette inesattezze numerose, non solo negli scritti giornalistici, ma anche in libri di impegno scientifico. Un luogo
comune – ripetuto più volte e che il presente libro certamente non
riuscirà a sfatare – è che finirono nella fanghiglia preziosi manoscritti medievali ed edizioni del XV secolo[54]. In altre biblioteche, soprattutto al Museo dell'Opera del Duomo, questo è successo, benché mai

---

lombaro: una divisa che mai avrei immaginato di vedergli un giorno addosso. "O
che fai?" gli chiesi stordito. "Come che fo? I fanghi, non lo vedi? Me li hanno
portato a domicilio"». Questa splendida battuta è stata riportata come vera in
numerosi scritti sulla figura del sindaco (per esempio: Listri, *Tutto Bargellini*
cit., p. 153; Bargellini Nardi, *L'alluvione di Piero Bargellini* cit., p. 34), ma essa
fu una pura sublime invenzione del giornalista tre anni dopo, quando scrisse
l'elzeviro *Firenze fra due diluvi* apparso nel *Corriere della sera* del 20 dicembre
1969, in occasione della pubblicazione del quarto volume della *Splendida storia
di Firenze*, in cui lo stesso Bargellini, ormai non più sindaco, aveva descritto gli
eventi dell'alluvione. Negli anni successivi il grande storico di Firenze amava
dire ai propri familiari che non aveva mai pronunciato tale battuta, ma che a-
vrebbe potuto farla e quindi in ogni caso la considerava una cosa propria. Gli
scritti di Montanelli sull'alluvione, invece, che meriterebbero di essere raccolti,
includono poi l'esilarante elzeviro *Il nonnino*, giudicato da Geno Pampaloni «il
più divertente articolo di Montanelli negli anni Sessanta, o forse in assoluto»,
apparso con il titolo *Cronache del diluvio* nel *Corriere della sera* del 22 novembre 1966 (p. 3; cfr. Marcello Staglieno, *Montanelli: novant'anni controcorrente*,
Milano: Mondadori, 2001, p. 292-296).
[54] Vedi p. 164.

su grande scala; nella BNCF, invece, i manoscritti, gli stampati di valore maggiore, inclusi gli incunaboli, e la raccolta degli autografi moderni sono rimasti indisturbati nel loro magazzino sul primo piano dell'ala est, mentre altri fondi importanti, come il Nencini e gran parte del Palatino, si sono trovati pure sopra il livello del flutto. La presenza di una quantità imponente di libri di pregio, di cui molti antichi, nelle zone inondate dell'edificio si doveva, invece, a due circostanze differenti. Primo, nella costruzione degli scaffali ai piani superiori in epoca fascista, nessuna previsione era stata fatta per i "grandi formati" dei fondi Magliabechiano e Palatino, i quali furono accomodati perciò nel sottosuolo e così nel diluvio furono profondamente sommersi; secondo, per motivi di accessibilità, trattandosi dei libri richiesti con maggiore frequenza da parte degli studiosi, il rimanente fondo Magliabechiano era stato collocato in prossimità della distribuzione al piano terra rialzato. Pur con il senno del poi, è difficile biasimare quest'ultima scelta, sia perché era impossibile immaginare l'altezza raggiunta dall'alluvione del 1966, sia perché sembrava improbabile che l'edificio avrebbe opposto così poca resistenza. Di fatto, per quanto riguarda i magliabechiani ubicati così al piano terra rialzato, in termini reali quasi un paio di metri sopra il livello della piazza antistante la Biblioteca, i due terzi circa finirono sott'acqua, anche se per la maggiore parte il bagno durò poco tempo.

Per riassumere – in base al principio sempiterno dei *repetita iuvant* – i veri danni recati dall'alluvione riguardavano, e riguardano ancora, l'emeroteca, collocata per l'appunto nel sottosuolo dell'ala ovest dove il turbinio delle acque fece più stramazzo, le carte geografiche custodite insieme ai volumi di grande formato, le tesi straniere a stampa, in prevalenza francesi e tedesche dei primi del Novecento, ricevute attraverso un meccanismo coevo di scambio e tutto sommato poco rimpiante, il grande fondo delle pubblicazioni miscellanee, che includevano però al loro interno molte edizioni rare, alcune uniche, del Cinque e Seicento, e la collezione di manifesti.

Il presente libro ha lo scopo perciò di narrare quanto veramente è successo in BNCF durante e dopo il 4 novembre 1966, per quanto sia possibile descrivere una catastrofe così grande e la complessità della macchina del sapere che venne rotta e che fu riparata. Esso è e vuole essere considerato la biografia non ufficiale e non autorizzata della Biblioteca come personalità culturale, non per alcun motivo di polemica nei confronti dell'istituzione, ma per garantire il proprio assunto di indipendenza e di autorevolezza. Nei quarant'anni e passa trascorsi dall'alluvione, per la BNCF l'emergenza non è mai cessata, anche perché, come aveva rivelato nel maggio 1965 il rapporto di Casamassima alla Commissione Franceschini, la "crisi" della Biblioteca precorre la sciagura[55].

La BNCF non può inzupparsi, come se fosse la tisana di Proust, nel ricordo dell'alluvione; ma non può neanche ricorrere alla soluzione dell'amnesia programmata, limitandosi a esibire qualche pugno di fanghiglia, qualche volume sempre in attesa di restauro e le solite fotografie nelle ricorrenze del disastro. Come ha enfatizzato Casamassima[56], la ferita inflitta dalla catastrofe è consistita soprattutto nell'incapacità di svolgere ricerche di alto livello attraverso la Biblioteca in quanto struttura sapienziale, anche per un fatto semplice come lo sconvolgimento della mediazione catalografica con l'utente. La successiva situazione di disagio è stata accentuata semmai dalla volontà delle direzioni successive di insistere sul ripristino della normalità, quando di normalità non era mai il caso di parlare. Questa politica della rimozione della memoria, anche per indicazione ministeriale, quasi che si trattasse di un paziente che avesse subito un grave trauma, ha significato per la società civile – soprattutto per quanto riguarda il centro di restauro – lo sperpero e l'abbandono di un patrimonio di conoscenze e di esperienze unico e irripetibile.

È stato necessario sottolineare lo stato di inagibilità dell'archivio moderno della BNCF, che è durato quasi tutto il tempo della presente ricerca e che si è risolto solo per l'impegno personale del responsabile. Abbiamo segnalato anche la condizione di semi-abbandono della preziosa collezione di immagini fino all'intervento di riordino e di catalogazione – ormai quasi dieci anni fa – da parte dell'autrice di questo libro. Oltre a ciò è sempre mancata all'interno dell'istituto la volontà di portare avanti un'iniziativa coordinata di studio dell'alluvione e delle sue conseguenze, come per esempio la raccolta sistematica di libri, ritagli e altri materiali relativi al disastro[57]. Con una sola eccezione: nella direzione della Biblioteca è stato custodito per

---

[55] Emanuele Casamassima, *La maggiore biblioteca italiana e le sue esigenze*, in: *Per la salvezza dei beni culturali in Italia. Atti e documenti della Commissione d'indagine per la tutela e la valorizzazione del patrimonio storico, archeologico, artistico e del paesaggio*, Roma: Colombo, 1967, II, p. 573-580.

[56] Si veda Emanuele Casamassima, *La Biblioteca nazionale*, in: *Firenze perché* cit., p. 1405-1411.

[57] Nel 2008 tuttavia questo nucleo di materiale è stato trasferito dalla direzione e consegnato al responsabile dell'archivio della BNCF. È auspicabile perciò che, dopo le dovute operazioni di inventariazione e di riordino, tali documenti siano messi a disposizione degli studiosi.

lungo tempo un nucleo di filze contenenti documenti di interesse, soprattutto articoli di giornali e di riviste, di cui il più vecchio risale al 17 novembre 1966, ma anche copie rilegate dei rapporti scritti da Casamassima per essere inviati alla Direzione generale delle accademie e delle biblioteche presso il Ministero della pubblica istruzione dell'epoca. Questa costruzione *ad futuram memoriam rei* è stata realizzata da Ivaldo Baglioni e ha avuto termine nell'agosto 1970, quando il direttore dell'alluvione ha lasciato la Biblioteca. Anche in una piccola cosa come questa, se ce ne fosse bisogno, si evidenzia il divario fra il periodo Casamassima e le direzioni successive.

Una spia più significativa del disinteresse per la quantificazione e la qualificazione degli effetti reali dell'alluvione si trova semmai nel fatto che, in questo quarantennio trascorso, la BNCF non ha mai affidato a una pubblicazione l'analisi esauriente dei danni subiti, inclusa una lista comprensiva delle segnature dei volumi antichi finiti sott'acqua. Questa indifferenza si riflette poi nei numeri effettivamente promulgati. È ovvio come le prime indicazioni in materia, quelle di Casamassima, fossero necessariamente approssimative: in tempi più recenti però le sue cifre sono state riproposte, quasi senza modifica, mentre in altri scritti si trovano oscillazioni sorprendenti nelle informazioni relative persino ai fondi Magliabechiano e Palatino[58].

---

[58] Per le indicazioni relative al 1966-1967, si veda Casamassima, *La Biblioteca nazionale* cit., p. 1406; Id., *La Biblioteca nazionale dopo il 4 novembre*, «Paragone», 18 (1976), n. 203, p. 34-40: 35-36; Id., *La Nazionale di Firenze dopo il 4 novembre 1966*, «Associazione italiana biblioteche. Bollettino di informazioni», n.s., 7 (1967), n. 2, p. 53-66: 55-56; Id., *Una legge speciale per la Biblioteca nazionale di Firenze*, in: *L'alluvione lunga un anno*, numero monografico de «La Regione», 13 (1967), n. 16-18, di dicembre, p. 293-296: 293. Per le indicazioni più recenti, si vedano Sergio Marchini, *Periodici nel fango: non si intravvede ancora la fine del "sotterraneo" lavoro per garantire un adeguato recupero a riviste e giornali alluvionati*, «Biblioteche oggi», 14 (1996), n. 10, p. 25-28; Gisella Guasti, *Seppuku: suicidio rituale del laboratorio di restauro della Biblioteca nazionale centrale di Firenze (con qualche proposta di recupero "virtuale")*, ivi, p. 28-32; Antonia Ida Fontana, *Lessons from a disaster: 1966-2002*, in: *A Blue Shield for the protection of our endangered cultural heritage*, Proceedings of the Open session co-organized by PAC Core Activity and the Section on National Libraries, Paris: IFLA-PAC, 2003, p. 25-31: 26; Id., *Un milione di libri nella melma: così salvammo la nostra biblioteca*, in: *Arno '66: fango e ideali*, numero monografico di «Doc speciale», 5 (2006), n. 20, p. 18-20; Pasquale Ielo, *Dove i libri tornano a vivere: le conseguenze dell'alluvione sul patrimonio della Biblioteca nazionale. A colloquio con Gisella Guasti, direttrice del Labo-*

La stessa volontà di scordare l'inondazione si palesa attraverso il catalogo dei libri antichi a stampa della Biblioteca. Come ho detto in apertura, per quasi trent'anni dopo il disastro, le ricerche catalografiche richiedevano un *iter* complesso di verifica sulle liste dei libri alluvionati e restaurati. Negli anni Ottanta l'Ufficio Cinquecentine della Biblioteca, spinto dal censimento nazionale in corso, avviò un lavoro di ricatalogazione delle edizioni del XVI secolo con schede cartacee di formato internazionale, che nella sostanza si arenò dopo la lettera "C" e il passaggio all'informatica. In tempi più recenti sono state investite risorse notevoli nella base dati SBN, in cui la BNCF ha riversato numerose descrizioni di edizioni antiche, soprattutto quelle appartenenti al fondo Magliabechiano. In tali voci non risulta però alcun riferimento all'alluvione, neppure nei molti casi in cui l'esemplare è finito sott'acqua ed è stato restaurato, né si trova alcun collegamento con la documentazione fotografica del libro fatta prima del restauro. In tale circostanza un utente della Biblioteca che desideri conoscere la storia di un determinato esemplare rimane privo di un'informazione fondamentale, mentre la perizia filologica esercitata nell'operazione di rinnovo – caratteristica che accomuna Casamassima da una parte e gli esperti inglesi dall'altra – rimane lettera morta. Non è detto infatti che un volume restaurato in tempi moderni sia stato alluvionato, perché sono numerosi gli esemplari che in qualche momento del Novecento hanno ricevuto una nuova legatura, ma che non sono stati toccati dalla sciagura. Di conseguenza, come ho constatato di recente nel lavoro di uno studioso autorevole, non disponendo di informazioni precise a livello basilare, i ricercatori – soprattutto quelli che non sono frequentatori abituali della Biblioteca – corrono il rischio di attribuire alle conseguenze dell'alluvione una copertura moderna qualunque[59].

---

ratorio di Restauro, in: *Il fango, l'orgoglio, il ricordo: oggi e quarant'anni fa*, «Arti & mercature», 43 (2006), n. 2, p. 142-151; Marco Ferri, *L'eredità di fango: cosa rimane da restaurare a Firenze 40 anni dopo l'alluvione*, Firenze, 2006 (supplemento a «Il giornale della Toscana»), p. 49; Gisella Guasti, *Alluvione: i suoi primi quarant'anni*, in: *Contro al cieco fiume* cit., p. 10-13: 13. Per chi ha conoscenze tecniche in materia, esiste sempre la necessità di distinguere con chiarezza sul piano fisico fra *esemplare* e *volume*, sia perché una miscellanea antica può contenere più edizioni, sia perché una edizione può articolarsi in più tomi. Un conteggio scientifico dei documenti ha quindi l'obbligo di riportare entrambi questi elementi, ciò che ancora non è stato fatto.
[59] Si veda Neil Harris, *De revolutionibus in bibliography: analysing the Copernican census*, «The library», 7 (2006), n. 3, p. 320-329: 325. L'indicazione erro-

Una grande biblioteca, soprattutto una grande biblioteca che ufficialmente custodisce la memoria di una cultura, ha l'obbligo di pensare al futuro, ma non può scordare il passato, soprattutto il proprio passato, per una ragione squisitamente tecnica. Un paragone si può fare con il sismografo, la macchina che rileva le scosse telluriche e che negli istituti di ricerca specializzati viene collocata in una trincea sotterranea; se qualcuno però salta nella fossa, lo strumento registra l'impatto come se ci fosse stato un terremoto a distanza. Con l'alluvione qualcosa di analogo è successo con la memoria italiana, nel senso che la piena dell'Arno ha investito la macchina adibita a registrarla. Di conseguenza la BNCF, come indice e strumento del ricordo, è stata compromessa: quel patrimonio fatto di idee e di espressioni che andava serbato a beneficio delle generazioni future è stato sfregiato.

«Ma è tempo di lasciare parlare le "cose", nel loro nudo ma espressivo linguaggio»[60].

Neil Harris

---

nea relativa alla provenienza della legatura riguarda la seconda edizione di Copernico (Basilea 1566) con la segnatura Magl. 5.2.131, descritta in Owen Gingerich, *An annotated census of Copernicus' De revolutionibus (Nuremberg, 1543 and Basel, 1566)*, Leiden-Boston-Köln: Brill, 2002, p. 122. La legatura è moderna, per cui riceve da parte del bibliografo l'annotazione "after the 1966 flood?", ma, seppure facente parte del fondo Magliabechiano, questo tomo rimase sopra le acque. Esso reca il timbro della Legatoria Vangelisti all'indirizzo "Via Romana 130R", dove questa ditta rimase fino al 1964 circa, quando traslocò in via Andrea del Sarto. A mio avviso la legatura in questione appartiene agli anni Cinquanta.
[60] Emanuele Casamassima, lettera a Salvatore Accardo, direttore generale delle accademie e delle biblioteche, 9 maggio 1967 (Archivio BNCF, 514).

1. Le premesse

1.1 La Biblioteca nazionale in riva all'Arno

Per avventurarsi nella ricostruzione degli eventi dell'alluvione di Firenze del 4 novembre 1966 e analizzare le sue conseguenze sul maggiore istituto bibliografico italiano, è necessario in via preliminare ripercorrere brevemente la storia che ha portato a individuare per il suo edificio – primo in Italia a essere costruito appositamente per ospitare una biblioteca – una localizzazione tanto infelice per il patrimonio, che non fu protetto neppure dalle più elementari misure di sicurezza contro una prevedibile piena del fiume, nonché cercare di comprendere cosa fosse la Biblioteca nazionale centrale di Firenze[1] alla vigilia di un evento di tale portata, ripercorrendo da una parte la formazione professionale e la personalità di Emanuele Casamassima, allora direttore dell'istituto, che con le sue scelte tanto profondamente ha influenzato l'organizzazione delle operazioni di recupero e di ripristino, dall'altra, infine, tracciando un quadro dei problemi che la Biblioteca stessa si trovava ad affrontare nel momento in cui fu investita dalla piena del fiume, per comprendere fin dove l'evento traumatico abbia dato origine a problematiche nuove o abbia invece soltanto aggravato una difficile situazione preesistente.

La storia della Biblioteca nazionale ha origine nel 1714, quando Antonio Magliabechi[2] donò per lascito testamentario alla città di Firenze, e più precisamente ai «poveri di Gesù Cristo di questa città», nominati suoi eredi universali, la ricchissima biblioteca di circa trentamila volumi che aveva costituito nel corso della sua vita, in gran parte grazie ai rapporti di amicizia e corrispondenza che il bibliotecario

---

[1] D'ora in avanti BNCF.

[2] Antonio Magliabechi (1633-1714), erudito e bibliofilo fiorentino, era stato nominato bibliotecario della Biblioteca Palatina da Cosimo III de' Medici; pubblicò opere latine medievali e compilò un catalogo dei manoscritti ebraici e orientali della Biblioteca Laurenziana. Per la documentazione conservata dalla BNCF, vedi *L'archivio magliabechiano della Biblioteca nazionale centrale di Firenze*, a cura di Paola Pirolo e Isabella Truci, Firenze: Regione Toscana, Giunta regionale, 1996, ma anche *Lettere e carte Magliabechi: inventario cronologico*, a cura di Manuela Doni Garfagnini, Roma: Istituto storico italiano per l'età moderna e contemporanea, 1988.

del granduca intratteneva con i dotti e gli studiosi di tutta Europa, destinando i suoi beni sia alla costruzione di un «vaso» che ospitasse degnamente i volumi e ne permettesse un'ampia fruizione, che all'acquisizione di nuovi libri e al restauro dei posseduti[3]. All'epoca però la raccolta si trovava divisa fra la casa in via della Scala, dove il Magliabechi abitava, e le stanze che il granduca a questo scopo aveva concesso in Palazzo Vecchio. Per accogliere la collezione in modo unitario, gli esecutori testamentari non seguirono le volontà del defunto, che chiedevano la costruzione di un nuovo edificio, ma optarono per il meno oneroso affitto delle stanze della Dogana, presso gli Uffizi, dove i volumi vennero trasportati già nel 1727[4].

La Biblioteca Magliabechiana conobbe in questa sede i primi lavori di catalogazione e si accrebbe ulteriormente grazie a nuovi lasciti testamentari e al diritto di deposito di stampa su tutto il territorio fiorentino concesso da Gian Gastone de' Medici nel 1736[5]. Con tale disposizione, estesa territorialmente a tutto il Granducato nel 1743,

---

[3] Nel testamento si legge che «desiderando detto signore testatore di promuovere gli studi, le virtù e le scienze, [...] intende e vuole che di tutti i suoi libri [...] se ne formi una pubblica libreria a benefizio universale della città, e specialmente per li poveri cherici, sacerdoti e secolari, che non anno il modo di comprar libri e potere studiare, et al predetto effetto ordina, comanda e vuole che delle entrate che resteranno [...] se ne faccia un multiplico, col quale poi si fabbrichi il vaso o stanza con i suoi scaffali et arredi necessari [...]. Fabbricato poi che sarà il vaso, et in esso aggiustata nella miglior forma la libreria detto signore testatore intende e vuole che detti signori bibliotecari et essecutori devino e siano tenuti tenerla aperta et esposta a benefizio del pubblico degli studiosi [...] due giorni della settimana da eleggersi ad arbitrio [...], e per tre ore della mattina, e per tre ore del giorno, per ciascheduno de' detti due giorni della settimana. [...] Dall'entrate dell'eredità se ne cavi un'annua somma di scudi 50 quali devino servire e spendersi per mantenimento e resarcimento de' libri e per comprare di quelli che venissero nuovamente alla luce». Il testamento, con i successivi codicilli *post testamentum*, è riportato integralmente in appendice in Maria Mannelli Goggioli, *La Biblioteca Magliabechiana: libri, uomini, idee per la prima biblioteca pubblica a Firenze*, Firenze: L.S. Olschki, 2000, p. 173-186.

[4] Per un'approfondita analisi del periodo intercorso fra la morte del Magliabechi e l'apertura della biblioteca e per una bibliografia sull'argomento, vedi Mannelli Goggioli, *La Biblioteca Magliabechiana* cit.

[5] «E premendoci inoltre che sempre più si aumentino i libri di predetta Biblioteca, comandiamo che tutte le stamperie di questa città siano tenute a dare un esemplare di qualunque tipo che stampano e che stamperanno in avvenire alla predetta Pubblica Biblioteca, e che non con altra condizione se ne permetta la stampa». Vedi la trascrizione integrale del motuproprio in appendice a Mannelli Goggioli, *La Biblioteca Magliabechiana* cit., p. 196-198.

quando il deposito fu riconosciuto per legge anche alla Biblioteca Palatina, si venne ad accrescere il significato pubblico della Biblioteca – aperta alla consultazione esterna solo dal 3 gennaio 1747 – ma si cercò anche di garantire un accrescimento regolare delle collezioni che sarebbe stato altrimenti incerto, visto che fino al 1772 la Magliabechiana non poté usufruire di fondi statali.

Il nucleo bibliografico originario conobbe allora, a partire dalla seconda metà del XVIII secolo, numerose acquisizioni e fra queste la più notevole fu senz'altro quella, nel 1771, della Biblioteca Medicea-Palatina, il cui trasloco nei locali della Magliabechiana fu effettuato già nel 1773. Le fonti di accrescimento delle collezioni furono principalmente donazioni private, soppressioni conventuali, doni, mentre il deposito di stampa fu largamente disatteso fin dagli esordi.

La biblioteca che si veniva così formando fu afflitta ben presto da gravi problemi di spazio, perché la rapida crescita delle sue collezioni non trovava riscontro in un adeguato ampliamento delle aree a propria disposizione, a onta delle frequenti lagnanze di bibliotecari e curatori. Non ebbe successo neppure il tentativo del granduca Leopoldo, che risale al 1844, di risolvere la difficile questione attraverso l'istituzione di una commissione incaricata di riorganizzare tutte le biblioteche di Firenze, che per la prima volta ne propose l'accorpamento, poi mai realizzato, da attuarsi attraverso la redistribuzione del materiale posseduto secondo precisi criteri teorici[6].

Nel 1861 la situazione si aggravò poi ulteriormente a causa della riunione con la biblioteca formata dalle collezioni Magliabechiana e Palatina, per decreto del neo-ministro del Regno d'Italia Francesco De Sanctis[7], della cosiddetta "seconda Palatina", ossia la grande col-

---

[6] La proposta, formulata in forma definitiva nel 1846 da Giuseppe Molini (1772-1856), libraio, editore e allora bibliotecario palatino, suscitò un vivo dibattito, per il quale vedi Clementina Rotondi, *La progettata riforma delle biblioteche fiorentine di Giuseppe Molini e le polemiche che ne derivarono (1844-1848)*, in: *Studi di biblioteconomia e storia del libro in onore di Francesco Barberi*, Roma: AIB, 1976, p. 499-507. Tale progetto era stato anticipato però dalle disposizioni granducali che fra il 1771 e il 1783 avevano imposto la suddivisione degli stampati e dei manoscritti fra la libreria Magliabechiana e la biblioteca Medicea Laurenziana, con un trasferimento di 181 manoscritti dalla prima alla seconda e di 281 edizioni a stampa dalla seconda alla prima.

[7] Francesco De Sanctis (1817-1883) fu ministro della istruzione pubblica dal marzo 1861 al marzo 1862, con Cavour e con Ricasoli (per una notizia biografica e un'ampia bibliografia sul De Sanctis, vedi la voce redatta da Attilio Marinari e Carlo Muscetta per il *Dizionario biografico degli italiani* – d'ora in avanti DBI – 39, 1991, p. 284-297).

lezione di circa 80.000 volumi della famiglia Lorena rimasta a Palazzo Pitti[8]. L'unione delle raccolte permetteva una sorta di continuità cronologica: la Magliabechiana aveva infatti quasi cessato le sue acquisizioni intorno al 1805, mentre la Palatina, sorta nel 1815 per volontà di Ferdinando III di Lorena, era cresciuta con larghezza fin dalle sue origini potendo contare su una notevole ampiezza di mezzi finanziari. Il medesimo atto di riunione decretò anche il conferimento alla nuova raccolta del titolo di "nazionale".

Fisicamente, l'accorpamento delle collezioni fu realizzato nel 1866, mentre nel 1871 fu risolta con l'erogazione di una rendita annua in suo favore la disputa con la famiglia Lorena, che considerava la Biblioteca un bene privato e intendeva pertanto rientrarne in possesso al più presto; quanto alla collocazione dell'accresciuta raccolta libraria, si decise per la caserma dei Veliti (l'attuale caserma dei carabinieri in piazza dei Giudici), attigua agli spazi già occupati dalla Magliabechiana, di cui la Biblioteca entrò in possesso nel 1865. Lo spazio così acquisito doveva però rivelarsi ben presto insufficiente, soprattutto dopo che il diritto di deposito di stampa di cui godeva la neonata Biblioteca nazionale si estese, in seguito al regio decreto n. 5368 del 25 novembre 1869, a tutto il territorio nazionale. Nel 1876 la Biblioteca ottenne allora di potersi allargare, occupando il vicino Palazzo dei Giudici – attualmente sede del Museo di storia della scienza – che risultò però presto inadatto a ricevere una tale incombenza, sia per motivi strutturali che per la disposizione interna di spazi e finestre.

Nel 1882 la difficile situazione in cui versava il maggiore istituto bibliografico fiorentino fu sancita dalle conclusioni della commissione parlamentare d'inchiesta incaricata di esaminare lo stato delle biblioteche governative, che giudicò pericolosa e inadatta la sua sistemazione, anche in considerazione del fatto che i suoi ambienti erano allora articolati in tre fabbricati e su dodici livelli diversi[9].

---

[8] Il futuro direttore della BNCF Domenico Fava (vedi nota 24) quantifica i volumi passati in Nazionale in 3.165 manoscritti, 86.761 volumi a stampa e 15.748 opuscoli (Domenico Fava, *Per l'inaugurazione della nuova Biblioteca nazionale centrale di Firenze*, Roma: Biblioteca d'arte, 1935, p. 54).

[9] «La biblioteca infatti dal giorno della sua fondazione [...] non seguì sempre uno sviluppo organico, improntato a criteri ben definiti di ordinamento, ma stante la persistente penuria di spazio, in contrasto col sempre crescente afflusso di nuove raccolte, e a cagione delle tardive e saltuarie aggiunte di locali, che mettevano di tratto in tratto le varie sezioni in movimento, venne via via prendendo una fisionomia frammentaria». Domenico Fava, *Il trasporto e la sistemazione della Bi-*

Questa era la situazione della più grande biblioteca italiana quando fu nominato alla guida dell'istituto Desiderio Chilovi, sotto la cui direzione la Nazionale fece i primi passi per ottenere una sistemazione diversa e più adeguata alle sue esigenze. Chilovi[10], che già aveva lavorato dal 1861 al 1879 in Magliabechiana e che poi era passato alla direzione della Biblioteca Marucelliana, lottò infatti per una soluzione radicale: la costruzione di un nuovo edificio, grazie all'inserimento del progetto nei piani di sventramento e recupero del centro storico della città allora in corso. Sotto la sua direzione la Biblioteca ottenne inoltre il titolo di "centrale", con regio decreto del 28 ottobre 1885, n. 3464, e fu investita dell'incarico, a partire dal 1886, di pubblicare il *Bollettino delle pubblicazioni italiane ricevute per diritto di stampa*, che conteneva al proprio interno anche notizie sulla vita della Biblioteca, sulle sue attività e sulle sue iniziative.

Negli anni che seguirono, varie furono le localizzazioni prese in esame e i conseguenti progetti proposti per la sua realizzazione. Chilovi si fece in particolar modo promotore di tre progetti pensati per altrettante zone della città: il primo, redatto nel 1886, per un'area di circa 2.700 metri quadri, situata fra via dei Naccaioli, piazzetta

---

blioteca nazionale centrale di Firenze nella nuova sede (luglio-ottobre 1935 – XIII), relazione a S. E. il Ministro della Educazione nazionale, Firenze: Il Cenacolo, 1936, p. 5; ancora, a p. 6, si parla di un «carattere di mosaico che la Biblioteca col suo ordinamento frammentario era venuta assumendo col passare degli anni e con la sua rapida espansione». In occasione dell'inaugurazione della nuova Biblioteca poi, Domenico Fava rilevava come – oltre ai problemi derivanti al vecchio edificio dall'essere costituito da fabbricati diversi, di differenti altezze e di diversa articolazione, con una conseguente grave discontinuità nell'assetto della suppellettile libraria – l'edificio risultasse inadeguato in quanto «manca*va* di luce in tutta la parte volta a occidente e *aveva* una forma troppo prolungata rispetto alle sale del servizio pubblico e l'ingresso sopra lo scalone figura*va* come strozzato dinanzi ai locali dei cataloghi, di una modestia stupefacente» e ancora «l'edificio [...] coi suoi 150 locali, disposti nella maniera più disorganica, non si prestava ad un assetto delle raccolte librarie che fosse soddisfacente sotto il rispetto tecnico» (Fava, *Per l'inaugurazione* cit., p. 6-7).

[10] Per notizie di carattere biografico su Desiderio Chilovi (1835-1905) e per la bibliografia dei suoi scritti principali, vedi la voce redatta da Alfredo Serrai per il DBI, 24, 1980, p. 768-770; per ulteriori notizie riguardo la sua formazione professionale e per una bibliografia aggiornata degli scritti che lo riguardano, vedi Gianna Del Bono, *La biblioteca professionale di Desiderio Chilovi, bibliografia e biblioteconomia nella seconda metà dell'Ottocento,* Manziana: Vecchiarelli, 2002, ma anche *Il sapere della nazione: Desiderio Chilovi e le biblioteche pubbliche nel XIX secolo,* a cura di Luigi Blanco e Gianna Del Bono, Trento: Provincia autonoma, 2007.

dell'Olio e via dell'Arcivescovado, nell'area compresa fra piazza del Duomo e piazza della Repubblica, alle spalle del Battistero, in quegli anni oggetto di profonde alterazioni; il secondo, del 1892, per un'area di circa 4.000 metri quadri compresa fra le vie Pellicceria, Porta Rossa, dei Vecchietti (attuale via de' Sassetti) e degli Anselmi, dove sorge oggi l'edificio delle Poste centrali; il terzo, del 1900, per l'area su cui sarà poi in effetti costruito l'attuale edificio: in riva all'Arno, in piazza dei Cavalleggeri, nello storico quartiere di Santa Croce[11].

L'area di riferimento, posta a fianco della basilica di Santa Croce, era allora quasi interamente occupata da una caserma di cavalleria in via di completo trasferimento e copriva un'area di circa 10.000 metri quadri, la più grande proposta fino a quel momento, che doveva perciò mettere al riparo la nuova Nazionale da possibili future ristrettezze causate dal rapidissimo incremento delle collezioni. Problemi potevano derivare però dal preventivato utilizzo a favore della Biblioteca degli spazi che si affacciavano sul cosiddetto chiostro brunelleschiano, funzione questa che a molti sembrava nociva alla bellezza del chiostro stesso, per quanto quest'ultimo fosse stato fino ad allora il cortile della caserma e fosse quindi quasi del tutto sconosciuto alla città.

I tre progetti Chilovi[12] sono caratterizzati da uno stesso impianto dal punto di vista della distribuzione degli spazi: innanzi tutto l'abbandono della grande sala di lettura con le pareti coperte di libri, in favore di una suddivisione delle aree dedicate al pubblico e agli uffici rispetto a quelle dedicate alla conservazione, dove, a partire dal secondo progetto, è la sala di distribuzione a fungere da snodo centrale; poi la divisione delle sale di conservazione di manoscritti, rari e suppellettile antica – il cosiddetto Museo – da collocarsi al primo piano, da quelle dove dovevano essere collocati gli stampati moderni.

Il terzo progetto fu rifiutato perché non prevedeva l'abbattimento delle murature che chiudevano all'epoca il piano superiore del cosiddetto chiostro brunelleschiano, intervento considerato invece indi-

---

[11] Le due aree summenzionate non furono le uniche a essere prese in considerazione dall'amministrazione cittadina e dall'esecutivo: fra gli altri furono proposti anche, in via del Parione, Palazzo Capponi e Palazzo Corsini, da unire in un'unica struttura.

[12] Per un'esauriente bibliografia vedi Clementina Rotondi, *Progetti e polemiche per la nuova sede della Biblioteca nazionale di Firenze tra la fine dell'800 ed i primi anni del '900*, in *Miscellanea di studi in onore di Anna Saitta Revignas*, Firenze: L.S. Olschki, 1978, p. 301-325.

spensabile per riportare il chiostro alle sue forme rinascimentali originali. Tale progetto, che nella distribuzione degli spazi rivelava chiaramente la mano del direttore della Biblioteca[13] e dove facevano la loro prima apparizione le due tribune, da dedicare alle figure di Dante e di Galileo, che caratterizzano la Biblioteca come la conosciamo oggi, fu comunque alla base delle specifiche del concorso nazionale che fu in seguito bandito, in data 31 dicembre 1902, e che prevedeva per la nuova costruzione una capacità tripla di quella precedente.

Il pericolo che la prossimità all'Arno e il basso livello del piano stradale[14] della localizzazione prescelta costituivano per l'istituto era ben presente a chi redasse il bando di concorso, che prescriveva infatti che «data l'ubicazione del nuovo edificio, in prossimità del fiume Arno, nessun locale della biblioteca dovrà avere il pavimento al di sotto del piano stradale»[15].

Nell'ambito del concorso, però, l'aspetto biblioteconomico cadde in secondo piano rispetto a quello architettonico, cui fu data grande importanza anche per la monumentale collocazione urbana del complesso, che andava a interferire pesantemente con le strutture della basilica di Santa Croce, oscurandone la vista dalle rive dell'Arno: nella commissione giudicatrice solo due dei sette membri erano bibliotecari e il loro voto non era altro che consultivo. Ricoprirono questo incarico Giuseppe Salvo-Cozzo[16], direttore della Biblioteca

---

[13] «Il motivo dominante nelle sue [del Chilovi] relazioni sono i reparti, ossia un ambiente affatto nuovo, che avrebbe dovuto servire di congiunzione tra la distribuzione da una parte e i magazzini dall'altra, come luogo di accentramento dei libri provenienti dai depositi per la lettura o per il prestito, e di quelli che ne ritornavano per la ricollocazione» Fava, *Per l'inaugurazione* cit., p. 18.

[14] L'area dove a partire dal 1226 sorse il primitivo edificio della chiesa di Santa Croce, poi divenuta basilica, era infatti nota come Isola d'Arno, perché si trattava di un modesto rilevato, collocato fuori della cinta muraria, in una zona depressa, molto spesso invasa dalle acque, povera e malsana, bonificata e messa in sicurezza a partire dal XIII secolo proprio su istanza dei frati.

[15] Il programma di concorso è riportato integralmente in *L'edificio della Biblioteca nazionale centrale di Firenze, Firenze, Forte di Belvedere, ottobre-novembre 1986*, Firenze: Karta, 1986, p. 27-28.

[16] Giuseppe Salvo-Cozzo di Pietraganzili (1856-1925) era direttore della Biblioteca nazionale di Palermo dal 1897. Per maggiori notizie vedi la scheda redatta da Simonetta Buttò in Giorgio de Gregori – Simonetta Buttò, *Per una storia dei bibliotecari italiani del XX secolo: dizionario bio-bibliografico*, Roma: AIB, 1999, p. 43-44, opera interamente riversata e aggiornata sul web, nel sito dell'Associazione italiana biblioteche, a cura di Simonetta Buttò, sotto il titolo

nazionale di Palermo, e lo stesso Chilovi, designati dal Ministero della pubblica istruzione. Il Chilovi morì però il 7 giugno 1905, quando non era ancora stato designato il vincitore, e fu sostituito nelle sue funzioni da Salomone Morpurgo[17].

Il concorso, ai suoi vari livelli, durò sei anni, soprattutto a causa dei problemi che la localizzazione prescelta portava continuamente innanzi alla commissione giudicatrice. Ma alla fine fu nominato vincitore il romano Cesare Bazzani[18], alle prese con uno dei suoi primi progetti. L'architetto propose una struttura interna della Biblioteca che si incentrava sulla sala di distribuzione, attorno alle quale ruotavano le sale di lettura (la sala di lettura pubblica, a ovest della sala di distribuzione, di circa 470 metri quadri per 200 lettori), la sala dei cataloghi (a est della medesima sala, di circa 400 metri quadri), la sala dei reparti e il deposito dei libri sul retro. Le collezioni speciali e i rari venivano collocati invece al piano superiore – come già nei progetti di Chilovi – perché fosse possibile isolarli e proteggerli più efficacemente in caso di pericolo. Gli uffici venivano divisi in due gruppi: quelli aperti al pubblico e quelli interni, che potevano usufruire di un accesso riservato.

Elemento caratterizzante del progetto era la rotonda, collocata all'angolo fra corso dei Tintori e la nuova via Magliabechi, articolata nelle due tribune dedicate a Galileo, al piano terra, e a Dante, al primo piano, dove dovevano trovare sede le collezioni più preziose, si-

---

Dizionario bio-bibliografico dei bibliotecari italiani del XX secolo, all'indirizzo http://www.aib.it/aib/editoria/dbbi20/ dbbi20.htm (d'ora in avanti DBBI20).

[17] Salomone Morpurgo (1860-1942), fondatore dell'Archivio storico per Trieste, l'Istria e il Trentino e della Rivista critica della letteratura italiana, bibliotecario presso la BNCF dal 1885, fu direttore dal 1887 della Riccardiana, dal 1902 della Marciana di Venezia e poi, dal 1905 al 1923 della BNCF. Per maggiori notizie vedi Alfredo Stussi, Salomone Morpurgo: biografia, con una bibliografia degli scritti, «Studi mediolatini e volgari», 21 (1973), p. 261-337; Anita Mondolfo, Salomone Morpurgo (17 novembre 1860 - 8 febbraio 1942), «Accademie e biblioteche d'Italia», 29 (1961), n. 5, p. 341-351, nonché la scheda redatta da Giorgio de Gregori in DBBI20. Una parte della biblioteca di Morpurgo è ora conservata presso la Biblioteca civica Bertoliana di Vicenza.

[18] Cesare Bazzani (1873-1939) sarà poi uno dei maggiori e più prolifici artefici dell'architettura pubblica italiana di primo Novecento, soprattutto nel periodo fascista. Fra le sue opere, oltre alla BNCF, la Galleria d'arte moderna di Roma, la facciata della basilica di Santa Maria degli Angeli ad Assisi, la sede del Ministero della pubblica istruzione a Roma, la Stazione marittima a Napoli, oltre che gran parte dell'attuale sistemazione urbanistica della città di Terni.

tuate per questo il più lontano possibile dal centro, potenzialmente infiammabile, dei magazzini dei libri.

Nel 1907 i militari lasciarono definitivamente l'area destinata alla Biblioteca, cui fu assegnato anche il chiostro nella sua interezza, poiché furono offerti spazi diversi alla Scuola di arti decorative e industriali che pure gravitava in quest'area. Solo nel 1909 vennero demolite le vecchie caserme e l'infermeria dei frati, per arrivare nel 1911 all'inizio dei lavori di costruzione del nuovo edificio, con la posa solenne della prima pietra alla presenza di Vittorio Emanuele III. Nel 1929, in occasione del primo Congresso mondiale delle biblioteche e di bibliografia, furono inaugurati un primo magazzino dei periodici e la tribuna dantesca, mentre nel 1930 fu aperta una sala di lettura provvisoria nel locale della libreria dell'ex-convento di Santa Croce.

L'apertura della nuova Biblioteca nazionale quindi, punto di arrivo di un processo durato più di trent'anni, fu realizzata durante il fascismo, saldandosi ai ponderosi lavori di ristrutturazione e risanamento conosciuti in quegli anni dal quartiere di Santa Croce[19] e ben integrandosi, per la visibilità e l'aspetto monumentale del nuovo edificio, nei programmi governativi. Il suo aspetto esteriore tradiva però l'anzianità del progetto, soprattutto se messo a confronto con la nuo-

---

[19] In epoca fascista la struttura urbana dell'area conobbe infatti un processo di cosiddetto risanamento, fatto di grandi alterazioni e distruzioni. I lavori di demolizione vennero iniziati nel 1936, ma seguirono confini molto più ristretti di quelli previsti dal primitivo progetto comunale e non interessarono direttamente l'area della Nazionale, ma solo quella compresa tra le vie dell'Agnolo, Verdi, Pietrapiana e Borgo Allegri, per un totale di dodici isolati, in un'operazione di evidente bonifica sociale più che di razionalizzazione urbana. Si trattava del quartiere che era stato per tutto l'Ottocento la zona a più alta densità abitativa del centro storico, una densità, calcolata sui singoli isolati, che nel 1931 raggiungeva i 550-850 abitanti per ettaro, con punte di 1550 (cfr. Giorgio Fanelli, *Firenze*, Bari: Laterza, 1980, p. 230; Silvano Fei, *Le vicende urbanistiche del quartiere di Santa Croce dalle origini ai giorni nostri*, Firenze: Comune, Assessorato all'urbanistica, 1986, p. 15; Lionello Giorgio Boccia, *Operazione Santa Croce*, in: *Traversando l'alluvione in Toscana*, «La Regione», n.s., 13 (1966), n. 13-15, p. 333-338; per un inquadramento dei lavori nella complessa opera di ristrutturazione in corso in quegli anni vedi anche *Firenze, verso la città moderna. Itinerari urbanistici nella* città estesa *tra Ottocento e Novecento*, a cura di Andrea Aleardi, Corrado Marcetti, Firenze: Comune, Assessorato alla cultura, 2006). Il fallimento del progetto comunale fece sì che gli spazi aperti dalle demolizioni non fossero colmati e che la ricostruzione delle aree distrutte fosse realizzata in modo disordinato soltanto nel dopoguerra.

va stazione di Santa Maria Novella[20], inaugurata dal re nello stesso giorno, il 30 ottobre 1935[21].

Il nuovo complesso si trovava a ricoprire quasi una funzione di raccordo fra due elementi costitutivi dell'area in cui era situato: da una parte la basilica francescana di Santa Croce, cui risultava strettamente legato attraverso il sistema dei chiostri, e per il cui tramite si trovava a essere inserito all'interno del quartiere omonimo, di cui la basilica è polo attrattivo; dall'altro si affacciava in modo monumentale, attraverso la piazza antistante l'ingresso, sul fiume, nella zona ottocentesca dei lungarni compresa fra il lungarno delle Grazie e quello della Zecca Vecchia, un'area quest'ultima che, nel 1966, faceva parte di un unico lungo percorso sull'acqua[22].

---

[20] Considerata il capolavoro del razionalismo italiano, la nuova stazione di Santa Maria Novella era stata progettata nel 1932 dal cosiddetto Gruppo toscano: cinque giovani architetti, Nello Baroni, Pierniccolò Berardi, Italo Gamberini, Sante Guarnieri e Leonardo Lusanna, coordinati da Giovanni Michelucci (1891-1990).

[21] La costruzione del nuovo edificio della Biblioteca infatti, per quanto fosse frutto di scelte assai antecedenti l'affermarsi del regime fascista, fu sentita dallo stesso direttore Domenico Fava come «opera grandiosa, sogno e voto di generazioni di studiosi e di spiriti colti, aspirazione ardente di Firenze e dell'Italia intera, opera tenacemente voluta dal Governo fascista, anzi dal suo Capo, quale affermazione di una superiore civiltà e di un incontrastato predominio del nostro Paese nel campo delle lettere e delle arti». E ancora: «un risultato così lusinghiero non è stato effetto né di fortuna né di miracolo, ma soltanto del nuovo clima che il Fascismo ha creato anche nelle biblioteche, dove ha trasformato le coscienze, rafforzato voleri e propositi, costituito, in una parola, una milizia pronta a tutte le conquiste, degna di ogni vittoria. Che il Duce e V.E. comandino, e tutti i funzionari delle biblioteche pubbliche governative balzeranno nuovamente in piedi, pronti ai maggiori sacrifici per l'onore e la grandezza della Patria» (Fava, *Il trasporto* cit., p. 74-76 e p. 77). Nicolas Barker, direttore dal 1965 di una delle più importanti riviste dedicate allo studio del libro, l'inglese *The book collector*, dal 1976 conservatore capo della British Library, descriverà poi così, nel 1969, l'edificio della Biblioteca nazionale: «a late debased example of the grand manner of the 19th-century public buildings, in which convenience of any kind is sacrificed to an ill-defined conception of the grandeur appropriate to the shrine of the nation's learning, it is a mausoleum rather than a frame for the storage or consultation of books» (Nicolas Barker, *The Biblioteca nazionale at Florence*, «The book collector», 18 (1969), n. 1, p. 11-22).

[22] L'effetto che la nuova costruzione produsse agli occhi dei contemporanei è ben documentato dalle parole del critico letterario e artistico Emilio Cecchi (1884-1966) in *Firenze* (Milano: Mondadori, 1969, p. 257), dove si legge «la vera tristezza di quegli anni fu la Nuova Biblioteca Nazionale presso Santa Croce, nel Corso dei Tintori, sacro alla ideale presenza del vecchio Tommaseo. E in quella strada, ampia, scevra, semideserta e come spazzata dal vento, l'edificio

Entrando in Biblioteca dal portico di accesso si passava al vestibolo, fiancheggiato a est dalla portineria e a ovest dal guardaroba, e poi all'atrio e quindi alla grande e centrale sala di distribuzione. Alle spalle di tale ambiente era collocata la sala dei reparti, punto di convergenza delle gallerie di transito per i magazzini e del sistema di trasporto dei libri[23]. A est della sala di distribuzione si apriva quindi la sala cataloghi, che ospitava i cataloghi a volume nei banconi posti al centro della stanza e quelli a schede, ordinati in cassette metalliche disegnate dall'allora direttore Domenico Fava[24]. Quindi, lungo il corridoio che si apre sulla destra, furono sistemati gli uffici della Regia Procura del registro di ingresso degli esemplari d'obbligo, acquisto e doni, della schedatura, del *Bollettino delle edizioni italiane pervenute per deposito di stampa*, della collocazione delle nuove accessioni e degli inventari topografici. Le ultime due stanze su questo lato dell'edificio ospitavano infine la legatoria e i suoi depositi. Sulla sinistra trovò invece collocazione l'ufficio delle continuazioni, collezioni e gruppi.

I depositi si articolavano su quattro livelli sovrapposti, due corrispondenti al piano terra, due al primo piano, suddivisi in tre gruppi principali. Quello situato a occidente era già occupato dalle riviste al momento del trasloco[25], mentre i due rivolti a sud, formati da 5-6

---

della Biblioteca, col suo stile balcanizzante da "Kursaal" o casino da giuoco, rassomiglia a un obeso e melenso mascherotto la cui ridicolaggine è accresciuta dal suo ritrovarsi lì disorientato e solo».

[23] Per facilitare la distribuzione del materiale più frequentemente richiesto dall'utenza, il retro del locale fu scaffalato per accogliere le collane, o "collezioni", più consultate, quali i manuali Hoepli o le raccolte moderne dei classici italiani.

[24] Domenico Fava (1873-1956), già direttore della Biblioteca Estense di Modena dal 1913 al 1933, era subentrato alla direzione della BNCF nel 1933 ad Angelo Bruschi (1858-1941), che aveva ricoperto quella carica dal 1924; passò poi alla direzione della Biblioteca universitaria di Bologna e fu docente di bibliografia e biblioteconomia presso le Università di Firenze e di Bologna. Per maggiori notizie vedi la voce redatta da Carla Ronzitti per il DBI, 45, 1995, p. 407-408, nonché la scheda realizzata da Giorgio de Gregori in DBBI20.

[25] L'ufficio periodici fu collocato in un locale attiguo ai rispettivi magazzini, in prosecuzione delle sale di consultazione, ma Domenico Fava lamenta che «quanto si è studiato e attuato perché la biblioteca non mancasse almeno di una sala per le riviste [...] costituisce soltanto un provvedimento provvisorio, in attesa di tempi migliori» e ancora che «per i giornali nulla si è potuto fare [...] e il pubblico mancherà pertanto di questo utilissimo mezzo di cultura e di utile passatempo» (Fava, *Per l'inaugurazione* cit., p. 25).

piani e in diretto collegamento con la sala dei reparti, luogo di smistamento e di deposito dei libri della distribuzione, si candidavano a essere le sedi delle raccolte principali[26]. Un quarto era poi costituito dai locali dell'interrato, che furono scaffalati. A questi più ampi reparti destinati a magazzini se ne aggiungevano altri, di più modeste dimensioni, variamente ricavati all'interno dell'edificio[27].

Nel seminterrato, ricavato nel basamento che alzava il piano terra dal piano stradale, dovevano essere collocati i laboratori: la legatoria, la tipografia e il laboratorio fotografico, ma queste aree dell'edificio furono scaffalate e, al momento del trasloco, molto fu il materiale che vi fu collocato, poiché tale condizionamento era ammesso dalla commissione per i giornali e per «altri stampati di poco valore, o opere avariate»[28]. Nel seminterrato, in corrispondenza del padiglione occidentale, trovarono posto i quotidiani, mentre in corrispondenza di quello orientale i grandi formati Palatini e Magliabechiani. Domenico Fava, nel suo rapporto sul trasloco, attribuisce questa scelta al fatto che al suo primo ingresso nel nuovo edificio che si andava costruendo, nel 1933, il Genio civile aveva già montato scaffalature in ferro, per 18 km, di una sola misura (1 m di larghezza per 26 cm di profondità); fu allora necessario montarne altre più capienti. Fava non mostra particolare preoccupazione nel riferire che si trovò opportuno raccogliere su una scaffalatura di 1.500 metri profonda 45 centimetri i circa 25.000 grandi formati della Biblioteca estraendoli dalle loro collezioni, venendo eccezionalmente meno alla decisione presa di collocare nella nuova sede in un unico reparto le due principali collezioni storiche. Fu così che 30.000 volumi di larghezza superiore ai 26 centimetri furono collocati nell'interrato, assieme alle miscellanee, sistemate sotto il salone del catalogo, alle dissertazioni e alle tesi, cui furono assegnati i magazzini verso la strada, e al materiale ritenuto dal direttore «di secondaria importanza», e cioè doppi, scompleti, manifesti, fogli volanti e «altre simili congerie di stampa-

---

[26] In particolare il padiglione di sinistra, più a diretto contatto con la distribuzione, fu destinato alle raccolte moderne, alle continuazioni e alle collezioni, mentre quello di destra alle raccolte del passato.

[27] Per una descrizione dettagliata dell'edificio e della lunga gestazione che ha portato alla sua costruzione, vedi anche la scheda redatta per l'archivio *Architetture del '900*, ospitato dal sito della Regione Toscana: http://www.cultura.toscana.it/architetture/architetture_900/index.shtml.

[28] Vedi Anna Lenzuni, *Considerazioni del bibliotecario*, in: *L'edificio della Biblioteca nazionale* cit., p. 10.

ti»[29], che furono immagazzinati sotto le tribune, visto che la loro distanza dai centri di distribuzione non avrebbe arrecato alcun problema alla Biblioteca. Sempre nell'interrato trovarono una sede le carte geografiche e topografiche, in un locale dotato di un arredamento specifico.

Le edizioni rare furono infine collocate nei locali immediatamente attigui alle due rotonde, la galileiana e la dantesca, mentre per i manoscritti fu ritenuta opportuna una dislocazione che ne permettesse un rapido accesso dalle sale di consultazione riservate. Le sale del secondo piano furono infatti deputate ad accogliere la consultazione degli specialisti e, al completamento del loro arredamento, potevano vantare 96 postazioni, contro le 16 disponibili nel vecchio edificio, e 25.000 volumi in consultazione libera, scelti fra quelli di maggior uso nelle varie scienze, articolati in una sala, la più grande, dedicata alle materie letterarie, una seconda, la più piccola, alle materie archeologiche e artistiche, una terza alla bibliografia generale, alla paleografia e alla lettura dei manoscritti, e infine una quarta dedicata alle materie scientifiche. Al secondo piano furono quindi collocate la Direzione e la Soprintendenza, per mantenere un costante contatto con l'utenza propria della Biblioteca. Questo tipo di articolazione del secondo piano del nuovo edificio fu pensato dal direttore per cercare di ovviare ai problemi creati dall'estrema frammentazione dello spazio del piano superiore, che secondo il progetto Chilovi e secondo quello Bazzani, che ne faceva proprie le linee guida, avrebbe dovuto ospitare i libri rari e di pregio divisi in sezioni, ognuna con annesso museo, sale di consultazione e uffici, riducendo così di molto non solo lo spazio, ma anche le possibilità di protezione del materiale prezioso.

Gravi problemi sarebbero venuti poi alla Biblioteca in seguito alla decisione di non costruire tre dei quattro magazzini progettati dal Bazzani: uno sulla nuova via aperta fra piazza Santa Croce e corso de' Tintori denominata via Magliabechi[30], che avrebbe dovuto colle-

---

[29] Fava, *Il trasporto* cit., p. 51.

[30] Fava afferma che già nel 1933 «io aveva avvertito che la nuova sede della Nazionale non avrebbe corrisposto ai fini per cui era stata costruita se non si fosse pensato subito a completarla della parte mancante [...] ossia della parte prospiciente la Via Magliabechi, la quale avrebbe servito anche a sopprimere una grave deficienza di carattere estetico [...]. Nei 3 piani in progetto del nuovo edifizio, che dovrebbe avere una lunghezza di circa 50 metri e una larghezza di 14, potranno agevolmente trovare posto, al piano inferiore, il magazzino dei manoscritti e dei rari, fornito di tutte le provvidenze che sono richieste in questo caso; nel

gare la parte ovest della Biblioteca con il primo chiostro di Santa Croce, e due nel giardino a est, quel giardino che il nuovo edificio privò dello sbocco al fiume. Probabilmente questi magazzini non furono mai realizzati perché troppo avrebbero interferito con la vista del complesso di Santa Croce. Al termine del trasloco, dei 45 km di scaffalature approntati, infatti, soltanto 20 rimasero disponibili per le future acquisizioni. Anche la grande sala di lettura mostrò subito i propri limiti, non potendo ospitare, una volta arredata, più di 136 posti, contro i 250 previsti, cosicché, per raggiungere almeno il numero di 200, spazi diversificati furono dedicati all' "elemento femminile" e ai laureandi[31].

Il nuovo edificio della Biblioteca mostrava nelle proprie caratteristiche la sua lunga gestazione, in quanto l'apparenza di alcune sale, come quella dei cataloghi, risultò al termine dei lavori molto più moderna e "novecentesca" di altre, come quella dedicata alla distribuzione, più aderente al progetto originale e per questo più "ottocentesca".

Molto presto, come era inevitabile, la Biblioteca si trovò a dover affrontare gravi problemi di spazio: nel 1950 infatti la tribuna dedicata a Galileo fu occupata dalla raccolta Landau-Finaly[32], consegnata dal Comune di Firenze alla Nazionale in deposito permanente l'anno precedente, e già nel 1954 Giuseppe Vedovato[33] denunciava in Par-

---

secondo la sala per la lettura dei giornali e delle riviste, con le relative consultazioni, e infine, al piano superiore, il Museo del libro italiano, contornato dalle superbe collezioni della Palatina, splendide per legature artistiche antiche e moderne». La questione approdò infine in Parlamento il 12 luglio 1954, quando Giuseppe Vedovato (vedi nota 33), durante la discussione sul bilancio del Ministero della pubblica istruzione per l'esercizio finanziario 1954-55, chiese stanziamenti di fondi per ampliare la capacità ricettiva della Biblioteca nazionale di Firenze (Giuseppe Vedovato, *Difesa di Firenze e dei beni artistico-culturali*, Firenze: Le Monnier, 1968, p. 94-95).

[31] La sala dedicata all' "elemento femminile" corrispondeva, al primo piano, alla prima sala di consultazione; quella dei laureandi corrispondeva alla terza e il vestibolo alla quarta. Dedicare alle lettrici uno spazio riservato era prassi piuttosto comune all'epoca nelle grandi biblioteche e la BNCF non faceva eccezione.

[32] Il fondo, affidato dal Comune di Firenze alla BNCF in deposito permanente nel 1949, è costituito da manoscritti, libri a stampa e oggetti d'arte. Per la descrizione sommaria del fondo e la relativa bibliografia vedi *Guida ai fondi speciali delle biblioteche toscane*, a cura di Sandra Di Majo, Firenze: DBA, 1996, p. 86, nonché la scheda a esso dedicata sul sito della BNCF: http://www.bncf.firenze.sbn.it.

[33] Giuseppe Vedovato (n. 1912) era professore di Diritto internazionale e di Storia dei trattati e di politica internazionale presso l'ateneo di Roma oltre che, dal 1947 e fino al 2005, direttore della *Rivista di studi politici internazionali* e, dal

lamento che «oggi, a parte i palchetti lasciati liberi alla fine delle varie segnature, non si ha più nessun ambiente, sia pure di modeste proporzioni, dove collocare una qualsiasi nuova raccolta» e «la Nazionale di Firenze non può offrire al pubblico una sala per emeroteca, pur essendo l'unica biblioteca d'Italia che conserva di tutti i giornali tutte le edizioni»[34].

Per porre rimedio a tale carenza, che iniziative come quella di Vedovato proponevano all'attenzione di un pubblico di più ampio di quello dei soli dipendenti e utenti, l'istituto riuscì a reperire i finanziamenti necessari a realizzare un primo ampliamento: l'edificio originale fu dotato nel 1962, lungo via Magliabechi, di una nuova ala, su progetto dell'architetto Vincenzo Mazzei, destinata, nelle intenzioni della direzione, ad accogliere la *Bibliografia nazionale italiana* e il centro meccanografico.

1.2 Il direttore dell'alluvione

Fu nel 1965 che la direzione del più grande istituto bibliografico italiano passò dalle mani di Benvenuto Righini[35] a quelle di Emanuele Casamassima (1916-1988), a solo un anno dallo spartiacque rappresentato per la storia della Biblioteca nazionale di Firenze, e forse

---

1953 al 1976, senatore eletto nel collegio fiorentino; sarà poi sottosegretario al Ministero di grazia e giustizia, nel 1968, nonché presidente dell'Associazione nazionale degli ex-parlamentari della Repubblica e presidente dell'assemblea parlamentare del Consiglio d'Europa, dal 1972 al 1975 (vedi: *Relazioni internazionali: scritti in onore di Giuseppe Vedovato*, Firenze: Biblioteca della Rivista di studi politici internazionali, 1997-2000; Antonio Giardullo, *Bibliografia degli scritti di Giuseppe Vedovato, 1933-2003*, Firenze: Biblioteca della Rivista di studi politici internazionali, 2003).

[34] Vedovato, *Difesa di Firenze* cit., p. 95. Nel medesimo intervento parlamentare Vedovato rilevava anche che la Biblioteca nazionale di Firenze aveva un organico di 25 impiegati (otto di gruppo A, sette di gruppo B e dieci di gruppo C), contro i 58 impiegati di solo gruppo A a Parigi, 1.909 impiegati complessivi a Washington e 79 impiegati della piccola sezione di quella che era stata la biblioteca di Berlino.

[35] Nato a Firenzuola, Benvenuto Righini (1900-1976) lavorò sempre in biblioteche fiorentine, tranne una breve parentesi che lo vide nel 1933 bibliotecario aggiunto alla Biblioteca nazionale di Napoli; fin dal 1934 fu impiegato presso la BNCF, di cui raggiunse la direzione nel biennio 1964-1965. Per maggiori notizie, vedi la scheda redatta da Giorgio de Gregori in DBBI20.

dell'intero sistema bibliotecario italiano, dall'alluvione del 4 novembre 1966.

Se pure alla sua prima esperienza a capo di una grande istituzione bibliotecaria, Casamassima conosceva la BNCF molto bene, perché vi aveva lavorato fin dal 1949, di prima nomina, dopo aver superato due anni prima, nel 1947, il concorso ministeriale nella carriera direttiva delle biblioteche statali. L'avvio della carriera bibliotecaria era stato il punto di arrivo di un processo di maturazione personale e professionale che aveva portato Casamassima, dai primitivi interessi giuridici[36], verso studi di carattere paleografico e codicologico, una volta conclusa la dolorosa parentesi della guerra, che lo aveva visto partecipe prima nel prolungato servizio militare, poi nelle fila della Resistenza.

Il trasferimento dalla natìa Roma a Firenze, che il suo primo incarico come bibliotecario implicava, rappresentò quindi per il futuro direttore l'occasione per iscriversi, a pochi mesi dal suo trasferimento in città, alla Scuola speciale per bibliotecari, archivisti e paleografi della locale università, facendo così convivere, fin dai primordi della sua nuova carriera, gli interessi più propriamente professionali con quelli scientifici, che negli ultimi anni della sua esistenza avranno il sopravvento.

Quella presso la scuola fiorentina fu un'esperienza fondamentale per la sua formazione, anche per l'incontro con Renato Piattoli[37], allora titolare della cattedra di Paleografia e diplomatica e direttore del Gabinetto di paleografia alla Facoltà di lettere e filosofia, che Casamassima scelse come relatore per la dissertazione paleografica che gli guadagnò il diploma, dal titolo *Litterae antiquae. Contributo alla*

---

[36] Emanuele Casamassima si era infatti laureato in legge, a Roma, con una dissertazione in Storia del diritto italiano, relatore Pier Silverio Leicht, dal titolo *Lo statuto fiorentino dell'Arte della Lana (1317)*. Anche in Leicht (1874-1956) era viva la passione bibliotecaria: oltre che professore di storia del diritto italiano presso le Università di Cagliari, Siena, Modena, Bologna e Roma, fu direttore della Biblioteca comunale di Udine dal 1900 al 1902 e primo presidente dell'Associazione italiana biblioteche, dal 1930 al 1944 (vedi la scheda redatta da Giorgio de Gregori in DBBI20).

[37] Renato Piattoli (1906-1974) dal 1942 teneva la cattedra di Paleografia e diplomatica dell'Università di Firenze, dopo aver esercitato la libera docenza dal 1935 (per ulteriori notizie vedi *Renato Piattoli in memoriam: bibliografia degli scritti e opera postuma*, Prato: a cura della Cassa di risparmio e depositi, 1976, la cui introduzione, alle p. 3-9, porta la firma di Casamassima).

storia della riforma grafica umanistica[38], e di cui fu assistente, oltre che amico, negli anni accademici 1952-1960.

Fu un periodo, questo, di grande produttività intellettuale per Casamassima, in tutte le sue diverse aree di interesse. Per quello che concerne il campo paleografico e codicologico, ma forse più generalmente di storia del libro, intensa fu innanzi tutto la sua partecipazione al periodico *La Bibliofilia*, allora diretto da Roberto Ridolfi, al quale contribuì soprattutto attraverso la pubblicazione di numerose recensioni[39], che in modo particolare rivelano la sua attenzione al mondo editoriale di lingua tedesca e rispecchiano da vicino il suo costante interesse per le caratteristiche materiali, tecniche e di produzione non solo del libro manoscritto ma anche di quello a stampa e per i problemi posti dalla sua descrizione e catalogazione. Del 1963 è inoltre la pubblicazione del saggio *Note sul metodo della descrizione dei codici*[40], nel quale si possono ritrovare raccolte e organizzate in un sol luogo le riflessioni di Casamassima codicologo. L'occhio del paleografo, profondo conoscitore dell'Umanesimo, attento alle modalità attraverso le quali il mondo del codice si era ripensato e strutturato nel libro a stampa, è evidente poi nel taglio che Casamassima impone alla voce *Tipografia*, da lui redatta all'interno dell'*Enciclopedia universale dell'arte*[41], dove vengono analizzate le forme dei caratteri tipografici come si sono venute formando nel corso dei secoli per l'azione di singoli grafici ed editori e dove in modo particolare vengono discusse le alterazioni della morfologia delle

---

[38] Tale dissertazione fu in seguito pubblicata in «Gutenberg Jahrbuch», (39) 1964, p. 13-26.

[39] Del 1960 è anche la pubblicazione, in questa medesima rivista, di *Litterae gothicae. Note per la storia della riforma grafica umanistica* e del 1962 quella di *Ludovico degli Arrighi detto Vicentino copista dell'Itinerario del Varthema (cod. Landau Finaly 9, Biblioteca nazionale di Firenze)*. Per un completo elenco dei suoi scritti vedi Ilaria Pescini, *Bibliografia degli scritti di Emanuele Casamassima*, «Medioevo e Rinascimento», 3 (1989), p. xiii-xxii, e Ilaria Pescini, *Bibliografia degli scritti di Emanuele Casamassima. Addendum*, «Medioevo e Rinascimento», 5 (1991), p. ix-xi, ma anche Emanuele Casamassima, *Viaggio nelle biblioteche tedesche (1956-1963), con un saggio di bibliografia dei suoi scritti, 1951-1995*, a cura di Piero Innocenti, Manziana: Vecchiarelli, 2002.

[40] «Rassegna degli Archivi di Stato», 23 (1963), n. 2, p. 181-205 (poi in *Antologia di scritti archivistici*, a cura di Romualdo Giuffrida, Roma: Ministero per i beni culturali e ambientali, 1985, p. 717-742).

[41] *Tipografia*, nella voce *Grafica e arte del libro*, in: *Enciclopedia universale dell'arte*, 6, Venezia-Roma: Istituto per la collaborazione culturale, 1958, col. 511-527.

scritture quattrocentesche nel passaggio dalla penna al carattere in metallo.

Per ciò che riguarda invece il campo più strettamente biblioteconomico, i suoi interventi trassero linfa vitale sia dall'incontro con l'allora direttrice della Nazionale Anita Mondolfo[42], sia dalla conoscenza di esperienze estere, con le quali Casamassima non si stancò mai di confrontarsi e che rappresentano un po' la cifra costante delle sue riflessioni sul mondo delle biblioteche. Dopo la partecipazione, infatti, come inviato della Biblioteca nazionale, al corso *British methods in librarianship*, tenuto a Manchester nel 1950, particolarmente assidua fu la sua frequentazione dell'ambiente tedesco[43], una realtà questa che aveva conosciuto partecipando, in rappresentanza dell'Associazione italiana biblioteche[44], ad alcuni congressi nazionali, come quelli del 1956 e del 1957 a Berlino e a Lubecca, che furono poi oggetto di suoi interventi sul Bollettino dell'Associazione[45], dove Casamassima afferma di riconoscere «in ogni aspetto, anche secondario, del Congresso l'elevata concezione che il bibliotecario tedesco, di ogni grado e specialità, ha della propria funzione culturale e socia-

---

[42] Anita Mondolfo (1886-1977) era stata reintegrata alla direzione della Nazionale nel 1945, dopo esserne stata allontanata nel 1937 ed essere poi licenziata, nel 1938, dal Ministero dell'educazione nazionale in conseguenza delle leggi razziali. Ricoprirà la carica di direttore fino al 1953, quando sarà chiamata, per un anno, a quella di ispettore generale bibliografico; sempre nel 1953 fu incaricata dell'insegnamento di biblioteconomia alla Scuola speciale per bibliotecari e archivisti paleografi dell'Università di Firenze. Per maggiori notizie e per una sommaria bibliografia, vedi Elisabetta Francioni, *Bibliotecari al confino: Anita Mondolfo*, «Bollettino AIB», 38 (1998), n. 2, p. 167-189, nonché la scheda redatta da Simonetta Buttò in DBBI20.

[43] Per quanto riguarda l'attenzione alla realtà tedesca di Casamassima, vedi in particolare Casamassima, *Viaggio nelle biblioteche tedesche* cit.; Piero Innocenti, *Gli scritti "tedeschi" di Emanuele Casamassima: 1956-1963*, «Culture del testo e del documento», 5 (2004), n. 13, p. 81-126 (saggio poi pubblicato con qualche variazione anche in: *Il nomos della biblioteca: Emanuele Casamassima e trent'anni dopo*, a cura di Roberto Cardini e Piero Innocenti, Firenze: Polistampa, 2008, p. 35-92).

[44] D'ora in avanti AIB.

[45] «Notizie A.I.B.», 2 (1956), n. 2-3, p. 38-40 e 3 (1957), n. 1-2, p. 42. Casamassima fu anche presente, quando era in Germania per motivi di studio, a un successivo congresso, tenutosi a Monaco nel 1961, sul quale riferì sul «Bollettino d'informazioni. Associazione italiana biblioteche», 1 (1961), n. 4-5, p. 197-198.

le»[46]; un ambiente che seguirà poi costantemente nelle sue pubblicazioni, mostrando grande interesse per la capacità di questa realtà bibliotecaria, a soli vent'anni dalle distruzioni della seconda guerra mondiale, di lavorare in termini di coordinamento interbibliotecario, di aggiornamento catalografico[47] e di applicazione di nuove tecnologie.

Soprattutto, però, questi anni della «favorevole congiuntura dell'incontro di queste due intelligenze e volontà [Casamassima e Mondolfo] e la contemporanea nascita del Centro Nazionale per il Catalogo Unico che ne poteva sostenere l'impegno» furono quelli in cui prese il via l'impresa del *Soggettario per i cataloghi delle biblioteche italiane*, di cui «Casamassima ebbe la responsabilità intellettuale e organizzativa»[48]. Criteri fondamentali per la compilazione del nuovo soggettario della BNCF, iniziata nel 1945 insieme alla revisione e correzione del catalogo per soggetto, furono la perspicuità, la rispondenza all'uso linguistico e il rispetto dello spirito della lingua, in un costante sforzo di stabilire una corrispondenza unica e diretta fra soggetto e argomento, articolando poi la struttura attraverso un ampio uso di richiami e rinvii. Casamassima presenta il soggettario come una concreta esemplificazione di un metodo, una terminologia per la formulazione dei soggetti in continua elaborazione ed evoluzione: ne scaturisce un prodotto rimasto in uso per quasi cinquanta anni[49], che può vantare di essere «l'unico strumento di lavoro italia-

---

[46] Emanuele Casamassima, *47° Congresso dei bibliotecari tedeschi*, «Accademie e biblioteche d'Italia», 25 (1957), n. 2-3, p. 191-194.

[47] Vedi le riflessioni contenute nella recensione di Casamassima a Ladislaus Buzás, *Der systematische Katalog der Universitätsbibliothek München*, «Accademie e biblioteche d'Italia», 25 (1957), n. 4-6, p. 410-413.

[48] Carla Guiducci Bonanni, *La Nazionale fra passato e presente*, in: *Per Emanuele Casamassima, un incontro di studi su scrittura, libro, biblioteche, Firenze, 16-17 marzo 1990*, «Medioevo e Rinascimento», n.s., 2 (1991), p. 119-126: p. 120.

[49] A partire dal 2000 la BNCF, con il coordinamento del Settore indicizzazione per soggetto e classificazione della BNI, ha lavorato al *Nuovo soggettario*, per innovare il soggettario del 1956. Cfr. *Nuovo soggettario. Guida al sistema italiano di indicizzazione per soggetto. Prototipo del Thesaurus*, Milano: Editrice Bibliografica, 2006; gli atti della giornata di presentazione del *Nuovo soggettario* (Firenze, 8 febbraio 2008), pubblicati in *Biblioteche oggi*, 25 (2007), n. 6, p. 77-127; la pagina web di presentazione del progetto sul sito http://www.bncf.firenze.sbn.it).

no che al momento della sua pubblicazione si presentasse di livello internazionale»[50].

All'impegno del soggettario, concluso nel 1956, quando la Mondolfo aveva ormai lasciato da tre anni la direzione della Biblioteca, seguì quello per la *Bibliografia nazionale italiana*[51], sorta nel 1958 dalle ceneri del *Bollettino delle pubblicazioni italiane*; uno degli impegni di Casamassima in questa impresa fu la battaglia per l'adozione, nell'organizzazione interna delle voci della BNI, del sistema decimale Dewey, perché il nuovo strumento bibliografico che si veniva allestendo potesse aspirare alla collocazione internazionale che ha poi in effetti raggiunto e mantenuto negli anni a venire.

Il 1957 vide il primo intervento di Casamassima sul tema del restauro librario[52], nel quale si può già intravedere la piena consapevolezza che il futuro direttore aveva dell'intrinseca contraddizione esistente fra la pratica del restauro e la volontà di conservazione insita nella visione del libro come documento, riflessioni che saranno poi ulteriormente sviluppate, quando l'esperienza dirompente dell'alluvione fiorentina avrà posto Casamassima, suo malgrado, di fronte alla necessità di prendere decisioni che avrebbero segnato in modo irreversibile alcune migliaia di libri[53]. Partendo infatti dal principio

---

[50] Luigi Crocetti, *Casamassima e Firenze: dal* Soggettario *all'alluvione*, «Biblioteche oggi», 24 (2006), n. 3, p. 11-14, in particolare p. 12 (l'articolo anticipa gli atti del convegno *Il nomos della biblioteca: Emanuele Casamassima e trent'anni dopo*, tenutosi a San Gimignano dal 2 al 3 marzo 2001, dove appare alle p. 13-19). Per gli interventi di Casamassima sul soggettario vedi *Soggettario e soggetti nella Biblioteca nazionale di Firenze*, «Accademie e biblioteche d'Italia», 19 (1951), n. 5-6, p. 378-382; *Il soggettario italiano*, in: *X Congresso nazionale dell'Associazione italiana per le biblioteche e Convegno internazionale sul restauro del libro antico, Trieste, 18-22 giugno 1956*, Roma: Palombi, 1956; la nota introduttiva alla consultazione del *Soggettario per i cataloghi delle biblioteche italiane*, a cura della Biblioteca nazionale centrale di Firenze, Firenze: Il Cenacolo, 1956; *La soggettazione*, in: Centro nazionale per il catalogo unico delle biblioteche italiane e per le informazioni bibliografiche, *Manuale del catalogatore*, a cura della Bibliografia nazionale italiana, Firenze: [s.n.], 1970, p. 231-245.

[51] D'ora in avanti BNI.

[52] Emanuele Casamassima, *Nota sul restauro delle legature*, «Notizie A.I.B.», 3 (1957), n. 1-2, p. 13-21.

[53] Emanuele Casamassima, *Aspetti della conservazione*, in: *Atti del corso di formazione del personale di restauro*, a cura della Biblioteca nazionale centrale di Firenze, Firenze: BNCF, 1977, p. 3-7; Emanuele Casamassima, *Le contraddizioni del restauro*, in: *Oltre il testo: unità e strutture nella conservazione e restauro dei libri e dei documenti*, a cura di Rosaria Campioni, Bologna: Alfa,

che «restaurare significa conservare, non rifare», Casamassima, in un'epoca che non aveva ancora conosciuto una sistematica riflessione sul restauro e sulla conservazione del materiale bibliografico, afferma, in modo particolarmente innovativo e incisivo, che «proteggere i documenti della civiltà dalle insidie del tempo, consolidarli, curarne le malattie, rimuovere le cause dei danni: questi sono gli unici compiti ai quali dovrebbe essere chiamato oggigiorno il restauro», in modo consimile a quanto avviene per le arti figurative e per il restauro architettonico, più volte chiamati in causa come coordinate stabili di riferimento al momento di definire quella che si delineava allora come una disciplina nuova.

Casamassima stigmatizza l'esistenza di una sorta di contrasto in corso fra il restauro «scientifico-filologico» e il restauro «d'integrazione stilistica», o peggio «l'estetizzante ed arbitrario ripristino imitativo» e indica nella persona del restauratore l'arbitro in grado di mediare tra queste diverse concezioni, con le proprie competenze di tipo filologico e insieme di tipo artigianale e, in ultima analisi, con la propria sensibilità, non essendo possibile stabilire in questo campo altro che principi metodologici. È vero che in quegli anni, come era apparso anche nel Congresso dell'AIB di Trieste del 1956[54], si era venuta affermando una sorta di terza via, «l'orien-tamento storico-estetico», una sintesi cioè che si proponeva di superare i criteri e-stremi sia del restauro scientifico che dell'integrazione stilistica, accettando da una parte come fondanti in una legatura i suoi caratteri di elemento funzionale e decorativo e fissando dall'altra i principi della visibilità e della documentazione del restauro; Casamassima invita però a un superamento anche di questo tipo di approccio, sulla base dei principi di metodo che discendono dalla nozione dell'oggetto-

1981, p. 95-98; Emanuele Casamassima – Luigi Crocetti, *Valorizzazione e conservazione dei beni librari con particolare riguardo ai fondi manoscritti*, in: *Università e tutela dei beni culturali: il contributo degli studi medievali e umanistici, atti del Convegno, Arezzo-Siena, 21-23 gennaio 1977*, Firenze: La Nuova Italia, 1981, p. 283-302; *Conservazione, restauro e archeologia del libro: indagine strutturale e conservativa sui codici malatestiani di Cesena*, «Informazioni. Istituto per i beni artistici, culturali, naturali della Regione Emilia-Romagna», 5 (1982), n. 1, p. 4-15. Riflessioni sulle idee di Casamassima riguardo al restauro librario si possono leggere in Carlo Federici, *Emanuele Casamassima e il restauro dei libri*, e in Libero Rossi, *Emanuele Casamassima e l'"officina" fiorentina*, entrambi in: *Per Emanuele Casamassima, un incontro di studi* cit., p. 193-202 e p. 203-209.

[54] Vedi *X Congresso nazionale dell'Associazione italiana biblioteche* cit.

libro come documento della civiltà artistica e culturale, come fonte storica a pieno titolo, che si deve imporre con la propria influenza al restauratore, anche a costo dell'annul-lamento della personalità di quest'ultimo: ci si deve muovere quindi verso un approccio di tipo scientifico, di pura conservazione.

Da queste teorie consegue il principio che si sostituiscano «i motivi decorativi perduti [...] con elementi che schematicamente li rappresentino ma siano di nuda semplicità, meglio diremo, neutri, e valgano a colmare il vuoto e a consentire di "leggere" il senso della decorazione, senza creare *ex novo* la forma artistica» e che invece «nel caso di rifacimento totale della legatura [...] il principio del restauro-conservazione non *possa* avere che una sola conseguenza [...] la creazione di una legatura puramente funzionale, la quale cioè soddisfi tutte le esigenze di consolidamento e di conservazione del volume ma non abbia alcuna pretesa estetica, alcuna bellezza, salvo quella che è insita nella rispondenza stessa dell'oggetto alla propria funzione», struttura che deve essere individuata con le competenze del tecnico del restauro e della legatura, affiancate però da quelle del bibliotecario, conoscitore del fondo di cui il singolo libro fa parte, del sistema all'interno del quale il singolo pezzo è inserito.

Fra il 1960 e il 1964 Casamassima lasciò Firenze, anche se non in modo continuativo, nel primo biennio per svolgere una missione di studio intesa a censire e descrivere i manoscritti delle opere di Bartolo da Sassoferrato conservati nelle biblioteche tedesche, nel secondo per dirigere, riordinare e riorganizzare la sezione manoscritti e rari della Biblioteca nazionale centrale di Roma. Dal 1964, fino poi al 1970, impartì inoltre lezioni di paleografia presso la Scuola di archivistica, paleografia e diplomatica dell'Archivio di Stato di Perugia, mostrando già quello che sarebbe stato il suo caratteristico approccio alla docenza negli anni a essa interamente dedicati: l'insegnamento visto come produttivo alla ricerca attraverso il confronto continuo con i discenti[55].

Rivelatore della sua attenzione agli aspetti materiali del libro fu in particolar modo, nel 1965, in occasione del convegno dedicato alla storia del libro nel quinto centenario dell'introduzione dell'arte tipo-

---

[55] Per Casamassima paleografo vedi, in particolare, Armando Petrucci, *Storia della scrittura come storia di strutture: originalità e tradizione nell'opera di Emanuele Casamassima paleografo*, «Medioevo e Rinascimento», s. 2, 5 (1991), p. 105-118.

grafica in Italia, tenuto a Bolzano[56], l'intervento realizzato con Alberto Tinto[57] in cui caldeggiava un censimento, già suggerito a Spoleto l'anno precedente, dei tipi delle cinquecentine italiane: un censimento tipologico che andasse di pari passo col censimento vero e proprio, cioè con la catalogazione sommaria delle edizioni, al fine di realizzare il repertorio fotografico dei tipi, lo schedario sommario delle edizioni, ordinate secondo i tipi, e l'indice inverso dai tipografi ai tipi[58].

Il 1965 fu anche l'anno in cui fu pubblicata l'anticipazione di un successivo lavoro, uscito poi nel 1972, sul Dante folignate del 1472 – seguito l'anno successivo dalla pubblicazione, a Milano, per Il Polifilo, della sua opera di maggior fortuna, *Trattati di scrittura del Cinquecento italiano* – ma fu soprattutto l'anno della sua investitura alla direzione della Biblioteca nazionale centrale di Firenze, nomina avallata dall'ambiente universitario cittadino, nel quale Casamassima era ben inserito, e dal personale della Biblioteca stessa, che conosceva e stimava il futuro direttore.

Stando a quanto afferma Francesco Barberi[59] nelle sue *Schede*, tale nomina sarebbe stata osteggiata da parte della burocrazia ministe-

---

[56] Vedi *Studi bibliografici: atti del convegno dedicato alla storia del libro italiano nel V centenario dell'introduzione dell'arte tipografica in Italia, Bolzano, 7-8 ottobre 1965*, Firenze: Olschki, 1967.

[57] Alberto Tinto (1923-1994) sarà direttore della Biblioteca statale di Lucca dal 1973 al 1988. Fra le sue opere più note, oltre i sotto citati saggi sul corsivo, gli annali tipografici dei Tramezzino (Venezia, 1966; in ristampa anastatica, poiché gran parte della tiratura andò perduta nell'alluvione, Firenze, 1968) e quelli di Eucario e Marcello Silber, Firenze, 1968, nonché lo studio *La tipografia medicea orientale*, uscito a Lucca nel 1987.

[58] Il progetto non ebbe seguito, ma portò a due pubblicazioni sul corsivo: Luigi Balsamo – Alberto Tinto, *Le origini del corsivo nella tipografia italiana del Cinquecento*, Milano: Il Polifilo, 1967 e Alberto Tinto, *Il corsivo nella tipografia del Cinquecento, dai caratteri italiani ai modelli germanici e francesi*, Milano: Il Polifilo, 1972.

[59] Francesco Barberi aveva lavorato in BNCF dal 1933 al 1935, per poi passare alla Soprintendenza alle biblioteche di Puglia e Lucania, quindi, nel 1944, alla direzione della Biblioteca Angelica di Roma e infine, dal 1952, all'Ispettorato delle biblioteche presso il Ministero della pubblica istruzione. Per maggiori notizie vedi la scheda redatta da Giorgio de Gregori in DBBI20, nonché gli atti dei principali convegni che negli anni gli sono stati dedicati: *Studi di biblioteconomia e storia del libro in onore di Francesco Barberi* cit.; *Francesco Barberi: l'eredità di un bibliotecario del Novecento, atti del convegno, Roma, 5-6 giugno 2006*, a cura di Lorenzo Baldacchini, Roma: AIB, 2007; per le sue convinzioni

riale a causa degli orientamenti politici di Casamassima, che a Roma apparivano troppo di sinistra, prefigurando così, fin dai primordi, quello che sarebbe stato un motivo di scontro costante nella sua storia di direttore dell'alluvione[60]:

> Braccio di ferro, al Ministero, fra me e due colleghi per la nomina di Casamassima a direttore della Nazionale di Firenze. Pur essendo nella logica delle cose – egli conosce la biblioteca, anche da studioso, meglio di qualunque altro – pur essendo desiderata dall'esigente personale, e appoggiata dalla facoltà di Lettere, dove Casamassima è stimato docente di Paleografia, la sua nomina era duramente osteggiata dal fascista capo del personale e dal clericale mio collega di ispettorato perché comunisteggiante (non è iscritto): d'intesa e a nome del ministro on. Gui[61] i due avevano messo a punto un provvedimento, che trasferiva alla Nazionale la riluttante, ma docile direttrice della Laurenziana[62], e sostituiva Maltese[63], insostituibile responsabile della *Bibliografia nazionale italiana* (da allontanare perché amico di Casamassima), con un bibliotecario della Marucelliana. [...] Ho vinto la battaglia, cioè l'ha vinta la Biblioteca.

Ancora fresco di nomina il nuovo direttore si trovò a dover affrontare l'indagine della Commissione Franceschini, che proprio in quell'anno approdò in BNCF[64]. Il tipo di rilievi da lui mossi a tale

---

in merito al restauro, cfr. Chiara Faia, *Il contributo di Francesco Barberi al restauro librario*, «Biblioteche oggi», 34 (2009), n. 4, p. 13-20).

[60] Francesco Barberi, *Schede di un bibliotecario, 1933-1975*, Roma: AIB, 1984, p. 202.

[61] Eletto nelle fila della Democrazia cristiana, Luigi Gui (n. 1914) fu ministro della pubblica istruzione ininterrottamente dal 21 febbraio 1962 al 24 giugno 1968, all'interno di cinque diversi governi.

[62] Barberi si riferisce a Irma Merolle Tondi (n. 1905), direttrice della Biblioteca Medicea Laurenziana dal 1956 al 1967, dopo essere stata direttrice della Biblioteca Riccardiana, dal 1942, e della BNCF, dal 1953. Nel 1967 la Merolle Tondi tornerà alla direzione della Riccardiana, per rimanervi fino al 1970. Vedi la scheda redatta da Alberto Petrucciani per DBBI20.

[63] Diego Maltese (n. 1928), dal 1958 in BNCF, dopo avervi trascorso come borsista del Catalogo unico gli anni dal 1951 al 1954, ha diretto per molti anni la *Bibliografia nazionale italiana*. Sarà poi direttore della Biblioteca governativa di Lucca (nel 1973), della Palatina di Parma (nel 1973), dell'Universitaria di Bologna (dal 1974 al 1976) e della BNCF (dal 1976 al 1979), per diventare poi ispettore centrale presso il Ministero per i beni culturali (vedi la scheda biografica redatta da Alberto Petrucciani sul sito http://www.aib.it/aib/stor/bio/maltese.htm, ma anche *Il linguaggio della biblioteca. Scritti in onore di Diego Maltese*, a cura di Mauro Guerrini, Milano: Bibliografica, 1996).

[64] Vedi, in questo capitolo, al paragrafo 3.

Commissione rivelano in parte quale idea di biblioteca abbia guidato Casamassima negli anni della sua direzione: innanzi tutto una visione organica del sistema bibliotecario italiano, e la convinzione quindi che l'auspicato rilancio della Biblioteca nazionale potesse avvenire solo in collegamento con una riorganizzazione del sistema a livello cittadino e nazionale: per questo la sua opera di salvaguardia dei beni librari si esplicò in «un'attività diretta a instaurare una migliore e responsabile gestione degli istituti bibliotecari scevra da immobilismi, inerzie e aderenze a vecchi schemi e criteri di conservazione e distribuzione, e a sviluppare una valorizzazione del patrimonio librario nazionale più aperta e rispondente alle esigenze degli studi e della cultura»[65]; Casamassima

> credeva che il bibliotecario, il direttore di biblioteca, fossero semplicemente uomini e donne della cultura, e che le battaglie si combattessero solo o principalmente su questo piano, [...] per Casamassima la Nazionale di Firenze non poteva che essere un centro di cultura, un istituto di cultura [...] e un nodo della politica bibliotecaria del Paese, un nodo della politica culturale *tout court*. [...] La sua convinzione: che bibliotecario e studioso sono una medesima cosa.[66]

Di non minore importanza poi la riflessione sulla necessità di un continuativo rapporto di collaborazione con la Biblioteca nazionale centrale di Roma, avviato in effetti da Casamassima con l'omologo Emidio Cerulli[67], soprattutto negli anni successivi all'alluvione, anche attraverso partecipazioni comuni alle aste internazionali e attraverso la formulazione di un progetto a quattro mani per la riorganizzazione del sistema bibliotecario italiano[68]. Un'altra novità per la Biblioteca

---

[65] Guiducci Bonanni, *La Nazionale fra passato e presente* cit., p. 119-126.

[66] *Ricordo di Emanuele Casamassima*, «Biblioteche oggi», 6 (1988), n. 6, p. 23-24, non firmato, ma dell'allora direttore della rivista Luigi Crocetti.

[67] Emidio Cerulli (n. 1912) fu direttore della Nazionale di Roma dal 1968 al 1973.

[68] Ricorda Francesco Barberi, in una scheda attribuita al 1969: «Casamassima e Cerulli, direttori delle nazionali di Firenze e Roma, collaborano e vanno a Sotheby e s'impongono con acquisti d'eccezione. I francesi riconoscono che l'Italia ha (finché dura) una sua politica in questo campo [...]. Ignorano però che ai due direttori lo Stato ha ora rimborsato il biglietto dell'aereo; per la missione all'estero, alla fine dell'esercizio finanziario, i fondi di bilancio erano esauriti. I due amici rimetteranno di tasca propria alcune decine di migliaia di lire» (Barberi, *Schede* cit., p. 234). È del 1969 *Aspetti, strutture, strumenti del sistema bibliotecario italiano* «Accademie e biblioteche d'Italia», 37 (1969), n. 3, p. 181-

nazionale fu poi la "ammissione" dei giornali in sala[69], cui fu finalmente riconosciuta la fondamentale importanza documentaria, e
l'attenzione accordata alla conservazione e all'organizzazione degli
interventi di restauro; di grande rilievo fu quindi la politica di acquisti da lui intrapresa, nonostante le ristrettezze finanziarie, e le risorse
impiegate nella formazione permanente del personale e nella creazione di un ambiente di lavoro dove tutti fossero valorizzati, respon-
sabilizzati e coinvolti, favorendo lo sviluppo di una vita democratica
all'interno dell'istituto, attraverso «la costante e dialettica consultazione»[70] delle rappresentanze dei lavoratori.

Chi ha conosciuto il direttore dell'alluvione – gli amici intimi lo
chiamavano Nello – gli riconosce un modo di lavorare concreto, te-
nace e curioso, una grande passione per la docenza, che esercitò in
modo mirabile e coinvolgente, grande integrità morale e coerenza
alle proprie convinzioni e posizioni politiche, che difendeva in modo
sicuro e appassionato ma senza alcuna imposizione né esibizione,
rispetto verso le opinioni degli altri, insofferenza per ogni forma di
celebrazione e quel fastidio particolare per l'effimero apparato
dell'ufficialità, che lo porterà ad atteggiamenti considerati a Roma
irrispettosi e perfino anarcoidi[71], perché «Casamassima pensa che le
biblioteche, una volta fornite dei mezzi necessari, possano e debbano
fare da sé: perché sono esse in possesso delle capacità tecniche, e

---

188, scritto a quattro mani in risposta a una relazione dell'allora direttore generale delle accademie e delle biblioteche Salvatore Accardo, dal titolo *Accademie
e biblioteche per la diffusione della cultura,* uscito sul numero precedente della
medesima rivista (p. 88-99).

[69] Una scelta come questa fu senz'altro innovativa e anticipatrice, se si pensa che
è solo del 1972 il riconoscimento ufficiale del valore storico della materialità
della stampa periodica, quando il Ministero della pubblica istruzione autorizza le
biblioteche statali a includere nei preventivi di restauro del materiale raro e di
pregio anche le collezioni di giornali «data l'importanza che essi rivestono ai fini
della documentazione» (circolare n. 2328 della IV Divisione del Ministero della
pubblica istruzione, luglio 1972).

[70] Intervento di Alessandro Fornaciai in: *Per Emanuele Casamassima, Firenze,
Palazzo Riccardi, 23 ottobre 1970*, Firenze: Provincia, 1971, p. 37.

[71] Secondo la testimonianza di Hamlin (vedi nota 86), a Firenze nel marzo 1967,
«She [Luisa Becherucci, direttrice degli Uffizi] added that no one in Florence
had previously realized what a great man Casamassima was. He is now recog-
nized as the hero of the emergency locally, and is highly respected, (possibly
feared?) in Rome» (Arthur T. Hamlin, *Report of a visit to Florence and Rome on
behalf of the American Library Association – March 1967* (dattiloscritto), Archivio CRIA, 23, fasc. 2, n. 2).

dalla loro autonomia nasceranno mille cose. [...] Lui disprezza e rifiuta la politica della burocrazia, e vorrebbe che tra biblioteca e politica – e più in generale tra cultura e politica – non ci fosse alcun intermediario»[72]. Fu proprio da questo conflitto che nacque il "gran
rifiuto" del direttore dell'alluvione, che nel 1970, dopo aver lottato
per quattro anni per trasformare il disastro dell'alluvione in
un'opportunità di rinascita per la BNCF e per il sistema bibliotecario
italiano, abbandonò la sua biblioteca per dedicarsi all'insegnamento,
chiamato alla cattedra di paleografia dall'Università di Trieste prima,
di Firenze poi. «Nel suo ideale di biblioteca si erano compendiate la
conservazione non inerte (cioè attiva nella sollecitudine della tutela e
nell'intrepidezza dello studio) di un patrimonio e la gestione non au-
toritaria, anzi collettiva fino all'estremo possibile, tuttavia competente e produttiva, di un servizio. Utopia fu il luogo dove raccolse tutte
le sue delusioni nella valigia con cui partì senza salutare per la nuova
destinazione accademica»[73]; non prima però di aver difeso le sue
convinzioni e la "sua" biblioteca finanche allo scontro, tanto da far
affermare a Piero Innocenti[74]: «in effetti credo, sia pure fra parentesi,
che la consapevolezza del diritto all'insubordinazione sia uno dei più
importanti insegnamenti, non biblioteconomici e non paleografici,
ma civili, di Casamassima»[75].

Il suo brusco abbandonare, non solo la BNCF, ma la carriera di
bibliotecario per dedicarsi interamente alla docenza, in aperto e vivo
contrasto con gli apparati ministeriali che avevano mortificato le i-
stanze e le speranze sviluppatesi nei mesi che seguirono all'alluvione,
rappresenta una frattura non sanata per la realtà delle biblioteche ita-

---

[72] Crocetti, *Casamassima e Firenze* cit., p. 13.

[73] Giancarlo Savino, *Ricordo di Emanuele Casamassima*, «Medioevo e Rinascimento», 3 (1989), p. ix-xii: p. x.

[74] Piero Innocenti (n. 1945), in BNCF dal 1969 al 1986, dopo aver lavorato alla
sezione manoscritti per circa cinque anni, e aver diretto le sale di consultazione
scientifica (fino al 1979), ha diretto la sezione restauro (fino al 1982) per passare
poi alla direzione dell'ufficio cinquecentine. Attualmente è docente di Teoria e
tecniche della catalogazione e della classificazione presso la Facoltà di conservazione dei beni culturali dell'Università della Tuscia (per ulteriori notizie vedi
la bibliografia degli scritti in «Culture del testo e del documento», 2 (2001), n. 5,
p. 55-120, nonché il sito www.pieroinnocenti.net).

[75] Piero Innocenti, *Pretesti della memoria per Emanuele Casamassima. Studi
sulle biblioteche e politica delle biblioteche in Italia nel secondo dopoguerra*,
«La Specola», 1 (1991), n. 1, p. 150-263.

liane[76]. Non tutti infatti accettarono la sua scelta, vista talvolta come tradimento, ostentato o fors'anche sprezzante distacco, e se da una parte la figura di Casamassima bibliotecario sembra dimenticata[77],

[76] Secondo la testimonianza di Luigi Crocetti (vedi p. 191), Casamassima «si è trovato a capo di una specie di esercito combattente. [...] Credo che abbia vissuto questa esperienza in maniera molto più politica di me [...] ha visto nell'alluvione non solo una catastrofe naturale, ma il segno di tutto quello che non andava nella organizzazione culturale italiana e non solo nelle biblioteche, il segno che le biblioteche, in particolare le grandi biblioteche, come la Nazionale di Firenze, dovevano scrollarsi di dosso tutta una mentalità e un apparato di tipo burocratico e tornare ad essere esclusivamente dei centri culturali autonomi, gestiti in loco dai bibliotecari. Questo ha portato Casamassima allo scontro diretto col governo delle biblioteche italiane, con la Direzione generale e gli apparati. [...] *Come viveva questo scontro?* L'ha vissuto anche abbastanza allegramente fino a un certo punto. Quando la lotta si è fatta di colpi bassi, allora l'ha vissuto in maniera molto più amara tanto che la sua decisione di andarsene fu dovuta al riconoscimento che non c'era più niente da fare. Così anche la sua inclinazione a disconoscere successivamente la propria personalità ed esperienza di bibliotecario credo che sia dovuto a questo. Anche il suo volgersi esclusivamente allo studio è dovuto a questo, alle delusioni subite» (Roberto Maini, *Un'occasione perduta: i problemi aperti dall'alluvione nella testimonianza di Luigi Crocetti*, «Biblioteche oggi», 14 (1996), n. 10, p. 20-23). Interessante, a proposito della lettura politica che Casamassima avrebbe dato degli eventi, un passaggio della lettera, a sua firma, inviata ai volontari che avevano lavorato in Nazionale, come ringraziamento e ragguaglio sulle vaccinazioni che avevano ricevuto: «la gratitudine dell'intero paese va a tutti coloro che, con Lei e i Suoi amici [...], hanno contribuito, con spirito di dedizione degno della Resistenza, al salvataggio della Biblioteca Nazionale» (riprodotta a p. 23 della suddetta intervista e conservata sul retro di appunti relativi alla deumidificazione in Archivio BNCF, 1304). È interessante notare come questo riferimento non sia stato apprezzato da tutti: in Archivio BNCF, 1302, è conservata la lettera di risposta di tale Fabio Borgia, dell'11 dicembre 1966, che aveva ricevuto la lettera perché i suoi due figli, di 13 e 14 anni, avevano partecipato al salvataggio della BNCF, e che risponde «cerchiamo [...] di educare i nostri figli all'altruismo. [...] Ma il nostro spirito di "dedizione" avrebbe potuto, semmai, esser paragonato a quello che anima, in simili circostanze, i Vigili del Fuoco e non allo spirito della Resistenza; Pompieri quindi e non Partigiani. Queste considerazioni mi portano indietro negli anni, quando in circostanze del genere leggevamo: "con spirito degno del nuovo clima fascista". Cerchiamo tutti, in Italia, di cancellare dalla nostra prosa, e quindi dal nostro modo di pensare, la retorica dei meriti Littori o Resistenti, cerchiamo di fare il nostro dovere con semplicità, come si conviene a persone veramente civili».

[77] Significativo, ad esempio, il fatto che la voce Casamassima – assente nella versione a stampa del DBBI20, nata dallo spoglio di *Accademie e biblioteche* e del *Bollettino AIB* – risulti tuttora in corso di realizzazione nella versione on-line del repertorio. Eppure numerose sono state le iniziative intraprese dai suoi studenti e colleghi per ricordarlo, dalla citata bibliografia degli scritti redatta da Ila-

dall'altra i suoi colleghi di Firenze, i volontari, gli esperti restauratori che a Firenze intervennero da mezzo mondo, che con lui avevano condiviso l'esperienza tragica, ma allo stesso tempo esaltante dell'alluvione, si sono invece fatti carico della cura di questa memoria, della memoria della grande impresa, tributando al direttore dell'alluvione pagine entusiastiche, talvolta quasi agiografiche, spesso intrise di malinconia. Personaggio controverso, «il più benemerito e dotto bibliotecario che l'Italia abbia avuto» dal temperamento «insieme aristocratico e rivoluzionario»[78], viene da molti bibliotecari collegato a un'altra assenza, a un altro rifiuto, quello che lo portò ad accettare di scrivere, ma a non consegnare mai, il capitolo dedicato alla storia delle biblioteche per la *Storia d'Italia* dell'editore Einaudi, che non affiancherà mai i capitoli dedicati agli archivi, per la penna di Piero D'Angiolini e Claudio Pavone, ai musei, per quella di Andrea Emiliani, all'università, per quella di Antonio La Penna, e alla scuola, per quella di Giuseppe Ricuperati, lasciando un vuoto che non è stato più colmato[79].

---

ria Pescini, ai tre convegni a lui dedicati: quello dell'ottobre 1970, in occasione del suo passaggio alla carriera universitaria (*Per Emanuele Casamassima* cit.), quello tenuto, sempre a Firenze, nel 1990 (*Per Emanuele Casamassima, un incontro di studi* cit.), quello tenuto infine a San Gimignano nel 2001 (*Il nomos della biblioteca: Emanuele Casamassima e trent'anni dopo* cit., dove il ritardo nella pubblicazione degli atti ha fatto sì che molti interventi fossero anticipati con diversa veste editoriale), agli scritti, solo per citarne alcuni, di Piero Innocenti (*Pretesti della memoria* cit.) e di Luigi Crocetti (*Casamassima e Firenze* cit.) e il trascorrere delle celebrazioni per i vari decennali dell'alluvione. Scrive Crocetti: «Casamassima a quella data [gli anni dell'insegnamento universitario] tendeva a dimenticare la sua biblioteconomia, e può darsi che non fosse solo una civetteria; se la dimenticava, era per il nesso, che gli appariva non districabile, tra biblioteche e burocrazia o, meglio, tra gestione delle biblioteche e burocrazia. Non importa: Casamassima bibliotecario è esistito perché esiste incancellabile nelle nostre menti». Lo dimostrano gli applausi che, solo alla sua figura, sono stati riservati dagli "angeli del fango" durante le celebrazioni in Palazzo Vecchio, il 4 novembre 2006, a quarant'anni dall'alluvione, in occasione del loro raduno, come quelli altrettanto affettuosi che gli sono stati tributati dalla platea che, nel medesimo giorno, assisteva all'inaugurazione della mostra allestita in Biblioteca nazionale per la ricorrenza (vedi il catalogo: *Contro al cieco fiume: quarant'anni dopo*, Siena: Protagon, 2006).
[78] Barberi, *Schede* cit., p. 285-286.
[79] *Storia d'Italia. Volume quinto. I documenti.* 2, Torino: Einaudi, 1973. Per maggiori informazioni sulla vicenda vedi Innocenti, *Pretesti della memoria* cit., p. 152-155, e relativa bibliografia.

1.3 La Biblioteca nazionale nel 1966

L'alluvione del 4 novembre 1966 andò a infliggere un duro colpo alla situazione già difficile e precaria in cui versava la BNCF, che per altro rispecchiava la più generale grave situazione di abbandono di tutto il patrimonio culturale italiano, come già rilevato in più occasioni da organi di controllo nazionali e sovranazionali. Nella seduta del 18 settembre 1963 il consiglio direttivo della Commissione nazionale italiana per l'Unesco aveva infatti auspicato un'energica azione di tutela da parte del governo italiano[80], che nel 1963 impegnava solo lo 0,62% del bilancio del Ministero della pubblica istruzione nella conservazione del patrimonio artistico[81]; l'istanza era quindi approdata in Parlamento, dove il 26 aprile 1964 si era votata la legge n. 310, istitutiva di una Commissione d'indagine per la tutela e la valorizzazione del patrimonio storico, archeologico, artistico e del paesaggio, che poi sarà più comunemente ricordata come Commissione Franceschini, dal nome del suo presidente, il democristiano Francesco Franceschini (1908-1987)[82].

---

[80] «Considerata l'importanza e la gravità che ha assunto in Italia il problema della tutela e della conservazione del patrimonio archeologico, artistico e paesaggistico, in conseguenza dell'accentuarsi dei fenomeni di naturale deperimento, ad aggravare i quali concorrono, ai tempi d'oggi, molteplici fattori avversi (mutamenti d'uso e di destinazione, gravami fiscali, speculazioni finanziarie connesse con l'incremento edilizio, eccetera), nonché l'inadeguatezza delle norme legislative, ma soprattutto l'evidente assoluta insufficienza dei mezzi finanziari e la preoccupante crisi del personale tecnico specializzato assegnato a tali delicatissimi compiti; [...] riconoscendo che, se è privilegio dell'Italia aver con tale patrimonio contribuito alla civiltà del mondo, è anche suo impegno di responsabilità conservarlo e tramandarlo alle generazioni future; [...] rivolge viva raccomandazione al Governo affinché voglia adottare, con l'urgenza e nella misura richieste dalla gravità della situazione, i più idonei provvedimenti di sua competenza» (Giuseppe Vedovato, *L'Italia a pezzi, ovvero La rovina del patrimonio artistico*, in: Id., *Difesa di Firenze* cit., p. 175-192).

[81] Ivi, p. 183. Il Ministero dei beni culturali, mutato nel 1998 in Ministero per i beni e le attività culturali, è stato istituito nel 1974.

[82] La Commissione fu istituita su proposta, presentata alla Camera dei deputati il 2 novembre 1963, del ministro della pubblica istruzione Luigi Gui, poiché si sentiva la necessità di aggiornare i risultati della precedente Commissione interparlamentare per la tutela e la salvaguardia del patrimonio artistico e del paesaggio, che aveva lavorato fra il 1956 e il 1957 e che era stata sciolta al termine della seconda legislatura. La nuova Commissione era formata da ventisette membri, di cui sedici parlamentari e undici esperti, e articolata in otto gruppi di studio, fra cui uno dedicato a biblioteche e archivi, coordinato da Augusto Campana (1906-

A tale Commissione veniva affidato l'incarico[83]

> di condurre una indagine sulle condizioni attuali e sulle esigenze in or-
> dine alla tutela e alla valorizzazione delle cose di interesse storico, ar-
> cheologico, artistico e del paesaggio e di formulare proposte concrete al
> fine di perseguire i seguenti obbiettivi: 1. revisione delle leggi di tutela
> [...] nonché delle strutture e degli ordinamenti amministrativi e contabili;
> 2. ordinamento del personale, in rapporto alle effettive esigenze; 3. ade-
> guamento dei mezzi finanziari.

Fondamentale assunto e presupposto teorico dichiarato dei lavori
della Commissione fu l'estensione del concetto di bene da tutelare ai
«beni di interesse storico o storico-culturale», superando
l'impostazione che risaliva alla prima legge post-unitaria di tutela del
1902, che si occupava solamente della protezione dei beni artistici, e
la precisazione del concetto di tutela non come mera protezione
dell'oggetto, ma come sua valorizzazione, funzionale a un accrescimento delle conoscenze umane. Per questo motivo, nella relazione
conclusiva, la Commissione pose il problema nel senso di una individuazione unitaria ed estensiva della tutela nel concetto di "testimonianza storica", in rapporto a ogni categoria di documenti della storia
della civiltà, compreso il suo ambiente, assumendo a tal fine il concetto e l'espressione di beni culturali, definiti come quei beni che co-
stituiscano testimonianza materiale avente valore di civiltà[84].

Secondo l'articolo 3 della summenzionata legge istitutiva, la
Commissione si assumeva l'impegno di riferire al ministro della
pubblica istruzione entro nove mesi dalla data del provvedimento di

---

1995), insigne bibliografo, paleografo e storico romagnolo, bibliotecario presso
la Biblioteca Vaticana (vedi la scheda curata da Elisabetta Francioni per il
DBBI20; ma anche *Testimonianze per un maestro. Ricordo di Augusto Campana, Roma, 15-16 dicembre 1995*, a cura di Rino Avesani, Roma: Edizioni di storia e letteratura, 1997; *Omaggio ad Augusto Campana,* a cura di Cino Pedrelli,
Cesena: Società di studi romagnoli, 2003).

[83] Dal disegno di legge della Commissione d'indagine pubblicato in Commissione d'indagine per la tutela e la valorizzazione del patrimonio storico, archeologico, artistico e del paesaggio, *Per la salvezza dei beni culturali in Italia*, Roma: Colombo, 1967, p. 175.

[84] Oltre che nel volume degli atti succitato, le dichiarazioni conclusive della
Commissione, corredate da un commento di Guglielmo Monti, si possono leggere in *La conservazione dei beni culturali nei documenti italiani e internazionali,
1931-1991,* a cura di Guglielmo Monti, Roma: Istituto poligrafico e Zecca dello
Stato, 1995, p. 115-143.

nomina, mentre da parte sua il governo, entro il termine di altri sei mesi, doveva presentare alle camere i conseguenti provvedimenti di legge; quest'ultima parte dell'articolo rimase però disattesa e la costituzione, dieci anni dopo, del Ministero dei beni culturali ha solo in parte sanato la situazione, andando incontro agli auspici della Commissione, che indicavano nella nascita di una amministrazione autonoma dei beni culturali largamente intesi e nella trasformazione del legislatore da semplice garante della conservazione fisica del bene ad attore della sua valorizzazione, l'unica possibilità di salvezza per il patrimonio culturale italiano.

I lavori della Commissione si protrassero a lungo, fino al 10 marzo 1966, data della presentazione dei lavori al ministro della pubblica istruzione Luigi Gui. I risultati dell'inchiesta, che contenevano anche le misure più urgenti per la difesa e la promozione del patrimonio, furono quindi pubblicati solo nel 1967, sotto il titolo *Per la salvezza dei beni culturali in Italia*[85], quando ormai gli eventi dell'alluvione del 1966 avevano, almeno per quanto riguarda la Biblioteca nazionale di Firenze, sorpassato i dati e le riflessioni raccolte, che offrono però un quadro abbastanza preciso di quali fossero i problemi che affliggevano la Biblioteca già prima dell'alluvione, aggravati e moltiplicati poi dal disastro ambientale.

Innanzi tutto è necessario ricordare il ruolo che la Nazionale ricopriva e quali fossero i compiti di cui era allora portatrice: così un grande bibliotecario statunitense la descriveva alla comunità bibliotecaria internazionale nel 1967[86]:

---

[85] Commissione d'indagine per la tutela e la valorizzazione del patrimonio storico, archeologico, artistico e del paesaggio, *Per la salvezza dei beni culturali* cit. La pubblicazione della relazione dei lavori compiuti dalla Commissione era stata prescritta dallo stesso mandato di legge istitutiva del 26 aprile 1964.

[86] Arthur T. Hamlin, *The library crisis in Italy: the danger of inaction in Rome is a more serious threat to the National Library of Florence than the Arno flood*, «Library journal», 92 (1967), n. 13, p. 2517-2522: p. 2518. Arthur T. Hamlin, bibliotecario presso la Temple University, già direttore dal 1949 al 1956 dell'Association of college and research libraries, la più grande suddivisione dell'American Library Association (ALA), pubblicherà *The university library in the United States, its origins and development*, Philadelphia: University of Pennsylvania press, 1981; *Libraries in Florence*, in: *Encyclopedia of library and information science*, edited by Miriam Drake, New York: Dekker, 2003, 8, p. 532-545 oltre che, a ridosso dell'alluvione, *The libraries of Florence*, «ALA bulletin», 61 (1967), n. 2, p. 141-151. Le sue carte relative all'esperienza dell'alluvione fiorentina, compresa la corrispondenza con bibliotecari americani e italiani, sono ora conservate presso la biblioteca della Columbia University di New

It was the nation's largest library, and its only functioning national library. Here were deposited by law all material published in the country. It bore all the obligations of national service, of bibliographical record, of professional leadership. It was responsible for publishing the Italian National Bibliography, the Union Catalog, and the printed card service. In theory at least, it carried wider responsibilities for Italy than are borne by the Bibliothèque Nationale, the British Museum, or the Library of Congress for their respective countries.

La relazione esposta da Casamassima alla Commissione partiva dalla constatazione che «ad una società in intensa, sebbene disordinata, evoluzione, a istanze culturali e scientifiche moltiplicate, la Nazionale offre ancora, e non più intatti, i mezzi di circa 30 anni or sono»[87]. Nella sua analisi il direttore sottolineava innanzi tutto come la soluzione dei problemi della BNCF dovesse avvenire di concerto alla realizzazione di una sistema bibliotecario capace di assorbire la pubblica lettura e il prestito, che invece, con il loro urto, travolgevano la Biblioteca, rendendone ancor più acuta la crisi. Si accrescevano così le difficoltà che essa già attraversava nell'assolvere ai compiti istituzionali propri di una biblioteca nazionale[88]: «offrire i mezzi e gli strumenti della ricerca scientifica; svolgere compiti di bibliografia e documentazione; costituire l'archivio della tradizione culturale e in specie della letteratura nazionale; rappresentare ampiamente la produzione straniera»[89]. La BNCF, declassata «ad un'enorme, affaticata biblioteca di pubblica lettura» non era più in grado di destinare che una piccola parte delle risorse umane e finanziarie a sua disposizione, già così scarse, ai servizi di alto livello scientifico che sono le sono propri, mentre il patrimonio bibliografico, che la Biblioteca è chiamata a conservare a futura memoria, soffriva di un'usura inaccettabi-

---

York (vedi http://www.columbia.edu/cu/lweb/archival/collections/ldpd_4078 860/ index.html), ma anche nell'archivio della BNCF si trova traccia dei rapporti stretti con la direzione della Biblioteca. Hamlin fu a Firenze nel marzo del 1967.

[87] Emanuele Casamassima, *La maggiore biblioteca italiana e le sue esigenze*, in: Commissione d'indagine per la tutela e la valorizzazione del patrimonio storico, archeologico, artistico e del paesaggio, *Per la salvezza dei beni culturali* cit., 2, p. 573-580.

[88] Tale contraddizione non sfuggì agli esperti stranieri accorsi in aiuto della Biblioteca, come rivelano le parole di Nicolas Barker: «One of the most surprising aspects of the Biblioteca Nazionale is that it is a lending library, despite the fact that it is the legal depository of all books published in Italy» (Barker, *The Biblioteca nazionale at Florence* cit., p. 11).

[89] Casamassima, *La maggiore biblioteca italiana* cit., p. 573.

le, come dimostravano i numeri di un'utenza e di una movimentazione delle collezioni accresciutisi negli anni in modo esponenziale, a fronte di un personale rimasto invariato quando non diminuito[90]. La BNCF soffriva infatti allora, come soffre in parte ancora oggi, di una rete di biblioteche pubbliche del tutto inadeguata alle esigenze della città: quelle comunali solo in anni recenti si sono dotate di strumenti capaci di attrarre l'utenza loro propria, mentre il mancato adeguamento del sistema bibliotecario dell'Istituto di studi superiori, trasformato nel 1923 nell'Università degli studi di Firenze, e l'emergere negli anni Sessanta, almeno per quanto riguarda le facoltà umanistiche, del fenomeno dell'università di massa, aveva fatto sì che un numero sempre crescente di studenti fosse indirizzato dagli stessi docenti alle sale di studio della Biblioteca nazionale, con conseguenze fatali sia per il funzionamento che per la conservazione delle raccolte di quest'ultima.

Casamassima passava quindi a esaminare i tre aspetti principali della Biblioteca: l'edificio, il personale, i mezzi finanziari. Per quanto riguarda il primo, il direttore segnava tre improrogabili obbiettivi: la consegna e l'arredamento dei nuovi ambienti che si affacciano su via Magliabechi, in costruzione dal 1960, la modifica di destinazione d'uso e il miglioramento dell'arredamento degli ambienti esistenti (la trasformazione dell'ampia direzione, al secondo piano, in quella che ancora oggi è la sala di consultazione dei manoscritti e dei libri rari; la sostituzione delle scaffalature lignee che ancora rimanevano in alcuni magazzini con altre metalliche e quella dei monumentali tavoli della sala di lettura con altri più razionali; la costituzione di una emeroteca) e infine i lavori di restauro delle strutture. Queste ultime, infatti, non erano più in grado di rispondere alle accresciute esigenze della Biblioteca, non solo per i loro difetti strutturali, in modo particolare la dispersione di spazio dovuta ad ambienti e corridoi troppo ampi e monumentali, ma anche perché non era stato possibile negli anni finanziare la loro costosa manutenzione e perché gli ambienti disponibili erano stati ormai ampiamente saturati: il problema più grave lo presentavano i magazzini, non più in grado di ospitare le

---

[90] Si parla, solo per fare un esempio, di 96.536 presenze in Biblioteca nel 1955 contro le 151.389 del 1964, di 482.680 opere date in lettura nel 1955 contro le 756.945 del 1964 (ivi, p. 574, dove i dati portati come esemplificazione sono più numerosi e particolareggiati).

nuove accessioni in continuo aumento[91]; lo stesso si poteva dire per gli spazi destinati al personale e per quelli dedicati al pubblico, nonostante che nella monumentale e irrazionale sala comune di lettura, i posti fossero stati aumentati negli ultimi anni dai cento originari a duecentoventi.

Per valutare invece la gravità della situazione della Biblioteca per quanto concerne mezzi e personale, Casamassima procede a un implacabile e accurato confronto con le biblioteche tedesche, appartenenti cioè a quel mondo che il direttore, fin dall'inizio della sua carriera bibliotecaria, aveva imparato a conoscere e ammirare, e in modo particolare la Bayerische Staatsbibliothek di Monaco e la Deutsche Bibliothek di Francoforte sul Meno, rilevando anche come il personale della BNCF fosse molto al di sotto di quanto previsto dai decreti ministeriali, già di per sé molto meno generosi degli omologhi tedeschi[92]:

> La povertà della Nazionale di Firenze non costituisce soltanto un ostacolo alla regolare funzione dei servizi più elementari ed urgenti; essa è una delle cause prime del declassamento dell'Istituto, si risolve economicamente in un danno che diviene sempre più grave: deterioramento dell'edificio e degli impianti, usura delle raccolte librarie. L'apparato bibliografico delle sale di consultazione, i periodici, le collezioni accusano intanto un invecchiamento sempre più rapido, al quale sarà impossibile porre rimedio, entro pochi anni, nonostante enormi sacrifici finanziari. Le collezioni incomplete, le continuazioni interrotte rappresentano soltanto un esempio, forse il più appariscente, di questa decadenza.

La successiva puntuale analisi della situazione dei servizi, dalla distribuzione, ai servizi di sala, alla registrazione dei giornali, ai servizi all'utenza specialistica delle sale di consultazione, in modo particolare dei manoscritti e dei rari, al prestito, all'ufficio informazioni bibliografiche, offriva chiari gli elementi per definire la decadenza in corso, mentre la grave carenza di fondi e personale non solo rendeva difficile per la Biblioteca espletare i suoi compiti accresciuti, ma paralizzava ogni tipo di quell'attività scientifica, che è l'aspetto veramente caratterizzante della vita di una biblioteca nazionale. A questo si aggiungeva la diminuzione del personale addetto alla registrazione

---

[91] L'esempio dei quotidiani, accatastati nei corridoi dei magazzini, non più in grado di ospitare una crescita di 250 metri lineari l'anno, è molto significativo (*ibidem*).
[92] Ivi, p. 576.

delle opere giunte per deposito obbligatorio, ai reclami, agli acquisti, scambi e doni; il ritardo allora di otto mesi nella pubblicazione della BNI e nella distribuzione delle schede a stampa alle biblioteche; il ritardo di un anno e mezzo nell'inserzione delle schede nel catalogo per autore, da riordinare e in precario stato di conservazione; quello di quasi cinque anni del catalogo per soggetto, anch'esso da riordinare; il catalogo sistematico fermo ai primi due anni e limitato alle sole pubblicazioni italiane; i cataloghi dei periodici e delle edizioni musicali in disordine e incompleti; il catalogo delle carte geografiche fermo da tempo.

Per quanto riguarda invece la conservazione, altro compito istituzionale fondamentale di una biblioteca nazionale, la situazione appariva particolarmente grave per la legatura delle pubblicazioni moderne e delle nuove accessioni, soprattutto di periodici e quotidiani, mentre la conservazione e il restauro dei manoscritti e del materiale di pregio risultava ancora accettabile, grazie ai fondi straordinari stanziati a questo scopo[93].

Appare chiaro a Casamassima quale sia la strada da percorrere per la rinascita della BNCF: oltre che aumentare il personale e i finanziamenti in modo progressivo e programmato, scrive[94]:

> È necessario [...] studiare un piano di riorganizzazione, di rinnovamento delle strutture, di ampio respiro; il quale muova da una chiara concezione dei

---

[93] Secondo le dure parole di Hamlin, vergate dopo l'alluvione, «responsability for this situation is laid squarely at the door of the Italian government, whose long-standing disregard of the needs of national, public, and institutional libraries is a national cultural disgrace», e ancora «the Italian government has never expressed – in terms of support – any recognition of this [bibliographical] heritage. The treasures handed down from Medieval and Renaissance periods are still largely housed under medieval conditions. [...] they are entrusted to the care of library staffs which are undertrained, underpaid, overworked, and by any standards totally inadequate for the cataloguing, display, conservation procedures and similar elements [...]. Furthermore, the lack of funds for new acquisitions makes these Italian collections largely static». E, più avanti: «The library goes unrecognized as an instrument of public education [...]. The libraries under national control [...] are hamstrung in their operation by a degree of rule and petty regulation that few non-Italians would tolerate. Salaries are as low as any in Euope and the prestige of the profession even lower [...]. It is in this depressing atmosphere that one great leader with his small, dedicated staff is attempting, not only to rescue his collection from a fearful calamity and to lead it forth to a position of national service, but to awaken the nation to an alarming cultural crisis» (Hamlin, *The library crisis in Italy* cit., p. 2517).

[94] Casamassima, *La maggiore biblioteca italiana* cit., p. 580.

caratteri e dei compiti di una biblioteca nazionale e contemperi esigenze di mezzi ed esigenze di personale [...] occorre che sia riformato il sistema del deposito obbligatorio delle pubblicazioni italiane, che siano programmaticamente divisi i compiti e gli acquisti tra le biblioteche, che sia creato un più razionale servizio del prestito esterno, che venga infine iniziata una più stretta collaborazione tra la Biblioteca Nazionale di Firenze e la Biblioteca Nazionale di Roma.

Ma l'alluvione «se fece [di Casamassima] un indispensabile salvatore, gli recise tra le mani un filo che aveva appena cominciato a dipanarsi. Quel gomitolo è rimasto virtuale, e non sapremo mai ciò che sarebbe stato della Nazionale di Firenze se Casamassima avesse potuto dedicarsi al suo sviluppo invece che alla sua difesa fisica»[95].

---

[95] Crocetti, *Casamassima e Firenze* cit., p. 13.

81

2. L'alluvione a Firenze

2.1 L'alluvione in Santa Croce

Le prime luci dell'alba di venerdì 4 novembre 1966 scoprirono una città in allarme: nella notte si erano verificate piogge eccezionali, che avevano fatto seguito a giorni particolarmente piovosi che avevano interessato la maggior parte del bacino dell'Arno, e le acque del fiume erano uscite dall'alveo in diversi punti della città, seguendo la diseguale morfologia del terreno. Le cifre avrebbero parlato poi di mille ettari di terreni allagati a monte di Firenze, per 15 milioni di metri cubi di volumi esondati, di 1.700 ettari a Firenze e dintorni (di cui 1.500 di territorio urbano), per 35 milioni di metri cubi, e di 13.000 ettari a valle della città, per 200 milioni di metri cubi[1].

Il primo quartiere del centro storico ed essere travolto dalla piena del fiume fu quello di San Niccolò, alle primissime ore del mattino, quando ancora la città era immersa nel buio, seguito rapidamente da tutti gli altri: l'acqua tracimò in piazza dei Cavalleggeri alle quattro e mezza[2], là dove il parapetto del fiume formava, per quanto rialzato, una rientranza di altezza minore, e continuò a fuoriuscire acquistando sempre maggior violenza, soprattutto dopo le sette e mezza circa, quando la prima ondata di piena raggiunse la città[3]. Le acque cariche di fango e detriti si riversarono così nella zona di Santa Croce che, visto il livello molto basso della maggioranza delle sue strade, si trovò a essere la più duramente colpita fra quelle del centro storico, sia per l'altezza delle acque, che raggiunsero un livello di 5,20 metri, sia

---

[1] Vedi *Prima documentazione generale della situazione meteorologica relativa alla grande alluvione del novembre 1966*, Roma: CNR, 1968.
[2] Cfr. la testimonianza dei custodi riferita in Giorgio de Gregori, *Un anno fa il 4 novembre: milioni di libri sotto il fango*, «La parola e il libro», 50 (1967), n. 11, p. 707-711; n. 12, p. 787-796. Vedi anche Harris, p. 22.
[3] Lunga fu la polemica relativa al ruolo che nel disastro ebbe l'improvvisa apertura delle dighe gestite dall'ENEL di La Penna e di Levane nella formazione dell'onda di piena. Il fatto fu esaminato anche dalla giustizia italiana, ma i periti incaricati di esaminare il caso (il prof. Giovanni Cocchi, ordinario di Idraulica dell'Università di Bologna, gli ingegneri Alessandro Giani e Giorgio Hautmann), pur sollevando una serie di manchevolezze nella gestione del bacino del fiume, arrivarono a una sostanziale assoluzione delle dighe (le conclusioni presentate dai periti alla fine del 1967 si possono leggere in *L'alluvione lunga un anno*, «La Regione», 13 (1967), n. 16-18, p. 77-79).

per l'ampiezza del territorio devastato. Le strade strette del quartiere moltiplicavano la velocità delle acque, la cui violenza, comprimendo l'aria nelle cantine, fece schiantare in molti casi i pavimenti.

Nel quartiere, mentre andavano sott'acqua le abitazioni e i numerosi negozi e botteghe che ne popolavano le vie, ebbero luogo alcuni degli episodi più noti e insieme più tragici dell'alluvione: la morte di un'anziana paralitica, Elide Benedetti, nella sua casa all'angolo fra via delle Casine e via San Giuseppe, bloccata dentro casa dalle sbarre alle finestre, cui il parroco di San Giuseppe, don Giuseppe Boretti, accorso ma impossibilitato ad aiutarla, impartì l'estrema unzione mentre il livello dell'acqua saliva[4]; quello degli ottantatre evasi dalle carceri del quartiere, di cui la radio non parlò per tutto il venerdì – su consiglio del sindaco – per non accrescere la paura della gente[5], ma che gli abitanti di Santa Croce conobbero da vicino, e le cui diverse storie riempirono per mesi le pagine dei giornali; il salvataggio degli infermi e dei ciechi che erano ospitati al piano terra della Pia Casa di Montedomini, portati a spalla ai piani superiori; la rovina delle numerose opere d'arte concentrate in queste strade: non solo la Biblioteca nazionale e la basilica di Santa Croce, con i suoi chiostri, la cappella de' Pazzi e il suo museo, che ospitava capolavori di inestimabile valore – a partire da quel crocifisso di Cimabue, distrutto al settanta per cento, che assurgerà a simbolo della tragedia dell'arte di Firenze violata dalle acque, dal fango e dalla nafta – ma anche la Casa

---

[4] Il ricordo di Giuseppe Boretti si trova nel diario della parrocchia di San Giuseppe, conservato presso l'archivio della chiesa; la testimonianza dello straziante episodio è alla base di una delle litografie dedicate all'alluvione da Pietro Annigoni (vedi oltre, p. 97-98). Nel novembre 2006, nel quarantennale dell'alluvione, una lapide è stata posta accanto alla finestra di Elide, che oggi fa parte del complesso della scuola Vittorio Veneto. L'episodio è raccontato anche da Luciano Bausi in *Il giorno della piena*, Firenze: Bonechi, 1987 ed è diffusamente ricordata nello *Speciale alluvione 1966-2006*, uscito con *La Nazione* in occasione del quarantennale (Simone Boldi, *Trovammo Azelide legata alla finestre: viveva in un seminterrato sommerso in Via delle Casine*, in: *Speciale alluvione 1966-2006*, p. 21).

[5] Per lo stesso motivo fu ritardata la diffusione delle notizie riguardanti i morti e i feriti provocati dalla piena. Il sindaco stesso aveva dato indicazioni in tal senso ai giornalisti della RAI, la cui sede, in piazza Santa Maria Maggiore, era riuscito a raggiungere alle 9.30 del mattino del 4 novembre, quando aveva anche registrato un comunicato diretto ai fiorentini, nel tentativo di dare coraggio alla popolazione e di organizzare i primi aiuti (vedi Marcello Giannini, *Cronaca di un giorno particolare*, in: *L'alluvione '66: ricordi, memorie per il futuro*, a cura di Luca Giannelli, Firenze: Scramosax, 1996, p. 49-61).

Buonarroti di via Ghibellina, dove fu sommerso tutto il primo piano con gravi danni alla ritrattistica michelangiolesca, il Museo della Fondazione Horne di via de' Benci, dove l'acqua raggiunse i cinque metri e sommerse completamente il pian terreno, la chiesa di Sant'Ambrogio, dove l'acqua raggiunse i due metri e mezzo d'altezza, nonché il fitto tessuto di chiese e conventi che caratterizza il quartiere, rimasto sfregiato dalle acque alluvionali[6].

Nella basilica di Santa Croce, fin dalle prime ore del mattino, i frati, accortisi della gravità della situazione, tentarono di operare per proteggere la chiesa e le opere d'arte che essa conservava; risultarono vani però i tentativi di sbarrare l'ingresso della chiesa alle acque, puntellandone il portone: nessuno si aspettava che le acque esondate prendessero la forma di una vera e propria alluvione e si pensava piuttosto a deboli allagamenti, che sarebbe stato possibile fronteggiare con semplici protezioni. Durante quella terribile giornata, nella speranza di mettere in salvo qualcuno dei tesori che conservavano nelle sale del museo, i francescani si spinsero a visionare i chiostri della basilica, utilizzando per muoversi delle tavole di legno: fu così che videro galleggiare sulle acque scure alcuni volumi della Biblioteca nazionale, fuoriusciti dai locali di conservazione attraverso porte e finestre sfondate. Le sale del museo rimasero però irraggiungibili fino alla domenica mattina.

Il quartiere si ritrovò isolato e privo di soccorso per tutta la giornata, quando ancora per tutti coloro che non vivevano nelle zone alluvionate era quasi impossibile rendersi conto di quanto stesse realmente accadendo, quando la radio parlava di allagamenti e per capire si poteva solo salire a piazzale Michelangelo e guardare giù verso la città, ridotta a un grande lago. Impossibile, per chi non vide, rendersi conto di quanto l'acqua fosse in effetti cresciuta: il massimo della piena fu raggiunto dopo il tramonto, quando le macchine fotografiche erano mute e non potevano comunicare l'entità della catastrofe[7].

---

[6] Andarono sott'acqua infatti la chiesa di San Giuseppe, la Compagnia dei Neri di Santa Croce al Tempio, San Remigio – con l'acqua a oltre 5 metri e mezzo – San Simone, San Procolo, San Nicolò del Ceppo, Santa Maria Maddalena dei Pazzi, la Pia casa di Sant'Ambrogio, San Francesco in Montedomini, l'oratorio di Santa Maria delle Grazie, Santa Maria di Candeli, Santa Verdiana e il Convento delle Teresiane.
[7] In molti ricordano l'intervento, senza immagini, di Marcello Giannini – allora vice caporedattore del Gazzettino toscano e di tutte le trasmissioni RAI per la Toscana – durante il telegiornale di mezzogiorno condotto da Sergio Zavoli, quando il cronista rispose al conduttore, che gli chiedeva cosa vedesse, «acqua»

La città, governata da una giunta fino al giorno prima dimissionaria, ma rivelatasi pronta a rimanere unita sotto la guida del sindaco Piero Bargellini[8], reagì con una forza e un coraggio che tutti i testimoni non si stancano mai di lodare: «Lungi dal lasciarsene abbattere o scoraggiare, Firenze è entrata in polemica con la sua disgrazia, l'ha afferrata per i capelli, e non contenta di respingerne l'assalto, l'ha perfino corbellata e ridicolizzata. Rideva per non piangere, d'accordo. Ma riusciva a ridere»[9]. È difficile prescindere dalla forte carica emotiva e ideologica che percorre tutti i resoconti degli eventi che seguirono, ma appare indubitabile come l'alluvione abbia rappresentato per la città l'esperienza di uno Stato lontano e assente, incapace di comprendere le dimensioni del disastro e di organizzare gli aiuti, di uno Stato burocrate, paternalista e, in fin dei conti, millantatore, dal momento che si sforzava di far passare per normalità l'emergenza, nel tentativo di rassicurare ed evitare scandali.

e, per far meglio capire quello che intendesse, mise fuori dalla finestra il microfono e si poté così udire il terribile frastuono dell'acqua che correva veloce in via Panzani (Pratolini racconta l'episodio in *Firenze lontana*, contenuto in: *Firenze domani*, Firenze: Vallecchi, 1967, p. 39-43 e lo stesso Giannini lo ricorda nella sua memoria pubblicata sul sito allestito dalla Mediateca Toscana in occasione del quarantennale dell'alluvione e del previsto raduno di tutti coloro che vennero in soccorso alla città: www.angelidelfango.it; l'intervento di Giannini è stato poi riproposto in occasione del quarantennale dell'alluvione: *L'alluvione di Firenze* [DVD], Firenze: La Nazione, RAI trade, 2006).

[8] Piero Bargellini (1897-1980), assessore al Comune di Firenze dal 1951 al 1957, poi consigliere comunale eletto nelle fila della DC, era stato eletto sindaco il 29 luglio del 1966, vicesindaco Lelio Lagorio (PSI) e Giulio Maier (PSDI). A settembre i socialisti avevano rassegnato le dimissioni, ma l'emergenza dell'alluvione mantenne al potere Bargellini e la sua giunta. Solo nel novembre del 1967, dopo il suo ritorno dal viaggio in Europa, in America e in Russia, effettuato per ringraziare questi paesi degli aiuti ricevuti dalla città, Bargellini fu spinto a rassegnare le dimissioni, dopo una nuova crisi apertasi per l'approvazione del bilancio; venne allora eletto nuovo sindaco il democristiano Luciano Bausi (1921-1995). Per maggiori notizie su Bargellini, vedi la bibliografia alla nota 5, p. 10-11, di Harris, e la scheda redatta da Renato Bertacchini per il DBI, 34, primo suppl. A-C, 1988, p. 252-254.

[9] Indro Montanelli, nel retro di copertina di *Firenze 4 novembre '66,* Firenze: a cura dei commissariati regionali toscani ASCI e AGI, 1967. Sempre Indro Montanelli scriverà sul *Corriere della sera* del 20 dicembre 1969: «Colpita dal flagello la città non voleva dargli la soddisfazione di mostrarsene vinta, s'era messa in polemica con l'Arno e al suo insulto rispondeva con gesti di sfida e parole di sarcasmo».

In Santa Croce la mattina di sabato 5 novembre non pioveva, ma non tutti poterono uscire perché, anche se il fiume si era ritirato durante la notte, l'acqua rimase stagnante in molte vie per quasi tutta la mattina. Fino al pomeriggio, e in alcuni casi fino alla domenica, non si vide nessuno. L'unico aiuto alla popolazione venne dalla popolazione stessa che in molti dei quartieri alluvionati cominciò rapidamente a organizzarsi in comitati di soccorso. Quello di Santa Croce trovò la sua sede nella Casa del popolo Buonarroti, in piazza dei Ciompi, che fu però raggiungibile soltanto dalla domenica sera, essendo coperto il suo ingresso da un'enorme quantità di fango e detriti. I soccorsi al quartiere – per lo più soccorsi "rossi" – vennero poi da fuori città, in modo particolare da Perugia, che inviò in questa zona i suoi aiuti, i suoi mezzi e i suoi uomini fin dalla notte del 6 novembre, andando a integrare il poco che fino a quel momento avevano fatto la Casa del popolo e le parrocchie e che indirizzò verso questo rione, nei giorni successivi, gli aiuti di altri comuni umbri.

Fu ancora il 6 novembre il giorno in cui lo Stato fino a quel momento assente[10], nella figura del suo presidente, si mostrò a Firenze: Giuseppe Saragat venne a vedere con i propri occhi cosa fosse successo in città. Bargellini aveva organizzato per lui un giro che comprendesse le zone più disastrate, e fu così che il presidente conobbe Santa Croce alluvionata. La gente si mostrò insofferente, anche per l'irritante folla di politici e giornalisti che si accalcavano sulla jeep che lo conduceva per le vie infangate, e lo accolse con fischi e urla, chiedendo acqua, pane, viveri e coperte, denunciando la latitanza dello Stato, comportamento questo che spinse tutti i cronisti, unanimi, ad affrettarsi ad affermare che le polemiche non erano per l'uomo, ma per quello che lui in quel momento rappresentava[11]. Fu comun-

---

[10] In realtà a Firenze era giunto già il 4 novembre il viareggino Giovanni Pieraccini (n. 1918), ministro del bilancio (vedi la sua testimonianza in *L'alluvione di Firenze: gli angeli del fango* [DVD], Novara: De Agostini, RAI trade, 2008, undicesimo volume della serie *La storia siamo noi*), ma la sua venuta era stata poco più che una visita personale, perché non aveva avuto alcuna ripercussione a Roma.

[11] Vedi, per tutti, la cronaca che Guido Gerosa (1933-1999), allora una delle firme più note di *Epoca*, dà dei fatti: «Saragat sale su una grossa jeep della polizia e comincia il doloroso giro della città. Sono quasi le 11 ed è l'ora in cui la gente è tutta per le strade, a cercare di sgomberare i detriti, a recuperare quel poco che si può dalle case sepolte di fango [...]. I fiorentini sono più esasperati che mai. Ed ecco il jeeppone presidenziale avanza lentamente per via dei Pucci e piazza Santa Croce. Procede faticosa, a tratti impantanandosi. La gente che spala si vol-

que una visita molto importante, perché finalmente qualcosa cominciò a muoversi anche a Roma. Il vero cambiamento arrivò però la mattina del 10 novembre, dopo che il giorno precedente la giunta comunale aveva preso in mano le redini dell'organizzazione dei soccorsi togliendole al prefetto Manfredi De Bernart; in quel giorno infatti arrivarono i primi strumenti meccanici indispensabili per riuscire a rimuovere il fango in modo efficace: si trattava di ruspe, bulldozer, cingolati, camion ribaltabili che venivano da Milano, da Torino, da Perugia, da Roma, per lavorare alla rimozione di circa 500.000 tonnellate di fango da circa 3.000 ettari di terreno, dando inizio al lungo lavoro di smassamento delle strade che sarebbe durato circa un mese, fino al 4 dicembre, quando fu riaperta al traffico la gran parte dei quartieri alluvionati. Insieme ai nuovi mezzi arrivavano anche nuove braccia: il numero dei soldati inviati in aiuto alla città alluvionata aumentò e crebbe anche la loro capacità di intervenire, adesso che non erano costretti a lavorare armati di sole pale, terribilmente inadeguate a fronteggiare il mare di melma che ricopriva Firenze. Al reggimento dei Lupi di Toscana e al battaglione corazzato della Friuli si aggiunsero quindi nuovi soldati per un totale di 7.500 uomini, cui si erano aggregati 130 genieri olandesi, forniti di elicotteri, blindati leggeri, camion, autobotti, riflettori, gruppi elettrogeni e motopompe. Insieme ai soldati e ai loro mezzi, furono messi a lavoro anche cento vigili del fuoco, a loro volta dotati di tutta l'attrezzatura necessaria per le operazioni di recupero.

È ancora a partire dal 10 novembre che il sindaco, che abitava in via delle Pinzochere, nel cuore del quartiere di Santa Croce, decise di ricevere a casa i giornalisti, per spingerli a percorrere le strade anco-

---

ta appena. Ma quando comincia a riconoscere la "campagnola" di Saragat, esplodono urla di furore. «Acqua, acqua!», «Pane, pane!», «Abbiamo bisogno di viveri e di coperte, non di visite», «Dateci il pane, non la compassione». Un padre di otto figli, piangente, quasi si precipita sotto le ruote. La folla si accalca, minacciosa. Si odono dei fischi, qualche scalmanato arriva ad afferrare una manciata di fango e a scagliarla contro le fiancate dell'auto. I funzionari di polizia sono diventati pallidi e stanno per intervenire. Ma Saragat ancora una volta blocca tutto con un gesto e continua a salutare la folla avendo nel viso un'espressione seria e addolorata. Ha capito cosa vuol dire, per questa gente, avere perduto di colpo, senza potervisi opporre in alcun modo, i propri averi, il proprio patrimonio artistico, la fiducia; e soprattutto ha capito che i fischi non sono per la sua persona, ma per una tragica carenza che i fiorentini hanno avvertito in tutta la sua crudeltà. Essi rimproverano allo stato di averli abbandonati nel momento più difficile». (*L'Arno non gonfia d'acqua chiara*, Milano: Mondadori, 1967, p. 87-88). Vedi anche Harris, p. 36.

ra da smassare, per costringerli a vedere e a sfatare quella normalità che i mezzi d'informazione davano per raggiunta; fu proprio in questo giorno che dichiarò ai giornalisti di aver protestato per il mancato rilievo dato agli avvenimenti di Firenze presso il direttore generale della RAI e di aver telegrafato al presidente del Consiglio e alla commissione parlamentare sulle trasmissioni radiotelevisive.

Nel frattempo la storia del rione di Santa Croce era stata la storia del suo comitato unitario: formato dai due parroci di Sant'Ambrogio e San Giuseppe, dal presidente e dal segretario della Casa del popolo, dal presidente della Provincia di Perugia e dal suo sindaco, con la partecipazione dell'ORUF[12], fu rapidamente riconosciuto dalla popolazione come l'organismo capace di interpretare e dare una risposta ai suoi bisogni reali. Il centro si preoccupò inizialmente dello smassamento delle strade, dello sgombero dei locali, dell'apertura di un ambulatorio medico funzionante giorno e notte, della distribuzione dei viveri e del vestiario; in seguito lavorò invece per l'assegnazione dei sussidi, la soluzione del problema degli alloggi – in un quartiere dove circa il 30% delle case risultava inabitabile – il recupero delle scuole, la lotta alla disoccupazione e la ripresa economica[13].

Per la sua guadagnata autonomia e per la sede che si era scelto, il Comitato rionale di Santa Croce non ebbe però l'appoggio del Co-

---

[12] L'ORUF era l'organismo rappresentativo degli universitari fiorentini, organizzato fin dal 5 novembre sotto la direzione di un comitato formato da membri del 15° CSUF (Congresso studenti universitari fiorentini) nominato dagli studenti. Organizzò il lavoro attraverso l'invio di gruppi di volontari sotto la guida di un capo responsabile e si occupò della distribuzione dei generi di prima necessità e del soccorso medico; operò nei quartieri, nelle facoltà, negli istituti culturali, mettendo a disposizione le proprie competenze. Per ulteriori notizie sull'aiuto prestato dagli studenti, vedi avanti, in questo capitolo, il paragrafo 4.
[13] Ai primi di dicembre il Comitato effettuò un censimento della staticità delle case, su di un'area quasi identica a quella analizzata dal piano regolatore del 1962, particolare che rese la documentazione ancora più interessante e intelligibile. Dai risultati relativi al 21,6% delle famiglie, pari al 25,4% della popolazione, si ricava che le abitazioni alluvionate erano pari al 58%, mentre quelle pericolanti o fortemente dissestate l'11,4%, e che il 42,5% delle famiglie aveva visto completamente distrutte le proprie fonti di lavoro. Il 28% delle famiglie aveva subito distruzioni parziali e solo l'1,2% non aveva avuto danni materiali economici. A partire da questi dati si annunziava un impoverimento globale superiore al 50%, senza considerare ancora che molti abitanti del quartiere avevano perso fonti di lavoro in altre zone della città. Per ulteriori notizie vedi Fei, *Le vicende urbanistiche* cit.

mune, che tardò a riconoscerlo[14], né dell'esercito, che ostacolò le attività del comitato "rosso" e che in un primo momento negò l'aiuto degli allievi ufficiali medici della Costa San Giorgio perché non autorizzati a entrare in sedi di partito, né del vescovo, che esortò i parroci a distanziarsi da tali realtà[15].

L'11 novembre i perugini che operavano nel rione passarono dallo sgombero delle strade alla pulitura delle cantine e delle scuole, lavoro che portarono avanti fino al 14 del mese, quando smobilitarono, cosicché nel quartiere rimasero solo i soldati.

Come per altri comitati di quartiere cittadini – primo fra tutti il quartiere dell'Isolotto con le sue Baracche verdi [16] – quando l'emergenza finì, quell'esperienza di una forma embrionale di autogoverno che il Comitato aveva rappresentato, avendo acquisito un proprio ruolo e una propria coscienza politica, proseguì in forme diverse, nella progettazione di un risanamento del rione a lungo termine che trovò in Michelucci e nel suo progetto per il quartiere[17] un'autorevole punto di riferimento.

---

[14] Il riconoscimento del comitato come Comitato rionale di Santa Croce, ufficiale diramazione dell'organizzazione comunale con un suo rappresentante, arrivò il 12 novembre, in ritardo rispetto al riconoscimento degli altri comitati, avvenuto intorno al 9, e dopo il fallito tentativo di opporgli un centro interamente comunale nella nuova sede delle poste, sempre nel quartiere di Santa Croce, a pochi passi da piazza dei Ciompi.

[15] Arcivescovo di Firenze era allora il conservatore Ermenegildo Florit (1901-1985), che fra la fine del 1968 e gli inizi del 1969 si scontrerà duramente con don Enzo Mazzi e la comunità dell'Isolotto, che tentavano una sintesi fra cattolicesimo e rivoluzione, «con l'assunzione a simbolo di Martin Luther King e Camilo Torres, Malcolm X e Danilo Dolci, don Zeno e Che Guevara» (cfr. Guido Crainz, *Il paese mancato*, Roma: Donzelli, 2003, p. 315-316 e la bibliografia relativa agli eventi e al processo che ne seguì riportata nelle note).

[16] Le cosiddette "baracche verdi" erano un gruppo di prefabbricati in legno, dipinto appunto di verde, ottenuto dagli abitanti del quartiere dell'Isolotto per ospitare alcuni servizi fondamentali – come le scuole – e luoghi di incontro e socializzazione, di cui quella zona, sorta negli anni '50, era priva. Le baracche dovevano essere provvisorie, ma diventarono invece il cuore pulsante del quartiere, sede di associazioni, dell'attività politica, dell'istruzione e dello svago, ed esistono ancora oggi, per quanto l'aspetto esteriore sia profondamente mutato, grazie a una ristrutturazione operata dal Comune di Firenze nel 1996.

[17] Vedi in proposito Giovanni Michelucci, *Il quartiere di Santa Croce nel futuro di Firenze*, Firenze: Officina, 1968.

2.2 Gli aiuti alla città

> Finally, I also call on all those who have never been to Florence or Venice, and many of whom may never have that chance, to contribute something: be it money or work – something of themselves. Each one of us knows himself to be a member of the family of Man. How then could any one of us remain indifferent to the fate of these most precious jewels of our common human heritage?[18].

L'appello alla mobilitazione in favore di Firenze e Venezia alluvionate, lanciato il 2 dicembre da René Maheu, allora direttore generale dell'Unesco[19], fu certo efficace, senz'altro sintomatico di un sentire comune, che univa gran parte dei popoli rappresentati nei banchi dell'organizzazione. La rapidità con cui circolarono fuori dai confini italiani le notizie relative all'alluvione del 4 novembre 1966 a Firenze e Venezia e gli aggiornamenti sulla gravità delle sue conseguenze, per la popolazione, per l'economia e – quel che più colpì all'estero – per i monumenti e la cultura, mostrarono chiaramente come le due città fossero sentite patrimonio comune dalle nazioni di gran parte del mondo: l'attenzione nazionale e internazionale non fu catalizzata infatti tanto dalla perdita di vite umane che, complice la circostanza che le acque fossero esondate all'alba di un giorno di festa, non si delineò – per quanto grave – come una strage[20], né dal tessuto eco-

---

[18] L'intero testo dell'appello è riportato in René Maheu, *For Florence and Venice*, «The Unesco courier», 20 (1967), n. 1, p. 4-5.

[19] René Maheu (1905-1975), professore di filosofia, era entrato nell'Unesco nel 1946, per diventarne il direttore generale nel 1962, per due successivi mandati.

[20] Secondo la relazione inviata l'8 dicembre 1966 dal prefetto di Firenze De Bernart al ministro dell'interno Paolo Emilio Taviani, i morti furono 35: 17 vivevano a Firenze, 18 negli altri comuni alluvionati della provincia (vedi Beatrice Manetti, *Tutti i nomi delle vittime dell'alluvione di 40 anni fa*, «La Repubblica», 14 ottobre 2006, p. 9 della cronaca di Firenze, dove viene annunciato il ritrovamento della relazione). «Trentasette i morti tra Firenze e provincia, più due il cui decesso non è stato accertato se sia da attribuire direttamente o indirettamente agli avvenimenti del 4 novembre: queste le conclusioni dell'inchiesta condotta dalla magistratura, rese note il 29 novembre» così riferisce invece *Il ponte*, e continua «è necessario precisare che i due elenchi [quello della magistratura e quello del Ministero degli interni, che conta 33 morti] tengono conto soltanto dei morti per cause dirette, escludendo quanti sono deceduti in seguito alla mancata assistenza [...], al gas delle cantine invase dalla nafta, al freddo e all'umidità di case senza riscaldamento, a bronchiti o polmoniti contratte durante la permanenza all'addiaccio, quando non addirittura nell'acqua, per ore e giorni; e via dicen-

nomico della città, che pure ne uscì implacabilmente sconvolto; a Firenze era stato colpito piuttosto un simbolo: l'arte in senso lato, nella città che dell'arte era l'emblema, ma anche il libro, che rappresentava la cultura di una città che aveva dato i natali a grandi personalità della letteratura e della scienza: ad andare sott'acqua furono infatti numerosi archivi e biblioteche[21].

Fin dai primi momenti si moltiplicarono quindi non solo i telegrammi e le attestazioni di solidarietà, ma anche concrete offerte di aiuto, quando ancora in Italia i mezzi di informazione parlavano di "allagamenti" e si tardava a comprendere la portata dei danni. Niente rende tanto evidente la distanza fra la percezione degli eventi che si ebbe negli Stati Uniti e nei diversi paesi europei rispetto a quella ufficiale del governo italiano quanto il fatto che la visita del senatore Edward Kennedy a Firenze alluvionata, che aveva, fra gli altri, lo scopo di verificare l'efficacia degli aiuti statunitensi, abbia preceduto di due giorni quella di Aldo Moro, allora presidente del Consiglio, che approdò in città soltanto il 18 novembre[22].

La mobilitazione in favore della città toscana fu tanto ampia che il 25 novembre Sergio Galli poteva affermare su *La Nazione* che solo venticinque stati della comunità mondiale non si erano mossi in alcun modo in favore di Firenze, mentre tutti gli altri avevano espresso solidarietà e ben quarantatre nazioni avevano inviato aiuti finanziari o materiali[23].

---

do» (*Cronaca*, a cura di Gino Gerola e Mario Materassi, in: *Firenze perché*, «Il Ponte», 22 (1966), n. 11-12, p. 1334-1357: p. 1355-1356).

[21] Il legame che esisteva fra gli aiuti portati all'indomani dell'alluvione e la memoria dei fasti rinascimentali di Firenze è evidente ad esempio nel telegramma di auguri che Ashley Clarke, presidente del comitato inglese (vedi p. 110 e seg.) invia a Bargellini il 24 dicembre 1966: «Dalla parte del Comitato del Italian Art and Archives Rescue Fund fervidi auguri per Natale, per il 1967 e per un nuovo Rinascimento fiorentino» (Public Record Office – d'ora in avanti PRO – 30/83/45).

[22] La ritardata presenza di Moro a Firenze fu motivo di infinite polemiche perché, sollecitato da parlamentari dell'opposizione a dare una spiegazione in merito, addusse come scusante certo irrituale la presenza della figlia quattordicenne fra i volontari pervenuti in città fin dai primi giorni. Era allora in carica il terzo governo Moro, nato nel febbraio 1966, sostenuto da democristiani, socialisti, socialdemocratici e repubblicani; tale governo sarebbe rimasto in carica fino al giugno 1968.

[23] Sergio Galli, *Solidarietà internazionale*, «La Nazione», 25 novembre 1966, p. 1. Sergio Galli (1923-2005) era dal 1960 a capo dei servizi esteri de *La Nazione* e fondista di politica estera.

Per il patrimonio culturale della città, dopo un primo appello lanciato dai rappresentanti della cultura fiorentina a due giorni di distanza dall'alluvione e dopo che il 10 novembre Carlo Ludovico Ragghianti[24] e sua moglie avevano dato inizio a una sottoscrizione, il 12 dello stesso mese, nella sala degli Otto, in Palazzo Vecchio, prese vita e forma ufficiale il Comitato del Fondo internazionale per Firenze, sotto la presidenza del sindaco e con sede a Palazzo Strozzi: ne facevano parte il presidente dell'amministrazione provinciale, i sovrintendenti ai monumenti, alle gallerie e alle antichità, i provveditori agli studi e alle opere pubbliche, i direttori dell'Archivio di Stato e della Biblioteca nazionale, il direttore del Gabinetto Vieusseux, i presidenti degli istituti di cultura stranieri, nonché i rappresentanti di accademie, istituti e di altri enti di rilevante importanza culturale, dell'Azienda e dell'Ente di turismo[25]. Nell'appello immediatamente diffuso si può leggere[26]:

---

[24] Carlo Ludovico Ragghianti (1910-1987), famoso storico e teorico dell'arte fiorentino, era all'epoca professore ordinario di storia dell'arte medievale e moderna presso l'ateneo di Pisa.

[25] Facevano parte del Comitato Carlo Ludovico Ragghianti, Giorgio La Pira (ex sindaco di Firenze), Charles de Tolnay (conservatore della Casa Buonarroti), Alessandro Bonsanti (direttore del Gabinetto Vieusseux), Roberto Salvini (professore ordinario di Storia dell'arte presso l'Università di Firenze), Ugo Procacci (soprintendente alle gallerie), Guido Morozzi (soprintendente ai monumenti), Guglielmo Maetzke (soprintendente alle antichità dell'Etruria), Emanuele Casamassima, Sergio Camerani (direttore dell'Archivio di Stato), Giulio Prunai (soprintendente agli archivi della Toscana), Giovanni Semerano (soprintendente alle biblioteche della Toscana), Ulrich Middeldorf (direttore del Kunsthistorisches Institut), Myron P. Gilmore (direttore di Villa I Tatti della Harvard University), Jean René Vieillefond (direttore dell'Istituto francese), Ian Greenlees (direttore del British Institute), Fernanda Bramanti Nieuwenkamp (direttrice dell'Istituto universitario olandese di storia dell'arte), Ugo Ziletti per l'Azienda del turismo, due assessori e un consigliere comunale, i direttori dei collegi fiorentini della Stanford University, Gonzaga University, Smith College, Syracuse University, Middlebury University, Villa Sant'Ignazio a Schifanoia, John Hopkins University Bologna Center, nonché alcuni fra i più illustri rappresentanti della cultura cittadina, quali il critico Gualtiero Loria, il letterato Raffaello Ramat, fondatore della rivista *Argomenti*, il filologo e ispanista Oreste Macrì, i poeti Mario Luzi e Piero Bigongiari, il pittore Giovanni Colacicchi.

[26] L'intervento può essere letto nella sua interezza in *Firenze guerra & alluvione: 4 agosto 1944 - 4 novembre 1966*, testo di Paolo Paoletti e Mario Carniani, Firenze: Becocci, 1986, p. 189.

Si è costituito a Firenze, [...] il Comitato del Fondo Internazionale per Firenze [...]. Scopo dell'iniziativa [...] è di raccogliere adesioni e fondi, per intervenire immediatamente alla salvazione del patrimonio storico, artistico e culturale di Firenze [...]. Il Comitato lancia un trepido ed accorato appello: risolleviamo Firenze dalla sua momentanea disgrazia, perché il mondo civile non diventi definitivamente più povero. Occorre salvare migliaia di preziosi documenti d'archivio, recuperare milioni di libri, restaurare centinaia di preziosissime opere d'arte, curare diecine d'inestimabili monumenti [...]. Tutto il mondo è sollecitato ad aiutare Firenze, perché Firenze possa essere ancora di tutto il mondo.

Il Comitato si dedicò con energia alla sensibilizzazione dell'opinione pubblica mondiale sui gravi danni subiti dalla cultura fiorentina, intraprendendo varie iniziative, fra cui un appello lanciato a una quindicina di giorni di distanza dall'alluvione per raccogliere quante più foto possibile fra quelle scattate a Firenze a partire dal 3-4 novembre, in modo da poter allestire mostre all'estero per raccogliere fondi. Le sue iniziative ebbero tanto successo da essere in grado di distribuire, entro il febbraio 1967, 152 milioni di lire ad archivi e biblioteche della città di Firenze. Le risorse pervenute furono investite in interventi di varia natura, pianificando il lavoro per una durata di tre anni.

Il 14 novembre fu votata inoltre dall'Unesco una mozione per raccogliere fondi per il recupero delle opere d'arte e dei beni culturali danneggiati, seguita dal già citato toccante appello pronunciato da Maheu. Il giorno successivo, a Parigi, nella sede dell'Unesco, si apriva ufficialmente la campagna per la salvaguardia e il restauro del patrimonio culturale di Firenze e Venezia[27]; qui, per l'occasione, vennero esposti per due giorni nella sala conferenze tre bassorilievi alluvionati del Battistero fiorentino, due provenienti dalla porta del Ghiberti, uno da quella del Pisano. Scopo precipuo delle iniziative intraprese dall'Unesco era di raccogliere e diffondere le informazioni relative ai bisogni e alle richieste espresse dalle due città da una parte e, dall'altra, di convogliare aiuti e offerte per distribuirli e orientarli in modo quanto più possibile efficace: furono fondamentali in questo senso le competenze messe a disposizione dell'ICCROM[28], creato a

---

[27] Sempre secondo le parole di Maheu, pronunciate in tale occasione, «Florence bemired is the springtime of our hearts which is forever disfigured».

[28] L'International Centre for the Study of the Preservation and Restauration of Cultural Property è un'organizzazione intergovernativa finalizzata alla conservazione del patrimonio culturale mondiale; in modo particolare l'ICCROM si occupa di formazione, informazione e ricerca, sensibilizzazione e collaborazione

Roma nel 1959 per iniziativa proprio dell'Unesco[29]. Quest'ultima si propose quindi di collaborare con le singole nazioni che, fin dai primi momenti, si erano attivate offrendo un aiuto e una cooperazione che, in gran parte degli stati esteri, erano stati catalizzati e gestiti da comitati nati a tale scopo nei giorni immediatamente successivi alla catastrofe, comitati che furono protagonisti, attraverso le proprie scelte e i propri uomini, della rinascita della città.

Per rendere più razionale ed efficace la distribuzione degli aiuti, fu generalizzata in tutte queste associazioni la suddivisione delle risorse disponibili fra quelle in favore della popolazione colpita e quelle da destinare invece al recupero del patrimonio artistico e bibliografico: le prime erano costituite per lo più da mezzi di sussistenza, acqua potabile, vestiti, medicinali e disinfettanti, mezzi meccanici e volontari disponibili a collaborare allo smassamento delle strade e, naturalmente, denaro; le seconde invece da materiali, strumenti, mezzi finanziari (con stanziamenti anche a lungo termine) e tecnici specializzati (alla fine saranno oltre centoquaranta provenienti da diciassette paesi diversi)[30].

---

con enti e professionisti diversi. La risoluzione che dava vita a un centro per lo studio e il miglioramento delle tecniche in uso nel restauro fu adottata dalla nona sessione della conferenza generale dell'Unesco tenuta a Nuova Delhi, nel 1956; la sede romana fu scelta su invito del governo italiano nel 1959. Il primo direttore del centro, che rimase in carica fino al 1971, fu Harold James Plenderleith (1898-1997), fino ad allora responsabile del laboratorio di ricerca del British Museum (per maggiori informazioni vedi www.iccrom.org).

[29] Per maggiori notizie riguardo all'intervento dell'Unesco, vedi *L'Unesco per Firenze, Venezia e le altre città d'arte* in: Vedovato, *Difesa di Firenze* cit., p. 117-174, in particolar modo l'ampia e diversificata documentazione contenuta nelle p. 120-174.

[30] Per avere dei termini di riferimento, riportiamo i dati pubblicati dal secondo numero (dicembre 1967) del *Notiziario del Comitato centrale di coordinamento per il restauro e la conservazione del patrimonio artistico e culturale danneggiato dall'alluvione del 4-11-1966*: per quanto riguarda l'opera svolta nel settore del patrimonio artistico mobile di Firenze e provincia «l'aiuto ricevuto dall'estero è stato fino ad oggi notevolissimo e si è indirizzato in modi diversi:
a) con l'immediata fornitura diretta (da parte degli Stati Uniti d'America, della Germania, dell'Olanda, della Gran Bretagna) di materiali e di apparecchiature atte a ricostruire i laboratori e a dotarli di nuovi mezzi di restauro [...] *per un valore che si aggira* su un cospicuo numero di milioni.
b) con finanziamenti completi per il restauro di alcune opere d'arte [...] totale di L. 679.079.713 così ripartite: CRIA [Committee to Rescue Italian Art] L. 531.311.000 [...]; Governi dei Länder tedeschi L. 40.000.000; enti, società,

Sempre per realizzare una migliore distribuzione degli aiuti, si assisté, con il passare dei giorni, a un mutamento nelle modalità di intervento che accomunò in genere i comitati nazionali sorti in aiuto delle città alluvionate, sia quelli dedicati all'aiuto umanitario che quelli che si spendevano per il recupero dei beni culturali danneggiati: da un aiuto distribuito casualmente si passò a una specie di assunzione di patrocinio da parte di alcune città o nazioni in favore di particolari rioni o beni culturali, così da poter meglio coordinare fra loro domanda e afflusso di beni, diversificati secondo le differenti esigenze.

In questo senso furono particolarmente efficaci gli aiuti che i diversi gruppi economici e sociali raccolsero e destinarono alla propria categoria. Interessante a questo proposito, in ambito culturale, l'iniziativa intrapresa dalle tre grandi biblioteche fiorentine rimaste indenni, la Laurenziana, la Marucelliana e la Riccardiana, e da molte altre biblioteche italiane, in favore degli studenti universitari per permettere loro di continuare gli studi: per essi fu creato un circuito

---

clubs, istituti svizzeri, inglesi, germanici e vari comitati per un totale di L. 107.768.713 [...]

c) con la costituzione del Laboratorio di restauro di Palazzo Davanzati (finanziamento del CRIA e del fondo inglese con contributi anche dei governi tedesco e olandese);

d) con la ricostruzione del laboratorio fotografico (finanziamento del CRIA e della Kodak);

e) con l'acquisto di materiali e attrezzature per il laboratorio della Fortezza da Basso per circa L. 14.000.000 da parte dell'Unesco;

f) con il pagamento di L. 55.000.000 da parte del comitato tedesco (cifra che ha coperto le spese di attrezzatura e funzionamento di apparecchi per eliminare i danni dell'umidità dalle pareti affrescate);

g) con l'invio di restauratori da parte di diversi paesi per periodi vari. [...] Austria: 3 restauratori dal novembre 1967 [...]; Cecoslovacchia: 5 restauratori per tre mesi [...]; Francia: 1 restauratore per un mese [...]; Germania: 4 restauratori per tre mesi [...]; Grecia: 1 restauratore per un mese [...]; Inghilterra: 12 restauratori per tempi diversi [...]; Polonia: 4 restauratori per un anno [...]; Paesi Scandinavi (Danimarca, Svezia, Norvegia, Finlandia): 5 restauratori in turni di tre mesi per un anno [...]; URSS: 3 restauratori per tre mesi [...]; USA: 10 restauratori per tempi diversi e 2 per un anno [...]».

Tutto questo (per un totale di L. 748.079.713) a fronte di L. 1.150.416.586 di stanziamenti ricevuti dall'Italia.

Per quanto riguarda invece i monumenti, alla p. 6 del medesimo notiziario si legge che lo Stato italiano ha stanziato circa un miliardo di lire a fronte di circa 300.000.000 di lire da parte di enti stranieri e 50.000.000 di lire da parte di enti e privati italiani. Il resoconto contenente i dati numerici è datato 13 ottobre 1967.

semplificato e rapido di prestito interbibliotecario già a partire dal 15 dicembre[31].

All'estero i punti di riferimento per sapere che genere di aiuti fossero necessari a Firenze e per indirizzarli in modo efficace, furono invece spesso i giornali e le riviste[32].

Numerose furono inoltre le azioni intraprese da artisti e uomini di cultura, soprattutto dopo l'appello lanciato dal Comitato del Fondo internazionale per Firenze agli artisti di tutto il mondo perché devolvessero il ricavato della vendita di proprie opere alla città di Firenze. Fra queste va ricordata l'offerta, da parte di Pablo Picasso, di un quadro, *Femme couchée lisant*, che fu venduto al Modern Art Museum di Fort Worth del Texas per 105.000 dollari, devoluti in favore dei tesori artistici fiorentini, e l'iniziativa di Pietro Annigoni e di Lu-

---

[31] Fin dai primi mesi del 1967, inoltre, si potevano richiedere in lettura presso la Laurenziana, la Marucelliana – che aveva aumentato per questo le proprie postazioni di lettura – e presso la Riccardiana, i manoscritti e gli incunaboli della Biblioteca nazionale, per i quali esistevano dei cataloghi speciali; l'amministrazione provinciale aveva per questo messo a disposizione una sala di lettura provvisoria, la sala Quattro stagioni, capace di 50 posti, nel Palazzo Medici Riccardi. In Archivio BNCF, 1302, è conservato l'*Avviso agli studenti per il prestito interbibliotecario*, dove «La direzione della Biblioteca Nazionale Centrale, alla quale si associa l'Università degli Studi di Firenze, nel ringraziare caldamente gli studenti che con slancio generoso si sono prodigati al recupero delle opere sommerse dalla recente alluvione» comunica che studenti e laureandi che abbiano bisogno di un libro e non lo trovino a Firenze, possono chiederlo con cartolina postale direttamente ad altre biblioteche e poi «con mallevadoria che verrà rilasciata dalla Facoltà, su garanzia dell'insegnante e del Preside della Facoltà, e sotto la propria personale responsabilità» passarlo a ritirare in una delle biblioteche fiorentine, diversa in base alla biblioteca di provenienza..
[32] Su «Epoca», 17 (1966), n. 843, datato 20 novembre, p. 3, si legge una lettera, indirizzata al direttore, datata 6 novembre: «Vi scrivo piuttosto in fretta, sotto la terribile emozione delle disastrose inondazioni di Firenze e Venezia. Io, e molti miei amici e colleghi, saremo lieti di fare qualcosa per mitigare le sofferenze e aiutare nel riparare i danni [...]. La nostra Facoltà è la più grande del Nord America per gli studenti di italiano e spero che dovremmo essere in grado di organizzare qualche genere di contributo. Ciò che io desidero sapere da voi è: - Dove sono le zone nelle quali le necessità e i disagi sono più grandi e immediati? - Quale mezzo voi raccomandate per un urgente invio d'aiuto? Ed attraverso quali intermediari? Vi prego rispondermi appena possibile. Firmato Prof. Alfred Galpin Università del Winsconsin». Nella sua risposta a Galpin (1901-1983), professore statunitense di lingue romanze, il direttore Nando Sampietro afferma di aver ricevuto numerosissime lettere simili a questa e anche offerte in denaro con il mandato di distribuirle.

ciano Guarnieri[33], che raccontarono l'alluvione in disegni a colori, da cui furono tratte tredici litografie tirate in 575 esemplari, poste poi in vendita in cartelle di tredici, sia in Italia che all'estero, per raccogliere fondi per finanziare i soccorsi ai fiorentini più colpiti. Anche dal mondo del teatro vennero iniziative simili, con incassi di spettacoli e concerti devoluti in favore della città toscana.

L'artista che più contribuì però a far conoscere in Italia e all'estero quale fosse la gravità della situazione in cui versava Firenze, facendo affluire in città imponenti fondi destinati al suo recupero, fu senz'altro Franco Zeffirelli che, coadiuvato dalla RAI, girò un documentario conosciuto con il titolo *Per Firenze*. Il regista fiorentino ottenne la collaborazione di Elizabeth Taylor, che, diretta da John Huston, stava girando a Cinecittà *Reflections in a golden eye* e del marito Richard Burton, che imparò a memoria il testo scritto da Furio Colombo[34] per poter essere la voce narrante non solo della versione inglese, ma anche di quella italiana, cosicché il doppiaggio non sminuisse l'effetto drammatico del film; la Taylor apparve solo nella prima versione e le era affidata, all'inizio e alla fine del documentario, la richiesta d'aiuto, quel «donate anche solo un dollaro» che tanta parte ebbe nell'efficacia del film in terra anglosassone[35].

Si avviava intanto per il patrimonio bibliografico fiorentino un processo virtuoso: se l'intervento massiccio della macchina degli aiuti provenienti dall'estero fu il risultato del grande impegno speso dagli operatori di tutte le biblioteche e gli archivi fiorentini per attrarre l'attenzione degli organi di informazione da una parte e dei donatori e dei volontari dall'altra, allo stesso tempo fu proprio la significativa presenza straniera a migliorare la visibilità collettiva su questo particolare settore del patrimonio culturale. Si trattava infatti di materiale privo della capacità e facilità a emozionare e commuovere

---

[33] Il pittore Pietro Annigoni (1910-1988) era allora all'apice della sua carriera, ma anche il più giovane Luciano Guarnieri (n. 1930), suo allievo, si era già reso noto proprio lavorando su soggetti attinenti alla città di Firenze.

[34] Giornalista e scrittore, Furio Colombo (n. 1931) dirigeva all'epoca i programmi culturali della RAI.

[35] Alla fine di novembre Zeffirelli era già pronto per partire per gli Stati Uniti per proiettare la versione inglese del documentario (vedi Mario Cartoni, *In volo per gli Stati Uniti il documentario su Firenze*, «La Nazione», 29 novembre 1966, p. 2). Sul documentario vedi Fabrizio Borghini, *Firenze e il dramma in TV: il filmato di Zeffirelli*, in: *L'alluvione '66: ricordi, memorie per il futuro* cit., p. 103-105. Burton e la Taylor erano stati in visita a Firenze nella primavera del 1966 e si erano fatti fotografare a passeggio sui lungarni.

proprie invece delle opere d'arte, che in tutti i resoconti d'epoca vengono infatti enumerate singolarmente. La forza evocativa del patrimonio librario alluvionato risiedeva piuttosto nei grandi numeri: nessun libro infatti viene mai citato singolarmente nelle relazioni, fatta eccezione per le opere di Piranesi andate sotto il fango all'Accademia: opere d'arte, cioè, per le quali avere la forma libro era solo un fatto accidentale. Inoltre, se da una parte gli interventi in favore dei libri furono notevoli e diffusi, le informazioni a loro proposito non furono in genere pubblicizzate, ma ridotte a serie di numeri relegate in appendice alle varie relazioni.

Gli aiuti provenienti dall'estero furono tanti e tali che, nel mese di giugno del 1967, per ringraziare collettivamente tutte le persone e tutti gli enti intervenuti in soccorso di Firenze, si celebrò in Palazzo Vecchio la giornata della riconoscenza, con lo scopo di «testimoniare pubblicamente l'apprezzamento e la gratitudine dell'amministrazione comunale e della cittadinanza per le innumerevoli prove di generosa e fattiva solidarietà ricevute da tutte le nazioni in seguito all'alluvione del 4 novembre»; sempre a titolo di ringraziamento poi, e come documentazione del lavoro svolto, nel 1976 il crocifisso di Cimabue restaurato, prima di rientrare in Santa Croce il 15 dicembre, fu esposto al Metropolitan Museum di New York, alla Royal Academy di Londra, al Louvre di Parigi, al Museo del Prado di Madrid, alla Capella Reial di Barcellona e all'Alte Pinakothek di Monaco di Baviera.

Gli aiuti italiani

In Italia, dove non esisteva ancora la Protezione civile[36] e dove il coordinamento delle forze di soccorso nazionali si rivelò insufficiente, furono le autorità locali e i piccoli comuni, soprattutto nelle prime settimane, a raccogliere fondi e aiuti, ad aprire sottoscrizioni fra i cittadini e a portare direttamente il materiale così ottenuto nei centri di raccolta o nei quartieri, instaurando rapporti diretti con i comitati rionali e spesso, come nel caso delle autorità perugine a Santa Croce, entrando a farne parte in modo stabile. Significativo il fatto che la solidarietà alla città di Firenze arrivasse anche dai comuni limitrofi, alluvionati anch'essi ma in misura minore, che si trovarono così a ovviare ai danni subiti, ma, nel medesimo tempo, anche a organizza-

---

[36] L'esperienza fiorentina è anzi generalmente considerata luogo di nascita della complessa organizzazione della Protezione civile italiana.

re gli aiuti in favore di terzi, supportati in questa attività dal coordinamento realizzato fino dai primi giorni dall'Unione regionale delle province toscane.

A livello italiano furono soprattutto le banche a indire sottoscrizioni, come la Banca commerciale italiana, la Cassa di risparmio di Firenze o il Monte dei Paschi di Siena (quest'ultimo lanciò il 12 novembre una sottoscrizione fra le banche di tutto il mondo per raggiungere la cifra di 25 milioni di lire da destinare al recupero del patrimonio artistico e bibliografico fiorentino), oppure i giornali, come il *Corriere della sera*, gran parte dei fondi del quale furono stanziati per il recupero del Museo dell'Opera di Santa Croce. La solidarietà di molti privati invece si concretizzò nella concessione gratuita della strumentazione delle proprie ditte, quando questo si rendeva utile per portare a termine alcune operazioni urgenti per la salvezza dei beni culturali: è il caso dei numerosi forni ed essiccatoi resi disponibili per asciugare rapidamente il patrimonio bibliografico alluvionato[37].

Numerosi furono inoltre i musei che misero le proprie professionalità a disposizione degli istituti fiorentini, così come gli esperti che privatamente offrirono il proprio aiuto. Naturalmente anche lo Stato italiano fece la sua parte, indicendo fin dai primi giorni una sottoscrizione intestata alla Presidenza del Consiglio, che fu destinata principalmente agli aiuti alla popolazione, e assegnando in seguito, attraverso i diversi ministeri competenti, notevoli fondi destinati al recupero del patrimonio artistico danneggiato. Per quello che riguarda in modo particolare il patrimonio bibliografico, furono stanziati due miliardi e mezzo di lire per la costruzione della nuova sede dell'Archivio di Stato, dopo che l'alluvione ne aveva reso quanto mai urgente il trasferimento[38], e per l'allestimento di un nuovo laboratorio di restauro all'interno dell'archivio stesso, con l'aiuto del Fondo internazionale e dei comitati americano, inglese, tedesco e dei paesi scandinavi; al 13 ottobre 1967 erano stati inoltre destinati circa 119 milioni in favore degli archivi fiorentini, di cui oltre 12 utilizzati per l'essiccamento e il trasporto di documenti sottoposti a vigilanza, mentre alla stessa data si prevedeva una spesa di circa un miliardo e

---

[37] Vedi paragrafo 3.4.
[38] La spesa fu autorizzata con D.L. 18 novembre 1966, n. 976. Per notizie sul laboratorio installato nel nuovo edificio vedi Ornella Signorini Paolini, *Il laboratorio di restauro dell'Archivio di Stato di Firenze*, «Kermes», 15 (2002), n. 48, p. 49-55.

300 milioni per il restauro delle raccolte librarie degli istituti non statali della Toscana e circa 700.000 lire per le attrezzature.

Per coordinare l'enorme opera di recupero del patrimonio culturale di Firenze e di Venezia, fatto oggetto di così numerosi e diversificati interventi, fu istituito a Roma, per decreto della Presidenza del Consiglio, il Comitato centrale per il recupero e il restauro del patrimonio artistico e bibliografico e per la reintegrazione del patrimonio scientifico e didattico danneggiato dall'alluvione[39]: compito di tale Comitato, che agiva in connessione con quelli internazionali, era di operare un coordinamento delle diverse azioni di restauro. Il Comitato si articolava a sua volta in due sottocomitati, dedicati uno a Firenze e l'altro a Venezia, di cui il primo, formato da Ragghianti, dai soprintendenti alle antichità, ai monumenti e alle gallerie, dai soprintendenti alle biblioteche e agli archivi, dai direttori della Biblioteca nazionale e dell'Archivio di Stato, dall'assessore alla cultura e belle arti del Comune in rappresentanza del sindaco, dai soprintendenti ai monumenti e gallerie di Pisa, Siena e Arezzo, da Ulrich Middeldorff[40] in rappresentanza degli istituti scientifici stranieri di Firenze e da Millard Meiss[41] per il comitato americano, consegnò un primo rapporto generale analitico il 7 febbraio 1967. Il 28 giugno dello stesso anno procedette a una più precisa analisi con il fine di raccogliere in sintesi «i dati della situazione artistica e culturale di Firenze e delle zone alluvionate, di precisare i fabbisogni di ricostruzione a

---

[39] Presieduto dal ministro Luigi Gui, il Comitato era composto dai sottosegretari alla pubblica istruzione, onorevoli Piero Caleffi e Giovanni Elkan, dal direttore generale delle antichità e belle arti Bruno Molajoli, delle accademie e biblioteche Salvatore Accardo, dell'istruzione universitaria Salvatore Comes, dal direttore generale degli archivi Francesco Russo, dall'ambasciatore Giuseppe Corrias del Ministero degli esteri, dal sindaco di Firenze, dal sindaco di Venezia, dal professor Carlo Ludovico Ragghianti per Firenze e la Toscana, dal professor Rodolfo Pallucchini, storico dell'arte, per il Veneto, dai vice presidenti dei consigli superiori delle antichità e belle arti, delle accademie e biblioteche, professori Mario Salmi e Giuseppe Ferradino.

[40] Lo storico dell'arte Ulrich Middeldorf (1901-1983), dopo aver insegnato presso l'Istituto di storia dell'arte dell'Università di Chicago e aver ricoperto la carica di conservatore del dipartimento di scultura dell'Art Institute di Chicago, si era trasferito a Firenze nel 1953, dove fino al 1968 ebbe la carica di direttore del Kunsthistorisches Institut.

[41] Millard Meiss (1904-1975) era professore di storia dell'arte presso l'Institute of Advanced Studies di Princeton ed era stato, dal 1946 al 1951, presidente del comitato americano per il restauro dei monumenti italiani danneggiati dalla guerra.

breve e meno breve termine, di tracciare le prospettive e le esigenze di ripresa e di sviluppo delle attività artistiche e culturali, le proposte e le richieste da formulare», così da ottenere già l'8 luglio dati precisi suddivisi fra gallerie, monumenti, Archivio di Stato e altri archivi della Toscana, Biblioteca nazionale e altre biblioteche regionali[42].

In confronto all'efficienza degli aiuti diretti e immediati che i comitati stranieri erano in grado di garantire, gli uffici romani mostravano però ai delegati di questi ultimi il volto negativo della lentezza, della scarsa capacità operativa e dell'opacità della burocrazia, come riferiscono ad esempio due delegate del comitato inglese, in visita a Firenze e Roma dall'11 al 19 maggio 1967[43].

Lo statunitense Committee to Rescue Italian Art

Il comitato statunitense fu uno degli attori principali nelle operazioni di recupero delle opere d'arte, dei monumenti e del materiale bibliografico alluvionati: gli americani infatti, con il loro amore per la cultura europea e la loro grande capacità finanziaria e organizzativa, furono in grado di mettere a disposizione ingenti somme di denaro in tempi molto stretti.

Fin dai primi giorni di novembre negli Stati Uniti presero vita due diversi comitati: il Committee to Help the People of Florence e il Committee to Rescue Italian Art, meglio noto con l'acronimo CRIA. La famiglia dell'ex-presidente Kennedy, assassinato a Dallas nel 1963, si fece interprete e promotrice della sentita partecipazione della popolazione statunitense alle sorti di Firenze, facendosi coinvolgere nell'organizzazione delle due associazioni: della prima era infatti membro Robert, all'epoca senatore di New York, mentre della seconda fu nominata presidentessa onoraria la vedova di John, Jacqueline. Oltre a queste due principali associazioni, negli Stati Uniti vi fu poi un fiorire di comitati di varia natura, articolati anch'essi fra quelli che si dedicavano agli aiuti alla popolazione e quelli che lavoravano per il recupero dei beni culturali alluvionati, fra i quali l'American

---

[42] L'analisi completa, datata 25 ottobre 1967, si può leggere nel già citato secondo numero del *Notiziario del Comitato centrale di coordinamento per il restauro e la conservazione del patrimonio artistico e culturale danneggiato dall'alluvione del 4-11-66*, p. 21-23.

[43] Si tratta di Carla Thorneycroft e Nathalie Brooke (vedi p. 112 e 118), che questo fanno intendere nel resoconto conservato nell'archivio di Howard M. Nixon (vedi oltre, p. 114). L'archivio non è ordinato, ma è conservato presso la British Library.

Artist Committee for the Rescue of Italian Art e l'American Library Association International Relations Committee's Special Committee to Aid Italian Libraries, presieduto da Hamlin.

Il CRIA, che ebbe le sue origini in una riunione tenutasi il 7 novembre presso la Brown University, fu costituito, sotto la presidenza di Bates Lowry[44], da numerosi studiosi di storia dell'arte, di letteratura e di storia, scrittori, musicisti e altri uomini di cultura, nonché da americani innamorati di Firenze o ammiratori delle bellezze della città. La presidenza del comitato consultivo, che aveva il compito di decidere le modalità di assegnazione dei fondi raccolti, venne affidata a Millard Meiss, mentre ad altri studiosi, fra cui Paul Oskar Kristeller, Felix Gilbert e Sydney J. Freedberg[45], fu affidato il compito di stabilire le priorità di intervento; un gruppo di specialisti in restauro si incaricò infine di indicare metodi e procedure per portare a termine in modo corretto le operazioni di recupero. L'obbiettivo che il CRIA pose di fronte a sé, e che alla fine fu in effetti in grado di cogliere, fu quello di far raggiungere alle donazioni la somma di due milioni e mezzo di dollari.

---

[44] Bates Lowry (1925-2004), storico dell'architettura, in modo particolare del Rinascimento italiano, all'epoca insegnava alla Brown University. Negli anni successivi sarà direttore del Museum of Modern Art di New York, dal 1968 al 1969, e direttore fondatore del National Building Museum di Washington, dal 1980.

[45] Paul Oskar Kristeller (1905-1999), filologo e storico della cultura umanistica, insegnava all'epoca alla Columbia University. Dopo essere stato lettore di tedesco presso la Scuola normale di Pisa, era fuggito negli Stati Uniti a causa delle leggi razziali; nel 1965 era uscito a stampa il primo volume di *Iter Italicum: a finding list of uncatalogued or incompletely catalogued humanistic manuscripts of the Renaissance in Italian and other libraries*, London: the Warburg Institute, 1965-1993, opera di profonda analisi della realtà bibliotecaria italiana (le carte di Kristeller relative ai suoi rapporti con il CRIA sono oggi conservate nel fondo, relativo agli anni 1910-1989, confluito nella Rare book & manuscript library della Columbia University; vedi http://www.columbia.edu/cu/lweb/eresources/archives/collections/html/4079550.html). Felix Gilbert (1905-1991), studioso di storia rinascimentale fiorentina e in modo particolare di Machiavelli, esercitava la docenza presso la Princeton University; Sydney J. Freedberg (1915-1997), storico dell'arte rinascimentale, insegnava invece a Harvard, dove era anche direttore del Department of Fine Arts e dove rimarrà, ricoprendo ulteriori cariche – fra cui quella di direttore del Fogg Museum – fino al 1983, per diventare curatore della National Gallery di Washington.

Il comitato si costituì formalmente, con l'appoggio del dipartimento di Stato e dell'United States Information Agency[46], dopo il
ritorno degli storici dell'arte Frederick Hartt, della Pennsylvania
University, e Fred Licht, della Brown[47], dalle città di Firenze e Venezia, dove erano accorsi fin dall'11 novembre per stimare i danni e
stabilire quello che poteva essere fatto per arginarli. Nella città toscana venne il primo, studioso americano di arte italiana e cittadino
onorario di Firenze per i servizi resi alle opere d'arte della città durante la seconda guerra mondiale. La conferenza stampa che i due
tennero al ritorno dall'Italia e il materiale fotografico che mostrarono,
e che fu poi montato in un breve filmato, ebbero larghissima diffusione e furono all'origine della fortuna che accompagnò il CRIA
nell'esecuzione dei suoi progetti. La prima richiesta che Hartt e Licht
espressero fu l'invio di esperti in restauro, oltre che del materiale necessario per le operazioni di recupero. Il 14 novembre sedici restauratori lasciarono così gli Stati Uniti, seguiti da altri quattro la settimana successiva. Il gruppo, che partì carico di una prima parte dei
materiali individuati come indispensabili, era guidato da Lawrence
Majewski (1919-1999), *acting director* del Conservation Center
dell'Institute of Fine Arts della New York University: composto da
un chimico, tredici restauratori di affreschi, dipinti, mosaici e mobili,
due restauratori di stampe e disegni, un bibliotecario e tre legatori
specializzati in conservazione e restauro del libro, raggiunse Roma e
quindi Firenze il 15 novembre e si organizzò a Villa I Tatti, sede
dell'Harvard University Center for Italian Renaissance Studies, il cui

---

[46] La United States Information Agency, fondata nel 1953, rimarrà in vita fino al
1999 con il compito di promuovere l'interesse nazionale informando e influen-
zando le opinioni pubbliche straniere, di favorire il dialogo fra istituzioni statunitensi e loro controparti straniere, di incoraggiare scambi con professori, studenti
e cittadini stranieri a vario titolo; la propaganda anticomunista era, come noto,
uno dei suoi obbiettivi.
[47] Frederick Hartt (1914-1991), storico dell'arte specializzato nel Rinascimento
italiano, aveva prestato servizio militare durante la seconda guerra mondiale in
Europa e nell'immediato dopoguerra era stato incaricato di effettuare sopralluo-
ghi a Firenze e dintorni con lo scopo di perlustrare il territorio e censire le opere
d'arte; l'esperienza della guerra e le sue conseguenze sulla cultura e sull'arte
furono alla base del suo *Florentine art under fire* (1949). Nel 1966 Hartt insegnava alla Pennsylvania University, dove rimase fino al 1967, per passare alla
University of Virginia. Fred Licht (n. 1928) era docente di storia dell'arte presso
la Brown University; esperto di arte moderna, e in modo particolare di Canova e
di Goya, è poi diventato curatore della collezione Peggy Guggenheim di Venezia.

direttore, Myron P. Gilmore[48], ricopriva funzioni di rappresentanza del CRIA in Italia. Per sua decisione tutti i restauratori trascorsero il giorno successivo a interfogliare volumi alluvionati di diverse biblioteche fiorentine, così da poter subito capire sia le condizioni in cui versavano i beni che andavano a salvare sia quelle in cui lavoravano i volontari, oltre che per permettere ai nuovi arrivati di sentirsi subito parte del lavoro e della comunità eterogenea accorsa al capezzale della città.

Nel frattempo il CRIA assunse negli Stati Uniti una struttura capillare, stabilendo sottocomitati in venticinque città diverse[49], così da rendere più efficaci le azioni di sensibilizzazione che venivano intraprese, dagli appelli ai giornali, alla radio e alla televisione, alle mostre fotografiche, alle esposizioni di arte italiana e alle lezioni tenute in tutti gli stati dell'Unione da storici, storici dell'arte, bibliotecari e archivisti. La direzione del comitato era invece articolata in due sedi: una, presieduta da Lowry, a Providence e poi a New York, che si occupava della supervisione dell'intero progetto, decideva in merito all'organizzazione degli aiuti e selezionava le opere di cui finanziare il restauro; l'altra a Firenze, insediata in Palazzo Pitti[50] fin dai primi giorni del 1967, aveva invece funzioni più propriamente organizzative e contabili[51]; qui lavoravano una segretaria, Judith Munat[52], cui

---

[48] Myron P. Gilmore (1910-1978) storico del Rinascimento italiano, fu il secondo direttore dell'Harvard University Center for Italian Renaissance Studies a Villa I Tatti, dal 1964 al 1973, dopo essere stato presidente del dipartimento di storia dell'Università di Harvard. Nel 1976 fu insignito della laurea *honoris causa* dall'Università di Firenze.

[49] Per un organigramma completo del CRIA, con i prospetti della sua struttura amministrativa e direttiva, l'elenco delle persone che avevano aderito al comitato e il loro incarico all'interno di esso, nonché gli estremi dei sotto-comitati americani, con i nomi dei responsabili e l'indirizzo, vedi Archivio CRIA, 2, fasc. 1 (documentazione datata 4 gennaio 1967).

[50] Le carte della sede di Palazzo Pitti sono confluite presso Villa I Tatti e fanno attualmente parte della Berenson Library. Nel 2003 il fondo è stato riorganizzato dal personale della biblioteca, che si appresta a lavorare anche le carte relative al CRIA presenti nell'archivio della Villa perché legate a Gilmore o Meiss: si tratta in questo caso di relazioni tecniche su singoli progetti di restauro, fotografie e corrispondenza. Devono essere invece ancora reperite le carte della sede americana del CRIA (vedi Ilaria Della Monica, *The papers of the Committee to Rescue Italian Art*, «Villa I Tatti», 25 (2005), p. 5). L'inventario (Gabriele Cappelli, Ilaria Della Monica, *L'archivio del Committee to Rescue Italian Art: Ufficio Palazzo Pitti (1966-1973)*, dattiloscritto) è consultabile presso la Berenson Library.

[51] Gabriele Cappelli e Ilaria Della Monica spiegano nelle pagine introduttive al loro inventario le modalità di formazione della documentazione dell'ufficio con-

era stato affidato il compitato di organizzare le attività e di pagare le fatture presentate dalle maestranze coinvolte nei lavori di restauro, e un rappresentante del CRIA in carica annuale, che supervisionava i lavori portati avanti a Firenze, ma anche nella città lagunare. Una sorta di quartier generale dell'associazione rimaneva però Villa I Tatti, dove operavano Gilmore e Meiss, che avevano il non facile compito di coordinare gli aiuti che il CRIA elargiva in favore di beni sottoposti alla tutela della Soprintendenza alle gallerie e della Soprintendenza ai monumenti, nonché di singoli musei, biblioteche e archivi, individuando anche particolari progetti di restauro in favore dei quali stanziare fondi appositi[53]. In linea di massima, fin dalla sua fondazione, il CRIA decise di farsi carico dei progetti "minori", lasciando quelli di più ampia risonanza ai comitati che avevano bisogno della pubblicità che opere eccellenti e famose potevano offrire loro, così come si rese disponibile a co-finanziare progetti guidati o inizialmente intrapresi da altri comitati; il ruolo che gli americani si ritagliarono fu quindi eminentemente quello di finanziatori e di consulenti specializzati, piuttosto che quello di manovalanza specializzata, pronta a inserirsi in un'esperienza collettiva.

---

tabile di un comitato che indirizzò i propri aiuti in modo preferenziale al finanziamento di progetti portati avanti da altri, piuttosto che alla realizzazione di tali progetti attraverso propri uomini di fiducia: «La ditta o la persona che aveva eseguito lavori per il Comitato emetteva la fattura (o la notula), che veniva inviata alla Soprintendenza di riferimento. La Soprintendenza, dopo avervi apposto il timbro o una notifica di beneplacito, la indirizzava all'Ufficio del CRIA, che a sua volta spediva la lettera recante l'assegno di quietanza alla ditta stessa, chiedendo la conferma per l'avvenuta ricezione». Palazzo Pitti fu poi lasciato per una nuova sede collocata nei locali della Vecchia Posta, sotto il loggiato degli Uffizi, in seguito alla richiesta di lasciare liberi i primitivi ambienti rivolta al CRIA dall'allora soprintendente ai monumenti di Firenze, Guido Morozzi (vedi lettera del 12 gennaio 1972, Archivio CRIA, 1, fasc. 2, n. 38).

[52] Judith Munat (n. 1940), attualmente docente di lingua e letteratura inglese presso l'Università di Pisa, lavorò per il CRIA dal 1967 al 1973, occupandosi non solo di amministrazione, ma anche dei contatti con il pubblico e con la stampa, e facendo da interprete e mediatrice fra gli esperti statunitensi e le autorità italiane. Munat studiava già a Firenze nel 1966 e frequentava Villa I Tatti: per questo fu contattata da Meiss quando il CRIA ebbe bisogno di aprire uffici a Firenze.

[53] Negli anni si susseguirono anche le visite dei grandi finanziatori e di giornalisti che avevano lo scopo di verificare le attività del CRIA e l'efficacia della sua azione.

Il 28 novembre fu Meiss a raggiungere Firenze. Fu proprio grazie a una sua previsione, che calcolava in due anni la durata dell'emergenza, che il CRIA articolò i propri aiuti in progetti a lungo termine, che si protrassero infatti fino ai primi anni Settanta. Il CRIA si assunse inoltre il carico di tutte le spese necessarie al recupero di interi cicli di affreschi a Santa Croce, Santa Maria Novella, Ognissanti, Santa Maria Maddalena dei Pazzi, Santissima Annunziata e Sant'Andrea a Brozzi, per citare solo i più noti. Numerose furono inoltre le tavole e le tele, così come le opere lignee, provenienti da enti di diversa natura, adottate dal comitato statunitense, che finanziò anche, in tutto o in parte, i lavori di restauro delle parti architettoniche e strutturali, oltre che delle opere d'arte in esse conservate, delle chiese di Ognissanti e di Santa Croce, delle vetrate della chiesa di Orsanmichele, nonché il recupero della loggia del Bigallo in piazza Duomo, dell'Ospedale di Sant'Antonio a Lastra a Signa e della chiesa di Sant'Andrea a San Donnino a Brozzi; i due musei che maggiormente beneficiarono dei finanziamenti del CRIA furono invece il Museo archeologico, per il restauro del materiale ceramico e della preziosa documentazione fotografica, e il Museo di storia della scienza, la cui collezione di strumenti scientifici aveva particolarmente sofferto i danni provocati dalle acque alluvionali.

La BNCF e l'Archivio di Stato potevano contare inoltre sull'aiuto del Book Study Committee del CRIA, presieduto da Gilbert ma supportato da numerosi importanti studiosi americani, e sulle periodiche relazioni dello Study Committee on Book Conservation, che si occupava in modo più particolareggiato delle questioni tecniche e organizzative inerenti il restauro librario[54]. L'apporto di tante personalità

---

[54] Tre membri dello Study Committee on Book Conservation, fra cui Banks, furono inviati a Firenze per 39 giorni a partire da fine dicembre. Avendo riscontrato difformità nel modo di intervenire fra gli enti che avevano ricevuto aiuti maggiormente specializzati, come la BNCF, ed enti che invece erano stati costretti a contare solo sulle proprie forze, redassero una lista di raccomandazioni per la rilegatura e il restauro di materiale alluvionato, basato sui principi del restauro reversibile e non invasivo, da consegnare ai direttori dei diversi istituti bibliografici, perché la passassero alle proprie maestranze. Un primo abbozzo di tale lavoro, dal titolo *Reccomendations for restoration and rebinding of books damaged in November 4, 1966 flood: preliminary draft*, fu inviato, oltre che per conoscenza a gran parte dei direttori di biblioteca e archivio fiorentini, a Plenderleith, perché discutesse tali standard con i maggiori esperti a livello internazionale, o quantomeno, secondo le richieste degli estensori, con il laboratorio di ricerca del British Museum e l'ICPL da una parte, con Powell e Waters (vedi paragrafo 3.5)

diverse, fra cui quella di un grande conoscitore della realtà bibliotecaria italiana quale Kristeller, permise inoltre al CRIA di non limitare la propria attenzione e i propri aiuti ai soli due maggiori istituti bibliografici fiorentini alluvionati, ma di estenderli tempestivamente anche in favore di istituti e biblioteche "minori", dal Vieusseux, alla biblioteca di Giurisprudenza, al conservatorio Cherubini, alle biblioteche dei teatri, alle collezioni del Museo Bardini e, fuori Firenze, alla Forteguerriana di Pistoia e al centro di studi francescani situato presso il convento di San Bonaventura a Quaracchi[55].

Le importanti competenze di cui il CRIA poteva disporre fecero inoltre sì che il comitato fungesse negli anni da collegamento e da filtro fra le proposte di aiuto e di cooperazione avanzate da numerosi privati statunitensi e i diversi centri di restauro instauratisi a Firenze, attraverso una continua opera di selezione e di tramite, oltre che di erogazione di borse di studio e di facilitazioni economiche, anche in favore di personale inviato originariamente da comitati diversi, come rivelato dalle ricca corrispondenza in proposito conservata presso Villa I Tatti[56].

Fondamentale fu inoltre il legame che il comitato statunitense stabilì con la University Microfilms[57] che offrì il proprio aiuto a Kri-

---

dall'altra. Vedi Archivio CRIA, 24, fasc. 8, n. 1 (lettera di Banks a Gilmore, datata 30 gennaio 1967).

[55] Vedi Archivio CRIA, 1, fasc. 4, n. 4-20, e in particolare il resoconto sulla situazione delle biblioteche fiorentine realizzato da Gilbert, datato 6 giugno 1967 (n. 20), nonché l'intera serie dedicata ai collaboratori del CRIA (Archivio CRIA, 4), le cui carte documentano il ruolo di tramite che il CRIA ricoprì anche nei confronti di munifiche fondazioni americane, in particolare della fondazione Ford e della fondazione Kreiss. Una relazione sui danni subiti dal convento di Quaracchi, datata 27 maggio 1967, si può leggere inoltre in Archivio CRIA, 23, fasc. 2, n. 4.

[56] Vedi in particolare le filze relative alla corrispondenza di Palazzo Pitti, 1966-1973.

[57] Fondata nel 1938, la University Microfilms di Ann Arbor (UMI), nasce con lo scopo di conservare testi, ma anche di renderli più facilmente accessibili all'utenza attraverso riproduzioni in microfilm, svincolando i lettori dai limiti imposti dalla stampa tradizionale. Dopo le prime esperienze di riproduzione di testi dei quali si voleva scongiurare il rischio di scomparsa, la UMI ha dedicato gran parte delle sue energie alla pubblicazione delle tesi di dottorato discusse nelle università americane, secondo la formula del *print on demand*, passando attraverso una copia in microfilm dell'originale; nel frattempo la UMI ha continuato però ad acquisire copia di periodici, quotidiani, libri fuori commercio, testi di ricerca. Oggi la UMI si è evoluta passando alla tecnologia digitale, fornendo

steller nel marzo del 1967[58] e fu poi fra i protagonisti dei progetti di recupero e di cura delle collezioni della BNCF.

Il CRIA inviò infine a Firenze numerose *troupes* per girare documentari da proiettare poi in America durante le campagne di raccolta fondi, durante le quali spesso veniva mostrato il documentario di Zeffirelli.

Le attività del CRIA proseguirono fino alla primavera del 1973, quando l'ufficio di Firenze chiuse i battenti, ma la sede di New York aveva cessato le sue attività già nel 1971[59]. La grande disponibilità di fondi del CRIA era dovuta al fatto che, per poter usufruire dell'esenzione dalle tasse, il comitato americano poteva pagare solo lavori completati, ispezionati e sottoposti a verifica da parte di personale di sua fiducia; la lentezza che tale procedura implicava, faceva sì che una parte del denaro raccolto potesse essere investito e generare così interessi ogni anno[60].

Il CRIA non fu però l'unico comitato sorto negli Stati Uniti in favore delle città italiane alluvionate, né la forma del comitato nazionale fu l'unica attraverso la quale gli aiuti americani raggiunsero la città toscana: è il caso, ad esempio, dei diretti rapporti di collaborazione che vennero istituiti fra istituzioni museali consimili – questo rese possibile, ad esempio, la presenza in città, fin dal 9 novembre, di John Goldsmith, curatore della sezione rinascimentale del Metropolitan Museum di New York – come fruttuosi furono gli eventi culturali il cui ricavato fu destinato a Firenze e ricca la sottoscrizione aperta fra gli italo-americani e coordinata da Fortune Pope, editore proprietario di uno dei periodici maggiormente rappresentativi della comunità: *Il progresso italo-americano*.

---

numerosi servizi online e cambiando il proprio nome in ProQuest Information and Learning (vedi il sito http://proquest.com).
[58] Lettera di Kristeller a Gilmore del 17 marzo 1967 (Archivio CRIA, 1, fasc. 4, n. 8). Fu nell'aprile di quell'anno che l'idea si fece più consistente e fu quindi formulata una prima proposta in questo senso alla direzione della BNCF (lettera di Meiss a Casamassima dell'11 aprile 1967, Archivio CRIA, 24, fasc. 2, n. 10).
[59] I fondi in quella data ancora non spesi furono destinati a creare un fondo per finanziare una delle borse di studio annuali della Harvard University (vedi Della Monica, *The papers* cit.).
[60] Vedi l'intervento *Building a network of support for conservation: the Committee to Rescue Italian Art* inviato da Licht al convegno *Conservation legacies of l'alluvione: a symposium commemorating the 40th anniversary of the flood*, tenuto a Firenze dal 10 all'11 novembre 2006.

L'inglese Italian Art and Archives Rescue Fund

L'atto di nascita dell'inglese Italian Art and Archives Rescue Fund[61] porta invece la data del 15 dicembre del 1966[62], a seguito della formazione di un comitato di aiuto per Venezia e Firenze, che inizialmente pensava di poter coprire sia i bisogni delle persone che quelli dell'arte e che in seguito si articolò invece da una parte nell'Italian People-Flood Appeal, dedicato agli aiuti umanitari[63], e dall'altra nell'Italian Art and Archives Rescue Fund, che dedicò invece le proprie energie al patrimonio culturale[64].

Per la buona riuscita dell'opera di tali comitati fu particolarmente importante l'appoggio del consolato inglese a Firenze – così come

---

[61] D'ora in avanti IAARF. Le carte dello IAARF sono conservate presso il Public Record Office di Londra dove, nel 1984, sono state catalogate in modo analitico e dove, nel 2003, sono state rese pubbliche agli studiosi. La maggior parte del materiale è relativo alle attività di raccolta fondi e all'organizzazione e al finanziamento dei viaggi e dei soggiorni degli esperti in restauro a Firenze e, in misura minore, a Venezia, oltre che all'approvvigionamento dei materiali. Per maggiori notizie su tale fondo archivistico vedi Elisa di Renzo, *Il fondo dell'Italian Art and Archive Rescue Fund al Public Record Office di Londra*, «La Bibliofilia», 108 (2006), n. 2, p. 197-213. Fra i membri dello IAARF si contavano personalità quali Maurice Bowra (1898-1971), professore di letteratura greca, presidente del Wadham College di Oxford, Anthony Blunt (1907-1983), storico dell'arte, direttore del Courtauld Institute of Art, Edward Ettingdene Bridges (1892-1969), rettore della Reading University, Kenneth Clark (1903-1983), famoso critico e storico dell'arte, già direttore della National Gallery dal 1933 al 1946, nonché autore di successo di programmi culturali per l'ITA, di cui fu direttore, e poi per la BBC, Frank Francis (1901-1988), direttore del British Museum dal 1959 al 1968, George Lascelles (n. 1923), già direttore della Royal Opera House di Covent Garden, all'epoca rettore della University of York, Arthur Evelyn Shuckburgh (1909-1994), diplomatico, Ellis Waterhouse (1905-1985), storico dell'arte specializzato nel barocco romano e nell'arte inglese, già direttore delle National Galleries of Scotland e all'epoca direttore del Barber Institute, Charles Wheeler (1892-1974), scultore, John Humphreys Whitfield (1907-1995), italianista, John Pope-Hennessy e Nicolai Rubinstein (vedi nota 68).
[62] Vedi PRO 30/83/44.
[63] L'Italian People-Flood Appeal fu promosso da Lord Hastings. Edward Delaval Henry Astley, 22° barone di Hastings (1912-2007), era membro della Camera dei Lords dal 1956, nonché *governor* del British Institute di Firenze dal 1959; sarà poi presidente della British Italian Society dal 1967 al 1995.
[64] All'interno del carteggio del presidente Ashley Clarke (PRO 30/83/45) sono rintracciabili numerose lettere datate al mese di dicembre in cui si discute della possibilità di articolare l'associazione di nuova fondazione in queste due sezioni, cui dare piena autonomia.

anche di quello americano per il CRIA – come dimostra la nascita, a metà dicembre 1966, di un ulteriore comitato, di breve durata perché soppiantato poi dai due maggiori, denominato Anglo-American Flood Relief Committee, che lavorava sotto la direzione dei due consolati, con circa trenta volontari a propria disposizione.

Il grande aiuto britannico alle città italiane alluvionate è da collegarsi anche con la ferita aperta nell'opinione pubblica inglese del disastro di Aberfan, in Galles, che risaliva ad appena due settimane prima: venerdì 21 ottobre, infatti, una cumulo di scorie di carbone travolse il paese di minatori di Aberfan, nel sud del Galles, provocando la morte di ben 144 persone, di cui 116 bambini, la cui scuola era stata travolta dalla valanga nera. Già in questa occasione si era assistito al fenomeno di un numero imponente di giovani, in rivolta contro il sistema incapace di prevenire disastri di tal fatta, che affluivano nella cittadina gallese per portare il loro aiuto, così come rilevanti erano stati gli aiuti economici giunti da tutta la nazione, attraverso l'Aberfan Disaster Fund[65]. Firenze e Venezia ravvivarono il ricordo ancora fresco di quegli eventi, dando però la possibilità di offrire un aiuto davvero salvifico, quello in favore del patrimonio culturale danneggiato, e non frustrato dall'impossibilità di opporsi alla ineluttabilità della morte.

Fin dalla sua creazione la presidenza dello IAARF fu assegnata a Sir Ashley Clarke, ex-ambasciatore britannico a Roma e allora presidente della British Italian Society[66], fra le prime organizzazioni

---

[65] Per maggiori notizie sul disastro un buon punto di partenza è rappresentato dal sito http://www.nuff.ox.ac.uk/politics/aberfan/home2.htm, che offre anche un'ampia e aggiornata bibliografia sull'argomento. In proposito, vedi anche Harris, a p. 9-10. L'associazione fra i due disastri, Aberfan e Firenze, è anche nelle parole di Burton, gallese di nascita, nel summenzionato documentario realizzato da Zeffirelli.

[66] Ashley Clarke (1903-1994), dopo aver assolto ad altri importanti mandati diplomatici, fu ambasciatore britannico a Roma dal 1953 alla pensione, nel 1962. Rientrato a Londra rivestì numerosi incarichi di rilievo in ambito culturale: fu governatore della BBC dal 1962 al 1967, presidente della Royal Academy of Music e dell'analoga Royal Academy of Dance, entrò nel consiglio di amministrazione del Victoria & Albert Museum, oltre a presiedere, come detto, la British Italian Society. Secondo la testimonianza offerta dalla moglie Frances Molineux durante il citato convegno *Conservation legacies of l'alluvione*, Clarke fu investito dell'incarico di presidente dello IAARF su indicazione di Charles Garrett Ponsonby Moore, conte di Drogheda, presidente del consiglio di amministrazione dell'Opera House, contattato a sua volta da Zeffirelli perché si adoperasse nell'organizzazione aiuti britannici diretti a Firenze, e di Jenny Lee, mini-

coinvolte nella raccolta di fondi e nell'invio degli aiuti. La sede dell'associazione fu presto individuata in locali della National Gallery offerti allo scopo dal museo stesso, ma la prima riunione si tenne alla Royal Academy of Arts il pomeriggio del 16 novembre[67]; qui si radunarono, insieme agli storici dell'arte e agli storici *tout court*, a nobili magnati e a studiosi dell'Italia, un buon numero di esperti di conservazione e restauro di opere d'arte e di materiale bibliografico, pronti a intervenire in aiuto del materiale alluvionato, soprattutto a Firenze.

Dopo aver inviato a Firenze, per una supervisione diretta, il prof. Nicolai Rubinstein, della University of London, e John Pope-Hennessy, direttore designato del Victoria & Albert Museum[68], il primo e il più ovvio degli obbiettivi che lo IAARF pose di fronte a sé fu quello di pianificare e coordinare diverse attività di raccolta di fondi[69], dall'organizzazione di spettacoli ed eventi, all'allestimento

---

stro della cultura del governo britannico, che aveva deciso di intervenire in aiuto delle città italiane alluvionate in seguito all'appello lanciato da Gui e da Maheu all'Unesco. Sempre in tale occasione la vedova Clarke ha sottolineato come l'inserimento della parola "archives" nel nome del comitato sia da far risalire alla volontà di Rubinstein (vedi nota 68), che la riteneva di cruciale importanza.

[67] Vedi PRO 30/83/45. Prima del definitivo stabilirsi della sede dell'organizzazione presso la National Gallery, molte riunioni furono tenute direttamente a casa di Carla Malagola Thorneycroft, una delle prime voci che caldeggiarono la nascita di un'associazione per aiutare le città italiane alluvionate. Carla (1914-2007) era la moglie veneziana di Peter Thorneycroft (1909-1994), membro conservatore prima della Camera dei Comuni, dal 1938 al 1966, poi della Camera dei Lords. Thorneycroft sarà presidente del partito conservatore dal 1975 al 1981.

[68] Nicolai Rubinstein (1911-2002), studioso del Rinascimento italiano, e soprattutto fiorentino, insegnava all'epoca presso lo Westfield College di Londra, oltre a collaborare con il Warburg Institute. Tedesco, perseguitato per le sue origini ebraiche, aveva risieduto e studiato a Firenze prima di essere costretto a lasciare anche l'Italia per stabilirsi definitivamente a Londra. John Pope-Hennessy (1913-1994), studioso di storia dell'arte italiana, fu direttore del Victoria & Albert Museum dal 1967 al 1974, poi direttore del British Museum dal 1974 al 1977, quindi *consultative chairman* del Department of European Painting del Metropolitan Museum of Art di New York fino al 1986, quando si ritirò a vita privata a Firenze.

[69] Fra queste, una mostra fotografica di cinquanta istantanee realizzate da Pope-Hennessy durante la sua prima missione a Firenze, dal titolo *Flood damage in Florence*, voluta per illustrare i danni provocati in città dall'alluvione, allestita dal 14 gennaio al 5 marzo 1967 presso la Royal Academy, che raccolse 2.015 sterline. La mostra girò poi per la Gran Bretagna, per iniziativa dello IAARF, che l'aveva proposta a numerosi istituti attraverso una lettera circolare.

di vendite e aste di beneficenza, che furono numerose e disparate e che mobilitarono ampie fasce della società civile britannica; alla guida di tali operazioni, in qualità di presidente del sottocomitato denominato Appeal Committee, fu posta Carla Thorneycroft. Le attività di raccolta fondi terminarono entro il luglio del 1967, quando erano state raccolte circa 175.000 sterline[70].

Fin dai primi mesi furono comunque intraprese attività per coordinare l'afflusso alle città alluvionate di personale qualificato e di materiali diversi necessari per intraprendere le attività di restauro, contattando numerosi enti e istituzioni private in grado di fornire assistenza, finanziando viaggio, spese e risarcimenti per mancati guadagni a chi si rendeva disponibile a lasciare il lavoro[71], nonché raccogliendo e coordinando le numerosissime offerte di volontari, più o meno qualificati, che si dichiaravano pronti a partire per l'Italia[72].

Gran parte degli sforzi dello IAARF furono diretti alla città toscana[73], dove furono spese 115.000 delle sterline raccolte in iniziative di varia natura: furono acquistati macchinari destinati al laboratorio dell'Archivio di Stato e offerta ospitalità ad alcuni dipendenti di quest'ultimo per apprendere le tecniche inglesi nei laboratori di restauro di materiale bibliografico del Regno Unito, furono donati deumidificatori e ventilatori alla Soprintendenza archivistica per la Toscana, venne patrocinato il recupero del Museo Horne e fu finanziato il laboratorio dedicato alle sculture e alle arti minori improvvisato a

---

[70] Gli introiti derivati dagli eventi ancora in corso nel luglio del 1967 furono superiori al previsto; l'ultima lettera della filza PRO 83/30/1, datata 20 luglio 1967, in cui Carla Thorneycroft annuncia la fine degli eventi previsti per la raccolta fondi, stabilisce infatti l'ammontare di questi ultimi in 160.000 sterline, cui aggiungerne altre 6.000 previste dagli introiti delle attività non ancora terminate.

[71] I risarcimenti offerti dallo IAARF erano calibrati sui redditi in patria dei singoli esperti e tenevano conto anche delle loro attività secondarie quali, ad esempio, le lezioni serali. Nel marzo del 1967 Peter Waters, Roger Powell, Sydney Cockerell, Anthony Cains, Philip Smith e Bernard Middleton ricevevano dal comitato britannico 50 sterline a settimana, Rita Powell e Sally Lou Smith 25, Christopher Clarkson 10 (per le notizie biografiche vedi paragrafo 3.5).

[72] La disponibilità di volontari pronti a partire per Firenze fu tale, fino da novembre, che lo IAARF dovette occuparsi di arginarle: il 24 Howard M. Nixon (vedi nota 77) scrisse infatti una lettera a tutti coloro che si erano offerti invitandoli ad aspettare, spiegando come fosse necessario attendere i primi resoconti degli esperti inviati sul luogo per capire quanti e che tipo di volontari fossero utili a Firenze, e a partire da quale data (PRO 30/83/1).

[73] Firenze viene definita il «main target» dello IAARF fin dal novembre del 1966 (PRO 30/83/45).

Palazzo Davanzati, ma soprattutto lo IAARF si dedicò intensamente al recupero dei volumi alluvionati della Biblioteca nazionale, in modo preferenziale ai fondi antichi[74], valorizzando la cultura inglese che aveva saputo recuperare il sapere artigianale, e in modo particolare quello legato all'arte della legatoria[75].

L'ente che maggiormente beneficiò infatti dell'aiuto dello IAARF e che deve a esso quasi interamente la sua rinascita fu la BNCF: il comitato ne assunse il patrocinio dopo una riunione cui parteciparono Casamassima, il console inglese Christopher Pirie-Gordon[76], fondamentale nel suo ruolo di conoscitore della città e di intermediario con il comitato, Gilmore, in rappresentanza del CRIA, e, per lo IAARF, Howard M. Nixon[77], a Firenze dal 4 al 6 dicembre 1966[78].

---

[74] Secondo quanto affermato da Clarke nel febbraio del 1969, in tutto lo IAARF aveva raccolto poco più di 170.000 sterline, di cui circa 115.000 spese a Firenze. Alla BNCF ne erano state destinate circa 25.000, a Palazzo Davanzati circa 19.000, all'Archivio di Stato 10.000, al Museo archeologico 6.000, al Museo Horne 6.000, all'Accademia delle arti del disegno 1.725, al Museo di storia della scienza 1.150, all'affresco del Pontormo 800, all'oratorio di San Francesco dei Vanchetoni 700, al British Institute 575, alla cappella di Ognissanti 75, alla biblioteca del Vieusseux 70 e 15.000 alla Soprintendenza alle gallerie. Le 65.000 sterline assegnate a Venezia furono destinate invece in modo preferenziale all'allestimento di un nuovo laboratorio di restauro finalizzato al restauro dei dipinti di grandi dimensioni e al ripristino della chiesa della Madonna dell'Orto (Ashley Clarke, *Florence and Venice preserved*, «Apollo», February 1969, p. 142-143).
[75] Vedi paragrafo 3.5.
[76] Christopher Martin Pirie-Gordon (1911-1980), dopo aver fatto esperienza diplomatica in Palestina, Amman, Kuwait, Arabia Saudia e Yemen, era diventato nel 1960 console a Innsbruck e nel 1963 a Firenze, dove rimarrà fino al pensionamento nel 1970 e dove continuerà a vivere fino a poco prima della morte. Nel 1969 è succeduto al padre come quattordicesimo Laird of Buthlaw.
[77] Howard M. Nixon (1909-1983), al British Museum dal 1936, *deputy keeper* dal 1959, proprio nel 1966 era stato posto a capo di quella che diventerà la Rare book collection della North Library. Studioso di legature, presidente della Bibliographical Society nel biennio 1972-1973, in occasione del suo addio alla British Library nel 1976, *The book collector* gli ha dedicato un fascicolo, il primo del vol. 24 (1975). Cfr. in modo particolare, al suo interno, Miriam J. Foot, *A bibliography, 1934-74, of the works of Howard M. Nixon*, p. 161-171.
[78] Fu però nel corso del mese di dicembre che gli inglesi si convinsero a collaborare a quello che all'epoca appariva come il progetto di costituzione di un «National Institute for Book Restauration» – come lo definiscono Rubinstein (PRO 30/83/35, memorandum di una conversazione telefonica del 29/12/1966 avuta con Clarke) e altri corrispondenti dello IAARF – progetto questo cui anche gli americani erano molto interessati. È proprio in occasione di tale telefonata che

Il comitato inglese si confrontò in un primo momento con il problema della necessità di trovare restauratori capaci che supervisionassero i volontari inesperti, il cui lavoro era tuttavia indispensabile per l'impossibilità di avere numerosi specialisti a disposizione. Tale esigenza venne affrontata grazie alla collaborazione di Nixon con Gabriele Caprara e con il comitato Pro Firenze di Milano, di cui quest'ultimo era responsabile[79]. In un primo momento furono contattati con successo gli insegnanti di legatoria nelle scuole d'arte, specialmente se avevano esperienza di carta bagnata, in seguito si unirono anche professionisti, sia privati che dipendenti di istituti pubblici. A metà di febbraio già venticinque volontari erano venuti in città per un periodo che andava dai quindici giorni in su, provenienti dalle più diverse istituzioni, le quali spesso continuarono a stipendiare i loro dipendenti anche mentre si trovavano a Firenze. Il British Museum organizzava il lavoro dei volontari e forniva direttamente, attraverso il suo laboratorio di ricerca, supporto scientifico e tecnico alle autorità italiane, mentre, per quanto riguardava le analisi chimico-fisiche dei materiali, le ricerche furono per lo più realizzate nei laboratori dell'Imperial College e del Royal College of Arts.

La mediazione dello IAARF fu determinante anche nello stabilire rapporti diretti fra istituti e musei di medesima natura [80] e

---

Rubinstein informa il presidente dello IAARF della scelta già effettuata da altri comitati, in modo particolare dal CRIA, di rendersi maggiormente autonomi patrocinando singoli progetti di recupero. Per le notizie intorno agli interventi realizzati in BNCF, vedi paragrafo 3.5.

[79] Medico milanese della Ormonoterapia Richter, in contatto con gli studenti dell'Università di Firenze, Caprara aveva dato vita al comitato Pro Firenze con lo scopo di raccogliere forza lavoro in grado di operare su manoscritti e libri a stampa alluvionati; il comitato cercò in modo particolare di trovare legatori preparati per affiancare gli studenti, organizzarne il lavoro e insegnare ai futuri operatori, fornendo di interpreti gli esperti inglesi che riuscirono a contattare. Pur trattandosi di una persona di evidente rilievo per la storia della rinascita della BNCF, Caprara rimane una figura poco nota, probabilmente perché il suo intervento è rimasto confinato, dal punto di vista temporale, ai primi cruciali momenti del dopo alluvione.

[80] Fu così fu possibile, ad esempio, l'invio di gruppi di oggetti in bronzo e di quarantasei vasi del Museo archeologico al British Museum per essere restaurati a spese del comitato britannico, mentre specialisti del Victoria & Albert Museum collaborarono con il Bargello per il recupero delle armi (per entrambi, vedi PRO 30/83/70). Il rapporto con il Museo archeologico è tanto più importante perché la gravità dei danni subiti dalle collezioni aveva imposto ai suoi curatori di vietare ai volontari l'accesso al museo e di vagliare con la massima attenzione la competenza di tutti i conservatori che si mettevano a sua disposizione. In mo-

l'organizzazione fece da referente anche per l'afflusso nella città toscana dei contributi provenienti dal governo, dal consolato, dalla British Italian Society, dal Florentine Artisans' Fund – promosso da Iris Cutting Origo[81] – e dalla città di Edimburgo, gemellata con Firenze. In ambito inglese, per quanto riguarda più specificamente il mondo del libro, un'azione importante fu condotta dal periodico *The book collector*, fondato nel 1952 e dal 1965 diretto da Nicolas Barker, il quale si recò personalmente a Firenze pochi giorni dopo la sciagura. La rivista dedicò a Firenze il primo numero del 1967, in cui appaiono alcune delle fotografie più famose della BNCF, e indisse sottoscrizioni specifiche in favore di biblioteche, librerie e legatori[82].

I rapporti con il governo italiano e con la burocrazia non furono semplici e in più casi si avverte difficoltà nel comprendere comportamenti e scelte ministeriali, nonché una certa insofferenza nell'affrontarli: è il caso ad esempio della corrispondenza fra Hastings e Clarke, laddove quest'ultimo avverte il primo, in procinto di proporre al parlamento inglese campagne di raccolta fondi per Firenze, che questo lo esporrà a forti critiche in Italia, poiché il governo italiano afferma da giorni che la situazione è sotto controllo[83]. Problemi di opportunità politica si intra-

---

do particolare lo IAARF mise in contatto la BNCF con il British Museum, il laboratorio di restauro instauratosi a Palazzo Davanzati con il Victoria & Albert Museum, quello realizzato alla Fortezza da Basso con la National Gallery, quello nella chiesa di San Gregorio, a Venezia, con il Courtauld Institute, il Museo archeologico con l'Institute of Archeology, l'Archivio di Stato con il Public Record Office, il Museo Horne con il British Institute di Firenze, la chiesa della Madonna dell'Orto, a Venezia, con il Courtauld Institute, ma anche con il Victoria & Albert Museum.

[81] Iris Cutting (1902-1988), moglie anglo-americana del marchese Antonio Origo, storica e saggista nota per il suo libro su Francesco Datini *Il mercante di Prato* (uscito in lingua inglese nel 1957, e in traduzione italiana, con prefazione di Luigi Einaudi, nel 1958), studiò a Firenze e trascorse gran parte della vita nella sua tenuta in Val D'Orcia.

[82] In seguito a tale appello la rivista riuscì a raccogliere 1.200 sterline, come si può leggere in *The flood at Florence: two years later*, «The book collector», 18 (1969), n. 1, p. 7-8. Il numero interamente dedicato all'alluvione di «The book collector» fu il 16 (1967), n. 1 e in particolar modo, al suo interno, vedi Howard H. Nixon, *British aid for Florence*, p. 29-35. In quest'ultimo numero della rivista, conservato anche fra le carte dello IAARF (PRO 30/83/33), era stato inserito un piccolo modulo, in carta verde, da utilizzare per inviare donazioni in favore della città di Firenze.

[83] PRO 30/83/45, lettera del 15 dicembre 1966.

vedono anche, ad esempio, quando la principessa Marina[84], in una lettera datata 15 dicembre 1966, non accoglie la proposta di Clarke di patrocinare l'appello dello IAARF, perché «it might be unwise, or might prove embarrassing, if I were to accept patronage of what amounts to an appeal, and an appeal which appears to cater for only one aspect of a vast national problem»[85].

In un primo tempo l'impegno principale dello IAARF fu quello di stabilire contatti affidabili, a Roma e Firenze soprattutto, che fossero in grado sia di delineare un quadro attendibile della situazione (ma per questo fin dai primi momenti ci si occupò di inviare in Italia esperti dei diversi settori in cui lo IAARF intendeva intervenire), sia di far pervenire gli aiuti materiali senza intoppi, aggirando i vincoli posti da uno Stato che, soprattutto nel primo mese, appariva sordo e inefficiente. Con il passare dei giorni si fecero invece sempre più saldi i rapporti con le associazioni consimili, ma nate in paesi diversi, e soprattutto con il CRIA, che sarà sempre per lo IAARF l'interlocutore principale. Solo allora l'organizzazione si farà stabile, con un numero considerevole di esperti inviati in Italia in grado di collaborare attivamente al ripristino del patrimonio culturale danneggiato.

I finanziamenti terminarono nel 1971[86] e lo IAARF si sciolse definitivamente il 26 gennaio del 1972, quando, per quanto riguarda la città lagunare, fu una nuova organizzazione, denominata Venice in Peril Fund[87], ad assumersi il compito di proseguire nell'attività di recupero delle ricchezze artistiche della città. Il 26 gennaio del 1972 Clarke annunciava lo scioglimento dell'organizzazione a Nathalie

---

[84] Vedova del principe George Edward Alexander Windsor (1902-1942), duca di Kent, la principessa Marina (1906-1968), membro della deposta famiglia reale greca, godette di buona popolarità nel Regno Unito per il suo impegno in numerose attività caritatevoli.

[85] PRO 30/83/45.

[86] Il conto corrente bancario domiciliato a Firenze viene chiuso il 10 febbraio del 1971 (PRO 30/83/50, appunto del 25/3/1971).

[87] Clarke fu co-fondatore e poi presidente della nuova associazione dedicata a Venezia, dove da allora trascorse lunghi periodi della vita, assieme alla seconda moglie Frances Molineux cui, alla morte del marito, passò la presidenza. La nascita di un nuovo ente, dedicato esclusivamente alla città lagunare, era motivata dalla consapevolezza che, mentre per Firenze l'alluvione era stata un'emergenza, per quanto terribile, per Venezia l'acqua alta, l'inquinamento delle acque, il degrado e lo spopolamento della città erano problemi strutturali, che richiedevano un diverso e prolungato tipo di approccio. Il suo impegno per Venezia lo portò a ricevere numerosi riconoscimenti e onorificenze, fra cui la laurea *honoris causa* della locale Università e la cittadinanza onoraria.

Brooke, che aveva seguito il lavoro di segreteria dello IAARF per tutta la durata della sua esistenza[88], con un breve biglietto[89]:

Dearest Nathalie,
I have now received a formal letter from the Charity Commission dated January 20 in which it is stated that the IAARF has been removed from the Central Register of Charities under section 4(3) of the Charities Act, 1960.
Sic transit.
Your ever,

Ashley

Altri comitati
Il CRIA e lo IAARF furono i comitati che più si spesero in favore della BNCF, ma furono numerose le nazioni, non solo europee, che videro nascere al loro interno simili realtà associative.

In Francia – dove ebbe grande impatto il numero di *Paris match* del 19 novembre dedicato all'alluvione e intitolato *Florence sous les eaux*[90] – il 16 novembre si formò un comitato per il restauro del patrimonio artistico e bibliografico alluvionato formato da grandi nomi della cultura, le cui adesioni furono raccolte da Guy Tosi[91], ex direttore dell'Istituto francese di Firenze. Il comitato francese, che mantenne in patria la sua base operativa, non pose il recupero delle biblioteche fra le sue priorità, ma fra i molteplici aiuti che distribuì va ricordato il patrocinio delle operazioni di restauro di Santa Maria

---

[88] Nathalie Brooke, moglie del segretario della Royal Academy, era stata invitata da Clarke a seguire il lavoro di segreteria. Con la fine dello IAARF Brooke seguì i coniugi Clarke nel nuovo comitato Venice in Peril, divenendone *honorary secretary*. Al nuovo comitato prese parte anche Carla Thorneycroft.
[89] PRO 83/30/44.
[90] *Florence sous les eaux*, «Paris match», 18 (1966), n. 919, datato 19 novembre.
[91] Guy Tosi (1910-2000), italianista di chiara fama, saggista, traduttore, giornalista e critico letterario, direttore dell'Istituto francese di Firenze dal 1955 al 1962, nel 1968 otterrà la cattedra di Letteratura italiana moderna e contemporanea alla Sorbona (per una bibliografia degli scritti e maggiori informazioni biografiche, vedi Andrea Lombardinilo, *La scomparsa di Guy Tosi, tra i maggiori dannunzisti francesi*, «Rassegna dannunziana», 18 (2000), n. 38, p. 47-48). Il comitato francese poteva contare inoltre sul valido appoggio di Gaston Palewski (1901-1984), uomo politico gaullista di primo piano, dal 1957 al 1962 ambasciatore francese in Italia.

Maddalena dei Pazzi, retta da monaci agostiniani francesi[92], e il finanziamento del restauro di sedici vasi in bronzo del Museo archeologico, condotto presso il Centre pour l'histoire de la métallurgie di Nancy.

Anche dalla Germania, attraverso vari comitati nati nelle sue diverse regioni, pervennero aiuti in denaro e in strumentazione, come i deumidificatori e i ventilatori donati alla Soprintendenza archivistica per la Toscana o gli apparecchi utilizzati per prosciugare dal basso l'umidità che metteva in pericolo le pareti affrescate dei numerosi monumenti andati sott'acqua, in modo che l'acqua, salendo per capillarità, non deturpasse le immagini con i sali fatti così affiorare. Tali strumenti furono successivamente utilizzati da molti istituti, e anche dalla Biblioteca nazionale, per velocizzare il processo di asciugatura delle proprie sedi o delle sale in cui era depositato il proprio patrimonio; l'apporto dei finanziamenti tedeschi fu decisivo inoltre, come vedremo, per l'installazione, in BNCF, dei laboratori destinati a restaurare il materiale moderno alluvionato. A Monaco nacque poi il Verein zur Erhaltung des Kunsthistorisches Institut im Florenz, che in poco più di un mese raccolse i fondi necessari all'istituto per il suo completo restauro. Oltre a questo, il comitato bavarese finanziò le spese relative al restauro degli strumenti musicali del Museo Bardini.

A Vienna si creò l'Österreichische Florenzhilfe, che finanziò interventi di recupero di diverso materiale, come i 682 pezzi dell'armeria del Museo del Bargello trattati presso la Waffensammlung del Kunsthistorisches Museum di Vienna; parte dei finanziamenti raccolti fu stanziata per il restauro di qualche migliaio di volumi della Biblioteca nazionale presso i laboratori della Österreichische Nationalbibliothek[93].

La Comunità economica europea stanziò tre milioni in favore della Facoltà di scienze politiche e numerose amministrazioni archivistiche, fra cui quelle di Danimarca, Jugoslavia e Ungheria, resero disponibili fondi e competenze per venire in aiuto ai responsabili degli archivi danneggiati a Firenze e provincia mentre i governi dei quattro paesi scandinavi dettero vita a un comitato unico, il Centro nordico per gli aiuti a Firenze, che a metà novembre, dopo l'appello dell'Unesco, aveva reso già disponibili per le operazioni di recupero

---

[92] La carenza di fondi del comitato francese impose però un co-finanziamento da parte del CRIA.
[93] Vedi oltre, p. 238. Per un resoconto dell'intervento austriaco vedi Josef Stumvoll, *Florenzhilfe*, «Biblos», 16 (1967), n. 4, p. 235-241.

del patrimonio 1.500 milioni di lire e che inviò un centinaio di esperti, per periodi di tempo che andavano dai tre mesi a un anno, a collaborare all'istituzione dei vari laboratori di restauro sorti in città, rimanendo operativo fino al 1970[94]. Gli olandesi finanziarono le operazioni di restauro condotte presso la Casa Buonarroti e si occuparono del restauro, presso il Rijksmuseum di Amsterdam, di alcuni arazzi; un comitato sudafricano costituito da industriali e maggiorenti assunse il patrocinio delle operazioni di recupero condotte al Duomo e il governo del Canada destinò 65 milioni di lire per il restauro delle strutture brunelleschiane dello Spedale degli Innocenti; la Polonia inviò propri restauratori[95]. Altre nazioni, come la Svizzera o la Spagna, si limitarono invece a far confluire il denaro raccolto nel Fondo internazionale per Firenze, oppure, come il Belgio o anche l'Olanda, parteciparono alla raccolta fondi promossa dall'Unesco.

Tutti si preoccuparono di inviare grandi quantitativi di carta per interfogliare, dal momento che quella presente a Firenze e dintorni era stata esaurita in pochissimi giorni e se ne consumava invece moltissima, in tutti gli istituti bibliografici colpiti.

Gli aiuti provenienti dall'estero in favore dei beni culturali non si esaurirono però con quelli inviati attraverso i diversi comitati nazionali, perché numerosi furono anche i canali privati attivati per rag-

---

[94] Gli aiuti portati dai comitati nazionali ebbero molto spesso una ricaduta positiva anche all'interno del paese promotore: è il caso ad esempio della Danimarca e della sua rete di laboratori di restauro bibliografico. Grazie ai finanziamenti del Centro nordico si stabilirono infatti fruttuosi rapporti fra l'Archivio di Stato fiorentino e gli archivi danesi, che inviarono a Firenze fra il 1968 e il 1969 Hans Peder Pedersen, conservatore capo dell'Archivio di Stato. Furono selezionati allora dall'istituto fiorentino cento volumi in cattive condizioni da inviare in Danimarca, dove vennero suddivisi fra i vari laboratori presenti nel paese. Il fatto che i laboratori assegnatari fossero tenuti a ritrovarsi annualmente per discutere le metodologie di restauro e i problemi incontrati nel lavorare tale materiale ha contribuito in modo determinante, a detta dello stesso Pedersen, alla creazione in Danimarca di una rete di laboratori in contatto fra di loro, in grado di scambiarsi esperienze e conoscenze. Dal 1973, inoltre, a tali incontri parteciparono anche i colleghi delle altre nazioni rappresentate nel Centro nordico, fatto questo che spinse la Norvegia a farsi carico del restauro di altri venti volumi (vedi Hans Peder Pedersen, *Conservation and restoration of graphic materials from archives, libraries and art collections in the nordic countries*, «Pact», 12 (1985), p. 213-225).
[95] Per quanto riguarda l'intervento dei restauratori polacchi di materiale bibliografico vedi Juliusz Bursze, Gabriela Lipkowa, *Udzial polskich konserwatorow w ratowaniu zabytkow Florencji*, «Ochrona zabytkow», 21 (1968), n. 3, p. 77-88.

giungere la città di Firenze: la Kodak e la Fondazione Volkswagen si spesero per esempio nel rifornire alcuni istituti cittadini delle apparecchiature tecniche perdute durante l'alluvione.

2.3 I danni al patrimonio bibliografico

Le tonnellate di acqua e di fango che si abbatterono sulla città travolsero gran parte del suo patrimonio culturale, fatto di musei, chiese, palazzi, ma anche di archivi e biblioteche; questi ultimi soffrirono in modo considerevole, data l'ubicazione delle loro sedi e dei loro magazzini, per lo più situati in sotterranei o piani terreni e spesso in prossimità del fiume.

Fin dai primi momenti fu chiara la portata dei danni e i grandi numeri che erano in gioco[96], anche se non fu possibile per la maggior parte dei responsabili di tali istituti intervenire prima del 5 novembre, al contrario di quello che accadde per molti musei, dove i direttori e i loro collaboratori poterono usufruire delle prime ore della mattina del 4 novembre per portare in salvo alcuni pezzi selezionati. Rimasero ad esempio famosi il salvataggio di molte delle opere conservate nel laboratorio di restauro e in genere al pian terreno degli Uffizi e nel Corridoio vasariano, quando nelle ore convulse della mattina si credeva che il Ponte Vecchio potesse crollare, nonché quello dei pezzi più importanti del Museo di storia della scienza attraverso i cornicioni che collegano agli Uffizi Palazzo Castellani, sede del museo, ad opera della sua direttrice Maria Luisa Righini Bonelli[97]. In

---

[96] «Ogni pezzo bibliografico compromesso (escludendo i casi limite dei libri miniati e dei manoscritti autografi) vorrà una spesa di varia dimensione, dalla semplice pulitura alla nuova legatura al restauro più impegnativo, o alla sostituzione quando si tratti di opere moderne. I tecnici valutano queste spese da un minimo di duemila lire a un massimo di 150-200.000 lire. Facciamo pure una media, molto approssimata, di 3-5.000 lire per pezzo. Moltiplichiamo questa base per 2-3 milioni di pezzi: si va da una spesa di 6-9 miliardi a una spesa di 10-15 miliardi. [...] Ma alla spesa dovrà essere aggiunta la nuova sistemazione» (Carlo Ludovico Ragghianti, *Firenze dopo l'inondazione: presente e futuro*, «Critica d'arte», 13 (1966), n. 82-84, p. 121-130: p. 123).

[97] Maria Luisa Righini Bonelli (1917-1982), storica della scienza con spiccati interessi per la museologia scientifica, era diventata curatrice del Museo di storia della scienza nel 1942 e ne aveva assunto successivamente la guida nel 1961, alla morte di Andrea Corsini, suo predecessore. Dal 1972 al suo impegno di direttrice affiancò quello di docente incaricato di storia della scienza presso l'Università di Camerino; ai due incarichi si sommarono negli anni quello di i-

121

Palazzo Vecchio, dove rimasero asserragliati per tutto il giorno il sindaco, sua moglie, alcuni assessori, custodi, collaboratori e comuni cittadini che vi erano accorsi o vi si erano rifugiati, fu tentato il salvataggio dei documenti pubblici, non riuscendo però a coronare gli sforzi per quanto riguarda l'anagrafe, che fu in gran parte alluvionata[98].

Gli istituti colpiti affrontarono l'emergenza in modi diseguali, dipendenti sia dalle realtà cui essi facevano capo – le diverse soprintendenze o i vari ministeri – sia dalle convinzioni intorno alla conservazione e al restauro di cui erano portatori i loro responsabili e chi fosse loro accorso in aiuto, straniero o italiano, ma soprattutto dalla creatività di tutte le persone coinvolte e dalla loro capacità di sfruttare a vantaggio delle proprie collezioni quanto di più diverso fosse stato reso loro disponibile[99].

Mancava qualsiasi pianificazione e coordinamento fra i diversi istituti danneggiati e mancava anche una cultura della conservazione e del restauro del libro, a tal punto che Alessandro Bonsanti, direttore di un grande istituto come il Vieusseux, arrivò ad affermare che per

---

spettore onorario per la ricerca e la conservazione dei documenti storici della scienza e della tecnica, in un primo tempo limitatamente alla provincia di Firenze, poi a tutto il territorio nazionale, nonché una lunga serie di incarichi in organizzazioni internazionali e riviste di storia della scienza. Per ulteriori informazioni vedi la voce redatta da Arcangelo Rossi per il DBI, 34, 1988, p. 478-480, nonché Marta Zangheri Balduini, *Bibliografia degli studi di storia della scienza di Maria Luisa Righini Bonelli*, «Annali dell'Istituto e Museo di storia della scienza di Firenze», 7 (1982), n. 2, p. 169-178. Famosa la foto di Giorgio Lotti che ritrae la direttrice, nella piazza antistante il museo coperta di fango, con i più importanti cimeli tratti in salvo: il cannocchiale di Galileo, la lente con cui quest'ultimo scoprì i satelliti di Giove e un globo arabo degli inizi dell'XI secolo (pubblicata, fra gli altri, in Leo Rossi, *Firenze quattro anni dopo*, «Epoca», 22 (1971), n. 1060, p. 37-52: p. 51).

[98] La notizia è annunciata da un dispaccio ANSA già alle 17.56 del 4 novembre.

[99] Alessandro Bonsanti, intervistato dalla rivista *Il Ponte*, affermava che «poiché il disastro era di dimensioni imprevedibili io credo che sul primo momento ciascuno ha cercato di seguire, oltre alle regole classiche per il salvataggio dei libri andati bagnati, delle intuizioni personali», in *Firenze perché* cit., p. 1412-1414. Alessandro Bonsanti (1904-1984) era succeduto a Eugenio Montale alla direzione del Vieusseux nel 1941 (per maggiori notizie vedi *Alessandro Bonsanti: scrittore e organizzatore di cultura, atti del Convegno di Firenze, 5-6 maggio 1989*, a cura di Paolo Bagnoli, Impruneta: Festina Lente, 1990; *Alessandro Bonsanti nel centenario della nascita, atti del Convegno di studi, 20 aprile 2004*, Firenze: Polistampa, 2004; Laura Malatesti, *Bibliografia degli scritti di Alessandro Bonsanti*, Firenze: Polistampa, 2003).

prendere le sue decisioni si era limitato a pensare a cosa avrebbe fatto se un proprio libro, a casa, fosse caduto nell'acqua[100]. Generalmente, per stabilire le linee di intervento, ci si affidò a tecnici di discipline diverse o a ingegneri, si fece affidamento su coloro che erano considerati competenti in materia per antica tradizione professionale, gli artigiani, o secolare, i monaci, oppure si cercò di enucleare dei princìpi dalle mature teorizzazioni del restauro applicato alle opere d'arte e di trasferirli al campo del restauro librario: Christopher Clarkson[101] afferma che l'idea di lavorare sul materiale della Nazionale con coerenti princìpi di conservazione, e non secondo le tradizionali concezioni di ripristino, nacque dalla massiccia presenza di silografie e incisioni fra i volumi alluvionati – in modo particolare della BNCF ma anche di altre biblioteche – che si trovavano perciò ad avere una natura intermedia fra l'opera d'arte e il libro. Questo permise, a coloro che ne dovettero affrontare il recupero, l'elaborazione di nuove concezioni applicabili a tutto il patrimonio bibliografico danneggiato.

Quasi tutti gli istituti poterono beneficiare di aiuti provenienti dall'estero e in particolar modo, dal 15 novembre, del supporto di un gruppo di specialisti americani inviati a Firenze dal CRIA, di cui facevano parte un bibliotecario e cinque restauratori che operavano nel campo dei materiali librari e delle stampe: Alexander Yow, capo del laboratorio di restauro della Pierpont Morgan Library di New York; Jack Washeba, restauratore di carta di Boston; Paul Banks, legatore presso la Newberry Library; Carolyn Horton, legatrice di New York; Harold Tribolet, capo-legatore della Lakeside Press a Chicago[102]. In

---

[100] Giorgio Batini, *L'Arno in museo: gallerie, monumenti, chiese, biblioteche, archivi e capolavori danneggiati dall'alluvione*, Firenze: Bonechi, 1967, p. 115.

[101] Uno degli specialisti inglesi intervenuti in aiuto alla Biblioteca nazionale (vedi paragrafo 3.5). Tale riflessione mi è stata riferita personalmente nel maggio 2000.

[102] Alexander Jensen Yow (n. 1926) è stato per venticinque anni il responsabile delle collezioni della Pierpont Morgan Library & Museum, e in questa veste si è occupato di restauro, conservazione, condizionamento e formazione. Paul N. Banks (1934-2000), restauratore presso la Newberry Library dal 1964 al 1981, dal 1978 al 1980 presidente dell'American Institute for Conservation, dedicò grande attenzione all'insegnamento e a lui si deve l'apertura di un corso per conservatori e restauratori di materiale bibliografico alla Columbia University nel 1981, trasferito poi nel 1992 a Austin, Texas. Carolyn Price Horton (1909-2001), legatrice privata di New York, specializzata in restauro di libri e manoscritti, era stata restauratrice presso l'American Philosophical Society, poi presso la Yale University. La Horton è autrice di *Cleaning and preserving bindings and*

seguito a un incontro alla Villa I Tatti con Ugo Procacci e Sergio Camerani[103], fu deciso che gli americani si sarebbero dovuti occupare del supporto scientifico e logistico per le biblioteche e gli archivi minori, fino a quel momento trascurati in favore dei due più grandi istituti colpiti, la Biblioteca nazionale e l'Archivio di Stato. Gli americani fornirono utili indicazioni sulle modalità da seguire per interfogliare i libri alluvionati causando il minor danno possibile: suggerirono innanzi tutto di non procedere all'interfoliazione prima che i volumi avessero scaricato quanta più acqua possibile, mettendoli in piedi sul taglio inferiore con i piatti aperti, permettendo così all'aria di penetrare fra le pagine, facendo evaporare parte dell'umidità e rendendo quindi i singoli pezzi meno fragili al momento di iniziare a maneggiarli e a sfogliarli; nel caso di carta sottile o fragile consigliavano una prima interfoliazione per gruppi di pagine, cui farne seguire solo in un secondo momento una che tentasse di separarle tutte. Raccomandavano di lavorare ove possibile con strumenti che favorissero la circolazione dell'aria, e in modo particolare creando piani di lavoro fatti di rete metallica, magari usando anche apparecchi in grado di fornire calore.

---

related materials, nella serie Conservation of Library Materials, uscito nel 1967 per LTP/ALA. Harold Tribolet (n. 1911) gestiva dal 1935 il Department of Extra Binding della Lakeside Press di Chicago, una tipografia legata alla R.R. Donnelly & Son che stampa, con grande cura, attenzione ai materiali e all'estetica dell'oggetto-libro, testi di difficile reperimento per un pubblico selezionato. Per questa casa editrice Tribolet pubblicò alcuni testi scaturiti dall'esperienza fiorentina, e in particolare: Restoration in Florence e Flood damage to Florence's books and manuscripts, entrambi del 1967.

[103] Ugo Procacci (1905-1991), storico dell'arte, era dagli anni trenta impiegato presso la Soprintendenza, dove dirigeva il laboratorio di restauro istituito proprio grazie al suo interessamento nei locali della Vecchia Posta, nel complesso degli Uffizi. Dal 1958 al 1964 Procacci era stato soprintendente ai monumenti di Firenze, Arezzo e Pistoia, dal 1962 fino al 1970 soprintendente alle gallerie fiorentine, per quattro anni ricoprendo entrambi gli incarichi, ma dovendo abbandonare la direzione del Gabinetto dei restauri (vedi Scritti di storia dell'arte in onore di Ugo Procacci, a cura di Maria Grazia Ciardi Dupré Dal Poggetto e Paolo Dal Poggetto, Milano: Electa, 1977; Ugo Procacci a cento anni dalla nascita, atti della giornata di studio, Firenze, marzo 2005, Firenze: Edifir, 2006). Sergio Camerani (1906-1973), storico del Risorgimento, ricopriva invece dal 1954 la carica di direttore dell'Archivio di Stato di Firenze (vedi Arnaldo D'Addario, Sergio Camerani: una vita dedicata a Firenze e Giulia Camerani, Bibliografia degli scritti di Sergio Camerani, entrambi in «Rassegna storica toscana», 19 (1973), n. 2, p. 3-12 e 13-28).

L'intervento degli specialisti americani fu di grande importanza anche perché i materiali che venivano loro richiesti, passando attraverso un'agenzia indipendente e specializzata, arrivavano molto velocemente e venivano razionalmente distribuiti[104].

Il concetto di restauro di massa non era ancora sviluppato e la necessità di intervenire contemporaneamente su di un numero così considerevole di pezzi danneggiati dall'acqua appariva inedita; già si conosceva, è vero, l'utilità di intervenire sul materiale alluvionato tramite congelamento, ma mancavano spazi sufficienti a lavorarne con tale tecnica anche solo una piccola parte; il fatto poi di doversi confrontare con tipologie di danno del tutto nuove, come quella provocata dalla nafta, trasformò Firenze in una fucina di esperienze ed esperimenti e di ancor più numerosi studi e occasioni di conoscenza.

L'alluvione di Firenze dette origine a tipologie di danno non completamente assimilabili a quelle classiche da carta bagnata: notevoli furono infatti i danni meccanici causati dalla furie delle acque, così come quelli dovuti ai depositi di fango e di nafta.

I danni più ingenti furono riportati dai volumi conservati nei sottosuoli, dove l'acqua aveva stagnato spesso molti giorni prima di essere aspirata o di essere defluita, dove spesso i volumi erano stati strappati via dagli scaffali dalla violenza della piena e dove il fango si era depositato per un'altezza di molti centimetri. Nei piani terreni invece, rimasti sott'acqua al massimo per un giorno, i volumi si erano di solito gonfiati tanto da rimanere incastrati negli scaffali, che fu pertanto necessario spaccare per permettere l'estrazione dei pezzi.

I problemi principali da affrontare[105] per tutte le collezioni furono una rapida essiccazione e un intervento antimuffa più o meno incisivo e duraturo, portati a termine nella maggioranza dei casi dal personale in collaborazione coi numerosi volontari accorsi in aiuto dei vari istituti. Inizialmente tutti optarono per l'interfoliazione, effettuata nei primi giorni con materiali di fortuna, poi con la carta assorbente delle donazioni italiane ed estere: si parla di carta da ciclostile, di carta velina, di carta da giornale e addirittura – alla Facoltà di lettere nei momenti di emergenza – di vecchi giornali, decisione questa abbastanza discutibile per la cattiva qualità di questo materiale, caratte-

---

[104] Il resoconto di questa esperienza lo si può leggere in Carolyn Price Horton, *Saving the libraries of Florence*, «Wilson Library Bulletin», 41 (1967), n. 10, p. 1034-1043.
[105] Per le notizie riportate in queste pagine vedi le note all'elenco dei danni e degli interventi eseguiti nei singoli istituti bibliografici, alle p. 129-144.

rizzato da un pH marcatamente acido e dalla presenza nell'impasto di sostanze non cellulosiche, e per gli evidenti problemi di contro-stampa. Il fatto però di lavorare in genere in locali con umidità relativa molto alta, spesso aggravata dalla presenza, nei medesimi ambienti, di carta bagnata già utilizzata nell'interfoliazione e stesa ad asciugare, vanificava gli sforzi fatti per essiccare i volumi. L'utilizzo ripetuto dei medesimi fogli di carta assorbente rappresentava inoltre un metodo di lavoro potenzialmente molto dannoso, perché poteva trasformarsi in un mezzo di trasmissione e diffusione delle muffe, ma pericoloso era anche lasciare troppo a lungo la carta usata per inter-foliare fra le pagine di un manoscritto, perché poteva causare un si-gnificativo affievolimento degli inchiostri. Chi non aveva a disposi-zione nessun tipo di carta adatta per questa operazione si limitò inve-ce, come fu per lo più fatto alla Facoltà di lettere, all'operazione pre-liminare all'interfoliazione: dispose infatti i libri in piedi su di un ta-glio in luoghi freddi e ventilati, con i piatti e le carte aperti a raggiera, cambiando spesso le pagine esposte all'aria. Per velocizzare il pro-cesso di asciugatura si cominciarono a usare lampade a raggi infra-rossi, stufe a gas e deumidificatori nei locali dove i pezzi alluvionati venivano lavorati, mentre gli enti che dovevano operare sulle grandi quantità si servirono di celle di riscaldamento, di forni, creando a questo scopo grandi centri di raccolta. Su questo punto però i grandi istituti si mossero secondo due linee di intervento opposte: se molti scelsero di usare il caldo per asciugare il proprio patrimonio, altri, in testa il Gabinetto Vieusseux, scelsero invece il freddo, preoccupati della fragilità che il calore, e in modo particolare le alte temperature, inducono nei materiali organici, e per evitare il rischio di favorire una proliferazione microbica; chi optò per le basse temperature cercò, come nella Facoltà di lettere, di sfruttarle proprio come agente anti-muffa, anche durante l'interfoliazione.

L'uso del freddo era propugnato dalla Soprintendenza archivisti-ca, guidata da Giovanni Semerano[106]; per l'uso del caldo fu invece l'Istituto centrale di patologia del libro[107] a indicare i valori termici ai

---

[106] Il filologo Giovanni Semerano (1913-2005), che ricopriva dal 1955 la carica di soprintendente bibliografico per la Toscana, sarà poi direttore della Lauren-ziana nel 1973.

[107] L'ICPL, istituto di ricerca finalizzato alla tutela, alla conservazione e al re-stauro dei materiali librari, era stato fondato nel 1938 con la finalità di coniugare discipline scientifiche e studio storico dei materiali librari; a fine 2007 l'Istituto si è fuso con il Centro di fotoriproduzione, legatoria e restauro degli Archivi di Stato, dando vita all'Istituto centrale per il restauro e la conservazione del patri-

quali operare per limitare attacchi microbici ed evitare che le operazioni di essiccamento causassero danni ulteriori ai diversi materiali in gioco.

Diffuso fu anche l'uso della segatura, fatta penetrare talvolta anche fra le pagine dei volumi per facilitare la circolazione dell'aria al loro interno, utile per rendere maneggiabili quelli che altrimenti sarebbero stati instabili e molli blocchi di fango, ma pericolosa come fonte di acidità che l'acqua tendeva a trasmettere alla carta, nonché causa di lunghe operazioni di aspirazione al momento di avviare il restauro del pezzo; il talco fu invece per lo più escluso dopo i primi momenti, perché dannoso per la conservazione di alcuni materiali.

Se consideriamo un libro nelle sue parti principali, il blocco delle carte e la legatura, le prime, se in carta antica, di pura cellulosa e collate con gelatina animale, se sommerse per oltre ventiquattro ore in acqua e fango, in linea di massima resistono bene, perché le fibre della carta sono libere di rigonfiare e poi di riassumere le proprie dimensioni originali quando l'acqua evapora; problemi possono piuttosto venire dalla nafta e in genere dalle impurità disciolte nell'acqua alluvionale[108]. Se consideriamo invece le legature, qui l'immersione prolungata in acqua può essere fatale: la diversa igroscopicità dei materiali che le compongono e la presenza di colle che costringono questi ultimi a una forzata convivenza causa per lo più gravi danni e fratture, localizzate in genere nei punti di snodo; la causa principale di questo genere di guasti sono i piatti in cartone che sostengono le legature rigide o semirigide, che assorbono grandi quantità di acqua aumentando notevolmente di dimensioni e che poi, al termine delle operazioni di asciugatura, difficilmente riassumono quelle originali.

Diversa è invece la reazione dei materiali di copertura: la pergamena, fortemente igroscopica, in acqua tende a muoversi e a deformarsi e, in ultima analisi, a diminuire le proprie dimensioni, se non, in casi di prolungata immersione, a denaturare; per la pelle l'acqua è causa di grave degrado chimico e induce fragilità; la tela perde in genere il collante, oltre che scolorare: la maggior parte delle legature in pelle,

---

monio archivistico e librario, abbreviato in ICPAL (per maggiori notizie vedi (http://www.icpal.beniculturali.it).

[108] Paradossalmente, il bagno forzato nell'acqua alluvionale, di natura fortemente calcarea, ebbe anche un benefico effetto di deacidificazione di massa sulle carte danneggiate, che in linea di massima non necessitarono quindi poi di trattamenti atti a stabilizzare chimicamente la struttura della cellulosa. La cosa, rilevata da molti, non è stata però mai oggetto di approfondita discussione.

in pergamena o in tela riportarono così gravi danni in termini di deformazione, fragilità, degrado chimico, tanto da risultare irrecuperabili. Le legature rigide richiedono inoltre un uso abbondante di colle, che la forte umidità tende in genere ad allentare. Solo le legature in carta o in pergamena floscia, flessibili e più libere di reagire all'umidità, mostrarono in genere una buona tenuta.

Diversi furono gli atteggiamenti assunti dai responsabili degli istituti bibliografici più gravemente colpiti dall'alluvione di fronte al bivio che si apriva loro davanti: se salvare indiscriminatamente tutto il materiale alluvionato o se invece spendere subito del tempo a farne una cernita e, in quest'ultimo caso, se dividere i pezzi in gruppi con diversa scala di priorità di intervento, o abbandonare subito quei pezzi che sembravano irrecuperabili o di cui erano reperibili copie sul mercato, per dedicare tutte le energie disponibili agli altri.

Anche per quello che riguarda gli agenti antimuffa le decisioni furono estremamente varie e poco documentate, dal timolo alla formaldeide, allo xilolo, a soluzioni varie al cloro. Il timolo, che rappresentava il metodo tradizionale di contrasto e che garantisce una efficace protezione dei pezzi trattati da future infestazioni, poteva essere applicato per vaporizzazione dei cristalli con una bassa fonte di calore, normalmente all'interno di una cella, oppure disciolto in alcool ed essere spruzzato o pennellato sui soli documenti infestati o, come veniva fatto alla Facoltà di giurisprudenza, su tutti i volumi per prevenzione, ogni dieci pagine. La formaldeide, che per essere utilizzata necessita di fumigatori professionali, garantiva una buona disinfezione, ma non una buona penetrazione, né capacità di prevenzione nei confronti di infestazioni future e poteva indurre fragilità nella pergamena e nella pelle delle coperte; indicazioni per l'uso di tale prodotto furono fornite dall'ICPL, che ne consigliò l'impiego a tutte le biblioteche minori. Il Topane invece, o ortofenilfenolo, prodotto dalle Imperial Chemical Industries, disciolto in alcool o vaporizzato, fu introdotto dagli inglesi perché, in base agli studi condotti dal British Museum Research Laboratory, garantiva una protezione più duratura del timolo[109].

---

[109] Il Topane è conosciuto anche sotto il nome commerciale Dowcide#1, nome datogli dal fabbricante, anch'esso inglese, Dow-Chemical Ltd. Prodotto sotto forma di polvere granulare, piuttosto grossa, di colore rosa, è facilmente solubile nei solventi organici, più difficilmente in acqua; derivato dall'industria alimentare, dove veniva utilizzato principalmente per la conservazione degli agrumi, fu introdotto nel restauro librario dal British Museum. Le istruzioni sul suo utilizzo,

Il freddo dei mesi invernali fu comunque di grande aiuto nel contrastare la proliferazione di microrganismi, poiché ne inibiva lo sviluppo. In genere le muffe tendevano a svilupparsi dopo cinque o sei giorni che i volumi erano stati estratti dal fango, ma su molte carte apparvero anche macchie di varia natura causate dagli agenti inquinanti disciolti nell'acqua alluvionale.

Tralasciando per il momento la BNCF, che molto influenzò le scelte che altrove venivano assunte, ma la cui situazione sarà analizzata più avanti, i numeri della catastrofe e i primi interventi portati a termine in favore delle collezioni danneggiate sono così riassumibili:

Biblioteca del Gabinetto scientifico-letterario G.P. Vieusseux
Nella biblioteca diretta da Alessandro Bonsanti, situata in Palazzo Strozzi, in una zona piuttosto alta del centro storico, in prossimità di piazza della Repubblica, dove l'acqua non superò il metro di altezza, ma dove i magazzini librari erano collocati nei sotterranei, furono alluvionati 250.000 volumi, cui è da sommare l'archivio storico del Gabinetto che conteneva anche i copialettere del fondatore relativi alla gestione di quest'ultimo. I libri furono interamente recuperati da catene di giovani e trattati in un primo momento con segatura, appoggiati sul taglio anteriore sul pavimento di marmo dei piani superiori; in un secondo momento i pezzi alluvionati seguirono invece strade diverse: i periodici e i libri maggiormente danneggiati furono portati all'essiccatoio di tabacco della fattoria Renacci, nel Valdarno, messa a disposizione dal principe Tommaso Corsini[110]; l'archivio, i registri e gli epistolari andarono in laboratori di restauro privati,

---

indirizzate a Casamassima il 15 marzo 1967 dallo IAARF, che si occupava anche di inviarne fusti in biblioteca, e conservate in Archivio BNCF, 1304, consigliano le proporzioni delle soluzioni da utilizzare per sterilizzare scaffali e librerie (10 g in un litro di solvente), per preparare fogli per interfogliare da inserire ogni cinque o dieci pagine (50 g) e carta da imballo (25 g), per nebulizzare con uno spray a nebbia fine (10 g), per il bagno della durata di 4-5 minuti di carte già lavate (7 g in dieci litri d'acqua; in questo caso era necessario sciogliere i 7 g in due decilitri di alcool metilico e versarli quindi lentamente in dieci litri d'acqua, mescolando vigorosamente, terminando con un filtraggio nel caso in cui la soluzione non fosse limpida); alle colle si consigliava infine di aggiungere una soluzione di Topane allo 0,5-1%.
[110] La fattoria Renacci è collocata sulla riva destra dell'Arno, in prossimità di San Giovanni Valdarno. Tommaso Corsini (1903-1980), discendente della nobile famiglia fiorentina, era stato eletto all'Assemblea costituente.

mentre i libri furono trasportati da automezzi militari alla Certosa del Galluzzo e nei locali del Palazzo Acciaiuoli – messi a disposizione dal soprintendente ai monumenti Guido Morozzi – dove fu allestito un centro di recupero e di restauro. I sistemi di deumidificazione furono organizzati dalla direzione del Vieusseux assieme alla Soprintendenza bibliografica per la Toscana guidata da Giovanni Semerano: si optò per le correnti di aria fredda prodotte da ventilatori oscillanti, sfruttando, come già ricordato, il freddo come agente antimuffa. Il sistema era completato da un impianto di deumidificazione costituito da un tunnel di essiccazione a labirinto; i volumi venivano prima puliti esternamente e privati delle legature, poi posti nelle celle appesi con un pezzo di spago fatto passare fra le pagine, circa a metà volume. Nel monastero era stata comunque installata una camera ad aria calda capace di contenere circa 4.000 volumi, che serviva a essiccare i volumi dopo il lavaggio e la disinfezione. Dal gennaio 1967 si iniziò a inventariare le opere recuperate[111].

Biblioteca della Facoltà di lettere e filosofia
La biblioteca della Facoltà, situata in piazza Brunelleschi, nell'estensione da poco completata dei locali dell'ex-convento camaldolese di Santa Maria degli Angioli, alle spalle dell'ospedale di Santa Maria Nuova, in una zona in cui l'acqua raggiunse un'altezza variabile da uno a due metri, al momento dell'alluvione si trovava divisa fra le sale di studio degli istituti, la grande sala di studio generale e i magazzini della torre libraria articolati su otto piani, di cui due interrati. L'alluvione sommerse tre piani della torre e tutto il piano terreno della Facoltà per un'altezza di 1,75 metri, sconvolgendo gli uffici della biblioteca e il catalogo, danneggiando la sala di lettura, che conteneva circa 12.000 volumi, le collezioni, le riviste e i periodici italiani e stranieri, alcune carte manoscritte, il gabinetto fotografico e numerosi fondi, fra cui quello di Giovanni Papini che, con i

---

[111] Vedi anche Giovanni Semerano, *Biblioteche*, «Antichità viva», 5 (1966), n. 6, p. 108-114; Giovanni Semerano, *I danni alle biblioteche fiorentine e le tecniche di recupero*, in: *Rapporto sui danni al patrimonio artistico e culturale*, Firenze: Giunti-Barbera, 1967, p. 79-87; *Alluvione 1966: mostra di pittura e fotografia, Firenze, Palazzo degli affari, 3-14 novembre 1976*, Firenze: Ente provinciale per il turismo, 1976; l'intervista a Alessandro Bonsanti è in *Firenze perché* cit., p. 1412-1414; le tecniche di recupero adottate al Vieusseux sono brevemente descritte nelle appendici ad esse dedicate di «Antologia Vieusseux», 3 (1968), n. 1, p. 52-56; n. 2, p. 36-37; n. 3, p. 33-34. Per notizie sull'istituto e sul suo laboratorio di restauro librario, tuttora in vita, vedi il sito www.vieusseux.fi.it.

suoi circa 9.000 volumi, era allora depositato in una sala al pian terreno in attesa di sistemazione[112]. Tutti i circa 100.000 pezzi colpiti, e per primo il catalogo per autore, superando le difficoltà dovute alla mancanza di luce e al fatto che alcuni dei muri divisori erano crollati, furono recuperati dagli studenti e dal personale dell'Università, aiutati in un secondo tempo dall'amministrazione provinciale, da organi di partito (primo fra tutti il PCI), da studenti e personale di altre università italiane e dall'amministrazione universitaria. Circa un quarto di essi versava però in condizioni disperate: fu fatta pertanto una cernita in base al valore dei volumi, alla possibilità di ritrovarli sul mercato e al tipo di danni subiti, in modo da focalizzare gli interventi solo sui libri non rimpiazzabili e per i quali fosse garantito un buon risultato. Le perdite incisero soprattutto nel settore della consultazione, ma coinvolsero anche il fondo Papini e circa trenta edizioni di pregio[113]. Solo a fine novembre veniva raggiunto il piano zero del pozzo librario, la cui forma e il cemento armato che lo costituiva avevano reso ancor più lento il deflusso delle acque e che era rimasto per un mese come una grande piscina, dove la carta moderna aveva assunto una consistenza gelatinosa.

Tutte le operazioni di recupero furono portate a termine all'interno dei locali della Facoltà: i volumi furono portati nelle aule

---

[112] La biblioteca di Giovanni Papini (1881-1956), formata da oltre 3.000 volumi e 130 opuscoli del XIX e XX secolo, era da poco pervenuta per legato testamentario alla Facoltà di lettere dell'Università di Firenze. Le carte dello scrittore fiorentino sono invece conservate dal 1980 presso la Fondazione Primo Conti. Per maggiori informazioni vedi Università degli studi di Firenze, *Catalogo dei fondi speciali*, Firenze: Università, 1998, p. 47; http://www.sba.unifi.it/fondi/lettere. htm#32; *Guida ai fondi speciali delle biblioteche toscane*, a cura di Sandra Di Majo, Firenze: DBA, 1996, p. 144; *Guida agli archivi delle personalità della cultura in Toscana. L'area fiorentina*, a cura di Emilio Capannelli e Elisabetta Insabato, Firenze: Olschki, 1996, p. 448-449.

[113] Nella Facoltà di lettere, tradizionalmente "rossa", fu subito evidente come fosse difficile il rapporto fra le autorità ministeriali e la macchina organizzativa del PCI, caratterizzato da sospetto in una direzione, da sfiducia e disprezzo nell'altra. Le scelte in merito alle operazioni di recupero furono quindi oggetto di numerose polemiche, come si desume dalle parole di Francesco Barberi che, nelle sue *Schede*, attribuisce al preside Eugenio Garin (1909-2004) e al professore responsabile della biblioteca Francesco Adorno (n. 1921) una voluta inazione quanto al salvataggio del fondo Papini, nonché parte dell'isolamento di cui soffrì la biblioteca dopo l'alluvione: «le autorità accademiche hanno mostrato di non gradire l'intervento dell'ispettore ministeriale (soprattutto in quanto "tecnico")» (Barberi, *Schede* cit., p. 216).

cercando di effettuare una essiccazione il più lenta e naturale possibile, aiutata solo da una buona circolazione d'aria e sfruttando il freddo garantito dalla mancanza di riscaldamento; questo fu fatto fino al 9 gennaio, quando ripresero le lezioni (la biblioteca riaprì invece il 3 febbraio). Per molti volumi si passò all'interfoliazione, realizzata in un primo momento con carta di giornale, non essendo stato reso disponibile per la biblioteca nessun altro tipo di carta utile. Dopo aver concluso le operazioni di recupero sui volumi "di prima scelta", arrivate ormai alcune attrezzature, si procedette alle altre categorie, lasciando per ultimi i volumi infangati, sui quali il fango asciutto aveva creato una specie di bozzolo protettivo contro gli attacchi di natura biologica. Furono recuperate anche le tesi, abbandonate invece in altre facoltà.

Le muffe furono combattute con getti di aria compressa – se l'infezione non era a uno stadio non troppo avanzato – e soluzione di timolo al 2%, avendo cura di staccare dal blocco delle carte quelle coperte che apparissero colpite da un attacco microbico[114].

Biblioteca della Facoltà di giurisprudenza e di scienze politiche
Nella biblioteca di queste due facoltà, situata in via Laura, sul fianco orientale della chiesa della Santissima Annunziata, in un'area in cui l'acqua raggiunse un livello variabile da uno a due metri, furono 83.000 i volumi alluvionati, di cui circa 80.000 moderni, fra libri e raccolte di periodici, e circa 3.000 antichi, facenti parte del fondo storico costituito da cinquecentine e seicentine, con una settantina fra manoscritti e incunaboli. Un terzo del materiale alluvionato, sia antico che moderno, fu subito ritenuto perduto e furono significativi gli

---

[114] Per ulteriori informazioni vedi Tomaso Urso, *Pagine sommerse*, «L'Universo», 47 (1967), n. 4, p. 675-689, completamente dedicato alle operazioni di recupero nella Facoltà di lettere e alla giustificazione delle scelte operate e Tomaso Urso, *Conservazione del libro: un'esperienza di autodifesa*, in: *Dal 1966 al 1986, interventi di massa e piani di emergenza per la conservazione del patrimonio librario e archivistico, atti del convegno e catalogo della mostra, Firenze, 20-22 novembre 1986*, Roma: Ministero per i beni culturali e ambientali, 1991, p. 36-39 (Tomaso Urso è autore di un'opera monografica sulla biblioteca della Facoltà di lettere: *Una biblioteca in divenire: la biblioteca della Facoltà di lettere dalla penna all'elaboratore*, Firenze: Firenze University Press, 2000, ed era allora direttore delle biblioteche universitarie di Firenze). Vedi anche l'intervento di Garin in *Traversando l'alluvione in Toscana* cit., p. 266-267, Semerano, *Biblioteche* cit., e Arnaldo Salvestrini, *L'Università per Firenze*, in: *Firenze perché* cit., p. 1436-1442.

sforzi fatti nei mesi che seguirono per ripristinare la consistenza delle collezioni[115]. I volumi salvati furono recuperati dagli studenti e dal personale della Facoltà, assistiti da Jack Washeba e da Peter Waters[116] – quest'ultimo per la durata di una sola settimana nel mese di gennaio del 1967 – quindi portati ai piani superiori asciutti e interfogliati con carta da giornale, che la biblioteca era riuscita a procurarsi in grossi rotoli di vari quintali[117] o, più raramente, con carta assorbente più volte riutilizzata. Per la disinfezione fu fatto uso di timolo e fumigazioni di formaldeide[118].

Biblioteca della Facoltà di architettura
La biblioteca della Facoltà, situata in via degli Alfani, nei pressi della Facoltà di lettere, vide colpite più della metà delle sue collezioni, in modo particolare monografie e periodici dal 1910 al 1940, ormai introvabili, per un totale di 4.000 volumi e 36.000 numeri di rivista, oltre a tutte le tesi di laurea dalla fondazione al 1951[119].

Biblioteca della Facoltà di economia e commercio
La biblioteca della Facoltà, situata in prossimità del lungarno Vespucci, accusò la perdita di circa 300 volumi della raccolta Rosselli[120], nonché di 400 riviste e di 1.000 tesi di laurea.

---

[115] Per ricostituire parte della consistenza delle collezioni, soprattutto della sezione americana e inglese della biblioteca, il CRIA si avvalse della consulenza di professori statunitensi, in particolare di Benjamin Kaplan (n. 1911), giurista, allora professore di legge presso l'Università di Harvard, poi passato, dal 1972 al 1981, alla Massachussets Supreme Judicial Court (vedi Archivio CRIA, 23, fasc. 14).

[116] Vedi paragrafo 3.5.

[117] Parte della carta da giornale che fu utilizzata alla Facoltà di scienze politiche fu inviata da Giovanni Spadolini (1925-1994), ivi docente di Storia contemporanea, ma anche direttore, a Bologna, de *Il Resto del Carlino*.

[118] Per ulteriori informazioni vedi Mauro Cappelletti, *Il sale dell'alluvionato: frammenti di una cronaca fiorentina novembre 1966-gennaio 1967*, Torino: UTET, 1967, appunti e riflessioni di un professore della Facoltà responsabile delle operazioni di recupero del materiale alluvionato; Salvestrini, *L'università per Firenze* cit., e *Alluvione 1966: mostra* cit.

[119] Cfr. Batini, *L'Arno in museo* cit. e *Alluvione 1966: mostra* cit.

[120] La biblioteca dei fratelli Carlo (1899-1937) e Nello Rosselli (1900-1937), costituita da oltre 300 volumi e una ventina di opuscoli pubblicati tra gli inizi dell'Ottocento e la metà del Novecento, era stata donata dalla famiglia alla Facoltà di economia e commercio dell'Università di Firenze proprio nel 1966. Le carte di Nello sono conservate ancora presso la famiglia, mentre quelle di Carlo sono state donate dal figlio all'Istituto storico della Resistenza in Toscana. Per

Biblioteche di altri istituti universitari
L'Istituto di geografia di via Laura ebbe distrutte numerose carte geografiche e topografiche, come irrecuperabili furono considerate parte delle collezioni e dei periodici della clinica delle malattie nervose di San Salvi (2.000 volumi), dell'Istituto e orto botanico di via La Marmora, dell'Istituto di chimica analitica (365 volumi), di chimica fisica e di chimica organica (circa 200 volumi) di via Gino Capponi e dell'Istituto di scienze matematiche Ulisse Dini (105 volumi, in deposito presso un legatore di via della Mattonaia). Risultarono gravemente danneggiati anche gli archivi amministrativi del rettorato in piazza San Marco.

Biblioteca dell'Accademia di belle arti
L'acqua raggiunse piazza San Marco solo alle quattro del pomeriggio del 4 novembre, ma riuscì ugualmente a salire fino a un metro e mezzo di altezza all'interno delle sale della biblioteca, situate tutte al pian terreno. Furono colpiti quindi i palchetti più bassi, dove erano conservate le opere di maggior valore e rarità, in genere voluminose e pesanti: risultarono alluvionati 44 manoscritti e circa 1.600 volumi, per lo più appartenuti all'antica Accademia fiorentina delle arti del disegno. I pezzi furono recuperati dal personale dell'Accademia insieme agli studenti e quindi interfogliati con carta da ciclostile e in seguito con carta assorbente donata da privati e da associazioni inglesi e belghe. Le operazioni furono condotte sotto la guida di Francesco Barberi, della Horton e di Banks. Delle opere più preziose, le prime ad essere recuperate, parte furono inviate a restauratori privati, altre al gabinetto di restauro dell'abbazia benedettina di Santa Maria della Scala presso Noci, altri ancora all'Istituto d'arte di Urbino. Andò sommersa anche una parte dell'archivio[121].

Biblioteca del Conservatorio statale di musica Luigi Cherubini
La biblioteca, situata a pian terreno, in via Ricasoli, in prossimità dell'Accademia, ebbe tutte le sue sette sale alluvionate, per un'altezza variabile da 18 a 51 centimetri, e furono quindi danneg-

---

maggiori informazioni vedi Università degli studi di Firenze, *Catalogo dei fondi speciali*, cit., p. 30; http://www.sba.unifi.it/fondi/economia.htm#7; *Guida ai fondi speciali* cit., p. 144; *Guida agli archivi delle personalità della cultura* cit., p. 537-540.
[121] Vedi anche Giovanni Colacicchi, *L'Accademia di Belle Arti*, in: *Firenze perché* cit., p. 1415-1417 e Semerano, *I danni alle biblioteche* cit., p. 82-83.

giati, oltre agli schedari, circa 9.000 volumi, per lo più manoscritti; fra i fondi più colpiti il fondo Pitti, con manoscritti e partiture del XVIII secolo, e quello Basevi, con manoscritti e stampe della fine del XV e di tutto il XVI secolo, oltre a raccolte rarissime di periodici musicali e molti libretti a stampa dal XVII al XIX secolo. I volumi furono recuperati ad opera del personale e di volontari, e furono quindi ripuliti e asciugati attraverso l'uso di termoventilatori, correnti di aria fredda, deumidificatori e una interfoliazione ripetuta due volte, prima con carta assorbente – grazie anche a una donazione di oltre cento chili della Provincia di Pistoia – poi con carta più sottile: fu così possibile un salvataggio del 95% dei pezzi in tempi molto rapidi. Sui dorsi fu tentato l'uso del talco per arrestare lo scioglimento delle colle[122].

Biblioteca della comunità israelitica
Nella biblioteca, situata in via Farini, furono alluvionati 15.000 volumi, 200 manoscritti e l'archivio della comunità dal 1945 al 1952: tutto materiale che si trovava nei sottosuoli del palazzo adiacente la Sinagoga; la parte più preziosa del patrimonio alluvionato era però all'interno di quest'ultima: il rabbino, aiutato da tre volenterosi, lavorò, mentre l'acqua saliva, a trasportare nel matroneo le Torah, i rotoli di pergamena manoscritta contenenti i cinque libri della legge mosaica, ma 92 di essi, risalenti a un'epoca che andava dal XV al XVII secolo, alcuni provenienti da comunità scomparse con la seconda guerra mondiale, andarono sott'acqua. Questo materiale, recuperato dopo otto giorni di permanenza nel fango, venne ripulito e interfogliato da ragazzi della comunità fiorentina e da dieci studenti dell'Accademia di belle arti di Gerusalemme sotto la guida di Alexander Yow e, in un secondo momento, di Menahem Schmelczer, bibliotecario del Jewish Theologial Seminary di New York[123]. In questo caso ai problemi relativi alla conservazione si intrecciarono questioni di carattere religioso: il rabbino affermava infatti che «solo esperti altamente specializzati potranno controllare, lettera per lettera, decine di migliaia di parole e correggere quelle danneggiate, con la scrittura, l'inchiostro e la penna che la tradizione richiede». Due esperti inter-

---

[122] Vedi Semerano, *Biblioteche* cit. e Semerano, *I danni alle biblioteche* cit., p. 82.
[123] Menahem Schmelczer, dal 1961 al 1987 bibliotecario del Jewish Theological Seminary di New York, è ora professore emerito di Medieval Hebrew literature e Jewish bibliography presso il medesimo istituto.

vennero quindi da Gerba e i rotoli furono mandati a Roma, nel Tempio maggiore, perché se ne avesse cura[124].

Kunsthistorisches Institut in Florenz
Nella biblioteca dell'Istituto, situata in via Giusti, in prossimità della Facoltà di giurisprudenza, furono allagate sette sale del pian terreno dove l'acqua raggiunse i due metri e mezzo di altezza, per un totale di 10.000 volumi, per lo più riviste italiane e straniere di storia dell'arte, che furono recuperate e interfogliate dal personale dell'Istituto aiutato da molti volontari: grazie al loro lavoro fu necessario rimpiazzare solo una piccola parte del materiale alluvionato con riproduzioni in fotocopia o, dove possibile, riacquisendo i fascicoli perduti sul mercato antiquario. La biblioteca fu fra le prime ad essere riaperta al pubblico, il 21 novembre del 1966[125].

Istituto storico della Resistenza in Toscana
Situate al piano terreno di Palazzo Medici Riccardi, le sale dell'Istituto il 4 novembre furono sommerse da un metro e mezzo d'acqua, tanta da danneggiare i tre scaffali più bassi sia dell'archivio che della biblioteca, dove erano conservate trentacinque filze e mille dei circa cinquemila volumi che costituivano all'epoca la collezione bibliografica dell'Istituto e dove si trovava del materiale prezioso, fra cui le carte di Piero Calamandrei, la collezione dei periodici stampati a Firenze e in Toscana durante la guerra di Liberazione e la raccolta di opuscoli sulla storia del movimento operaio, oltre allo schedario. I lavori di recupero, limitati ai pezzi non più reperibili sul mercato, furono condotti dai due impiegati dell'Istituto e da volontari, fra cui studenti della Syracuse University, dello Smith College e delle Università di Siena e di Firenze, con il contributo del comune di Piombino[126].

---

[124] Vedi Hulda Liberanome, *La Sinagoga e la sua biblioteca*, in: *Firenze perché* cit., p. 1427-1428; Batini, *L'Arno in museo* cit. e la relazione, a firma di Joe D. K. Nkrumah (vedi p. 218), datata 28 gennaio 1969, dal titolo *Visit to the biblioteca della Comunità ebraica*, conservata in Archivio CRIA, 23, fasc. 2, n. 7.

[125] Vedi Ulrich Middeldorf, *Istituti stranieri e collezioni private*, «Antichità viva», 5 (1966), n. 6, p. 106-107; Dagmar von Erffa, *Florenz, 4 November 1966, Einer Stadt wird geholfen. Erlebnisbericht und Dokumentation*, Essen: Stifterverband fur die Deutsche Wissenschaft, 1969.

[126] Vedi anche Carlo Francovich, *L'Istituto storico della Resistenza*, in: *Firenze perché* cit., p. 1429-1430.

Biblioteca dell'Accademia dei Georgofili
In biblioteca andarono sott'acqua circa 36.000 volumi, l'archivio dal 1753 al 1801, l'inventario e il catalogo per autori e per soggetti. Circa 30.000 opere furono trasportate nei giorni immediatamente successivi al 4 novembre nella Villa Monna Giovanella, nei dintorni di Firenze, gestita dalla Facoltà di agraria, dove furono trattati con aria moderatamente calda, mentre parte dei volumi recuperati fu interfogliata ai piani superiori del palazzo dell'Accademia, dove le schede del catalogo erano state appese ad asciugare attraverso le scale e le sale dei piani superiori, facendo passare delle corde attraverso il foro dove viene inserita la barra metallica della cassetta[127].

Biblioteca e archivio del Risorgimento, Accademia toscana di scienze e lettere La Colombaria, Biblioteca e Archivio comunale
I quattro istituti, ospitati nel Convento delle Oblate, nelle immediate vicinanze dell'Ospedale di Santa Maria Nuova, con l'acqua a più di un metro d'altezza, contarono numerosi pezzi alluvionati: il primo circa 7.000 volumi, la seconda circa 5.000, la terza importanti raccolte di giornali oltre a circa 400 volumi e lo schedario, il quarto circa 650 filze manoscritte relative agli anni a cavallo fra il XVIII e il XIX secolo. Queste ultime, dopo una breve fase di deumidificazione in loco, furono trasferite alla Biblioteca comunale di Cortona a cura della Soprintendenza archivistica.

Archivio di Stato
Nell'Archivio, diretto da Sergio Camerani e ancora alloggiato nella vecchia sede al piano terreno e al primo piano degli Uffizi, furono alluvionate quaranta delle duecentocinquanta sale, per un ammontare di circa sei chilometri di scaffalature su sessanta, con l'acqua che raggiunse un'altezza variabile da un metro a un metro e mezzo, e la situazione aggravata dal crollo di una delle volte che sostenevano l'impiantito[128]: circa 70.000 filze e volumi furono sommersi per un

---

[127] Vedi anche *Firenze 4 novembre 1966, Firenze 4-14 novembre 1996*, catalogo della mostra a cura di Luciana Bigliazzi e Lucia Bigliazzi, «Atti dell'Accademia dei Georgofili», 7 (1996), n. 43.
[128] L'immagine dell'enorme voragine prodotta da tale crollo e al suo interno i volontari al lavoro per estrarre i pezzi che vi erano precipitati è ritratta in una delle foto più famose di David Lees (1916-2004), fotografo della rivista statunitense *Life*, fiorentino di nascita, pubblicata anche all'interno di *David Lees for Life. Triumph from tragedy: i giorni dell'alluvione*, Firenze: Polistampa, 2006, p. 47, volume edito in occasione delle mostra dedicata agli scatti del fotografo,

complesso di milioni di documenti, di tutte le epoche, dal XIII al XIX secolo. Con l'aiuto di studenti provenienti da ogni parte del mondo, in poco più di venti giorni i documenti furono estratti dal fango, quindi portati ai piani superiori e disposti nelle sale e nei corridoi per l'asciugatura e, in piccola parte, per l'interfoliazione con carta assorbente e carta da ciclostile. In un secondo momento tutto il materiale fu trasferito in altre sedi per una migliore e più veloce essiccazione o interfoliazione e per permettere il risanamento dei locali dell'archivio: le destinazioni principali furono Prato, nel centro operativo istituito presso la sezione locale dell'Archivio di Stato dalla Divisione fotodocumentazione e restauro della Direzione generale degli archivi di Stato; Perugia, negli essiccatoi di tabacco dell'Azienda monopoli di Stato e nel locale Archivio di Stato; Roma, dove furono interfogliate circa 7.000 filze all'Archivio centrale dello Stato, ma soprattutto San Giustino Umbro, negli impianti del Consorzio tabacchicultori, dove il lavoro fu impiantato su scala industriale, utilizzando le maestranze locali, e dove furono trattati i tre quarti dei pezzi alluvionati.

L'archivio riaprì il 15 dicembre; tutto il materiale fu essiccato o interfogliato entro la metà del 1967. Per il definitivo recupero di tale materiale fu allestito in sede un laboratorio di restauro dal Ministero, attraverso la Direzione generale degli archivi di Stato, con i contributi dei comitati stranieri, in modo particolare del CRIA[129]; diverse centinaia di pezzi inoltre furono indirizzate verso laboratori esteri: in Ungheria, Jugoslavia, Francia e Danimarca. In generale, per tutte le operazioni di recupero, furono fondamentali gli aiuti, non solo finanziari, forniti dall'estero. Al 31 dicembre 1970, all'esaurirsi cioè dei finanziamenti del CRIA e dell'Unesco, erano stati restaurati 2.700 pezzi, mentre al 31 dicembre 1984 ne erano stati completati 3.340[130].

---

tenuta nella Sala d'Armi di Palazzo Vecchio per il quarantennale dell'alluvione. Anche in questo caso, come per la BNCF, la mobilitazione internazionale fu stimolata e supportata dal lavoro di grandi fotografi, che con i loro scatti contribuirono a determinare la percezione della tragedia al di fuori della città alluvionata. Per David Lees, figlio della poetessa Dorothy Neville Lees e dell'attore e regista Edward Gordon Craig, vedi anche i cataloghi delle mostre fiorentine del 1971, *David Lees*, Firenze: La Strozzina, 1971, e del 2003, *David Lees: l'Italia nelle fotografie di Life*, Firenze: Polistampa, 2003. Lees era giunto a Firenze la mattina del 6 novembre con un elicottero militare da Pisa (cfr. *Life International*, 28 novembre e 26 dicembre 1966).

[129] Vedi la sottoserie Archivio di Stato di Firenze in Archivio CRIA, 23, fasc. 3-9.
[130] Vedi *Firenze guerra & alluvione* cit., p. 222 e, per una descrizione più approfondita dei fondi alluvionati e degli interventi approntati, Sergio Camerani,

Archivi non statali
L'alluvione del 4 novembre danneggiò, nella sola città di Firenze, ben ventisei archivi privati o di enti pubblici di notevole importanza, oltre a quelli, numerosissimi, colpiti nel resto della Toscana. I pezzi degli archivi fiorentini, una volta recuperati, seguirono vie diverse: una gran parte furono fatti affluire a Cortona, nel centro di raccolta istituito dalla Soprintendenza, in locali messi a disposizione dal vescovo, dal Comune e dai frati minori di Santa Margherita, e quindi lavorati ad opera di volontari; da qui passarono poi al centro tecnico operativo di San Gustino Umbro, dove le operazioni di essiccazione furono portate avanti secondo le direttive della Stazione sperimentale di selvicoltura di Firenze e della Divisione fotodocumentazione e restauro degli archivi di Stato[131] e infine concentrati in locali che garantivano un basso tasso di umidità, messi a disposizione dai frati predicatori di San Domenico, presso Fiesole. Gli archivi in più gravi condizioni furono invece inviati al centro di raccolta istituito presso l'Archivio di Stato di Perugia ad opera dell'omologo fiorentino. Quelli che destavano meno preoccupazione o che erano in parte già stati essiccati a cura dei proprietari, furono concentrati in un centro allestito presso la Soprintendenza, mentre altri archivi, di modesta entità, furono trattati in loco. In genere il trattamento eseguito prevedeva una ripetuta interfoliazione, fino a cinque volte, l'esposizione a un'aerazione calda o fredda a seconda del centro di raccolta cui i pezzi erano affluiti e a seconda delle diverse opportunità che si offrivano, e infine il collocamento dei pezzi su segatura (40% pioppo e 60% abete, a basso contenuto di tannini) mista alla cosiddetta polve-

---

L'Archivio di Stato, «Antichità viva», 5 (1966), n. 6, p. 115-118; Sergio Camerani, *Perdite e recuperi all'Archivio di Stato*, in: *Rapporto sui danni al patrimonio* cit., p. 95-97; l'intervento di Sergio Camerani in: *L'alluvione lunga un anno* cit. p. 192; Giuseppe Pansini, *L'Archivio di Stato*, in: *Firenze perché* cit., p. 1422-1426; *Archivio storico italiano*, 124 (1966), n. 4, numero interamente dedicato ai danni agli archivi provocati dall'alluvione di Firenze, contenente: Arnaldo D'Addario, *I danni subiti dal patrimonio documentario conservato nell'Archivio di Stato di Firenze in seguito all'inondazione del 4 novembre 1966*; Batini, *L'Arno in museo* cit., p. 66 e p. 130-132.

[131] La Stazione sperimentale per la selvicoltura di Firenze, fondata nel 1922, si occupava della tutela e della ricerca in ambito boschivo (vedi http://www.selvicoltura.org). Il Centro di fotoriproduzione, legatoria e restauro era nato nel 1963 con compiti di ricerca, studio e sperimentazione nel campo della conservazione e del recupero dei documenti archivistici e di addestramento del personale in servizio presso gli archivi di Stato. Il centro è stato recentemente accorpato all'ICPL (vedi nota 107).

re Caffaro[132], che garantiva dei buoni risultati antimuffa, almeno momentanei; all'Istituto degli Innocenti fu inoltre sperimentato l'uso del timolo in soluzione alcolica al 10%[133].

Museo dell'Opera del Duomo
Nell'archivio del Museo, collocato nei sotterranei, furono sommersi 6.000 volumi, oltre a 55 corali miniati. Per le operazioni di recupero si seguirono le direttive dei monaci di Monte Oliveto[134], inviati dal Vaticano all'indomani dell'alluvione, che consigliarono di mettere i volumi a sgrondare in piedi, di interfogliarli con veline e poi di stenderli in piano su superfici assorbenti, escludendo l'uso del talco soprattutto in presenza di miniature, modalità di intervento che furono da esempio per molti altri istituti. Ai monaci fu inoltre affidato il restauro dei volumi più preziosi, in modo particolare di quelli miniati, mentre i 3.000 pezzi dell'archivio furono indirizzati ai forni di San Giustino Umbro[135].

---

[132] Con polvere Caffaro viene indicato un fungicida, l'idrossicloruro di rame.

[133] Per notizie sui singoli archivi vedi Giulio Prunai, *Gli archivi toscani e i danni del quattro novembre*, «Archivio storico italiano», 124 (1966), n. 4, p. 610-640; Giulio Prunai, *Gli archivi non statali della Toscana*, «Antichità viva,», 5 (1966), n. 6, p. 119-123; Giulio Prunai, *L'alluvione e gli archivi privati*, in: *Rapporto sui danni al patrimonio* cit., p. 99-104; *Gli archivi non statali della Toscana, danni riportati nell'alluvione del 4 novembre 1966* in: *L'alluvione lunga un anno* cit., p. 193-198.

[134] Presso il monastero di Monte Oliveto Maggiore a metà degli anni '50 aveva preso vita infatti l'Istituto di restauro del libro, che tratta opere cartacee come membranacee. Per maggiori informazioni sul monastero cfr. il sito www.monteolivetomaggiore.it.

[135] Vedi anche Anna Forlani Tempesti, *Musei minori*, «Antichità viva», 5 (1966), n. 6, p. 82-90 e Enzo Settesoldi, *All'Archivio dell'Opera di Santa Maria del Fiore*, in: *Rapporto sui danni al patrimonio* cit., p. 105-106, dove i corali alluvionati, contrariamente a tutte le altre fonti, sono indicati nel numero di 56; qualche foto e qualche notizia si può trovare anche in *I libri del Duomo di Firenze. Codici liturgici e biblioteca di Santa Maria del Fiore (secoli XI-XVI)*, a cura di Lorenzo Fabbri e Monica Tacconi, Firenze: Centro Di, 1997; materiale documentario relativo ai finanziamenti concessi dal CRIA per le operazioni di restauro è conservato presso Archivio CRIA, 23, fasc. 10-11. La storia del restauro dei corali sarà però molto travagliata, come ricorda Francesco Barberi: «ho dovuto insistere quasi due anni perché il Ministero si decidesse a dare un'occhiata ai cinquantacinque corali miniati dell'Opera del Duomo di Firenze, sommersi dalla piena del 4 novembre 1966 e dei quali si impadronì subito nel suo laboratorio romano di "restauro" don Mario Pinzati [monaco olivetano e direttore dell'Istituto vaticano di restauro scientifico]. [...] Finalmente l'ho spunta-

Biblioteca del Museo e Centro didattico nazionale di studi e documentazione
L'acqua raggiunse i cinque metri all'interno di Palazzo Gerini, sede del Museo, cosicché circa 30.000 volumi andarono sott'acqua, comprese antiche edizioni dei secoli XV-XIX, nonché autografi, documenti e riproduzioni relativi alla storia dell'educazione. La maggior parte dei pezzi furono recuperati nell'arco di una settimana e molti furono indirizzati al laboratorio di restauro librario tenuto dalle monache benedettine dell'Abbazia di Santa Maria di Rosano a cura del-

---

ta […] il sopralluogo ha dato purtroppo i risultati temuti. I grossi volumi ancora nelle pesanti legature deformate, giacevano accatastati in un andito del laboratorio di Via Traspontina dopo aver subito, chissà quando, una sola interfoliazione. La maggior parte erano un blocco compatto. La visita e la relazione firmata da me e da Emerenziana Vaccaro, direttrice dell'Istituto di Patologia del Libro, hanno permesso di trasferire il 15 dicembre [1968] all'Istituto quel preziosissimo materiale, ma vi sarà ormai ben poco da fare. Intanto Don Mario ha abbandonato il laboratorio e la tonaca» (Barberi, *Schede* cit., p. 232). La Vaccaro parla di questo come di un intervento «clamoroso» di Barberi e così descrive lo stato di conservazione dei corali: «all'infuori di una prima interfoliazione, non più rinnovata, nessun'altra cura era stata loro somministrata; essi si trovavano in locali angusti, posti disordinatamente uno sull'altro, alcuni aperti in piedi sul pavimento sostenuti dalle legature, altri ammucchiati su di essi in senso orizzontale. I custodi e i restauratori del prezioso materiale non avevano neanche preso in considerazione l'opportunità di liberare i volumi dalle massicce legature in pelle marrone, intrise d'acqua, che avevano macchiato i primi fogli spesso splendidamente miniati, né tanto meno di scucirli per favorire le successive interfoliazioni, che non furono mai fatte e che avrebbero impedito almeno il trasporto del colore sugli interfolii […] nella settimana successiva [al trasferimento dei corali all'ICPL] una commissione nominata dal Ministero, e formata dall'ispettore, dal rappresentante dell'Opera del Duomo di Firenze, dal direttore dell'Istituto centrale del restauro, coadiuvato da un restauratore particolarmente esperto, e dal direttore dell'I.P.L. si riunì presso l'istituto stesso e constatò i danni rilevanti subiti dai corali: danni alle legature, deformazione delle pergamene, diffuso attacco di microrganismi, sbiadimento e dilavamento dei colori delle miniature, incollamento dei fogli originali sugli interfolii». Il restauro di materiale tanto danneggiato richiese cure particolari e inusitate; dopo il completamento del restauro sperimentale di alcuni volumi, l'ICPL proseguì nel sottoporre i corali a un processo di disinfezione all'ossido di etilene e al loro restauro completo; nel 1976 nove erano pronti per tornare a Firenze (Emerenziana Vaccaro, *La politica della conservazione libraria in Italia e l'opera di Francesco Barberi*, in: *Studi di biblioteconomia e storia del libro in onore di Francesco Barberi* cit., p. 575-590: 586-587).

la Soprintendenza bibliografica, mentre altri furono trattati da laboratori di restauro fiorentini[136].

Museo Nazionale del Bargello
Al Museo andarono sott'acqua l'archivio e la biblioteca specializzata in arti minori, che furono recuperati, interfogliati e quindi sistemati nel salone di Donatello.

Museo Horne
Nel Museo furono alluvionati 115 manoscritti, dal XIV al XVIII secolo, che furono recuperati e interfogliati[137].

Libri che erano in corso di restauro a Firenze
L'alluvione del 4 novembre colpì anche un considerevole numero di manoscritti appartenenti a biblioteche non fiorentine e non alluvionate, ma che si trovavano quel giorno a Firenze, per lo più in laboratori artigiani. Si tratta di quindici pezzi, databili fra il XIV e il XV secolo, di proprietà della Biblioteca comunale degli Intronati di Siena, che erano in corso di restauro a Firenze, in via Andrea del Sarto, presso la Legatoria Vangelisti; di quattro della Biblioteca Guarnacciana di Volterra, che erano in deposito nell'ufficio della Soprintendenza bibliografica al piano terra della BNCF[138]; di diciotto della Biblioteca Forteguerriana di Pistoia, databili fra il XII e il XV secolo, che si trovavano in via Tripoli – nei pressi della BNCF – nel laboratorio di Giuseppe Masi e Armando Andreoni; questi ultimi si occuparono del recupero dei volumi alluvionati e di alcuni primi interventi di emergenza insieme al direttore della Forteguerriana Giancarlo Savino[139], che si occupò della

---

[136] Vedi anche Semerano, *I danni alle biblioteche* cit., p. 81.
[137] *Ibidem.*
[138] La Soprintendenza bibliografica della Toscana era stata istituita presso la BNCF nel 1919; nel 1973 le sue funzioni furono trasferite alla Regione Toscana.
[139] Giancarlo Savino (n. 1933), sarà poi docente di Codicologia presso le università di Siena prima, di Firenze poi, dove sarà stretto collaboratore di Casamassima docente. La bibliografia degli scritti è stata pubblicata dalla Società dantesca, di cui Savino era consigliere segretario, nel 2003, in occasione dei suoi settant'anni e del suo congedo dall'insegnamento (*Bibliografia degli scritti di Giancarlo Savino*, in: Giancarlo Savino, *Dante e dintorni*, a cura di Marisa Boschi Rotiroti, Firenze: Le Lettere, 2003, p. XV-XXXVII). In Archivio BNCF, 1304, è conservata la lettera di Savino a Casamassima del 9 novembre in cui offriva l'aiuto del suo istituto, pur colpito indirettamente: «Caro direttore, ho visto lo spettacolo desolante della Nazionale invasa, lunedì scorso quando venni a cercare in mezzo al fango i brandelli dei più bei manoscritti della Forteguerriana

ricomposizione dei pezzi al loro rientro a Pistoia, dove furono restaurati nel laboratorio di Raoul Randelli, a spese del Ministero della pubblica istruzione[140]. Sempre al laboratorio di Masi e Andreoni si trovavano anche cinque codici della Biblioteca consorziale di Arezzo. Non in restauro, ma sempre in deposito a Firenze, in una cassetta di sicurezza del Banco di Sicilia, il 4 novembre andò sott'acqua anche un altro codice di estremo valore: l'archetipo della *Germania* di Tacito, del X secolo, di proprietà del conte Baldeschi Balleani[141].

Il teatro

Anche il mondo della scena il 4 novembre accusò un duro colpo, non solo perché sott'acqua andarono le sale (il Teatro comunale, il Teatro della Pergola, il Piccolo Teatro e molti altri teatri minori) e tutto il materiale di scena che vi era raccolto, ma anche perché fu alluviona-

che erano al restauro, in Via Tripoli, da Masi e Andreoni. Frastornato e sopraffatto da questa incalcolabile perdita, solo oggi posso esprimerle tutta la mia più affettuosa simpatia e partecipazione. Ed anche La prego di voler considerare la Forteguerriana come un fraterno ospizio, modesto ma caldo e accogliente. Qui c'è acqua e calore, elementi indispensabili per i Suoi libri appena estratti dal fango. Almeno per i lavori più urgenti, i restauratori potrebbero operare qui. Tutti i locali di questa Biblioteca sono a disposizione. Faccia pieno conto sui miei sentimenti di solidarietà, ospitalità e colleganza».

[140] Cfr. *Distrutti a Firenze i codici pistoiesi*, «La Nazione», 10 novembre 1966, p. 11; Giancarlo Savino, *La Biblioteca Forteguerriana e l'alluvione di Firenze*, «Bollettino storico pistoiese», 68 (1966), p. 153-154. I volumi restaurati sono stati poi messi in mostra in occasione del convegno pistoiese sul restauro delle opere d'arte (Biblioteca Forteguerriana, *Mostra di codici restaurati dai danni dell'alluvione di Firenze*, Pistoia: Centro italiano di studi di storia dell'arte, 1968).

[141] Restaurato dai monaci di Grottaferrata, il codice della biblioteca Baldeschi Balleani, famiglia originaria di Jesi, è stato poi comprato assieme ad altri dal Ministero per i beni e le attività culturali nel 1994 e quindi acquisito dalla Biblioteca nazionale centrale di Roma (si tratta degli attuali Vitt. Em. 1630-1632). Il Vitt. Em. 1631 è un codice in alcune parti palinsesto, dove al *Bellum Troianum* di Ditti Cretese seguono l'*Agricola* e la *Germania* di Tacito; aveva fatto parte della collezione quattrocentesca degli umanisti Stefano e Francesco Guarnieri di Osimo ed era stato ereditato dalla famiglia dei conti Balleani di Jesi alla fine del XVII secolo; nel 1902 il quaternione con il testo dell'*Agricola* era stato identificato da Cesare Annibaldi come appartenente al codice di Hersfeld (cfr., fra gli altri, Francesca Niutta, *Ritrovamenti e scoperte: tre codici latini acquistati dalla Biblioteca nazionale centrale di Roma*, «Roma moderna e contemporanea», 2 (1994), n. 3, p. 841-845; Cesare Annibaldi, *L'Agricola e la Germania di Cornelio Tacito nel ms. latino n. 8 della biblioteca del conte G. Balleani in Iesi*, Città di Castello: Tip. della casa editrice S. Lapi, 1907).

ta la documentazione delle passate stagioni teatrali, come avvenuto al Teatro della Pergola, o gli archivi amministrativi, come al Piccolo Teatro stabile, oltre alla Libreria del teatro di piazza del Pesce – che vantava una storia secolare ed era luogo di consultazione degli uomini di teatro di tutto il mondo – con il suo ricco patrimonio bibliografico, fatto di libri, anche manoscritti, e riviste, rari e ormai introvabili[142].

Altri

Nel considerare i danni al patrimonio bibliografico fiorentino, sono da annoverare il Museo Bardini, alluvionato per tutto il piano terreno, che conservava alcuni libri di pregio, la biblioteca della Società Leonardo da Vinci – allora sul lungarno Corsini – con circa 5.000 volumi andati sotto due metri d'acqua, la biblioteca dell'Accademia della Crusca – ancora conservata nella vecchia sede in Palazzo Castellani in piazza dei Giudici – con circa 3.000 volumi danneggiati subito trasferiti alla Villa di Castello[143] preventivamente dotata di deumidificatori, e poi ancora la biblioteca del Convento di San Bonaventura a Quaracchi con la sua tipografia, le biblioteche comunali popolari di via Mazzetta, di Bellariva, di via Buonarroti e di via Martiri del popolo e la biblioteca della Casa del popolo Buonarroti, che conservava circa 4.000 volumi; la biblioteca del Liceo Michelangiolo, la biblioteca e l'anagrafe camerale della Camera di commercio, industria, artigianato e agricoltura, i libri e le stampe del costituendo Museo di storia del Risorgimento momentaneamente conservati presso il Museo topografico fiorentino e i manoscritti e i disegni tibetani che erano conservati al Museo di antropologia e etnologia. Merita un cenno infine il fatto che il 4 novembre furono alluvionate tutte le case editrici fiorentine, ad eccezione della Vallecchi: la maggior parte dei loro magazzini era concentrata infatti in una zona duramente colpita, fra lungarno Colombo e via Mannelli; anche tutte le librerie del centro storico furono danneggiate, comprese quelle antiquarie, per un ammontare di circa cinquanta sedi[144].

---

[142] Per i teatri vedi Andrea Mugnai, *Il teatro alla prova*, in: *Firenze perché* cit., p. 1451-1459, e per la libreria Mario Chiesa, *Episodi della tragedia di Firenze*, Firenze: Tipografia M. Chiesa, 1967, p. 23-30.

[143] La Villa medicea di Castello diventerà poi la sede definitiva dell'Accademia della Crusca, al termine di un ampio restauro curato dalla Soprintendenza ai beni ambientali e architettonici conclusosi nel 1972.

[144] Per maggiori notizie vedi Renzo Ricchi, *Il libro e la stampa* in: *Firenze perché* cit., p. 1431-1435.

2.4 Angeli di nafta e di fango

Chi arriva oggi in Biblioteca nazionale da piazza dei Cavalleggeri, si trova a salire gli stessi gradini che si vedono nelle fotografie dell'alluvione; il portone d'ingresso che resistette all'urto delle acque non c'è più: è stato rimosso da qualche anno quando l'ingresso della Biblioteca è stato modernizzato. Se invece di entrare subito osserva, sotto il porticato, la parete sul lato ovest dell'ingresso, scorge una lapide che recita:

IN QUESTA BIBLIOTECA
E ALTROVE IN FIRENZE
DOVE L'ALLUVIONE DEL NOVEMBRE 1966
PIÙ AVEVA IMPERVERSATO
NUMEROSI GIOVANI ITALIANI E STRANIERI
TRA L'ACQUA E IL FANGO
CON GENEROSA ABNEGAZIONE
RECARONO AIUTO

Tali parole furono vergate dal grande storico della lingua italiana e presidente dell'Accademia della Crusca Bruno Migliorini (1896-1975) e la lapide fu scoperta nel primo anniversario dell'alluvione, il 4 novembre 1967. Ancora dopo quarant'anni questo testo rimane come riconoscimento esplicito di ciò che – dopo i danni ingenti al patrimonio artistico e documentario – maggiormente colpì l'opinione pubblica dell'epoca: il soccorso inaspettato e di inusitate proporzioni recato dai giovani italiani e stranieri che, di fronte alle immagini della città sommersa sugli schermi in bianco e nero della televisione, abbandonarono tutto ciò che stavano facendo e si precipitarono a Firenze.

Fu una grande lezione di metodo, entrata di diritto nei manuali di *disaster management* – per lo meno in quelli stranieri[145] – perché dimostrò come, quando tutto sembrava perduto, un salvataggio che sembrava incredibile potesse essere realizzato con la semplice forza dei numeri. È stato l'intervento dei tanti giovani volontari a rendere rapide le operazioni di recupero, scongiurando, grazie a così vasta manodopera, il pericolo che si verificassero tutti quei fenomeni – perdita dei beni, diffusione di epidemie, estesi attacchi microbici –

---

[145] Vedi, ad esempio, Randy Silverman, *Toward a National Disaster Response Protocol,* «Libraries & the Cultural Record», 41 (2006), n. 4, p. 497-511.

che una permanenza troppo prolungata di materiale organico nell'acqua alluvionale avrebbe potuto provocare.

Impossibile dire quanti furono: la loro cifra, incalcolabile all'epoca, lo è ancor più al giorno d'oggi. I numeri ogni giorno fluttuavano, indirizzati spesso da un semplice passaparola, per cui chi prestava soccorso un giorno in un luogo, il giorno dopo andava da un'altra parte, creando talvolta problemi di continuità nelle operazioni di recupero, anche perché, in certi giorni, poteva succedere che alcune sedi fossero del tutto disertate. Ci fu chi venne per un giorno, chi per due, chi per una settimana, chi per un mese, e chi rimase più a lungo, talvolta fino alla primavera del 1967.

In primo luogo c'erano i fiorentini di tutte le generazioni, anche quelli che non erano stati colpiti direttamente, che vennero nondimeno in centro a dare una mano; la cosa assunse anche un proprio fascino: quello di dire "io c'ero". Al loro fianco i reparti dell'esercito, che talvolta, soprattutto nei primi giorni, si mossero seguendo l'iniziativa di singoli comandanti. Ci furono quindi italiani provenienti da tutte le parti d'Italia; lasciare un biglietto per le famiglie e partire per Firenze divenne quasi un *topos* in quei giorni. Fra le lettere al direttore del settimanale *Epoca*, si legge[146]:

> Ho quindici anni e sono scappato da casa per venire a lavorare a Firenze. Non ero mai stato a Firenze. Adesso ci sono da 4 giorni e non mi deve cullare nessuno. La sera non sto più in piedi. Però due vecchie signore, grazie a me, hanno quasi sistemato la loro casa [...]. Non sono scappato per non andare a scuola, ma per aiutare a salvare Firenze. Infatti appena sistemate le mie signore vado a lavorare in un museo. Papà, non giudicarmi male. Lo sai che ho sempre studiato, che ho sempre fatto il mio dovere. Papà, adesso il mio dovere era questo.

Anche nel ricordo di questo comportamento, a distanza di trenta anni, Massimo Belotti scrive: «Già nella scelta di comunicare bruscamente alla famiglia, un po' sbigottita e disorientata, la decisione irrevocabile di partire per Firenze c'erano al tempo stesso un'affermazione di

---

[146] «Epoca», 17 (1966), n. 843, datato 20 novembre, p. 3. La lettera diventa un caso per i lettori della rivista e motivo di varie repliche nei numeri successivi, fra cui una pubblicata a p. 3 del numero successivo: «Lei ci ha fatto un bello scherzo pubblicando la lettera del ragazzo scappato da casa per andare a Firenze. Risultato: i miei due figli, una ragazza di sedici anni e un ragazzo di quindici, se ne sono andati nel Polesine, a "dare una mano", come ci hanno lasciato scritto in una lettera che essi hanno messo in bella mostra sulla tavola da pranzo».

autonomia e una implicita critica al conformismo»[147]. E poi ci furono gli stranieri: una babele di lingue, culture, costumi, uniti in un unico scopo.

L'organizzazione era in gran parte spontanea, soprattutto nei primi giorni, e veniva incanalata attraverso le parrocchie e le case del popolo. Un punto di riferimento importante, fin dal 5 novembre, fu il Centro operativo di via Ghibellina, coordinato da Giannozzo Pucci, che organizzò principalmente le operazioni nelle case e nelle cantine del quartiere di Santa Croce. Anche gli studenti universitari dettero prove notevoli di organizzazione, scegliendo come base la mensa di Santa Apollonia, sull'angolo di via San Gallo, che era stata solo lambita dall'inondazione. Con l'impegno dell'ORUF[148], la mensa riaprì il 6 novembre e l'organizzazione studentesca arrivò a disporre di oltre mille persone divise in squadre e impegnate in diversi settori della città, spesso lavorando all'interno dei comitati rionali, di cui erano entrate a far parte, oppure preoccupandosi di organizzare i pasti e la mensa per tutti i volontari che lavoravano a Firenze. Il consiglio studentesco della Facoltà di medicina si organizzò inoltre per gestire undici centri sanitari con l'assistenza permanente di un laureato e altri sei con l'assistenza permanente di laureandi e saltuaria di laureati. Le grandi capacità dimostrate, fecero sì che nel Comitato del Fondo internazionale per Firenze l'Università fosse rappresentata sia dal rettore – carica allora ricoperta dal professore di diritto romano Giovanni Gualberto Archi (1908-1997) – che, a parità di diritti, da uno studente[149].

---

[147] Massimo Belotti, *Angeli oltre il mito*, «Biblioteche oggi», 14 (1966), n. 10, p. 24.

[148] Vedi *supra*, p. 89.

[149] «Dopo le prove di attaccamento che gli studenti hanno dato all'università, sarà compito dell'università di continuare il dialogo [...] di sperimentare una forma di dialogo nuova, di autentica democrazia [...]. Il miglior omaggio che si può e si deve fare allo studente è di ritenerlo maggiorenne a diciotto anni [...] i giovani hanno dimostrato coi fatti di poter legittimamente pretendere alla partecipazione del governo delle loro università e rivendicarne la riforma democratica» (Salvestrini, *L'Università per Firenze* cit., p. 1440, ma vedi anche Giacomo Devoto, *I focolai della cultura*, in: *Firenze domani* cit., p. 127-138). È del 1971 la cosiddetta "legge Codignola", dal nome del socialista Tristano Codignola, suo estensore, che prevedeva un rivolgimento della struttura delle facoltà e delle gerarchie fra docenti e studenti e introduceva spazi di rappresentanza e di autonomia a questi ultimi. La legge, approvata al Senato, si arenò alla Camera per l'opposizione di ampi settori della Democrazia cristiana (cfr. Tristano Codignola, *La riforma universitaria*, «Scuola e città», 22 (1971), n. 5-6, p. 220-229)

I volontari dormivano spesso nei luoghi stessi dove trascorrevano la giornata, ospitati spontaneamente dalle famiglie fiorentine; a turno però usufruivano dei circa centocinquanta letti allestiti su sei carrozze di seconda classe ferme su un binario morto della stazione centrale di Firenze, messe a disposizione dalle Ferrovie dello Stato, che offrirono anche pasti caldi presso la mensa del dopolavoro ferroviario, mentre alcune ragazze erano alloggiate presso un convitto di suore, a Fiesole.

In questa situazione di caos organizzato, la Nazionale rimase autonoma, nel senso che fin dall'immediato dopo-alluvione, il 5 novembre, si trovò ad avere un capo pensante e una gerarchia operativa. Anzi, secondo diversi testimoni, incluso Bargellini[150], il grande intervento dei volontari cominciò proprio da lì e poi si estese ad altri luoghi. Se da un lato la Biblioteca è sempre apparsa come un punto nevralgico della catastrofe, il luogo dove il diluvio aveva colpito più duramente, dall'altro fu quello dove per prima ci fu una reazione, dando prova di dinamismo e determinazione di fronte alla sciagura. In Nazionale fu determinante non solo l'offerta di tanti individui che si presentarono spontaneamente, ma anche l'apporto di diversi docenti universitari, come Roberto Vivarelli o Cesare Vasoli[151]. Soccorso giunse anche da Pisa, con gli allievi della Scuola Normale, portati da Giovanni Miccoli[152], che arrivavano in uno sgangherato torpedone, tutti impeccabilmente vestiti di tuta e stivali, con il pranzo a sacco preparato dalla mensa. Anche sul piano logistico la BNCF si mostrò autonoma: una sessantina dei "suoi" volontari dormivano infatti alla Casa internazionale degli universitari di Villa Fabbricotti, nella zona di Montughi, la cui disponibilità era stata richiesta da Casamassima fin dal 13 novem-

---

[150] Piero Bargellini, *La splendida storia di Firenze. Dal diluvio del 1870 al diluvio del 1966*, Firenze: Vallecchi, 1969.

[151] Roberto Vivarelli (n. 1929) insegnava storia contemporanea presso l'Università di Siena, dove sarebbe rimasto fino al 1986, quando passò alla Scuola normale superiore di Pisa; Cesare Vasoli, studioso del Rinascimento – che aveva però la BNCF nel suo *curriculum* in quanto aveva per tre anni lavorato al soggettario – era in attesa del trasferimento a Bari dall'Università di Cagliari (per un ricordo della sua esperienza in BNCF durante l'alluvione vedi: Cesare Vasoli, *Ricordi dell'Alluvione*, in: *Contro al cieco fiume* cit., p. 14-16).

[152] Giovanni Miccoli (n. 1933), medievalista di origini triestine ma di formazione toscana (si era laureato all'Università di Pisa) insegnava allora Storia della Chiesa presso la Scuola normale superiore di Pisa; passerà poi a Trieste e Venezia. Il ricordo è di Ernesto Berti.

bre[153], mentre al piano superiore dell'edificio erano state allestite una mensa e un'infermeria di fortuna[154].

Sul fatto che tanti "giovani" si siano recati a Firenze, per lottare in mezzo alla nafta e al fango, per salvare qualcosa che fino a quel momento non avevano mostrato di sentire come loro, è necessario evidenziare alcuni elementi, a partire dal carattere quasi esclusivamente fiorentino del fenomeno. In verità le piogge torrenziali e le inondazioni dell'inizio di novembre avevano colpito numerose località dell'Italia settentrionale, provocando in particolare la devastante acqua alta di Venezia che divenne – insieme a Firenze – oggetto degli aiuti internazionali. In Toscana città come Pisa, dove fu asportato un lungo pezzo del lungarno e dove il 23 novembre crollò il ponte Solferino, e Grosseto, dove la città fu sommersa dall'Ombrone, i danni furono ingenti; i giornali di quei giorni danno ampio spazio agli smottamenti del Friuli e alla terribile inondazione del Polesine, dove le acque misero più giorni a defluire. Benché non mancassero volontari e aiuti in tutti questi luoghi, la risposta era diversa da quella ricevuta a Firenze. Ciò avveniva senz'altro perché – così come a Venezia – era stato colpito il patrimonio artistico e culturale, ma forse anche perché, per le caratteristiche assunte dal diluvio, altrove i soccorsi necessitavano di persone esperte e di attrezzature idonee. A Firenze, invece, oltre ai grandi numeri, servivano tenacia, entusiasmo e – perché no – allegria, cosicché fu soprattutto il capoluogo toscano a calamitare attenzione ed energia.

L'altro aspetto che si coglie inequivocabilmente dai mass-media dell'epoca è la sorpresa della generazione dei padri, cosa che evidenzia il conflitto generazionale in corso, che l'alluvione di Firenze sembrava in qualche modo ripianare e che avrebbe invece acuito.

La giovane età e la generosità dell'impegno accomunava la grande maggioranza dei volontari che si immersero nella melma fiorentina. Si riunì così in nome di un'unica causa la gioventù che aveva appena iniziato a lottare contro «le fedi fatte di abitudini e paura / una politica che è solo far carriera / il perbenismo interessato / la dignità fatta di vuoto», ma che credeva ancora che Dio risorgesse «in ciò che noi crediamo», «in ciò che noi facciamo», «nel mondo che fare-

---

[153] Vedi Archivio BNCF, 1305.
[154] Vedi oltre, p. 188.

mo»[155]. I giovani del 1966 erano i figli del ritorno dalla guerra – quando, a partire dal 1945, le nascite ebbero una forte impennata – e poiché la mortalità infantile era scesa considerevolmente grazie all'introduzione su larga scala di medicine nuove, in particolare la penicillina, coloro che in quegli anni raggiungevano la maggiore età – che nel 1975 sarebbe stata abbassata da 21 a 18 anni – costituivano una percentuale significativa della popolazione. Fu la prima generazione a fare i conti con il consumismo di massa e con gli stereotipi di lingua inglese. È solo di un anno prima, del 1965, la tournée italiana dei Beatles, l'avvio della trasmissione radiofonica *Bandiera gialla*, di Arbore e Boncompagni, l'inaugurazione a Roma del Piper Club[156], ed è in questo stesso periodo che la società italiana benpensante e la sua stampa scoprirono – come sintomo di tutti i mali giovanili – "i capelloni". Nel novembre del 1965 tali mezzi di informazione applaudirono l'aggressione dei giovani "bene" nei confronti dei capelloni romani di piazza di Spagna, da affrontare, secondo il *Corriere della sera*, con civismo, insetticida e forbici[157].

Accanto alle molte polemiche contro gli eccessi sartoriali e comportamentali dei giovani che risultano nella stampa dell'epoca, ogni tanto c'è chi, al contrario, punta il dito contro la generazione dei padri. Nella letteratura sull'alluvione è rimasta giustamente famosa la denuncia di Grazzini dalla "pagina dei giovani" del *Corriere della sera*[158]; citiamo alternativamente uno scritto del 1967 dalla rivista *Quattrosoldi*, che non ha rapporto con quanto era successo a Firenze, ma che acutamente individua la "cattiva coscienza dei padri"[159]:

---

[155] Sono parole di Francesco Guccini, in *Dio è morto* (1965), canzone portata al successo nel 1967 da I Nomadi.

[156] Nel 1966, a seguito della pressione di gruppi di famiglie e di esponenti del mondo cattolico, il questore fece chiudere il Piper nelle ore pomeridiane, perché avrebbe distratto i più giovani dallo studio. «Anche in questo caso la destra politica e la stampa conservatrice si uniscono a una scuola arretrata e a famiglie autoritarie nell'attaccare frontalmente l'anticonformismo giovanile: ne favoriscono così una ancora sotterranea "politicizzazione" che la sinistra tradizionale fa ben poco per meritare» e che infatti critica spesso duramente come nuovo conformismo (Crainz, *Il paese mancato* cit., p. 192).

[157] Paolo Bugialli, *Tempi duri per i capelloni che in piazza di Spagna*, «Corriere della sera», 6 novembre 1965.

[158] Giovanni Grazzini, *Nel diluvio di fuoco della gioventù*, «Corriere della sera», 16 novembre 1966, p. 11; vedi Harris, p. 33-35.

[159] Andrea Testa, *Quando il denaro è demone*, «Quattrosoldi», 7 (1967), n. 77, p. 46-51: p. 46; p. 48.

Perché tra la generazione degli adulti, o dei maturi, e quella dei giovani si va scavando oggi un abisso che diviene sempre più profondo? Si dice che i ragazzi hanno troppi soldi in tasca e che sono perciò sottoposti alle tentazioni d'una industria nata appunto per lusingarli all'acquisto; ma, in questo, quanto di responsabilità spetta agli adulti? La generazione che è uscita vinta dalla guerra soffre d'un tremendo complesso d'inferiorità e cerca di risalire la china puntando solo al guadagno; e poi, per farsi apprezzare dai giovani, li rifornisce con larghezza di quattrini. È, in fondo, un atteggiamento egoistico [...]. La conclusione, facile, si riassume in un dato di fatto inoppugnabile: il denaro corre veloce in una certa società giovanile contemporanea, diventa uno stimolo negativo, corrompe [...]. Qual'è la responsabilità delle famiglie? [...]. La generazione dei giovani d'oggi, quella che va dai quindici ai venti anni, è l'erede di una generazione di sconfitti, la nostra [...]. La generazione dei quarantenni e cinquantenni odierni è indiscutibilmente sconfitta, è uscita da una sconfitta, porta su di sé le stigmate indelebili di una sconfitta. Direi di più: l'abito mentale, la vocazione segreta, il marchio della rinuncia. Molti figli di questa generazione si sono resi conto, ad un certo momento, della condizione dei loro padri. Al di là dell'affetto, del legame naturale, è insorto un giudizio critico: ed è venato di disprezzo, o di commiserazione, o di compatimento, come volete. Comunque, di un sentimento di beffa. Quello che si riserva ai vinti.

Di fronte allo spettacolo terribile di Firenze, i cronisti dell'epoca all'unisono posero in rilievo questo apparente contrasto, fra quello che appariva dei giovani prima dell'alluvione e quello che invece si capì di loro, con sorpresa e meraviglia, durante il novembre 1966[160]; tutti parlano di capelli lunghi per gli uomini e di minigonne per le donne, tutti cercano le parole delle mode – beats, provos, ragazze ye ye, moda piper – per delineare la metamorfosi fra il prima e il dopo, fra quella gioventù chiassosamente ribelle e gli individui inzaccherati e silenziosi che si immergevano nella melma delle cantine e dei sotterranei. E qui i commentatori, con solo qualche eccezione, compiono un errore madornale, non capendo che la ribellione era la stessa e che l'obbiettivo era quello di additare ancora più platealmente il fallimento dei padri.

---

[160] Dall'omelia tenuta in Duomo la notte di Natale, in occasione della visita del Papa a Firenze, dal cardinale Florit: «Né possiamo non sottolineare che la sventura ha contribuito a rivelare il volto autentico dei nostri giovani, le loro risorse di bontà generosa, il senso comunitario che portano nel cuore» (Federico Scianò, *Paolo VI viandante nel dolore*, Firenze: Le Monnier, 1967, p. 109).

Nel fango, fra i giovani, le differenze sociali e di origine, fra fiorentino, italiano e straniero, apparivano annullate, come, nello sforzo collettivo, erano state annullate le gerarchie all'interno della Biblioteca; nel generale sovvertimento delle regole era possibile una quotidianità e una confidenza inedite – ed esaltanti – fra i due sessi e infatti nell'alluvione, come ricordano molti testimoni, nacquero anche tanti amori. Soprattutto nel recupero dei libri e dei documenti, dove non contava solo la forza fisica, ci fu una significativa presenza femminile e perciò in Nazionale, dove i volontari si contano a centinaia, le opportunità di incontro e uguaglianza furono numerose.

Una delle immagini più frequenti che si possono incontrare sfogliando i resoconti dell'epoca è quella della "firma" che spesso i ragazzi lasciarono nei luoghi dove trascorrevano le loro giornate di lavoro: le impronte delle mani infangate lasciate sui muri[161]:

> Tutti i muri, di tutte le biblioteche, erano cosparsi dei segni fangosi di quelle migliaia di dita, di quelle mani generose di tanti giovani, e non per spregio, come si potrebbe subito pensare, ma per necessità. Quando infatti le mani incrostate, appiccicate di fango scivoloso, non ce la facevano più ad afferrare i volumi passati dall'uno all'altro a ritmo di corsa, quando anche i pantaloni, le vesti erano tutta una cosa con quella melma che ci schizzava in faccia e sui capelli, non c'era altro modo di liberarsi di quella crosta che strofinare le dita sui muri.

L'immagine delle mani venne ripresa infatti dallo scultore Jorio Vivarelli (n. 1922) per la medaglia che nel 1967 sarebbe stata coniata per il primo anniversario dell'alluvione. L'idea dei padri che questa sorta di tregua potesse segnare una fine delle ostilità tuttavia si rivelò vana e d'altra parte erano in pochi a capire il significato di quello che stava accadendo. Sempre all'interno del dibattito scatenato sulle pagine di *Epoca*, un genitore particolarmente ingenuo scrisse che: «In questa tragica sciagura che ha colpito tanta parte di questa nostra Italia, una cosa che splende: i nostri giovani e giovanissimi si sono riabilitati. Fra loro c'erano ragazzi coi capelli lunghi e ragazze con le gonne corte. Ma non importa più. Forse, dopo questa dolorosa e terribile esperienza, molti ragazzi si faranno tagliare i capelli e molte ragazze si faranno allungare la gonna»[162]. Chiaramente anche questa speranza andò delusa.

---

[161] Cappelletti, *Il sale dell'alluvionato* cit., p. 66.
[162] «Epoca», 17 (1966), n. 845, datato 4 dicembre, p. 5.

Nella storiografia sull'alluvione questi giovani vengono collettivamente designati come "angeli del fango", un'etichetta considerata
ormai indiscutibile e acquisita; si tratta però di un anacronismo, piccolo, ma non privo di significato. Per risolvere la questione sarebbe
necessario compiere un'estesa indagine lessicografica, adoperando
gli strumenti propri della disciplina, su tutta la documentazione disponibile, con lo scopo di scoprire sia l'attestazione cronologicamen-
te più alta che il significato che l'espressione aveva nelle sue prime
applicazioni. Allo stato attuale delle ricerche possiamo dire che, contrariamente a quanto scritto da qualche storico dell'alluvione, essa
non risale al novembre del 1966 e non fu coniata da Grazzini[163];
l'espressione sembra diffondersi nei mezzi di informazione soltanto
a partire dal gennaio 1967, con un'accezione ristretta ai soli volontari
impegnati sotto l'egida del Centro operativo di via Ghibellina.

L'ampliamento del suo significato nell'accezione odierna, per
coprire cioè tutti i giovani che in qualche modo lavorarono a Firenze,
è ancora più tarda. Il passo più significativo in tal senso venne dalla
penna di Bargellini, il quale, nel 1969, nel volume supplementare
della sua *Splendida storia di Firenze*, intitola un capitolo *Gli angioli
del fango* e fornisce una descrizione accurata del loro contributo[164].
Rimane comunque il fatto che, fino alle grandi ricorrenze degli ultimi vent'anni, il termine compare abbastanza di rado.

Questa non è una superflua annotazione filologica, semmai ci a-
pre gli occhi su uno strano scherzo dei mass-media, che si impadro-
niscono di una novità e – con un autentico tocco di Mida – la tra-
sformano in uno stereotipo dorato o, in questo caso, fangoso. Nei decenni ormai trascorsi, la generazione degli "angeli del fango" si è
tramutata nella generazione dei padri e ha cominciato a guardarsi indietro, a riflettere sul cammino percorso. Nelle ricorrenze
dell'alluvione un'enfasi crescente è stata posta sull'idea dei volontari,
ormai non più giovani, che si radunano nel ricordo del novembre
1966. Basta pensare al fatto che la grande manifestazione del 2006
ha adoperato il motto «Quando scesero gli angeli», o ai numerosi libri e documenti audiovisivi pubblicati in quella occasione che si sono serviti del termine come richiamo. Nella stessa ottica si collocano

---

[163] Si veda, per esempio, Erasmo D'Angelis, *Angeli del fango, la "meglio gioventù" nella Firenze dell'alluvione*, Firenze: Giunti, 2006, p. 148. È in corso
un'indagine sulle origini della locuzione che apparirà prossimamente.
[164] Bargellini, *Splendida storia di Firenze. Dal diluvio del 1870 al diluvio del
1966* cit., p. 259-268: p. 267-268.

i tentativi di censimento degli "angeli"[165] e il progetto della Mediateca regionale toscana di raccolta delle fotografie e dei filmati in possesso di privati cittadini. Se da un lato l'espressione pubblica di riconoscenza e di gratitudine, che la città di Firenze non ha mai lesinato, è doverosa, dall'altro è necessario riflettere su come un eccesso di enfasi possa risultare storicamente fuorviante.

Ma c'è dell'altro: in un film di grande e meritato successo come *La meglio gioventù* di Marco Tullio Giordana (2003) compare una quasi totale identificazione degli "angeli del fango" con i moti del 1968 e la successiva stagione politica. Si tratta di una semplificazione cinematografica, vera solo in parte e indizio semmai del fascino che la generazione che ha vissuto entrambi gli eventi ha sempre esercitato su scrittori e cineasti. L'alluvione non fu tuttavia un proemio né una prova generale del 1968: il novembre 1966, nel bene e nel male, consistette nel salvataggio di un patrimonio di manufatti che rappresentavano la testimonianza fisica del passato. Esso si riassume nel ricordo di una giovane australiana che, presso il Gabinetto Vieusseux, si è trovata a togliere il fango, pagina per pagina, al ritmo di poche carte al giorno, da un'edizione ottocentesca della traduzione francese di un romanzo inglese che a parere suo nessuno avrebbe letto neppure in lingua originale[166]. Per quanto comprensibilmente mugugnasse per l'inutilità di tutta l'operazione, questa volontaria venuta dall'altro capo del mondo continuò per ore e ore, giorno dopo giorno, pazientemente e amorevolmente a svolgere il suo lavoro: lo spirito dell' "angelo del fango" sta lì, nella volontà di ripristinare i piccoli oggetti inutili; in una stagione come il 1968 venne invece a mancare proprio la pazienza.

---

[165] Cfr. D'Angelis, *Angeli del fango* cit., che contiene nelle pagine finali un lungo elenco di "angeli", nonché quello pubblicato sul sito allestito in occasione del quarantennale in collaborazione con la Mediateca regionale toscana, che ha raccolto anche foto, filmati e racconti dei testimoni: www.angelidelfango.it.

[166] Cfr. la lettera a firma Sandra Stacy, datata ottobre 1967, di cui *The Florentine* ha pubblicato alcuni stralci a p. 27 del suo numero speciale dedicato al quarantennale dell'alluvione fiorentina, datato 4 novembre 2006.

3. L'alluvione in Biblioteca nazionale

3.1 L'alluvione in BNCF

Venerdì 4 novembre l'acqua dell'Arno tracimò in piazza dei Cavalleggeri verso le 4.30 di mattina[1] e continuò a fuoriuscire con sempre maggior violenza fino al tardo pomeriggio, quando aveva ormai raggiunto, all'interno del piano terreno della Biblioteca, un'altezza variabile da un metro e sessanta ai due metri, come si può a tutt'oggi vedere sia dalla targa apposta sotto il loggiato di ingresso dell'edificio[2], sia dalla porzione di parete lasciata non ridipinta e protetta da un vetro nella sala di lettura generale. L'ora dell'esondazione varia molto nei diversi resoconti, dove viene spesso indicata come le 7.30, probabilmente perché questi ultimi indicano approssimativamente l'ora in cui la piazza fu raggiunta dalla prima onda di piena; in linea generale, è poi necessario distinguere fra l'ora in cui l'acqua cominciò a fuoriuscire dal sistema fognario ormai saturo e quella in cui superò le spallette.

All'interno della Nazionale erano presenti quattro custodi, residenti in ali diverse dell'edificio, insieme alle loro famiglie; Pier Lui-

---

[1] Secondo quanto riferisce De Gregori «a stabilire l'ora dell'inizio della tragedia nella zona della biblioteca abbiamo la testimonianza dei custodi che hanno il loro alloggio nell'edificio: l'acqua cominciò a scendere sulla piazza alle 4.30 circa della mattina del 4 novembre, ed il livello andò aumentando fino alle 16.30 circa; il deflusso ebbe inizio nella notte tra il 4 e il 5, e all'alba di questo giorno l'acqua si era completamente ritirata» (De Gregori, *Un anno fa il 4 novembre* cit., p. 709-710). Per quanto riguarda l'orario, la ricostruzione proposta combacia sia con l'analisi delle testimonianze fotografiche che con il ricordo dell'editore Alessandro Olschki, che si trovava in centro nelle prime ore della mattina e che ha realizzato alcuni dei primi scatti dell'alluvione in piazza Cavalleggeri (cfr. Alessandro Olschki, *Allora fu il diluvio*, «Società canottieri Firenze», 2006, n. 2, p. 10-13, nonché lo scatto della piena dell'Arno che supera la spalletta davanti alla BNCF, pubblicato in Alessandro Olschki, *Prima, durante e dopo il diluvio*, «La Bibliofilia», 108 (2006), n. 2, p. 185-196: p. 189, fig. 2).
[2] Come era stato fatto all'indomani delle alluvioni precedenti, ma in modo più diffuso, il Comune decise infatti alla fine di dicembre di marcare i muri delle strade alluvionate con piccole targhe che indicavano l'altezza raggiunta dall'acqua. Nei muri sui quali campeggia più di una targa, quella del 4 novembre 1966 è generalmente posta più in alto, rendendo così evidente quanto l'ultima alluvione patita da Firenze abbia superato le altre in capacità distruttiva.

155

gi Brunetti (1939-2005), figlio di uno di essi, si armò di macchina fotografica e documentò con una serie di impressionanti fotografie – poi cedute a titolo gratuito all'azienda fotogiornalistica fiorentina Gieffe – l'alluvione vista dall'interno della Biblioteca, prima dalla piazza antistante e poi dai piani superiori e dal tetto, via via che il livello dell'acqua cresceva[3].

La Biblioteca fu investita dalla piena in modo particolarmente violento: collocata subito a monte del ponte alle Grazie che, prima che l'acqua riuscisse a scavalcarlo, rappresentò quasi una diga che forzava il fiume a fuoriuscire, e del rialzato centro storico della città, rappresentato da piazza della Signoria, che l'acqua impiegò quasi tutta la mattina per riuscire ad alluvionare, vista inoltre la pendenza del terreno e visto che le case sul lungarno delle Grazie, interrotte dalla sola volta dei Tintori, venivano a formare come una muraglia che ne ostacolava il deflusso, l'acqua che scavalcava le spallette, a monte di piazza dei Cavalleggeri, ma soprattutto a valle – dove l'argine da superare resistette meno a lungo, perché più basso – confluiva nella piazza, che è in ripida discesa, e si abbatteva con forza contro la facciata occidentale della Biblioteca. La pendenza del terreno indirizzava le acque verso corso dei Tintori, ma all'angolo fra quest'ultimo e via Magliabechi le acque esondate si dividevano, trasformando in torrenti il prosieguo del corso, in direzione di via de' Benci, antico fossato che lambiva la prima cerchia muraria comunale, e via Magliabechi, che portava l'acqua in Santa Croce, che però, essendo leggermente in salita, fu invasa più lentamente. Quando la piena si fece però particolarmente violenta, la zona di via delle Casine, collocata a una quota assoluta più bassa, fece confluire da via Tripoli parte delle acque che si riversavano in piazza dei Cavallegge-

---

[3] La BNCF conserva undici stampe degli scatti realizzati da Brunetti, una parte delle quali riporta sul retro il timbro Gieffe (sono le foto n. 28, 30-39 in: Elisa di Renzo, *Il luogo e la memoria: l'alluvione di Firenze e la Biblioteca nazionale centrale di Firenze attraverso la raccolta fotografica (4 novembre-31 dicembre 1966)*, tesi di laurea in Bibliografia e biblioteconomia, relatore prof. Neil Harris, Università di Firenze, a.a. 2001/2002). Allo stato della ricerca non è possibile determinare esattamente quanti fossero tali scatti, anche perché i negativi sono stati tagliati. La Foto Locchi di Firenze (www.fotolocchi.it) – che nel 2001 ha acquistato l'archivio Gieffe – ne ha rintracciati sette nei propri archivi, di alcuni dei quali la Biblioteca non possiede la relativa stampa, ma ad oggi non li possiede tutti: dopo molti anni infatti Brunetti si è fatto restituire da Gieffe alcuni negativi, che per questo non sono stati più pubblicati e sono oggi meno noti; oltre a questo sussistono poi evidenti problemi di identificazione.

ri, che quindi scontrandosi con la Biblioteca si bipartivano sia verso est, seguendo il corso del fiume, che verso ovest, in senso opposto. Il giardino e i cortili interni alla Biblioteca costituirono altrettanti punti critici, in quanto collocati a un livello più basso rispetto alle vie circostanti[4].

Le acque quindi, prima di potersi scaricare nelle aree adiacenti, rovesciarono la propria furia contro la Biblioteca nazionale, che si trovò ad affrontarne il primo impatto: questa è una delle possibili spiegazioni dell'enorme quantità di detriti che si depositarono sui gradini di accesso all'edificio e che riuscirono a entrare anche nei magazzini. La marea di acqua e fango, infatti, penetrò subito nel seminterrato attraverso le basse finestre che si aprono, al livello del selciato, sulla piazza, su via Tripoli e su corso dei Tintori, dove l'acqua entrò con particolare violenza, scendendo a cascata[5]. In un primo momento i custodi resi-

---

[4] I livelli massimi raggiunti dalle acque confermano questa ricostruzione, in quanto in piazza dei Cavalleggeri il livello massimo raggiunto dalle acque fu di 4,40 m, all'angolo con corso dei Tintori, e 4,45 m, all'angolo con via Tripoli. In via de' Benci, all'angolo con il corso, furono raggiunti i 4,55 m, e in piazza Santa Croce, all'angolo con via Magliabechi, i 4,65 m, mentre in via Tripoli, all'angolo con via delle Casine, i 4,20 m (dati ricavati dagli studi operati dal Comune di Firenze sul battente d'acqua del livello di esondazione del 4 novembre 1966). Nella carta pubblicata in Ilario Principe – Paolo Sica, *L'inondazione di Firenze del 4 novembre 1966*, «L'Universo», 47 (1967), n. 2, p. 192-222, due delle tre aree che, sulla sponda destra dell'Arno, sono colorate di un azzurro più intenso, corrispondono a un'altezza variabile dai cinque ai sei metri, sono localizzate lungo via delle Casine, all'angolo con via dei Conciatori/via Thouar e all'angolo con via Ghibellina (la mappa è stata ripubblicata all'interno della *Carta dell'alluvione del 1966 nella provincia di Firenze*, edita dalla Provincia di Firenze in occasione del quarantennale dall'alluvione).

[5] Appare quanto meno stupefacente la giustificazione della scelta di allestire dei magazzini nel seminterrato in un edificio tanto prossimo all'Arno, scritta da Emerenziana Vaccaro (1908-1993), direttrice dell'ICPL dal 1964 al 1973, in un intervento pubblicato nell'aprile del 1967, in cui afferma: «Che cosa si poteva fare per impedirlo? Dal nostro punto di vista direi: nulla! dal momento che finora non si sono mai costruite biblioteche basate su piloni, perché lo spazio è sempre stato un terribile tiranno per i nostri maggiori istituti bibliografici; utilizzare i sotterranei come depositi, specialmente dei grandi formati, è stata sempre una imprescindibile necessità» (Emerenziana Vaccaro, *Come si è salvato il materiale della Biblioteca nazionale*, in: *Dopo il diluvio*, «I problemi di Ulisse», 20 (1967), n. 9, p. 74-79). La voce dedicata alla Vaccaro dal DBBI20 risulta ancora in preparazione, ma fornisce qualche utile indicazione bibliografica. La scelta di utilizzare come depositi per i grandi formati gli spazi collocati al di sotto del piano stradale è da far risalire piuttosto agli errori nell'allestimento delle scaffalature al momento del trasloco della BNCF nella nuova sede nel 1935 (vedi *su-*

denti all'interno della Biblioteca tentarono di salvare, collocandoli in posizione più elevata, i volumi del catalogo manoscritto dei fondi Magliabechiano e Palatino, ma non poterono concludere il loro lavoro perché l'acqua sfondò i lucernari invadendo con violenza la sala cataloghi e li costrinse a riparare ai piani superiori[6]. Il livello dei volumi esondati continuò a salire con qualche momento di particolare irruenza – come quello in cui l'ondata di piena di mezzogiorno raggiunse i lungarni antistanti la Biblioteca – fino a riempire completamente i seminterrati e a raggiungere i due metri circa di altezza al piano terreno, dove erano collocate la sala di lettura generale, la sala periodici, la sala dei cataloghi e moltissimi uffici, oltre che alcuni piani delle torri librarie, fino a raggiungere un totale di circa sette metri di altezza: «in poche ore un centro di studio di grande vitalità e tradizione, pur con i suoi limiti e le sue carenze, uno dei cardini del sistema bibliografico italiano, era colpito nel profondo, nelle raccolte librarie, nelle strutture tecniche e amministrative»[7]. Fortunatamente però rimasero illese tutte le collezioni conservate ai piani superiori, dove erano collocati i manoscritti e i rari (i fondi Magliabechiano e Palatino manoscritti, il fondo dei manoscritti dei conventi soppressi, la collezione Landau Finaly, i carteggi, la raccolta degli incunaboli) e l'intero apparato delle sale di consultazione, nonché tutti i volumi collocati ai piani superiori dei magazzini, dove si trovavano anche importanti raccolte di opere a stampa (la seconda Palatina, la Nencini, la Passerini, la Guicciardini)[8].

---

pra, p. 56). Per la distribuzione degli spazi all'interno della Biblioteca vedi paragrafo 1.1.

[6] «La prima strada, infatti, per ubbidire all'inesorabile legge dei vasi comunicanti verso il piano rialzato dell'edificio, l'acqua se la fece dal basso, mentre i portoni esterni ancora resistevano alla sua pressione» (De Gregori, *Un anno fa il 4 novembre* cit., p. 710). Dalle foto del dopo alluvione appare evidente infatti come il portone abbia resistito bene all'urto dell'acqua (cfr. la foto, attribuita alla Foto-Ottica Bazzecchi, contenuta nel numero di *The book collector* dedicato all'alluvione fiorentina, 16 (1966), riprodotta anche in apertura dell'articolo di Hamlin, *The library crisis in Italy* cit., nonché la testimonianza di Rosaria Di Loreto – allora dipendente della BNCF da pochi mesi – e delle immagini che la corredano, contenuta nel filmato *Gli angeli del fango*, nel DVD prodotto per il quarantennale dell'alluvione dalla Mediateca regionale toscana *Firenze, l'Arno e gli angeli del fango*, Firenze, 2006).

[7] Emanuele Casamassima, *Una legge speciale per la Biblioteca nazionale di Firenze*, in: *L'alluvione lunga un anno* cit., p. 293-298: p. 293.

[8] Per maggiori notizie sui fondi storici della BNCF, un buon punto di partenza è rappresentato dal sito internet della Biblioteca stessa: http://www.bncf.firenze.sbn.it.

Ma ciò che forse creò i danni maggiori ai pezzi conservati nel seminterrato fu il fatto che l'acqua, quando defluì a partire dalla sera del 4 novembre, trascinò con sé gran parte del materiale bibliografico, ammassandolo in un indistinguibile amalgama di carta e fango in quello che si scoprì essere il punto critico dei magazzini: in corrispondenza dell'angolo fra via Magliabechi e corso dei Tintori, dove le acque, soprattutto mentre si ritiravano, dettero origine a gorghi distruttivi. La violenza di questi movimenti d'acqua fu tale che alcuni volumi furono ritrovati nei giorni seguenti nello spesso strato di fango depositatosi in piazza dei Cavalleggeri[9].

Casamassima, che abitava a San Gaggio, appena fuori Porta Romana, nella zona sud della città, fu avvertito della situazione per telefono da Ivaldo Baglioni – impiegato di concetto, allora responsabile delle sale di consultazione – prima che le comunicazioni fossero interrotte: Baglioni era uscito infatti molto presto quella mattina perché le figlie sarebbero dovute andare in gita, ma al momento di passare il ponte San Niccolò, verso le 6.30-7 di mattina, si accorse di quanto stava accadendo; riaccompagnate a casa le bambine tentò di avvicinarsi alla Biblioteca da piazza Piave, ma le vie erano già impraticabili. Casamassima, dopo aver inviato l'impiegato a cercare un aiuto impossibile presso i pompieri, tentò invano di attraversare l'Arno per raggiungere l'edificio della BNCF. Trascorse invece la giornata sulla riva sud, nel continuo e inutile sforzo di passare il fiume, trascorrendo lunghe ore presso il commissariato di via Maggio, chiedendo a prefettura e questura la disponibilità, che non fu mai concessa, di un mezzo anfibio per raggiungere la Nazionale. Vi arrivò solo nella prima mattina del giorno successivo, una volta defluite le acque. Il

---

[9] Secondo la testimonianza di Umberto Baldini, all'epoca direttore del Gabinetto dei restauri della Soprintendenza di Firenze, contenuta nel programma *Speciale Arno*, andato in onda in prima serata su Rai Uno il 4 novembre 1996, in un momento in cui tutti erano isolati e nessuno riusciva a immaginare cosa stesse succedendo altrove e quanta devastazione si stesse abbattendo sulla città, la Biblioteca nazionale mandò un segnale del terribile colpo che stava ricevendo: sulle acque dell'Arno, dall'affaccio del corridoio vasariano che si apre al centro del Ponte Vecchio, Ugo Procacci, Umberto Baldini, e i loro collaboratori che stavano tentando di salvare i dipinti là conservati, videro migliaia di schede a stampa trascinate dalla furia delle acque «come si vedono a volte le acciughe che stanno sull'acqua, la sera, che vengono quasi a galleggiare». La ricostruzione sin qui fatta del moto delle acque alluvionali rende però poco plausibile questa ricostruzione: più probabilmente le carte viste dal Ponte Vecchio provenivano dal vicino Archivio di Stato.

direttore allora, con l'aiuto dei primi impiegati accorsi sul luogo – Alfiero Manetti (1923-2000), impiegato esecutivo, che all'epoca lavorava in sala periodici, Alessandro Fornaciai e lo stesso Baglioni – e dei volontari che si resero disponibili fin dalla mattina di sabato, iniziò immediatamente a rimuovere la massa di fango che copriva la scalinata e la porta di accesso e che impediva l'ingresso in Biblioteca, per dare inizio al più presto possibile alle operazioni di recupero del materiale danneggiato. Alla fine della giornata Manetti, Baglioni e Casamassima erano così stanchi, bagnati, ma anche desiderosi di rimanere a presidio della Biblioteca, che dormirono avvolti in un tappeto persiano della collezione Landau-Finaly.

Nel lungo strascico di polemiche che seguì l'alluvione, in cui le autorità cercarono di giustificare il mancato preallarme alla popolazione, Casamassima affermò, nell'intervista alla rivista *Il ponte*, che un preallarme di poche ore, anche solo nella sera del 3 novembre, sarebbe stato di vitale importanza per l'istituto, perché avrebbe permesso di salvare i cataloghi a volume della Magliabechiana e della seconda Palatina, l'archivio della Biblioteca e forse alcune fra le più preziose stampe e carte geografiche, per un complessivo numero di pezzi estremamente limitato, ma di grande valore, anche nell'ottica delle successive operazioni di identificazione e restauro dei pezzi alluvionati appartenenti alle collezioni storiche[10].

La gestione dei difficili lavori di recupero e di ripristino che assunse Casamassima fin dai primi giorni che seguirono l'alluvione lo trasformarono in un eroe per i volontari, per gli stranieri che accorsero in aiuto all'istituto e per gran parte del personale. Fino dal sabato si affiancarono infatti ai dipendenti della Nazionale un gran numero di persone, per lo più studenti e professori universitari, che lavorarono in Biblioteca in una media di 500 al giorno assieme ai 50 soldati inviati dal comando militare. Inizialmente suddivisi e riconoscibili per nazionalità o regione, il loro numero complessivo risulta molto difficile da determinare: solo quelli che rimasero a lavorare a lungo e continuativamente lasciarono qualche scarsa traccia nei superstiti fogli usati come ricevuta delle 2.000 lire garantite dal CRIA per ogni

---

[10] *La Biblioteca nazionale, intervista con il direttore Emanuele Casamassima*, in: *Firenze perché* cit., p. 1405-1411. Per un'immagine della sala cataloghi prima dell'alluvione, con i grandi tomi del Magliabechiano disposti su due file di tavole basse, si veda N. Romieri, *Operazione alluvione alla Biblioteca nazionale centrale di Firenze*, «Il ragioniere segretario economo», 3 (1967), n. 1, p. 4-11: p. 11.

giornata di lavoro[11]. Paul N. Banks, in una lettera del 21 agosto 1967, parla di Casamassima come di un «highly intelligent, able, and aggressive leader, in distinct contrast to the proverbial Italian burocrat»[12] e indubbiamente alcune delle decisioni assunte da quest'ultimo in quei primi giorni gli procurarono una forte opposizione negli ambienti ministeriali romani: Casamassima infatti, primo fra i direttori degli istituti bibliografici fiorentini alluvionati, aprì i magazzini, fino a quel momento strettamente riservati al personale, ai volontari che aspettavano sugli scalini della Biblioteca in attesa di istruzioni, venendo così a costituire un precedente che necessariamente forzò le altre biblioteche a fare altrettanto; inoltre, sovvertendo le normali gerarchie interne alla Biblioteca, nominò vicedirettore Alfiero Manetti e promosse capo del personale Ivaldo Baglioni[13]. La sua volontà e la

---

[11] In Libero Rossi, *Die florentinische Alluvione: cronache di una ricostruzione incompiuta*, «Biblioteche oggi», 14 (1996), n. 10, p. 6-19, è riprodotto, a p. 11, un biglietto non datato a firma di Manetti, intitolato *Condizioni*, in cui si legge: «A coloro che s'impegnano per almeno 1 mese ad un turno, vengono riconosciute le quattro ore giornaliere (£ 2.000). A coloro che, oltre al turno scelto, fanno il secondo turno oppure le altre 4 ore, viene riconosciuto il diritto ad 1 buono mensa oppure a £ 350 in contanti. A coloro che prestano servizio meno di un mese, ma continuativamente, hanno diritto solo al vitto (buoni mensa), se esterni all'alloggio ed eventualmente al rimborso spese del ritorno in treno. Tutte le persone che qui si presentano debbono essere fornite di un biglietto di presentazione firmato dai membri del Comitato (Sig. Manetti, Baglioni o del direttore) da ritirarsi in BNC».
[12] Copia della lettera è conservata nell'archivio Nixon. Anche Arthur T. Hamlin, nella primavera del 1967, riconosce gran parte del merito del successo delle operazioni di recupero alla «inspired leadership of the library's director [...] fortunately, the magnitude of the damage was more than matched by the stature of its director» (Hamlin, *The library crisis in Italy* cit., p. 2519).
[13] «Nella situazione d'emergenza il direttore della Nazionale, ex partigiano, ha sovvertito ruoli assegnando le mansioni di vicedirettore e di capo del personale a due intelligenti marcantoni, comunisti, della carriera esecutiva. Indubbiamente la loro "struttura" non è paragonabile a quella di gentili, raffinate bibliotecarie. Il Ministero, per ora, subisce la rivoluzione» (Barberi, *Schede* cit., p. 215). Giovanni Di Domenico parla di «disarticolazione delle gerarchie adottata in Nazionale da Casamassima nei giorni dell'alluvione. Misure da stato d'eccezione, certo, e senz'altro condizionate nel loro radicalismo, estremo e imbarazzante, da esperienze e modelli di matrice politica, dalla militanza partigiana, e dal proverbiale fastidio ideologico di Casamassima per la burocrazia, ma misure interessanti come precoce tentativo di sperimentare coraggiosamente forme organizzative del tutto nuove, perché centrate sul principio della delega e del trasferimento di potere, piuttosto che su quello tradizionale dell'autorità formale del comando» (Giovanni Di Domenico, *Problemi e prospettive della biblioteconomia in Italia*,

161

sua capacità di prendere decisioni spesso difficili in una gestione diretta dei problemi e del denaro, spesso sorpassando Roma e la sua burocrazia – probabilmente nessuna biblioteca in tempi moderni aveva mai sofferto danni simili su così larga scala – oltre che il suo attaccamento al lavoro, che fece sì che per un mese, a partire dal 5 di novembre, Casamassima mangiasse e dormisse in Biblioteca, in una branda sistemata in direzione – situata allora al primo piano – saranno oggetto di grande ammirazione in molti degli interventi che raccontano i giorni dell'emergenza[14]:

> almost every day of the last few months has brought with it the necessity
> of making impossible decisions – generally the choice between two evils,
> when it is far from clear which is the lesser. [...] It is due to his calm and
> presence of mind that the work of restoration is not going to be infinitely

---

«Bibliotime», 4 (2001), n. 2, http://www.spbo.unibo.it/bibliotime, pubblicato anche in «Culture del testo e del documento», 2 (2001), n. 6, p. 83-100, poi in: *Il nomos della biblioteca* cit., p. 237-257). Maria Pia Gonnelli Manetti, moglie di Alfiero, parla, a proposito del lavoro di recupero effettuato in Nazionale con il contributo del marito, di «un'organizzazione sorta con lo spirito di una autonoma, brillante iniziativa sindacale» (Maria Pia Gonnelli Manetti, *L'Esopo ricorda Alfiero Manetti*, «L'Esopo», 22 (2000), n. 83-84, p. 91-95; testo ripubblicato anche col titolo *Alfiero Manetti e la Libreria Gonnelli*, «Culture del testo e del documento», 2 (2001), n. 5, p. 121-123).
[14] Editoriale anonimo, ma del direttore Nicolas Barker, di «The book collector», 16 (1967), n. 1, p. 7-11, dove Casamassima è l'unica persona di cui viene fatto il nome. Anche Roberto Vivarelli, segretario del Comitato per la Biblioteca nazionale di Firenze (vedi paragrafo 3.5) affermava nel 1970: «Certo nessuno di noi potrà dimenticare l'azione di Casamassima nei giorni e nelle settimane immediatamente seguenti l'alluvione del 4 novembre 1966. La sua instancabile operosità, la sua prontezza nel prendere le decisioni più gravi e più urgenti senza il timore di assumersene intera la responsabilità, la sua intelligenza nel coordinare un numero vastissimo di difficili operazioni al cui compito non poteva essere di aiuto nessuna precedente esperienza data la singolarità della catastrofe di cui si era vittime, e forse soprattutto la sua straordinaria serenità, che contribuì in maniera determinante sin dai primi giorni dopo l'alluvione a stabilire tra il personale e tutti i volontari che insieme offrivano la loro opera un clima di fiduciosa fraternità, che non venne mai meno pur nelle circostanze più penose e difficili. Sono queste le doti di intelletto e di carattere che meritarono subito a Casamassima il riconoscimento pieno ed esplicito di tanti osservatori italiani e stranieri»; mentre la Commissione interna della Nazionale nella medesima occasione salutava «nel Prof. Casamassima [...] colui che ha aiutato lo sviluppo di una vita democratica all'interno dell'Istituto da lui diretto con passione e responsabilità senza pari» (interventi di Roberto Vivarelli e Alessandro Fornaciai, contenuti in *Per Emanuele Casamassima* cit., p. 19-23 e p. 37-38).

longer and more difficult [...]. If anything at all was saved from the wreck [...] this is mainly due to the boldness, energy and courage of one man: Emanuele Casamassima.

Il 5 novembre, quando già erano all'opera le prime catene umane per il prelievo dei volumi alluvionati dai magazzini, fu lanciato per radio alla RAI, da Manetti, il primo appello in favore della Biblioteca nazionale, mentre il giorno successivo, durante la visita di Saragat a Firenze, Casamassima ebbe modo di parlare direttamente al presidente della Repubblica durante la riunione tenutasi in prefettura con le autorità cittadine: il primo a prendere la parola, secondo Enrico Mattei[15], fu proprio il direttore della Nazionale che descrisse, «piangendo», la situazione del suo istituto e chiese aiuti in suo favore; dopo di lui prese la parola anche Ugo Procacci e allora Saragat ebbe come un moto di impazienza, per la sensazione che si discutesse troppo di arte e cultura e poco di case e persone. Fu allora che, secondo la testimonianza di Barberi[16], i due, affermando che i problemi erano diversi e richiedevano interventi diversi, girarono le spalle al presidente e se andarono. All'incontro fra Casamassima e Saragat è legata anche una frase, quel «Presidente, ci lasci lavorare» con cui il direttore dell'alluvione liquidò la più alta carica dello Stato[17].
   Nel frattempo Baglioni, che già nei giorni precedenti aveva cercato senza risultato di mettersi in contatto con Roma – prima dal commissariato, poi dalla prefettura – riuscì a stabilire un primo contatto con la Direzione generale accademie e biblioteche dove però «viene ascoltato dall'unico presente: un usciere. Il resto è silenzio (che diamine, è pur sempre domenica)»[18].

---

[15] Enrico Mattei, *I lunghi giorni del mese terribile*, in: *Firenze domani* cit., p. 21-33. Nato nel 1902, già capo della redazione romana de *La Stampa*, de *La Gazzetta del Popolo*, de *Il Resto del Carlino* e de *La Nazione*, nonché presidente dell'Associazione stampa romana dal 1953 al 1957, Enrico Mattei fu alla direzione de *La Nazione* dal 1961 al 1970.
[16] Secondo Barberi però Procacci e Casamassima «hanno non chiesto, ma preteso gridando, subito, per salvare il salvabile mezzi e aiuti [...]. Il Presidente si stringe nelle spalle, i due gli voltano le loro e escono» (Barberi, *Schede* cit., p. 214-215).
[17] Ricorda l'episodio, fra gli altri, Riccardo Conti (n. 1951), attuale assessore al territorio e alle infrastrutture della Regione Toscana, in D'Angelis, *Gli angeli del fango* cit., p. 154.
[18] Rossi, *Die florentinische Alluvione* cit., p. 6.

3.2 I danni

Il patrimonio alluvionato
I numeri relativi al patrimonio colpito dall'alluvione apparvero impressionanti fin dai primi momenti, anche se la gravità della situazione fece immaginare perdite definitive più consistenti di quanto non risultarono in effetti al termine delle operazioni di recupero[19].

Le acque alluvionali avevano colpito infatti, nei magazzini collocati nel seminterrato e nel piano terreno, numerose collezioni di grande rilevanza storica e scientifica[20]: nel seminterrato furono inve-

---

[19] Nel dicembre 1966 Casamassima parlava infatti, per quanto riguarda la collezione Magliabechiana, i grandi formati Palatini e Magliabechiani e la raccolta delle stampe e delle carte geografiche antiche, «di un venti per cento di opere distrutte: a mali di questa specie, come alla morte non si conoscono rimedi» (vedi la citata intervista a Casamassima su *Firenze perché* cit., p. 1406). A quant'anni dal diluvio le cifre sono invece diverse: 4.172 pezzi mancanti su 58.165 alluvionati per il Magliabechiano, 360 pezzi mancanti su 10.746 per il Palatino (le miscellanee antiche vengono però conteggiate a parte); per quanto riguarda invece i periodici, irrecuperabili 1.300 delle 30 mila testate presenti al momento del disastro (sono i dati forniti, per l'antico, in Gisella Guasti, *Alluvione: i suoi primi quarant'anni* e, per i periodici, in Antonia Ida Fontana, *Introduzione*, entrambi in: *Contro al cieco fiume* cit., p. 10-13: p. 13 e p. 5-6: p. 5; per quanto riguarda la difficoltà di fornire numeri precisi, vedi *infra*, nota 23).
[20] Affermare che in BNCF siano stati in pericolo i manoscritti e gli incunaboli, conservati invece al primo piano, rappresenta un errore che si perpetua di pubblicazione in pubblicazione, traendo origine dai resoconti giornalistici redatti immediatamente dopo la sciagura; si veda, per esempio, Guido Gerosa, *Il giorno in cui tutto il mondo si domandò: Firenze è morta?*, «Epoca», 17 (1966), n. 842, p. 48-52: p. 50: «Nei gorghi rapidi fluttuano grossi pacchi scuri: sono i documenti, i manoscritti della vicina Biblioteca Nazionale, che hanno galleggiato attraverso la porta sfondata e stanno invadendo Santa Croce. Di là da quella porta, le acque stanno macerando le ricchezze della Galleria Nazionale: 24 mila manoscritti, 705 mila lettere e documenti, 3800 incunaboli, tre milioni di volumi e opuscoli, 68 mila opere musicali a stampa». La falsa notizia è transitata poi negli articoli pubblicati per le ricorrenze, quando vengono rielaborati vecchi ritagli. In questo caso, però, l'ambiguità con cui la notizia fu formulata nel 1966 sta alla base di un errore macroscopico: si veda Alessio Altichieri, *Firenze quel giorno morì: poi tutto il mondo la salvò*, «Corriere della sera», 4 novembre 1986, p. 3: «La Biblioteca Nazionale, santuario dei ricordi d'Italia, è invasa. È la rovina: 24 mila manoscritti, 700 mila lettere e documenti, 3.000 incunaboli, 3 milioni di volumi sono ridotti in poltiglia, spazzati via, ora galleggiano in Piazza Santa Croce», ma anche, in occasione del quarantennale, Giorgio Bocca che, enumerando proprio quei fondi che in pericolo non furono mai, afferma: «Sono in pericolo i ventiquattromila manoscritti della Biblioteca nazionale, i tremila e

164

stiti dalla piena tutti i volumi, databili fra il XVI e il XIX secolo, del fondo che raccoglieva i grandi formati Magliabechiani e Palatini, tra i quali numerosi erano i libri illustrati, gli atlanti, le carte geografiche e le incisioni, l'intera emeroteca nazionale – ossia la raccolta dei giornali e dei quotidiani italiani dall'inizio dell'800[21] – la cosiddetta

ottocento incunaboli, le sessantottomila opere musicali» (*Angeli nel fango di Firenze per salvare l'Italia ferita*, «La Repubblica», 8 ottobre 2006, p. 40-41). La notizia erronea compare però anche negli studi più attenti e documentati: cfr. Giuseppe Di Leva, *Firenze cronaca del diluvio: 4 novembre 1966*, Firenze: Le Lettere, 1996, p. 72, didascalia all'immagine: «I preziosi codici della Biblioteca Nazionale vengono sottoposti alle prime attente cure nel chiostro di Santa Croce»; D'Angelis, *Angeli del fango* cit.: «un intero fiume ha invaso i locali [della BNCF], dove sono da ore nel fango manoscritti preziosi e raccolte di incisioni uniche al mondo». Anche le testimonianze raccolte dagli angeli del fango inevitabilmente parlano di manoscritti e di codici estratti dai sotterranei della BNCF, per esempio: «Andavamo a prestare aiuto dove c'era più bisogno: a distribuire viveri a chi aveva perso tutto, a togliere il fango dai manoscritti della Biblioteca Nazionale» (testimonianza di Vannino Chiti in: Silvia Messeri – Sandro Pintus, *4 novembre 1966: l'alluvione a Firenze. 4th November 1966: the flood in Florence*, Firenze: Ibiskos, 2006); o anche il discorso tenuto dal sindaco di Firenze Elio Gabbuggiani (1925-1999), il 3 novembre 1976, in cui dichiarò che «Il patrimonio artistico, storico, culturale, fu senza dubbio quello che subì il maggior affronto dell'alluvione. Basta pensare agli incunabili [sic!], alle edizioni rare, ai milioni di libri e di riviste – tutti strumenti indispensabili di ricerca e di promozione culturale – della "Nazionale", del "Vieusseux"» (Firenze, Archivio storico del Comune, Amministrazione Gabbuggiani 1975-1983, Decennale Alluvione). È necessario comunque rilevare che alcuni incunaboli furono davvero alluvionati: forse una ventina, appartengono al fondo delle miscellanee, erano rilegati in volume e non furono identificati all'epoca come edizioni del XV secolo. Un errore che si ripete invece nella letteratura anglosassone sull'alluvione è quello di attribuire la localizzazione nei sottosuoli delle biblioteche di tanti magazzini librari ai soli traslochi effettuati durante la seconda guerra mondiale per proteggere il patrimonio dai bombardamenti: non è così però per gran parte degli istituti bibliografici fiorentini e non lo è per i grandi formati palatini e magliabechiani della BNCF per i quali, come abbiamo visto, le motivazioni di tale scelta risalgono al 1935, a un problema di scaffalature e a uno più generale di carenza di spazi presentatisi al momento del trasloco. Probabilmente la prima a offrire questa spiegazione è Carolyn Horton, nel suo *Saving the libraries of Florence* cit., p. 1036-1037; l'ultimo a riprenderla è forse invece Scott W. Devine, nel suo articolo uscito alla vigilia del quarantennale dell'alluvione: *The Florence flood of 1966: a report on the current state of preservation at the libraries and archives of Florence*, «The paper conservator», 29 (2005), p. 15-24: p. 16.
[21] La raccolta comprendeva, salvo poche eccezioni, tutti i giornali editi dal 1861, numerosi periodici del XVIII e della prima metà del XIX secolo, testate italiane stampate all'estero – in particola nelle zone di forte immigrazione italiana – e

raccolta delle miscellanee, la raccolta delle tesi dottorali francesi e tedesche, la raccolta dei duplicati e la collezione dei manifesti a partire dall'Unità d'Italia. Nei magazzini situati al piano terreno rialzato furono invece investiti dall'acqua e dal fango circa la metà del fondo a stampa Magliabechiano, una parte della raccolta delle riviste[22] e una parte delle opere moderne, tra le quali l'intero apparato bibliografico della sala di lettura generale, di quella di lettura dei periodici e dell'ufficio informazioni: sui circa tre milioni di volumi che costituivano all'epoca il patrimonio della Biblioteca nazionale, oltre un milione di unità bibliografiche andarono sott'acqua e un'alta percentuale di esse rimase nel fango dei sottosuoli per settimane[23].

Anche gli strumenti di verifica e di ricerca, collocati al piano terreno rialzato, furono gravemente danneggiati: risultavano alluvionati infatti i cataloghi manoscritti a volume delle collezioni Magliabechiana e "seconda Palatina", i cataloghi a schede per circa i due terzi della loro altezza (quello delle opere moderne dal 1886, quello dei periodici, delle carte geografiche, della musica, delle stampe e inci-

---

anche, grazie ad acquisti e doni, quotidiani e periodici nelle principali lingue straniere, nonché la stampa antifascista clandestina; questo materiale, nel novembre 1966, copriva circa 9 km di scaffalature, dove era conservato parte in pacchi, parte in buste e parte legato in volume.

[22] In Biblioteca nazionale, secondo una definizione della metà dell'800, vengono definite "giornali" tutte le pubblicazioni periodiche senza frontespizio e nelle quali il testo inizia di seguito al titolo, indipendentemente dalla periodicità e dell'argomento: i termini "rivista" e "giornale" individuano quindi in Biblioteca due diverse classi di periodici e due diverse sezioni di magazzino (vedi Sergio Marchini, *Periodici nel fango*, «Biblioteche oggi», 14 (1996), n. 10, p. 25-28).

[23] Difficile fornire numeri certi che quantifichino i pezzi alluvionati relativamente a ciascun fondo: quelli contenuti nei rapporti ufficiali redatti nei primi mesi variano spesso, anche considerevolmente, a causa dell'impossibilità di fare calcoli e distinzioni di fronte a un danno tanto ingente e diversificato, ma anche oggi i numeri forniti dalle fonti ufficiali in occasioni diverse non coincidono; i dati più affidabili sono probabilmente quelli pubblicati sulla pagina dedicata al laboratorio di restauro del sito della BNCF: http://www.bncf.firenze.sbn.it. Se già i numeri provenienti dalla Biblioteca presentano discrepanze notevoli (cfr. Harris, p. 42), dovute in parte probabilmente a criteri di conteggio diversi, la situazione appare ben più grave se prendiamo in considerazione quelli forniti da fonti giornalistiche: come già rilevava Hamlin «extreme caution should be exercised in reading accounts of Italian library damage prepared by art experts or other non-librarians. These are uniformly erroneous, often enormously so» (Arthur T. Hamlin, *Report of a visit to Florence and Rome on behalf of the American Library Association – March 1967* (dattiloscritto), Archivio CRIA, 23, fasc. 2, n. 2).

sioni, quello della Palatina e dei fondi minori, nonché quello per soggetto dal 1925) e gli inventari topografici, sia a volume che a schede, che erano conservati nello scantinato, per un totale di non meno di 8 milioni di schede. Quando ancora non esisteva il catalogo informatizzato, la distruzione o il danneggiamento del catalogo a schede rendeva impossibile il reperimento dei libri nei magazzini e l'orientamento all'interno delle raccolte: la perdita del catalogo rappresentava quindi uno dei danni maggiori fra quelli sofferti dalla Biblioteca e uno dei primi problemi cui mettere mano.

Danni di notevole entità furono riportati inoltre dalla redazione della BNI e con essa dal deposito delle pubblicazioni (le 72 annate del *Bollettino delle pubblicazioni italiane* e le otto della *Bibliografia nazionale italiana*, in numerose copie, nonché le serie delle schede a stampa) e dal centro meccanografico, oltre che dalla piccola tipografia della Biblioteca, collocata nei sottosuoli.

A tutto questo erano da aggiungere i danni sofferti dagli impianti della Biblioteca, resi inservibili (riscaldamento e aria condizionata, centrale termica, posta pneumatica, centralino e rete telefonica interna ed esterna, ascensori, impianti igienici), e dalle attrezzature tecniche e amministrative: uffici, economato, sala di lettura e sala di lettura delle riviste, sala dei cataloghi (per un totale di 24 km di palchetti e 5.000 cassette di schedari), laboratorio di restauro e gabinetto fotografico; oltre a questo – come informano tutti gli elenchi dei danni patiti dalla BNCF – fu perduta un'automobile, una Fiat 1100 parcheggiata nel giardino e visibile in diverse foto della devastazione del post-alluvione. Naturalmente anche l'edificio necessitava di essere risanato dall'umidità – che aveva raggiunto valori altissimi anche ai piani superiori – e di essere sottoposto a disinfezione e restauro, in seguito alle lesioni subite a causa dei fenomeni di assestamento seguiti al ritirarsi delle acque.

Ma al di là dell'ingente patrimonio bibliografico colpito, quella che appare la preoccupazione più forte di Casamassima fin nei suoi primi interventi del dopo alluvione, in una visione complessiva del sistema bibliotecario italiano già fortemente depresso e privo sia di fondi che di elementi di rinnovamento, è il pericolo che in Italia diventasse «ancora più disagevole, con la chiusura della Nazionale, ogni ricerca di livello scientifico» e la «minaccia della paralisi della Biblioteca nazionale come centro di studio e di ricerca scientifica, come istituto bibliografico, il suo scadere dalla funzione che tra molte difficoltà aveva svolto fino ad oggi»[24]: risultavano bloccati infatti il prestito e la lettura in sede e sottratti agli studiosi fondi di capitale importanza, come la più ricca collezione di giornali esistente in Italia, o i fondi antichi che costituivano il nucleo originario dell'istituto; era interrotta inoltre la stampa della BNI e affossato il progetto del catalogo unico[25] a causa della forzata assenza del contributo fiorentino.

I danni ai libri
Passando dalle collezioni ai libri, i danni riportati si dividono in due categorie: da una parte quelli provocati dall'alluvione vera e propria, fra i quali i principali fattori di danno erano stati l'acqua, il fango e la nafta; dall'altra, meno imponenti, ma gravosi per il successivo lavoro di restauro, quelli provocati invece dalle operazioni condotte nelle prime convulse settimane che seguirono il 4 novembre, quando mancava ancora un piano complessivo di recupero del materiale colpito.

In generale poi l'alluvione accentuò o pose maggiormente in evidenza danni o deficienze antecedenti il disastro, numerosi in collezioni poco curate dal punto di vista della conservazione come quelle della Nazionale, e rivelò l'inadeguatezza dei precedenti interventi di restauro.

Per quanto riguarda i danni diretti, bisogna innanzi tutto considerare come l'alluvione, oltre ad avere colpito la struttura dei libri, ne avesse devastato il sistema di segni che permettevano di ricostruirne la storia e di collegarli quindi ai fondi di appartenenza: antiche segnature, note di possesso, *ex-libris*, e, più in generale, l'aspetto esteriore della legatura. Queste caratteristiche, di grande importanza per la generalità dei fondi antichi, lo erano in modo particolare per quelli della Nazionale, dove la perdita di tali aspetti materiali avrebbe non solo compromesso la validità degli studi futuri sulle collezioni stesse – basti pensare alle copie annotate e ai volumi con dediche autografe dell'autore presenti in gran numero nella biblioteca di Magliabechi, dove l'acquisizione di molti volumi era stata frutto di doni, scambi e contatti con amici e corrispondenti – ma avrebbe fatto sì che «interi capitoli, in gran parte ancora da scrivere, della storia culturale e arti-

---

[24] Emanuele Casamassima, *La Biblioteca nazionale dopo il 4 novembre*, «Paragone», 18 (1967), n. 203, p. 34-40: p. 35.
[25] Il Centro nazionale per il catalogo unico, dal 1975 Istituto centrale per il catalogo unico (ICCU), era stato creato nel 1951 con il compito di catalogare, coordinando il lavoro delle principale biblioteche italiane, l'intero patrimonio bibliografico nazionale (cfr. www.iccu.sbn.it)

stica italiana *sarebbero stati* per sempre lacunosi o *sarebbero risultati* offuscati: si pensi alla storia della tipografia, dell'illustrazione del libro, dell'incisione, della legatura del '600 e del '700 italiano, specialmente fiorentino»[26]. Le due collezioni storiche andate sott'acqua, la Palatina e la Magliabechiana, sono infatti molto diverse e, dal punto di vista strutturale, esemplificano due differenti concezioni della legatura: la prima è una raccolta principesca, ricca di volumi da collezione, di monumentali edizioni erudite, che trattano di arte e di scienze naturali, dalla fine Cinquecento sino alla prima metà dell'Ottocento; destinate ad esemplificare la ricchezza materiale e culturale del possessore e a suggerire e accrescere il valore dell'edizione più che a renderne agevole lo studio, le legature, per lo più in piena pergamena rigida con impressioni a oro sul dorso, o, più raramente, in marocchino, con fregi e stemmi, sono concepite in modo omogeneo per integrarsi nell'arredo di una nobile dimora. I volumi appartenuti al Magliabechi offrono invece un ampio panorama sulle edizioni destinate a un pubblico di studiosi e sulle legature pensate per facilitare la lettura: formati più piccoli, minor ricchezza di illustrazioni, legature povere, maneggevoli e leggere, per lo più in pergamena o in carta. Alcuni dei volumi che facevano parte di quest'ultima collezione avevano però subito rimaneggiamenti e rilegature: disponibili al pubblico fin dall'apertura della Biblioteca, avevano infatti patito un'usura maggiore.

I danni, inoltre, erano per lo più concentrati nelle prime e nelle ultime carte, dove si trovano le notizie identificative dell'edizione, e rischiavano quindi di rendere "muto" il materiale che veniva recuperato dal fango, contribuendo a creare una lunga serie di problemi di identificazione.

La carta alluvionata era una carta trasformata, in cui alcune delle primitive caratteristiche risultavano irriconoscibili: la superficie, ad esempio, aveva perso parte della collatura originale ed era stata spesso abrasa a tal punto da rendere meno nitida la stampa: «il veicolo oleoso s'è deteriorato e le particelle carboniose aderiscono alla superficie della carta per mezzo d'altre forze che l'azione adesiva del veicolo: perciò molte di esse si staccano in acqua e l'inchiostro schiarisce»[27].

---

[26] Casamassima, *La Biblioteca nazionale dopo il 4 novembre* cit., p. 35.
[27] Luigi Crocetti – Anthony Cains, *Un'esperienza di cooperazione*, in: *La cooperazione internazionale per la conservazione del libro, incontro di studi organizzato dalla Biblioteca nazionale centrale di Firenze, sotto gli auspici*

Un pericolo analogo era quello della controstampa, particolarmente presente per le stampe calcografiche, dove siamo in presenza di forti concentrazioni di pigmento sulla superficie della carta e dove un suo alleggerimento compromette l'aspetto complessivo dell'immagine. La lunga permanenza in acqua aveva inoltre provocato un'attenuazione dell'indentazione sulla carta dei caratteri di stampa. La carta che mostrò migliori capacità di resistenza fu quella cinquecentesca, specialmente se confrontata con le carte fortemente calandrate del tardo Settecento, carte cioè dalla superficie molto levigata; in genere però la carta antica, caratterizzata da una salda morbida, con feltratura a fibre molto aperte, o la carta da cui la collatura era stata parzialmente asportata dall'acqua, permisero una penetrazione in profondità delle particelle di fango, al contrario delle carte moderne rinsaldate con allume o colofonia, che garantirono un'elevata impermeabilità[28].

Per quanto riguarda i danni meccanici, la maggior parte di essi furono causati dagli urti provocati dall'acqua alluvionale, che aveva spesso scaraventato a terra e confuso nel fango i volumi, soprattutto quelli conservati negli scaffali più bassi, che furono colpiti direttamente dall'onda di piena, anche a causa della violenza con cui l'acqua scendeva dalle finestre nei seminterrati; il materiale conservato nell'ala ovest patì in modo particolare la furia dei vortici creati dall'acqua, non solo al momento del suo ingresso nell'edificio, ma anche quando fu risucchiata fuori dall'edificio nel momento in cui defluì. Molti libri, cadendo, andarono in pezzi e molte furono le pagine strappate o abrase superficialmente; altre volte invece furono forzati a una apertura che ne deformò e forzò gravemente la struttura, appesantita dall'acqua e dal fango; spesso gli sforzi cui la legatura fu sottoposta fecero sì che il filo di cucitura penetrasse nella piega dei fascicoli, danneggiandola per gran parte della lunghezza. Numerose carte strappate, ma anche interi volumi, furono portati dalla piena a toccare il soffitto e furono compressi contro di esso, tanto da proteggerlo, là dove aderirono, dalla nafta, e così fecero anche le schede a stampa della BNI: una volta prosciugati i magazzini, il soffitto appa-

dell'Unesco e del Ministero della pubblica istruzione, Firenze, 12-13-14 marzo 1970, Palazzo dei Congressi, «Bollettino dell'Istituto di patologia del libro Alfonso Gallo», 29 (1970), n. 1-4, p. 27-49: p. 37.

[28] Vedi anche, in proposito, Yash Pal Kathpalia, Restoration of flood-damaged documents: experience at Florence, «Conservation of cultural property in India», 5 (1970), p. 41-46.

riva infatti quasi completamente nero, salvo le "impronte" lasciate dalle carte. Per quanto deturpanti e gravemente oscuranti il testo, le macchie oleose prodotte dalla nafta non furono però troppo numerose, sia perché quest'ultima galleggiava a pelo dell'acqua alluvionale, sia perché il fango aveva creato sui volumi una sorta di bozzolo protettivo, dal momento che la prima onda alluvionale a investire i magazzini della Biblioteca, provenendo direttamente dal fiume, era carica di detriti ma relativamente pulita rispetto a quella che raggiunse i libri al momento del deflusso, che invece, arrivando dalla città, era sporca e inquinata[29].

I giornali e le riviste erano, per la maggior parte, conservati impacchettati e quindi il fango e i detriti trasportati dall'acqua alluvionale si arrestarono sulla carta che li avvolgeva o si concentrarono sulle carte più esterne. I problemi per questo tipo di materiale venivano essenzialmente dalla cattiva qualità della carta utilizzata per i quotidiani e dalla forte patinatura che caratterizzava invece quella utilizzata per le riviste: le acque alluvionali dilavarono infatti in gran parte la collatura e il coibente che struttura la carta a base di polpa di legno, rendendo particolarmente fragili questi oggetti, soprattutto lungo i margini e in corrispondenza della prima e dell'ultima pagina.

I volumi e i pacchi di giornali inoltre, a causa della prolungata permanenza nell'acqua stagnante nei sottosuoli e della loro elevata igroscopicità, si gonfiarono molto modificando la loro posizione sullo scaffale, sollevandosi e formando una sorta di fisarmoniche, esercitando così un'elevata pressione sulle scaffalature, che si deformarono e spesso si spaccarono, facendo cadere a terra tutti i volumi[30]. Gli scaffali metallici usati in Biblioteca terminavano inoltre, a entrambe le estremità, con una sorta di reggilibro che aveva al centro un foro di forma ovale: i volumi adiacenti, soprattutto se legati in

---

[29] Secondo le parole di Rita Powell (vedi p. 210.): «The peculiar type of clay that hit the National Library was of almost ceramic quality. A kind of porcelain crust saved the volumes from contamination by the later flow of oil (and preserved in almost pristine state the tightly packed card file of the Library's general catalogue)» (Alfred Friendly, *A labour of love in the stacks of Florence*, «Washington Post», 15 gennaio 1967, p. E5).

[30] In generale si stima che libri anteriori al 1840 assorbano acqua fino a circa un 80% del loro peso originale. I libri moderni assorbono invece acqua fino a circa un 60% del loro peso (vedi Peter Waters, *Procedures for salvage of water-damaged library materials*, Washington: Library of Congress, 1975, testo che ha visto una seconda edizione nel 1993).

171

pergamena, si degradarono perciò in modo molto caratteristico in corrispondenza del passaggio dell'acqua attraverso questi fori.

Notevoli rigonfiamenti si ebbero anche nei cartoni che, avendo un comportamento diverso rispetto alla pergamena, alla tela o alla pelle che li ricopriva, si distaccarono dal volume e spesso persino dal materiale di copertura. Anche il cartone, sebbene più sottile, che formava i dorsetti delle legature moderne – caratterizzate dall'immobilità del dorso, bloccato dalla grande quantità di adesivo utilizzato – gonfiandosi andò a esercitare una forte pressione in corrispondenza delle strutturalmente già deboli cerniere e i dorsi quindi si staccarono, spesso di netto. Il fatto che carte e cartoni gonfiassero più della coperta faceva sì che i dorsi tendessero ad assumere una forma concava e il taglio anteriore una convessa.

Nelle carte geografiche la presenza di diversi materiali che reagiscono differentemente all'azione dell'acqua (carta del documento, carta dei rattoppi, tela) provocò ugualmente gravi pieghe e ondulazioni.

Per quanto riguarda le carte colorate si verificò un forte fenomeno di discolorazione e di trasferimento dei pigmenti alle carte adiacenti, poiché l'acqua ne aveva disciolto i leganti. Fra questi fenomeni, quello più vistoso fu lo scolorimento dei tagli colorati, soprattutto dell'ultimo quarto dell'Ottocento, che contenevano con ogni probabilità aniline[31]. Anche i segnalibro colorati e le carte inserite all'interno dei volumi da studiosi e bibliotecari dettero origine a macchie di difficile rimozione; fra queste le schede colorate con cui venivano richiesti i libri in lettura o in prestito, spesso utilizzate come segnalibro e poi dimenticate fra le pagine del volume.

La prolungata permanenza in acqua provocò poi spesso un indebolimento degli adesivi utilizzati nella legatura, contribuendo così al fenomeno dei "mattoni", come vennero chiamati i volumi trasformati in blocchi compatti e rigidi, apparentemente indivisibili, dall'amalgama formato dalla collatura delle carte, dalla nafta, dalla segatura utilizzata nei primi momenti nel tentativo di asciugarli e dal fango o dalla muffa che ne avevano completamente impregnato le carte: il tutto solidificato dall'aria calda utilizzata nel processo di es-

---

[31] Le aniline, primo colorante organico di sintesi, furono prodotte nella seconda metà dell'Ottocento dopo che, nel 1856, William Henry Perkin (1838-1907) aveva casualmente sintetizzato la porpora di anilina, o mauveina; la fiorente industria cui dettero rapidamente vita le vide utilizzate anche nella decorazione dei libri.

siccazione. I casi più gravi di "mattoni", per i quali si sta ancora studiando una soluzione[32], sono quelli dei volumi con carte patinate di cui si è compattato il trattamento superficiale.

Se queste furono le conseguenze dell'alluvione sulla carta, ancora più gravi furono gli effetti sulla pergamena, più suscettibile all'attacco biologico e soggetta a maggiori deformazioni al variare di temperatura e umidità; la permanenza nell'acqua alluvionale infatti, nonché il lavaggio in acqua corrente talvolta effettuato nelle disordinate operazioni di recupero dei primi mesi e l'esposizione all'aria calda utilizzata per l'essiccazione, provocarono distorsioni e deformazioni tali da causare cambiamenti di dimensione di alcuni centimetri, nonché, nei casi più gravi, una denaturazione delle fibre di collagene in gelatina.

Dalla pelle delle coperte si trasferirono invece per mezzo dell'acqua al blocco delle carte e ai volumi adiacenti – qualunque fosse il materiale delle loro coperte – le sostanze concianti, che provocarono macchie molto scure che, oltre ad essere caratterizzate da un'elevata acidità, oscuravano spesso completamente la scrittura, andandosi a sommare alle macchie deturpanti prodotte dalla nafta. Fu possibile rimuoverle soltanto con l'uso di agenti sbiancanti ossidanti e, per quanto riguarda la nafta, attraverso lunghe operazioni con solventi. Anche la pelle utilizzata come supporto di cucitura dette origine al medesimo tipo di problemi, oltre a diventare estremamente fragile e friabile.

Il fango depositato sui volumi rimase per lo più all'esterno, ricoprendoli e penetrandone all'interno solo limitatamente, in una sorta di piccoli rivoli fangosi; nei casi in cui andò però a formare una specie di blocco compatto, rese fragili le carte perché, quando il fango secco si rompeva, fendeva la carta.

Non solo i volumi che erano stati immersi nell'acqua, ma anche quelli che erano collocati sugli scaffali più alti del piano terreno rialzato e che non erano stati quindi toccati direttamente dalle acque alluvionali, assorbirono molta umidità, venendo a formare un pericoloso terreno di coltura per le spore fungine, favorito dalla presenza di aria ferma. Di fronte all'ampiezza e alla varietà dei danni, fu proprio l'attacco microbico ad essere sentito fin dall'inizio come il rischio

---

[32] Oggi si stanno ottenendo dei buoni risultati attraverso il processo di *deep-freezing*, secondo una tecnologia sviluppata a partire dagli anni Settanta.

più pericoloso, come un danno «totale»[33]. Il lavoro di contrasto fu favorito dalle rigide temperature invernali nei mesi che seguirono l'alluvione, ma proprio per questo era fondamentale la velocità di intervento, perché era necessario porre un argine stabile al proliferare di funghi e batteri prima che migliorasse il tempo, per evitare la potenziale azione catalizzatrice fornita dal caldo.

Per quanto riguarda le schede dei cataloghi, quelle che furono trattenute all'interno delle cassette non subirono gravi danni, tranne i depositi di fango lungo i margini e qualche sbavatura, perché rimasero pressate le une contro le altre, mentre quelle che furono trascinate dall'acqua risultarono gravemente dilavate.

I danneggiamenti provocati invece dalle prime improvvisate operazioni di recupero, derivarono per lo più da interventi che, condotti dalle mani di specialisti, non avrebbero arrecato alcun danno al pezzo in lavorazione, ma che essendo effettuati dalle mani generose ma inesperte di studenti e volontari, in condizioni spesso proibitive e in gran fretta, diventavano molto pericolosi. Strappi e lacune furono provocati dal maneggiare i volumi bagnati e resi pesanti e fragili dall'acqua e dal fango, nonché dagli interventi di smontaggio e interfoliazione condotti nel tentativo di asciugare più velocemente i volumi, nello sforzo di contrastare la proliferazione delle muffe; numerosi furono ad esempio i danni alla piega, perché a volte, nel distaccare le coperte con troppa fretta, il filo di cucitura passò attraverso alle carte. Talvolta i tagli furono sottoposti a una pulizia a secco troppo intensa ed effettuata con strumenti sbagliati perché abrasivi; spesso si assistette inoltre alla perdita di notizie riguardanti elementi strutturali e alla mancata o incompleta annotazione della segnatura o dei dati relativi al libro sulla coperta distaccata, così da rendere poi impossibile il ricongiungimento della legatura al volume.

Anche l'uso della segatura, se assorbì parte della gelatina liberata dall'acqua e se, eliminando l'eccesso di liquidi, garantì ai pezzi alluvionati una buona consistenza che permise di maneggiarli più agevolmente, lasciò depositi importanti fra le carte, che hanno poi richiesto un lungo e paziente lavoro di aspirazione da parte dei tecnici che ne hanno affrontato il restauro. Oltre alla segatura, ma in misura

---

[33] Emanuele Casamassima, *Introduzione*, in: *La cooperazione internazionale per la conservazione del libro* cit., p. 19-20.

minore, fu utilizzata allo stesso scopo la cosiddetta "polvere di micio"[34], ancora più difficile da rimuovere per la sua volatilità.

Alcuni casi di proliferazione di muffe – che furono comunque molto contenuti e concentrati per lo più immediatamente all'interno delle coperte – furono causati dal fatto che i volumi recuperati dai magazzini furono nei primi periodi disposti in terra – in Biblioteca in attesa di essere trasferiti, o altrove in attesa di essere smontati e lavati – in un'atmosfera tiepida, senza alcun controllo, mentre l'uso ripetuto nell'interfoliazione della medesima carta assorbente rappresentò un veicolo di contaminazione fra i volumi.

Il calore utilizzato poi nei processi di essiccazione – aiutato dal fatto che i libri venivano generalmente essiccati in piedi – provocò affioramenti di colle e gelatina, soprattutto nelle carte iniziali e finali dei fascicoli, nonché una eccessiva disidratazione della carta, resa così estremamente fragile, e alcuni imbrunimenti, fortunatamente soltanto temporanei poiché con il lavaggio questo genere di danno tende normalmente a scomparire; spesso tali imbrunimenti formavano degli strani disegni sui tagli e sulle prime carte, dovuti alla forma delle rastrelliere su cui erano stati disposti i volumi; il calore utilizzato nei processi di essiccazione provocò inoltre ulteriori danni alle coperte in pelle o pergamena, che risultarono distorte o contratte. Sempre ai processi di essiccazione è da imputare «l'ingommatura degli orli con una mistura di gelatina, fango, segatura, etc.»[35] che provocò danni ai tagli quando le carte furono aperte prima di una corretta rimozione di tale deposito superficiale e di un adeguato inumidimento dei margini.

Il fatto poi che i primi lavaggi fossero stati effettuati in vasche non protette contro l'ossidazione provocò talvolta macchie di ruggine sulle carte, mentre altre macchie della stessa natura furono prodotte dal contatto con gli scaffali, con gli arnesi usati durante l'essiccazione e con le grappette metalliche talvolta utilizzate per mantenere in posizione i frammenti.

---

[34] Veniva così chiamata la steatite, utilizzata normalmente dai sarti per segnare i tessuti, ma anche come materiale assorbente per le macchie di unto.
[35] Crocetti – Cains, *Un'esperienza di cooperazione* cit., p. 31.

3.3 Le prime operazioni di recupero

Agli occhi di Casamassima e dei suoi collaboratori il pericolo più grande da scongiurare per la sopravvivenza del patrimonio alluvionato fu prevenire disastrosi attacchi microbici e arginare i danni che potevano essere provocati da una prolungata permanenza del materiale librario in ambienti in cui l'umidità sfiorava il 100%, preoccupandosi solo in seconda istanza dei danni fisici alle carte e alle legature. Fu una grande intuizione, che permise l'organizzazione su vasta scala delle operazioni di recupero del materiale alluvionato e, in ultima istanza, la sua salvezza. Innanzi tutto bisognava quindi prelevare tutto l'alluvionato dai magazzini, avviarlo alla pulitura e all'essiccazione nel più breve tempo possibile, proteggerlo con un fungicida in modo da arrestare l'attecchimento e la crescita dei microrganismi – considerato anche che sarebbe stato molto difficile conservarlo in condizioni controllate di umidità e temperatura nei mesi successivi – e poi organizzare un lavoro di restauro a lungo termine, oltre che un rapido recupero del catalogo: tutto questo andava fatto intraprendendo operazioni che non potevano essere confortate da alcuna letteratura e da alcuna esperienza precedente[36]. Secondo il parere della grande maggioranza dei testimoni sono da attribuire a Casamassima alcune delle decisioni che permisero poi il restauro e il recupero definitivo di gran parte di quel materiale che ai soccorritori appariva a malapena riconoscibile: ad esempio la scelta di lasciare ampio spazio ai volontari, l'uso degli essiccatoi esterni e la stretta e fattiva collaborazione con gli esperti stranieri accorsi in aiuto alla Nazionale, tedeschi prima, inglesi poi.

Il problema principale era trovare il modo di recuperare il materiale bibliografico dal sottosuolo, un ambiente, dopo il retrocedere delle acque, senza luce, senz'aria, freddissimo e pericoloso, dove era difficile camminare e dove i libri si erano trasformati in blocchi grondanti di fango. La soluzione, estremamente semplice, fu la catena umana, espediente utilizzato poi anche altre volte quando è stato necessario fronteggiare gravi pericoli in biblioteca, come a Sarajevo

---

[36] Luigi Crocetti (vedi p. 191) ricorda che «il problema era, per i bibliotecari, di non sbagliare l'intervento e d'improvvisarsi organizzatori d'un sistema di salvataggio. Più ci allontaniamo nel tempo da quei primissimi giorni dopo la piena e più pensiamo ch'essi furono i decisivi dal punto di vista della possibilità di conservazione del materiale» (Crocetti – Cains, *Un'esperienza di cooperazione* cit., p. 28).

nel 1993, quando sotto il tiro dei cecchini serbi in questo modo i volontari salvarono centinaia di libri dalle fiamme. Tortuose e sinuose, le linee di esseri umani cominciarono a penetrare nei magazzini fin dal 6 novembre: alle loro estremità ragazzi, ma anche alcuni professori, come Giovanni Miccoli – la cui figura mentre affronta la terribile fatica dell'inizio della catena è rimasta impressa nella memoria di Baglioni – con solo un fazzoletto sul viso, immersi nella melma e nei detriti fino al ginocchio o anche alla cintura, che, raggiunti i primi scaffali, deponevano i libri nelle mani delle persone vicine, e così avanti fino a far loro raggiungere i piani superiori, attraverso centinaia di passaggi.

Per molto tempo rimasero infatti impraticabili le strette rampe di scale che portano direttamente nei magazzini, cosicché le principali vie d'accesso erano le due grandi scalinate che portano dai due cortili interrati al piano terra, con il risultato che talvolta, non essendo praticabile un percorso più diretto, fu necessario far passare i libri attraverso catene lunghissime, in continuo adattamento. Le condizioni iniziali erano proibitive fino all'arrivo, dopo qualche giorno, di maschere, stivali, guanti e tute[37].

Chi estraeva i libri gonfiati dall'acqua doveva spezzare le scaffalature in metallo, operazione che richiedeva una grande forza fisica, e poi, alla scarsa luce che filtrava dalle finestre rotte al livello della strada, prendere i blocchi di fango che nascondevano i libri e inviarli verso l'alto. Ci voleva coraggio – con il passare dei giorni cresceva anche la paura delle malattie – e ostinazione, ma tutto veniva fatto con grande entusiasmo ed estremo buonumore: nelle parole di un docente americano venuto da Bologna contenute nel documentario di Zeffirelli, che rimane una delle testimonianze più eloquenti dell'alluvione e che dedicò molto spazio alla BNCF, «This *is* the thing for civilized people to do». Se nei primi giorni è il silenzio dello sbigottimento la cifra delle catene[38], con il passare dei

---

[37] «Nei sottosuoli della biblioteca, in catena, quasi al buio, incespicando riportavamo all'asciutto, si fa per dire, pacchi maleodoranti, gocciolanti acqua, fango, gasolio, [...] vedevamo fogli a stampa appicciati ai soffitti, scaffali piegati, mobili sventrati, [...] ci muovevamo, coi nostri abiti inadeguati, in quell'universo di gelo, di tanfo, di schizzi di mota», così descrive le catene nei magazzini seminterrati Sergio Marchini, all'epoca giovane studente, poi impiegato in BNCF, in *Periodici nel fango* cit., p. 24.
[38] «Nessuno si lamenta: studenti e ragazze, in stivali e maglioni, con il fango fino nei capelli, impiegati e funzionari, lavorano in silenzio, perché nessuna energia vada sprecata. Il direttore della Nazionale, Casamassima, sembra un ge-

giorni i giovani cantano in coro, mentre i libri lentamente risalgono dai sottosuoli.

Nei passaggi lungo le catene si fece molta attenzione – seguendo le istruzioni di Casamassima – a mantenere i volumi chiusi, senza rimuovere il fango, per non danneggiarli ulteriormente[39]. I primi volumi che giunsero dai sottosuoli ai piani alti furono i grandi formati magliabechiani e palatini che, per il loro pregio, erano stati collocati durante il trasloco del 1935 nei magazzini con la migliore accessibilità: nei sottosuoli delle torri librarie, immediatamente afferenti al retro della sala di distribuzione. Portati al piano terra, fin dal 7 novembre questi libri furono accatastati negli spazi della sala distribuzione liberati dal fango, formando grandi isole di materiale impilato, intorno alle quali erano stati lasciati liberi dei corridoi per permettere il passaggio delle persone. Con il mezzo delle catene i libri venivano portati anche al primo piano e nel chiostro brunelleschiano, dove venivano esposti all'aria aperta.

Oltre ai libri le catene passavano secchi pieni di fango liquido, nel tentativo, in apparenza disperato, di liberare i sotterranei dalla quantità ingente di fango che l'alluvione vi aveva depositato. Nei magazzini permaneva una tale quantità d'acqua che domenica 13 novembre fu trovato un pesce vivo; anche in questo caso l'evento fu accolto con gioia e l'animale assurse a simbolo della vitalità della Biblioteca. Al primo piano, nella sala di consultazione bibliografica, fu esposto un cartello con un disegno che lo rappresentava e la scritta: «Mi hanno trovato gli studenti con gli operai domenica 13 nei magazzini. Se non sono morto io... non morirà neppure la Biblioteca Nazionale Centrale!»[40].

---

nerale in campo di battaglia. Tutti gli si affollano intorno, chiedendo le cose più impensate: corde, carrucole, segatura, candele» (Giovanni Grazzini, *Si calano nel buio della melma per amore dei libri di Firenze*, «Corriere della sera», 10 novembre 1966, p. 3).

[39] Sydney Cockerell (vedi, in questo capitolo, il paragrafo 5), in *First aid for Florence*, «Archives», 8 (1967), n. 37, p. 24-25, testo ampliato poi in *The race to save the books of Florence*, in «Cambridge news», 4 febbraio 1967, definisce un colpo di genio del direttore quello di stabilire che i libri non dovessero essere aperti, perché questa scelta evitò che il fango entrasse dentro i libri; il giudizio era condiviso anche dagli altri inglesi che parteciparono alle operazioni di recupero, come più volte da loro affermato.

[40] Una foto di David Lees, conservata nella collezione fotografica relativa all'alluvione della BNCF, ha immortalato il cartello (vedi Di Renzo, *Il luogo e la memoria* cit., p. 410, foto n. 562). Il pesce viene identificato come un barbo in Aristide Selmi, *Firenze un anno dopo il diluvio*, «La Domenica del Corriere», 63

Un evento importante per stabilire la cronologia degli eventi fu la visita del giovane Edward Kennedy, già senatore del Massachussets. Dopo aver fatto tappa a Venezia la mattina di quello stesso giorno, mercoledì 16 novembre giunse a sera alla BNCF, accompagnato da uno stuolo di giornalisti e dignitari, incluso il sindaco Bargellini. Oltre alle fotografie che ritraggono il politico statunitense mentre incontra studenti americani imbrattati di fango – che si trasferisce sul suo impeccabile soprabito – lo stesso Kennedy lasciò in un ricordo successivo una descrizione eloquente della scena, che pare quasi una discesa agli inferi[41]:

I remember I was in Geneva at a conference on refugees and I wanted to see what had occurred, so I flew in to Florence for the day. I got to the library about 5 p.m. and I looked down into the flooded area. There was no electricity and massive candles had been set up to provide the necessary light to rescue the books. It was terribly cold and yet I saw students up to their waists in water. They had formed a line to pass along the books so that they could be retrieved from the water and then handed on to a safer area to had preservatives put on them. Everywhere I looked in the great main reading room, there were hundreds and hundreds of young people who had all gathered to help. It was if they knew that this flooding of the library was putting their soul at risk. I found it incredibly inspiring to see this younger generation all united in this vital effort. It reminded me of the young people in the United States who responded with the same determination as they became involved in the civil rights movement. I was still shivering as I boarded the plane that took me back

---

(1967), n. 43, p. 23-33: p. 30. L'episodio è raccontato anche da Luigi Balsamo, nella sezione *Notizie* de «La Bibliofilia», 68 (1966), n. 3, p. 323-325, sotto il titolo *La Biblioteca nazionale di Firenze e l'alluvione del 4 novembre 1966*, riproposto per il quarantennale col titolo *Dall'interno della Nazionale fiorentina*, «La Bibliofilia», 108 (2006), n. 2, p. 181-183: p. 181.
[41] Questa dichiarazione di Edward M. Kennedy (1932-2009) è stata pubblicata, anche in traduzione italiana, in occasione dei vari decennali dell'alluvione (vedi, per tutte, la più recente: Messeri – Pintus, *4 novembre 1966: l'alluvione a Firenze* cit., p. 78-79). Purtroppo nessuno indica la fonte originale del testo in questione che, nonostante molte ricerche, non è stato possibile individuare. La BNCF conserva fotografie della visita di Kennedy e di Moro: vedi Di Renzo, *Il luogo e la memoria* cit., p. 304, foto n. 336 (scatto di David Lees) e p. 488-489, foto n. 710-712 (scatti dell'agenzia fotogiornalistica Gieffe). Per un resoconto giornalistico della visita del senatore statunitense, che identifica come Sylvia Fosser la studentessa americana cui Kennedy strinse la mano, vedi Arturo Gomondi, *Proteste a Firenze: le razioni non bastano, la gente ha fame*, «Paese sera», 17 novembre 1966, p. 10.

to Geneva, but I couldn't stop thinking of the impressive solemnity of that scene – of all those students, oblivious to the biting cold and the muddy water, quietly concentrating on saving books in the flickering candlelight. I will never forget it.

Qualche giorno dopo, venerdì 18 novembre, la BNCF riceveva un'altra visita, quella del presidente del Consiglio Aldo Moro. Questa volta la reazione fu meno entusiasta, anche a causa della polemica per il ritardo con cui Moro era venuto a visitare la città alluvionata. La cronaca de *L'Unità* ricorda la reazione ci alcuni studenti volontari che si misero a cantare *Biancofiore* mentre Moro, seguito da un lungo codazzo di politici e giornalisti, si soffermava a osservare le operazioni realizzate nei piani alti dell'edificio[42].

Pur lavorando con un ritmo intenso e con centinaia di persone a disposizione, ci volle un mese intero per liberare i magazzini del sottosuolo di tutto il materiale bibliografico alluvionato e fu solo ai primi di dicembre che i magazzini apparvero vuoti ai rappresentanti dei comitati stranieri che venivano a visitare la Nazionale[43].

Se nei primissimi giorni i volumi venivano accatastati nelle zone libere della Biblioteca e nel chiostro, a una settimana dall'alluvione, quando le strade erano più libere e diventava possibile utilizzare mezzi di trasporto pesanti, le catene indirizzavano il materiale direttamente fuori dall'edificio, ai camion parcheggiati in piazza, davanti all'ingresso principale, e in via Magliabechi, davanti a quello secondario, pronti a portare i loro carichi a essiccare in diverse parti d'Italia[44]. Ma se nei primi momenti il materiale alluvionato fu porta-

---

[42] «Si è diretto in Biblioteca Nazionale, sulle orme di Edward Kennedy. Dagli scantinati, gli studenti che lavoravano nel fango gli hanno gridato con aspro sarcasmo: «Non scenda giù che si sporca!». Poi, per scherno, hanno intonato: «O bianco fiore, simbolo d'amore ... ». Moro ha mormorato: «Non voglio disturbare». E se ne è andato» (Arminio Savioli, *Moro per poche ore a Firenze in visita semiclandestina*, «L'Unità», 19 novembre 1966, p. 3).

[43] Nixon, in visita a Firenze dal 4 al 6 dicembre, racconta che proprio in quei giorni venivano portati fuori dai magazzini gli ultimi libri e venivano caricati sui camion in attesa sul piazzale antistante la Biblioteca (cfr. Nixon, *British aid for Florence* cit.).

[44] Sul *Corriere della sera* del 10 novembre Giovanni Grazzini registrava già la presenza di cinque camion militari parcheggiati di fronte all'ingresso principale della Biblioteca, dove le catene fanno arrivare i libri prelevati dal magazzini: il loro utilizzo è quindi documentato almeno dal 9 novembre, quando – secondo l'uso del tempo – il giornalista dettò per telefono alla redazione il suo articolo (*Si calano nel buio della melma per amore dei libri di Firenze* cit.).

to in superficie soltanto attraverso le catene, a partire dagli ultimi giorni di novembre, il lavoro di svuotamento del sottosuolo venne velocizzato e razionalizzato attraverso l'uso di scale meccaniche, che portavano il materiale residuo dal sottosuolo all'aperto, attraverso le finestre che danno sulla strada, e talvolta direttamente nei camion[45].

Lo sforzo organizzativo fu enorme e assai complesso: accanto al coordinamento dell'estrazione del materiale alluvionato dai magazzini e del suo caricamento sui camion e alla predisposizione di una vigilanza continua di uomini in divisa, che sorvegliassero i magazzini aperti e il materiale alluvionato facilmente accessibile in giro per la Biblioteca, era necessario preoccuparsi dell'organizzazione di una scorta, dello scaricamento nelle stazioni di arrivo di tale materiale e della sorveglianza *in loco*, nonché procurare vitto, alloggio e assistenza medica a centinaia di persone[46].

Mentre le idrovore pompavano via l'acqua dai seminterrati, Casamassima riuscì a organizzare le aree asciutte della Biblioteca e quelle che via via venivano ripulite dal fango al piano terra, per sistemarvi i libri estratti dai magazzini. Fu così che in breve tempo tutti gli spazi disponibili furono occupati da volumi divisi grossomodo secondo categorie bibliografiche, che venivano lavorati in ambienti diversi secondo modalità talvolta differenti, anche se fin dai primi giorni molti dei pezzi alluvionati vennero portati lontano, per lo più all'indirizzo di laboratori artigiani che si resero immediatamente disponibili.

Il materiale di maggior pregio fu subito avviato infatti a laboratori di restauro di fama, fra cui quello dell'ICPL e quello della Badia di Grottaferrata[47], ma questi laboratori si rivelarono presto saturi e ben

---

[45] Vedi Di Renzo, *Il luogo e la memoria* cit., p. 572-573, foto n. 886-889: scatti dell'allora fotografo della BNCF Guido Sansoni (1928-1988).

[46] Le spese di vitto e alloggio furono coperte, fino al tutto il 1967, con i 40 milioni raccolti dal *Corriere della sera*; la Biblioteca, per opera di Manetti, riuscì anche ad assicurare una copertura assicurativa a coloro che lavoravano alle catene, tramite l'Ufficio del lavoro di viale Giovine Italia.

[47] Presso il monastero esarchico di Santa Maria di Grottaferrata, in provincia di Roma, fu fondato, nel 1931, il «Laboratorio di restauro del libro antico» per iniziativa della Direzione generale delle accademie e biblioteche del Ministero dell'educazione nazionale, in seguito all'iniziativa di p. Nilo Borgia (1870-1942), che aveva dato origine a un laboratorio deputato al recupero non solo dei volumi di proprietà dell'abbazia stessa, ma anche di altri istituti. Fu dalla collaborazione con i monaci di Alfonso Gallo (1890-1952), dal 1926 ispettore superiore bibliografico della Direzione generale delle accademie e biblioteche, che nacque il progetto dell'Istituto di patologia del libro, poi dislocato a Roma, di

lontani dall'essere sufficienti al restauro di tutto il materiale alluvionato, anche solo di quello più prezioso.

Fu proprio un gruppo di monaci di Grottaferrata, all'epoca fra i massimi esperti in Italia di restauro librario, a Firenze già l'8 novembre, a consigliare di utilizzare l'interfoliazione come mezzo più efficace e più sicuro di deumidificazione del materiale alluvionato. Al loro intervento seguì quello della famiglia tedesca Heiland, formata da tre restauratori di libri – Hans, il figlio Stefan e l'assistente Siegfried Leitloff – che lavoravano a Stoccarda, che contribuì all'organizzazione delle prime operazioni di recupero, commettendo però l'errore di fidare troppo nell'abilità dei volontari a portare a termine compiti teoricamente corretti ma al di là delle capacità e conoscenze a loro disposizione.

Le operazioni condotte nei primi giorni sui volumi appena estratti dai magazzini, che si svolsero inizialmente all'interno dell'edificio della Biblioteca, sono documentate e descritte soprattutto dalla ricca raccolta di fotografie che la BNCF conserva come archivio. Sono scatti realizzati in prevalenza da fotografi di professione, ma anche da volontari ed esperti dei comitati stranieri e italiani, di cui sono state donate stampe nei mesi e negli anni che seguirono[48]. A questa documentazione si aggiunge una bibliografia relativa a fotografie che rappresentano la Biblioteca apparse nei resoconti dell'epoca (oppure nelle varie ricorrenze) e nei molti *instant book* che apparvero a breve distanza dal disastro. Immagini ancora sconosciute esistono poi negli archivi che conservano il portfolio di alcuni fotografi che lavoravano all'epoca: qui la difficoltà principale sta nel fatto che la catalogazione delle fotografie, di solito scarna,

---

cui Gallo fu direttore dalla fondazione, nel 1938, al 1952. L'intervento di restauro più famoso realizzato dal monastero è stato quello del Codice atlantico di Leonardo da Vinci, portato a termine tra il 1962 e il 1972. Per maggiori notizie e per una bibliografia sull'abbazia italo-bizantina vedi www.abbaziagreca.it.

[48] A questo proposito vedi Elisa di Renzo, *Fotografare l'alluvione: un'esperienza di studio e catalogazione della raccolta fotografica conservata dalla Biblioteca nazionale centrale di Firenze*, «Biblioteche oggi», 22 (2004), n. 8, p. 43-49, oltre che Di Renzo, *Il luogo e la memoria* cit. Tali foto furono raccolte da Baglioni, che si occupò di realizzare una sorta di archivio della memoria, costituito appunto dalla collezione delle foto, ma anche dalla rassegna stampa fatta di ritagli di giornali, italiani e stranieri, che ancora si conserva presso la BNCF e che parte dal 17 novembre 1966: si trattò di un tentativo di fissare eventi sentiti come unici e irripetibili perché fossero tramandati, tentativo in gran parte frustrato dalla mancanza, durante le direzioni successive, di una seria politica di conservazione della memoria dell'evento (vedi anche Harris, p. 40-44).

raramente identifica la BNCF, per cui per identificarle diventa necessario visionare l'intera collezione, affrontando problemi di accesso e fruibilità.

La documentazione visiva conservata presso la BNCF rivela molto su queste operazioni della "prima fase", relativa essenzialmente al mese di novembre, in cui il *modus operandi* cambiò continuamente, tentando lavorazioni inedite e spesso improvvisate[49], finché, con il mese di dicembre e l'avvio di una "seconda fase", non si impose una filosofia unica di restauro che fece sì che tali operazioni si stabilizzassero in una sequenza di lavorazione costante.

Al piano terra della Biblioteca, nella sala di lettura generale e nella sala di lettura dei periodici, i volumi recuperati dai magazzini e

---

[49] Fra i tentativi di recupero improvvisati nei primi giorni, Mario Giunti, aiuto bibliotecario, che prima dell'alluvione lavorava nella sala di lettura pubblica e che nel 1967 fu assegnato all'Ufficio ordinamento inventario magliabechiano e palatino, riporta quello di «un estroso professore di Milano che si disse fiducioso di aver trovato un metodo efficace per asciugare le pagine delle opere alluvionate. Consigliò di adoperare un materiale poroso col quale a Lucca si confezionavano le "statuine" che avevano la caratteristica di cambiare colore, dal rosa all'azzurro, quando stava per piovere. Quando, dopo qualche giorno, si riuscì a trovare il materiale necessario, furono apprestati una decina di bidoni dentro i quali vennero posti numerosi volumi e vi furono gettate palline porose fino a ricoprirli. I bidoni vennero chiusi ermeticamente. Passarono quarantotto ore, dopo che vennero riaperti. L'esperimento fallì. Le palline porose avevano assorbito l'umidità cambiando colore, ma i libri erano tanto impregnati d'acqua e ci volevano ben altri mezzi per asciugarli!» (Mario Giunti, *Alluvione: una cronaca*, «Pensiero ed arte», 41 (1986), n. 2, p. 14-20; n. 3, p. 27-32; n. 4, p. 13-17: n. 3, p. 31). Si trattava probabilmente di silica gel, proposto non solo da singoli professori, ma anche da una ditta produttrice, la Grace di Passirana di Rho, in provincia di Milano, il cui rappresentante il 26 novembre si diceva dispiaciuto del fallimento dell'esperimento di asciugatura con tale materiale e lo attribuiva al fatto che i libri erano incrostati di fango e avvolti in carta assorbente – condizioni queste che rallentavano la velocità del processo – e che si erano attese solo 48 ore invece degli indispensabili 10-20 giorni (vedi Archivio BNCF, 1304). Numerose furono le ditte e i privati che suggerirono tecniche e materiali per l'asciugatura e la disinfezione, talvolta inviandone dei campioni, fra novembre e dicembre; fra questi il Mystox LPL (laurato di pentaclorofenile al 5% in acqua ragia minerale), inviato dall'inglese Catomance Ltd., che lamentò poi un suo uso non tempestivo, e il lavaggio a ultrasuoni e successiva essiccazione sottovuoto, che, secondo Ermanno Morandi, dell'Ufficio brevetti di Modena, che lo proponeva a Casamassima nel novembre del 1966, avrebbe permesso di portare «il libro stesso alle condizioni non pre-alluvionali ma immediatamente post-editoriali» (vedi la lettera del 30 novembre 1966 conservata in Archivio BNCF, 1302).

distribuiti in terra, ovunque vi fosse spazio disponibile, vennero coperti, nel tentativo di facilitarne l'essiccazione, di segatura e, meno
frequentemente, della cosiddetta polvere di micio. Anche il suolo
della Biblioteca fu cosparso di segatura e di trucioli di legno, che ben
presto arrivarono a coprire il pavimento del piano terra, dei piani superiori e dell'ingresso all'edificio, sia sulle scale che sotto il loggiato. Talvolta per velocizzare l'asciugatura – così come venne fatto in
tante altre biblioteche fiorentine – i volumi bagnati, in terra o sopra
scaffalature di fortuna, furono posti in piedi o appoggiati sul taglio
anteriore, con i piatti discosti e le carte aperte a ventaglio, per favorire il drenaggio dell'eccesso di acqua presente nei volumi e anche
perché fosse maggiore la superficie esposta all'aria, così da impedire
una rapida proliferazione delle muffe. Per far questo furono utilizzate
tutte le superfici disponibili, ma in modo particolare i pavimenti, i
tavoli e le sedie delle due sale di lettura del piano terreno, dove furono sistemati, oltre ad alcuni dei volumi recuperati dai magazzini,
quelli che appartenevano all'apparato bibliografico delle stesse sale
di lettura.

Sempre al piano terra, nei corridoi che uniscono l'edificio originale all'ala nuova realizzata su via Magliabechi, fu installato un essiccatoio alimentato da quattro potenti aerotermi forniti dall'Euratom
di Ispra, che lavorò fino a tutto il mese di gennaio del 1967.

Nella sala cataloghi vennero installati invece due grandi riscalda-
tori a cherosene, di fabbricazione tedesca, capaci di produrre un forte
grado di calore, in modo da ottenere una più veloce asciugatura del
materiale in lavorazione e una pronta deumidificazione della sala,
che era stata raggiunta dalla piena. Qui si procedette in modo particolare al recupero dei cataloghi a schede[50]:

> Su alcuni lunghi tavoli provvisori venivano portati pacchi e pacchi di
> schede alluvionate tolte dalle cassette del vecchio catalogo, tenute in or-
> dine da fili di spago. Il calore proveniente dai grandi riscaldatori asciu-
> gava a poco a poco le schede, alle quali veniva poi tolta la terra a mezzo
> di piccoli raschietti. Era un lavoro assai sporco e l'aria era impregnata di
> polvere fangosa. Erano state distribuite mascherine di tela per difendere
> la bocca, ma pochi le adoperavano. La sala dei cataloghi fu così trasfor-
> mata in un grande cantiere.

---

[50] Giunti, *Alluvione* cit., n. 3, p. 31.

I cassetti dello schedario venivano per lo più lasciati aperti anche quando non erano in lavorazione, per favorire la circolazione dell'aria. Insieme ai cataloghi generali, fu affrontato il recupero delle schede del catalogo per autori e per materia della vecchia sala di lettura.

I cataloghi a volume, manoscritti, furono affidati invece ai monaci di Grottaferrata[51]:

> Spazzolate e sciolte dalla legatura le pagine passano una per una al lavaggio: acqua tiepida, pennello di tasso morbido e infinita pazienza. Dopo il tasso, altro trattamento un po' più graffiante, una specie di spazzolino duro che serve a togliere le incrostazioni più restie. Poi, in una stanza dove sono stati portati un apparecchio per l'aerazione e uno per l'umidificazione, i grandi fogli vengono stesi ad asciugare come fossero panni in lavanderia [...]. Infine c'è la disinfestazione [sic!] sotto vuoto, in un'apposita cella [...] col metile di bromuro indicato contro le muffe.

Nella sala dei cataloghi e nei ballatoi che si affacciano su di essa furono velocemente installate delle scaffalature metalliche di fortuna, dove venivano posti i volumi ad asciugare, o almeno a ridurre il grado di umidità interno, e di fronte alle quali furono allineate delle piccole stufe a gas. I libri venivano sistemati aperti e frequentemente veniva cambiata la carta di apertura, per rendere più uniforme l'asciugatura, oppure erano disposti con le carte raccolte a gruppi e piegate su loro stesse, così da formare dei canali attraverso cui l'aria poteva passare e dove potevano nel caso essere inseriti dei pezzi di carta assorbente arrotolata, così da rendere, anche in questo caso, più uniforme il processo. La maggior parte dei volumi, prima di essere disposti sugli scaffali, veniva ripulita esternamente dai più grossi depositi di fango, con l'ausilio di spugne bagnate. Molti volumi venivano smontati, o arrivavano già in pezzi, e le coperte distaccate, fossero di pelle o di pergamena, venivano lavate anche immergendole direttamente in acqua, in bidoni metallici ottenuti dalla nettezza urbana fiorentina, e strofinandole con cenci e spugne; le coperte in pelle erano poi cosparse di cera, nel tentativo di far loro riacquistare l'elasticità perduta e tutte venivano poi messe a sgrondare su carta assorbente e appese ad asciugare su corde tese attraverso il ballatoio che si affaccia sulla sala; le coperte ritenute di scarso pregio – fra

---

[51] Emilia Granzotto, *I libri all'ospedale*, «Panorama», 6 (1967), n. 52, p. 22-28: p. 27.

queste la maggior parte di quelle in carta o cartoncino – venivano spesso però scartate e buttate via. In questo ambiente, per lavorare, si poteva usufruire anche dei comodi tavoli inclinati fabbricati per appoggiarvi i cassetti del catalogo, e fu quindi più facile sistemare numerosi gruppi di studenti, seduti ai due lati dei tavoli, a lavorare per molte ore al giorno.

Profittando della maggiore pulizia dei piani non toccati dalle acque esondate e insieme della possibilità di lavorare all'aria aperta, pur restando al coperto, parte del materiale che veniva recuperato dai magazzini, e in particolar modo i grandi formati che per primi furono portati all'asciutto, fu trasportato fin dai primi giorni nell'ordine superiore del chiostro brunelleschiano, già allora in uso alla Nazionale, e allineati a terra lungo le pareti interne. Dall'uso di questo spazio, a cui si accede direttamente da una scala sul retro della sala distribuzione, sono derivate alcune fra le immagini più eloquenti di questa "prima fase" del lavoro. Qui furono tentate le prime operazioni di identificazione e di riconoscimento delle segnature, in gran parte dilavate, a opera degli impiegati della Biblioteca, nonché di grossolana pulitura dalle incrostazioni di fango e sempre qui furono prestate le prime attenzioni ai cataloghi a volume dei fondi Magliabechiano e Palatino. Inoltre, approfittando della possibilità di lavorare all'aria aperta, dopo che avevano scaricato l'eccesso di acqua, tali volumi furono sottoposti ai primi trattamenti di essiccazione a freddo: venivano interfogliati, oppure distesi aperti all'aria o, ancora, smontati, in modo da poter stendere le carte su fili volanti tesi fra le colonne del loggiato, il tutto senza poter usufruire di altro ausilio che strumenti di fortuna, poco adatti allo scopo.

Interfogliare interi volumi era un lavoro lunghissimo e ripetitivo, che prevedeva una continua manipolazione di libri bagnati e perciò stesso estremamente fragili; l'inserzione di numerose carte all'interno del blocco del testo poteva inoltre provocare tensioni e fratture alla cucitura o, se ancora presente, alla coperta del volume. Nelle prime settimane che seguirono all'alluvione si ritenne utile infatti, prima di iniziare la lavorazione del pezzo, procedere al distacco delle coperte dai volumi ancora bagnati – con l'idea di rimontarle al momento del restauro definitivo – per velocizzare l'essiccazione dei volumi allontanando dal blocco delle carte i cartoni, che costituivano un pericoloso serbatoio di umidità. Per l'interfoliazione fu utilizzata un'ampia varietà di carte, da quella assorbente a quella da ciclostile, e anche carte inadatte e perciò dannose, come carta assorbente di colore verde. Nello stesso periodo furono fatti i primi tentativi di con-

186

trasto all'attacco fungino, utilizzando formalina e allume, ma furono interventi casuali e non inseriti in un progetto organico.

Nel tentativo ancora confuso di organizzare il recupero dei volumi, si rese necessario l'utilizzo di tutti gli spazi disponibili e furono quindi sfruttati anche quelli dell'ala nuova della Biblioteca che si affaccia su via Magliabechi.

Nel grande e luminoso salone vetrato dell'ultimo piano si procedeva a una grossolana pulitura dei volumi dal fango che li ricopriva e al loro smontaggio[52]:

> Su dei tavoli improvvisati con assi di legno su capre, alcuni volontari cominciarono a portare i grossi volumi della Magliabechiana e della Palatina cosparsi di fango umido e unti di nafta. Il lavoro consisteva nello staccare la massa delle pagine dalla rilegatura esterna. Dovevano cioè "squartare" letteralmente le opere, dando grossi colpi con le mani sulle costole. Mettevano poi tutto da parte, trascrivendo le "segnature" su lunghe strisce che ponevano fra le pagine e ne attaccavano con grappette una copia alla rilegatura da conservare.

Le coperte che venivano così separate dal blocco delle carte, venivano lavate e appese ad asciugare su delle corde tese all'estremità rivolta a sud della sala, fra il muro e le finestre, dove erano stati portati dei telai di legno come sostegno.

Qui, nelle grandi cassette che le conservavano, talvolta trasformate in vasche di lavaggio, furono trattate anche le carte geografiche, sgrossandole dai depositi di fango. Talvolta il passaggio in acqua era necessario anche solo per il loro sollevamento, perché l'acqua aveva allentato l'adesivo che le teneva attaccate alle tele di supporto venendo così a infrangere l'unità del pezzo. Più spesso le carte venivano soltanto ripulite con spugne umide.

L'altra sala vetrata che si affaccia non sulla via ma sul piccolo cortile che separa la Biblioteca dagli edifici della basilica, dopo essere stata utilizzata per fare sgrondare i libri dall'eccesso di acqua non assorbito, fu impiegata per i lavori di interfoliazione, su tavoli formati da griglie metalliche appoggiate su capre di legno; sotto le griglie venivano sistemate delle piccole stufe a gas, così da ridurre il numero delle interfoliazioni necessarie. I volumi in lavorazione, sistemati in modo da facilitarne l'asciugatura allo stesso modo che negli altri spazi della Nazionale, aspettavano su scaffalature metalliche di for-

---

[52] Giunti, *Alluvione* cit., n. 3, p. 31.

187

tuna allestite fra i pilastri che scandiscono lo spazio della sala e di fronte a loro erano stati allineati alcuni aerotermi forniti dalla Breda. Il grado di umidità interno ai libri, come da ogni altra parte in Biblioteca, veniva saggiato senza l'ausilio di alcuno strumento, semplicemente appoggiando il dorso della mano vicino alla piega e questo è uno dei motivi che provocarono, talvolta, il persistere di sacche di umidità all'interno dei volumi essiccati.

Al piano superiore, rimasto illeso e perciò più pulito, coperto solo del fango che le persone si portavano attaccato addosso, furono sistemate invece una piccola infermeria e una mensa improvvisate. La prima, istituita fin dall'8 novembre, era destinata ai volontari che scendevano nei magazzini esponendosi al rischio di contrarre malattie – soprattutto se si procuravano delle escoriazioni – e fu collocata nell'attuale sala musica, di fianco alla Tribuna dantesca; qui era disponibile il vaccino antitetanico e si procedette anche a una vaccinazione antitifoidea a tappeto di tutto il personale e di tutti i volontari. Per i pasti, che fu necessario organizzare fin dai primi giorni, fu scelta invece l'attuale sala di consultazione bibliografica: il servizio fu affidato a Mario Bertelli, sorvegliante capo della sezione manoscritti e rari, e a Beppa Rondelli, del reparto giornali. Venivano preparati panini con mortadella e salame e distribuito del vino e del tè in bicchieri di plastica. Le scaffalature, che conservavano ancora intatto il loro apparato bibliografico, furono presto protette da grandi pannelli in legno o compensato, per evitare che il fango che copriva tutti gli avventori della mensa improvvisata sporcasse tali volumi.

Molti dei volontari però, una volta ricevuto il pasto, lo andavano a consumare all'aperto, quando il tempo era buono e il sole all'ora di pranzo batteva le scale d'ingresso, sedendo sopra un grande mucchio di segatura che per lungo tempo stazionò sul lato ovest del porticato, oppure si trovavano un angolino non troppo infangato in giro per l'edificio: le foto di questi momenti di pausa, che rappresentano gruppi di giovani sporchi e sorridenti, riprodotte sui giornali di tutto il mondo, sono entrate nell'immaginario collettivo come rappresentazione viva del carattere "angelico" di questi ragazzi.

Il sapiente uso degli spazi all'interno della Biblioteca, che furono disseminati di scaffalature di fortuna, i cui ripiani erano per lo più formati da griglie che favorivano la circolazione dell'aria, si riscontra anche per quello che riguarda gli spazi collocati all'esterno dell'edificio, che furono ricercati e resi disponibili fin dai primi giorni e poi nelle settimane successive, via via che i lavori di recupero si organizzavano e si precisavano in un percorso *standard* che tutti i volumi alluvionati avrebbero dovuto seguire. La Nazionale poté così usufruire della centrale termica delle Ferrovie dello Stato in via delle Ghiacciaie, della palazzina del Forte di Belvedere e di numerosi essiccatoi industriali dove, dopo i primi giorni, fu indirizzata la grande maggioranza del materiale; in un primo momento fu prospettato anche l'uso di alcuni spazi all'interno della Fortezza da Basso, ma già alla fine di dicembre la direzione aveva deciso di rinunciarvi[53].

In presenza di un così gran numero di pezzi da lavare, la disponibilità di acqua corrente calda e fredda, anche all'indomani dell'alluvione, fece sì che la centrale termica, messa a disposizione dalla Direzione delle Ferrovie dello Stato, fosse ben presto colonizzata dalla Biblioteca. «Nei grandi stanzoni, dove ciclopiche caldaie e grovigli di tubi producono dodici tonnellate di vapore all'ora per il riscaldamento dei palazzi ferroviari»[54], fu avviato da Hans Heiland un reparto di lavaggio dei volumi alluvionati – e all'inizio furono trattati principalmente i volumi maggiormente danneggiati della collezione Palatina – che venivano sfascicolati quando erano ancora bagnati (operazione per cui si impiegavano fra le due e le quattro ore), immersi in una soluzione di aldeide formica al 2-3%, quindi lavati in acqua calda foglio per foglio e passati in un bagno di acqua fredda (operazione che richiedeva invece un paio d'ore), per essere poi posti ad asciugare su fili volanti tesi – dopo aver scaricato l'eccesso di acqua su fogli di carta assorbente – attraverso una struttura di tubi innocenti, al piano superiore della centrale, dove era garantita una certa circolazione di aria calda. Heiland lavorava negli ambienti bui e rumorosi della centrale termica insieme a circa cinquanta volontari e al personale della Biblioteca; qui un ruolo importante era ricoperto anche dalla moglie di Casamassima, Hilde Dopper, tedesca di Giessen, in Assia, che fungeva da interprete[55]. Per il lavaggio venivano utilizzate delle vasche fotografiche in plastica per i pezzi più piccoli, mentre quelli di formato maggiore venivano immersi in acqua, senza alcuna protezione, nelle vasche metalliche messe a disposizione dalla

---

[53] Vedi la relazione di Casamassima al Ministero della pubblica istruzione, datata 29 dicembre 1966, conservata in Archivio BNCF, 1302.
[54] Granzotto, *I libri all'ospedale* cit., p. 27.
[55] Nel sopraccitato articolo della Granzotto, p. 26, sono riportate due foto, di Armando Aldanese, una che raffigura la moglie di Casamassima assieme a Giulio Bettarini, capotecnico alla centrale, una con Stefan Heiland, Leitloff e uno dei figli di Casamassima che esaminano una tavola alluvionata nello "stenditoio"; anche i due figli del direttore parteciparono infatti alle operazioni di recupero.

centrale, che erano però talvolta ossidate e, per questo, potenzialmente dannose per le carte: la ruggine ferrosa è infatti molto pericolosa, perché l'ossidazione, inducendo alla rottura le catene di cellulosa, provoca imbrunimento e fragilità nella carta. Queste ultime, per affrontare il lavaggio, venivano interfogliate a gruppi con carta filtro e, prima di essere stese, venivano fatte sgrondare sui bordi delle vasche e lì pressate con i palmi delle mani. Le carte venivano tese sulle corde talvolta parallelamente, talvolta perpendicolarmente alla piega del dorso – probabilmente il passaggio da un metodo all'altro serviva a individuare la fine delle carte di un volume e il passaggio a un nuovo libro – e questo metodo può avere creato delle forti distorsioni nella carta, appesantita dall'acqua. Dopo l'asciugatura all'aria i volumi venivano ricomposti e impacchettati in modo da poterli maneggiare comodamente e senza ulteriori rischi, pronti per essere immagazzinati nella lunga attesa delle successive operazioni di restauro.

Anche qui il lavoro si svolgeva a catena, per ottimizzare sia i tempi di lavoro che quelli di formazione dei volontari inesperti, che dovevano così apprendere una sola operazione; considerata la precarietà dei mezzi a disposizione e l'impreparazione dei volontari, la velocità con cui progredivano era davvero notevole: i volontari, che lavoravano su tre turni ventiquattro ore su ventiquattro riuscivano infatti a lavorare dagli ottanta ai cento libri al giorno.

La palazzina del Forte di Belvedere fu l'altro spazio esterno occupato dalla BNCF, che necessitava di ampi ambienti lasciati intatti dalle acque dell'Arno dove stoccare i volumi in attesa delle diverse fasi di lavorazione. Offerta all'indomani dell'alluvione dalle soprintendenze alle gallerie e ai monumenti, con i tempi brevi dell'accordo interpersonale, la palazzina – dove non era stata ancora smontata, benché fosse già chiusa, una mostra di affreschi staccati[56] – fu velocemente scaffalata e utilizzata come deposito del materiale alluvionato già essiccato, che veniva in questo modo allontanato dalla Nazionale, in ambienti che non conoscevano i problemi di umidità che affliggevano ovunque la città, dove anche i piani superiori dei palazzi, rimasti illesi il 4 novembre, a causa della acqua che risaliva i muri per capillarità, soffrivano pericolosi valori di umidità relativa. L'effetto era molto suggestivo, con gli affreschi che circondavano e quasi osservavano le scaffalature metalliche che si andavano riempiendo di volumi e dove erano in funzione alcuni deumidificatori

---

[56] Vedi Luciano Bollosi, *La mostra degli affreschi staccati al Forte Belvedere,* «Paragone», 17 (1966), n. 201, p. 73-79.

concessi in prestito dall'ICCROM e dall'Istituto centrale del restauro, ma la loro presenza complicava in certo modo le operazioni, perché rendeva necessaria una vigilanza quanto mai accurata. La BNCF affidò l'organizzazione di questi magazzini temporanei a due suoi impiegati, ciascuno destinato a lasciare il proprio segno nella storia della Biblioteca e della biblioteconomia italiana: Luigi Crocetti e Carla Guiducci Bonanni[57]. Qui poteva essere fatta una prima cernita dei volumi, per avviarli alle lavorazioni che venivano via via messe in opera.

Il ruolo rivestito da questo spazio, come dalla centrale termica, venne poi precisandosi meglio quando il percorso del materiale alluvionato venne strutturandosi in un vero e proprio sistema, ma fino a che non furono stabilite le nuove direttive, ai primi di dicembre, si calcola che la lavorazione di circa mille volumi sia stata intrapresa con questo approccio pre-scientifico.

Nello stesso tempo in cui venivano condotte le operazioni di recupero del materiale alluvionato, fu necessario procedere anche al risanamento dell'edificio della BNCF, operazione indispensabile sia per salvare il materiale non toccato dalla piena, ma sottoposto a forte rischio a causa dell'elevato tasso di umidità presente negli ambienti di conservazione, sia per poter riportare in Biblioteca, anche se provvisoriamente, il materiale essiccato. Per fare questo fu necessario innanzi tutto procedere alla rimozione del fango e di ciò che rimaneva

---

[57] Luigi Crocetti (1929-2007), entrato in BNCF nel 1961, era allora responsabile della soggettazione e della classificazione nella BNI. Dopo l'esperienza del restauro (vedi *infra*), conclusa nel 1972, Crocetti passerà nei ruoli della neonata Regione Toscana, come soprintendente bibliografico del Servizio regionale per i beni librari, dove rimarrà fino all'aprile del 1985, per poi assumere la direzione del Gabinetto Vieusseux, dal luglio 1985 fino al dicembre 1986 (vedi *Studi e testimonianze offerti a Luigi Crocetti*, a cura di Daniele Danesi, Laura Desideri, Mauro Guerrini, Piero Innocenti, Giovanni Solimine, Milano: Bibliografica, 2004, e in modo particolare, al suo interno, Laura Desideri, *Bibliografia degli scritti di Luigi Crocetti*, p. 15-48; vedi poi Luigi Crocetti, *Il nuovo in biblioteca e altri scritti*, Roma: AIB, 1994; Piero Innocenti, *L'opera di Luigi Crocetti: un grande insegnamento nelle discipline del libro*, «Culture del testo», 1 (1995), n. 3, p. 23-70, e i ricordi e le testimonianze usciti l'anno della sua scomparsa in *Biblioteche oggi*, vol. 24 (2007), n. 5, p. 52-62, e in *AIB notizie*, 19 (2007), n. 4, p. 7-13).
Carla Guiducci Bonanni, dopo essere subentrata a Crocetti come responsabile del restauro (fino al 1979) assumerà la direzione della BNCF dal 1988 al 1995, per diventare sottosegretario ai Beni culturali e ambientali nel governo Dini; attualmente la Guiducci Bonanni presiede l'Opera di Santa Croce.

delle attrezzature e delle scaffalature rese inservibili dall'alluvione, operazioni condotte sotto la guida dei vigili del fuoco; in un secondo momento fu possibile procedere al taglio e all'isolamento dei muri maggiormente impregnati d'acqua e alla deumidificazione di tutti i locali mediante l'utilizzo di potenti aerotermi a gas propano, i cosiddetti "cannoni tedeschi", per la nazionalità del comitato che li mise a disposizione della BNCF[58], analoghi a quelli utilizzati nella basilica di Santa Croce per l'asciugatura delle pareti affrescate; infine, fu possibile procedere a un vero e proprio ripristino dell'edificio e delle attrezzature. Il risanamento con questi macchinari ebbe inizio il 14 gennaio nei sottosuoli e terminò nell'estate, quando la deumidificazione dell'intero edificio poteva considerarsi completata, così come la sua disinfezione a cura dell'Ufficio di igiene del Comune di Firenze, primi imprescindibili passi per la sua rinascita[59].

In tutto questo fiorire di attività è necessario però precisare che nei primi giorni la Biblioteca rimase sola: Casamassima affermò infatti, nella sua intervista alla rivista *Il ponte*, che il soccorso ufficiale arrivò in ritardo e fu frammentario[60]:

L'opera di salvataggio è stata possibile per lo spirito di sacrificio del personale della Biblioteca e grazie allo slancio volontaristico dei giovani e di alcuni docenti[61] [...]. Sono mancate la necessaria mobilitazione dei colleghi di altre biblioteche e una coordinata azione delle soprintendenze bibliografiche, dei laboratori di restauro; iniziative di singoli bibliotecari non sono state incoraggiate.

---

[58] L'utilizzazione degli aerotermi, fabbricati dalla bavarese Industriegas Georg Tyczka KG, fu possibile grazie all'interessamento di Gerhard Ewald, della Staatsgalerie di Stoccarda e ai finanziamenti stanziati dal Ministero della pubblica istruzione del Baden-Wurtemberg, messi a disposizione del Verein zur Erhaltung des Kunsthistorisches Instituts in Florenz, che si assunse la maggior parte delle spese relative alla bonifica dell'edificio della Nazionale, solo in misura residuale sostenute dal Fondo internazionale per Firenze.

[59] Per i complessi lavori di risanamento cfr. Archivio BNCF, filza 1304. Per la deumidificazione dei locali furono utilizzati anche gli aerotermi della Breda e dell'Euratom, via via che gli essiccatoi interni alla Nazionale venivano smantellati.

[60] Dalla citata intervista a Casamassima contenuta in *Firenze perché* cit., p. 1408.

[61] Per il ruolo che i docenti universitari assumeranno nella rinascita della BNCF vedi, in questo capitolo, il paragrafo 5.

Lo stesso Waters, in un intervento del settembre 1967, affermava che: «for reasons which were difficult to understand in these early days there was a complete unavailability of Italian restorers»[62].

I contributi finanziari governativi cominciarono ad arrivare in Biblioteca soltanto dal gennaio del '67, quando la BNCF aveva già potuto disporre, per le operazioni di urgenza, di 17 milioni arrivati direttamente e di 12 pervenuti tramite il Comitato del Fondo internazionale per Firenze, oltre ai 40 milioni depositati dal *Corriere della sera* presso lo stesso Comitato e destinati a fornire vitto e alloggio e a compensare gli studenti italiani e stranieri[63].

L'isolamento dei primi giorni contrasta con le numerose visite ufficiali di cui la BNCF fu poi fatta oggetto: vennero infatti il ministro della pubblica istruzione Luigi Gui, il sottosegretario Giovanni Elkan, il direttore generale uscente delle accademie e biblioteche Nicola Mazzaracchio, nell'ultima missione della sua carriera, e il nuovo direttore appena insediato Salvatore Accardo[64]; per fare da tramite fra le biblioteche alluvionate e Roma, la Direzione generale, a qualche settimana dall'alluvione, inviò inoltre in città l'allora ispettore generale Francesco Barberi, che alloggiava a Bologna e veniva ogni giorno a Firenze. Fra le personalità accorse in aiuto della Nazionale e del suo direttore, di particolare rilievo fu invece l'intervento di Giorgio de Gregori, che lasciò la biblioteca della Corte costituzionale, di cui all'epoca era direttore, per affiancare Casamassima nel difficile compito di organizzare e sorvegliare il trasporto del materiale bibliografico alluvionato fuori dall'edificio della Biblioteca verso i luoghi di essiccazione[65].

---

[62] Peter Waters, *Problems of book conservation: the restoration center at the Biblioteca nazionale centrale in Florence*, in: Società italiana per il progresso delle scienze, *Atti della XLIX riunione, Siena, 23-27 settembre 1967*, Roma: Società italiana per il progresso delle scienze, 1968, p. 1141-1150.

[63] Vedi il calcolo di Casamassima conservato in Archivio BNCF, 1300; secondo un comunicato conservato in Archivio BNCF, Restauro 1, datato 13 dicembre 1966, ai volontari che prestavano la loro opera per un periodo continuativo non inferiore a un mese e con orario non inferiore a quattro ore giornaliere veniva corrisposto un compenso giornaliero di 2.000 lire, chi rinunciava poteva ricevere invece un buono mensa per il pranzo o per la cena, i non residenti due buoni mensa e un buono alloggio.

[64] Mazzaracchio lasciò la carica di direttore generale delle accademie e delle biblioteche il 27 novembre 1966.

[65] Secondo il ricordo dello stesso De Gregori, alla domanda del presidente della Corte costituzionale, Gaspare Ambrosini, che si informava in merito alla sua disponibilità ad aiutare Casamassima «risposi subito di sì, tanto più che Ambro-

3.4 La diaspora del materiale alluvionato

Come si è già più volte accennato, ben prima che avesse termine la prima delle operazioni di recupero del materiale alluvionato, che consisteva nel suo prelievo dai magazzini, ebbe inizio la seconda: la sua evacuazione dall'edificio della Biblioteca in attesa di un efficace risanamento di quest'ultimo. Se inizialmente furono utilizzati gli spazi a disposizione all'interno della Biblioteca stessa e quelli del Forte di Belvedere, fu ben presto evidente che era necessario optare per un intervento più radicale, efficace e rapido, perché il defatigante lavoro delle catene nei magazzini non fosse vanificato dalla troppo prolungata e non controllata permanenza di materiale alluvionato ancora bagnato in ambienti non controllati[66]:

> Senza la rapida decisione, dovuta al direttore della Biblioteca, d'usare qualunque specie d'essiccatoio per asciugare libri e giornali inzuppati d'acqua e di fango, probabilmente potremmo ora contemplare soltanto una sterminata coltura di funghi e muffe. [...] Questa decisione presa nella fase più tumultuosa dell'opera di soccorso dette un senso alla frenetica attività delle lunghe catene umane che estraevano i volumi dal seminterrato per caricarli sui camion avviati ai vari essiccatoi e costituì la premessa d'ogni intervento successivo.

---

sini volle aggiungere qualche particolare dicendomi che al Ministero [della pubblica istruzione], che chiedeva a Casamassima se avesse desiderato che gli mandassero qualche bibliotecario per aiutarlo, questi aveva risposto: «Mandatemi solo Giorgio de Gregori!» [...] La sera, prima di andare a dormire facevamo un giro per tutti i locali della Biblioteca per assicurarci che tutto fosse in ordine e che nessuno, di coloro che avevano lavorato durante il giorno, vi fosse rimasto. Casamassima mi dette il compito di provvedere al carico degli automezzi, forniti da molte nazioni ma specialmente dagli Stati Uniti, con i libri alluvionati via via che questi erano estratti dai magazzini» (Giorgio de Gregori, *La mia vita tra le rocce e tra i libri,* Roma: AIB, 2003, p. 207). Il console statunitense fu infatti in grado di mobilitare i mezzi americani presenti nella base militare di Camp Darby, nei pressi di Livorno.
Giorgio de Gregori (1913-2003), dopo aver lavorato in BNCF dal 1937 al 1942, alla fine della guerra era rientrato in servizio alla Biblioteca di archeologia e storia dell'arte di Roma. Dal 1952 al 1960 aveva ricoperto la carica di soprintendente bibliografico per l'Abruzzo e il Molise, per poi passare, dal 1958 al 1961, alla direzione dell'ufficio esecutivo del Centro nazionale per il catalogo unico. Dal 1961 dirigeva la biblioteca della Corte costituzionale, dove rimarrà fino al 1977 (oltre alla succitata autobiografia vedi anche http://www.aib.it/aib/stor/ bio/degregorig.htm).
[66] Crocetti – Cains *Un'esperienza di cooperazione* cit., p. 28-29.

Secondo la testimonianza di Baglioni, l'idea iniziale di portare il materiale bibliografico presso essiccatoi industriali fu di un artigiano del legno, che aveva una tintoria a Vaiano e che dette al direttore del personale l'idea di utilizzare per i libri gli spazi destinati ad asciugare le stoffe, idea che, riferita a Casamassima, fu subito assunta come valida, dopo un primo test effettuato su un piccolo lotto di libri.

Fin dall'inizio era stato inviato in tutta Italia, in laboratori di restauro conosciuti, quello che appariva essere il materiale più prezioso – proveniente per lo più dai fondi antichi – via via che veniva prelevato dai magazzini, ma la straordinaria quantità di materiale alluvionato aveva fatto sì che ben presto tutti i canali regolari di intervento venissero saturati e che i lavori che venivano portati avanti in Nazionale e alla centrale termica, per quanto procedessero speditamente, risultassero sproporzionati e difficilmente in grado di supplire all'inadeguatezza del panorama italiano relativamente al restauro librario. Fu per questo necessario inventare nuove soluzioni e l'idea che prevalse fu quella di asciugare tutto il materiale in essiccatoi industriali, in modo da bloccarne in breve tempo il deterioramento.

Questa opzione ebbe il sopravvento su altre proposte che erano state avanzate e che si immaginavano meno invasive: dalla refrigerazione, suggerita dai tecnici americani come tecnica di attesa, al passaggio del materiale alluvionato sotto pressa, come prospettato invece da quelli tedeschi; la gran mole del materiale da trattare, la mancanza di attrezzature e, nei primi giorni, perfino di energia elettrica, fecero scartare però queste ipotesi. I risultati dell'esame della situazione da parte dei tecnici dell'ICPL dicevano che dal punto di vista biologico il metodo ideale sarebbe stato quello di asciugare rapidamente i volumi in un ambiente non riscaldato, con umidità relativa bassa e con sufficiente ventilazione, mentre dal punto di vista chimico-fisico sarebbe stato invece preferibile asciugare il materiale lentamente, a temperatura ambiente e a un'umidità relativa poco inferiore a quella media ambientale, per evitare deformazioni e degradazione chimica. A causa delle grandi quantità di materiale che andavano affrontate, era impossibile inoltre utilizzare i deumidificatori a condensazione che venivano normalmente usati in presenza di materiale bibliografico bagnato, e bisognava fare in fretta perché il materiale intriso di acqua e di una melma ricca di sostanze organiche «costituiva un *pabulum* per funghi e schizomiceti, che avrebbero potuto arrecare danni irreparabili»[67]. Per questi motivi

l'unico procedimento di pratica attuazione consisteva nel convogliare il maggior numero possibile di volumi in essiccatoi osservando le seguenti cautele:
– temperatura intorno ai 42-43°C, che si discosta da quella normale per il maggior numero di microrganismi, esclusi i termofili;
– che negli essiccatoi vi fosse un'attiva circolazione d'aria;
– che vi fossero nebulizzati prodotti microbicidi dei quali si fosse in pari tempo certi dell'innocuità rispetto alla carta[68].

Ma quest'ultimo punto non fu che sporadicamente messo in atto, poiché si preferì rimandare la disinfezione al termine dell'essiccazione. Massima cura andava infine posta a che i pezzi in lavorazione poggiassero sempre su materiali assorbenti, evitando il contatto con scaffalature metalliche che avrebbero provocato condensazione[69].

Fu così che, dopo che i libri di maggior pregio, quando poterono essere riconosciuti sotto la coltre di fango, erano stati affidati per un totale di circa 7.000 volumi all'ICPL, alla Badia di Grottaferrata, al convento francescano di San Lucchese a Poggibonsi e alle abbazie benedettine di Cava dei Tirreni, di Santa Giustina a Padova, di Monte Oliveto Maggiore, di Santa Maria del Monte presso Cesena, di Santa Maria Assunta di Praglia e di Santa Maria della Scala presso Noci – oltre che, in numero minore, a botteghe artigiane di restauro – tutto il materiale alluvionato partì su camion, dal 9 novembre al dicembre 1966, in un totale di 503 carichi, per diverse destinazioni, dislocate per tutta l'Italia, ovunque fossero disponibili ambienti e fonti

---

[67] Fausta Gallo, *Moderni metodi di prevenzione e di lotta contro gli agenti biologici dannosi ai libri*, in: Società italiana per il progresso delle scienze, *Atti della XLIX riunione* cit., 2, p. 1141-1150.

[68] Emerenziana Vaccaro, *Come si è salvato il materiale della Biblioteca nazionale*, in: *Dopo il diluvio* cit., p. 74-79.

[69] Nelle *Norme generali per l'essiccazione*, norme dattiloscritte diffuse a uso interno della Biblioteca, risalenti probabilmente a fine novembre-inizi dicembre, si può leggere anche questo suggerimento: «Porre nei locali di deposito grossi recipienti contenenti calce viva (dal commercio) che assorbe fortemente l'umidità e costa poco; (la calce va rinnovata quando sfiorita)» (archivio Cains).

di calore adeguati, oltre che maestranze in grado di portare avanti un lavoro molto delicato[70].

Già a fine novembre le operazioni di evacuazione del materiale, affidate da Casamassima alla supervisione di Giorgio de Gregori, procedevano speditamente. In linea di massima i volumi indirizzati verso laboratori privati erano stati interfogliati per un numero variabile di volte, quando si trovavano ancora in Biblioteca, mentre quelli che partivano per gli essiccatoi erano stati spesso privati della legatura prima di lasciare la BNCF, per allontanare dalle carte questo rilevante serbatoio di umidità.

Oltre a organizzare l'allontanamento di tutto questo materiale[71], fu necessario preoccuparsi di istituire un servizio di sorveglianza

---

[70] De Gregori parla di 22 località dislocate soprattutto in Toscana (*Un anno fa il 4 novembre* cit., p. 788) e di 503 viaggi per una media di 16 al giorno (*ivi*, p. 789). Libero Rossi, nel suo *Die florentinische Alluvione* cit., p. 16, trascrive, all'interno di un riquadro intitolato *Camion che trasportano libri: nota di de Gregori s.d. (ma: dicembre 1966)*, un appunto che fornisce interessanti dati quantitativi: «Mobilificio Fiorilli di Arezzo 6; Istituto di Merceologia Università di Bari 1; Manifattura Tabacchi di Bologna 900 volumi; Fornace Brunori di Borgo S. Lorenzo 15; Cafaggiolo 1; Abbazia di S. Maria al Monte di Cesena 4; Fattoria Autonoma Tabacchi Città di Castello 311; Abbazia dei monaci Basiliani di Grottaferrata 1; Società Saffa di Magenta 4; Fabbrica Matteucci di Marlia 2; Laboratorio dell'Abbazia di S. Giustina 2; Università degli studi – Palazzo Centrale di Pavia 2; Perugia 2; Convento S. Lucchese di Poggibonsi 1; Laboratorio di S. Maria di Praglia 4; Roma EUR 21; Istituto di patologia del libro di Roma 4; Stabilimenti Stianti di S. Casciano 3; Mobilificio Valdarnese di S. Giovanni Valdarno 1; Consorzio tabacchifero di S. Giustino Umbro 99; Ceramiche Richard Ginori di Sesto Fiorentino 4; Società Saffa di Somaglia 2; Garage privato di Tavarnelle 1 trasferito successivamente a Città di Castello; Ditta Menicacci di Vernio 9; Ditta Pucci di Vernio 2. Totale 503. Volumi ai restauratori: Brema c/o Biblioteca civica 74 pezzi; Lanteri di Firenze 6 volumi; Ferrari di Modena 10 pezzi; Gozzi di Modena 20 pezzi; Di Giacomo di Pescara 35 pezzi». Secondo i registri conservati in Archivio BNCF, Restauro 1, i quattro camion diretti a Cesena, partiti tra il 9 e il 13 novembre, i tre diretti a Padova, dal 9 al 10 novembre, i quattro diretti a Praglia, dal 9 al 10 novembre, trasportavano grandi formati; i quattro diretti a Magenta, partiti il 21 novembre, circa mille volumi di giornali e sempre a Magenta fu trasferito anche il carico dei due camion partiti per Somaglia il 13 e il 18 novembre, per un totale di 1.518 volumi e due miscellanee rientrati in Biblioteca a fine gennaio; i due diretti a Pavia, il 26 novembre e il 5 dicembre, erano carichi di riviste e collezioni; quello indirizzato a Brema, a Bergamo, il 18 novembre, 74 grandi formati; infine, i due diretti a Modena trasportavano venti grandi formati alla ditta di restauro Dante Gozzi e figlio, il 15 novembre, e dieci grandi formati al loro allievo, il restauratore Ferrari, il 17 novembre.

diurna e notturna in tutte le destinazioni cui fu indirizzato il materiale della Nazionale, servizio questo che fu realizzato dai carabinieri o, ove ciò non fosse possibile, dai vigili urbani o dalle guardie giurate.

Il procedimento di restauro che fu seguito dall'ICPL per i poco più di mille pezzi che gli furono affidati – incisioni appartenenti alla collezione Palatina – rappresentava per l'epoca l'eccellenza, raggiungibile solo per una quantità limitata di materiale molto prezioso e unicamente da restauratori specializzati. Secondo il resoconto dell'allora direttrice dell'Istituto Emerenziana Vaccaro, il materiale pervenuto «veniva immesso in celle di disinfestazione con fumigazioni di formaldeide», che fungevano da primo trattamento antimuffa, limitato però alle sole superfici esterne, vista la scarsa capacità di penetrazione nelle carte di tale agente antimicrobico; successivamente[72]:

> Le raccolte più preziose delle incisioni sono state [...] immediatamente scucite e disinfettate in alcool con beta naftolo [...]; le incisioni non colorate sono state lavate e disinfettate in soluzioni leggerissime di cloro e poi risciacquate in soluzioni anticloro e in acqua; il resto del materiale è stato asciugato in stanze apposite con deumidificatori e ora attende lo stesso trattamento del primo gruppo subito selezionato.

Non tutto il materiale affidato all'ICPL fu però poi trattenuto dall'Istituto per le successive operazioni di legatoria: i pezzi che si riteneva presentassero minori difficoltà furono affidati infatti a legatori esterni di fiducia dell'Istituto stesso.

La maggioranza dei volumi seguì invece la via del tabacco. Poiché nel mese di novembre la raccolta era già passata per il processo di essiccazione, gli spazi normalmente utilizzati a questo scopo – così come il lavoro delle tabacchine – potevano essere messi a disposizione dei libri alluvionati, che per lo più venivano sistemati aperti sui filari di metallo dove usualmente venivano disposte le foglie; la stagione propizia e i grandi spazi che questo tipo di strutture potevano offrire fecero sì che gli essiccatoi dei tabacchifici costi-

---

[71] In Archivio BNCF, Restauro 1, sono conservati i registri di fortuna in cui venivano annotati i dati immediatamente riconoscibili dei volumi recuperati via via che venivano indirizzati alle diverse destinazioni.

[72] Vaccaro, *Come si è salvato il materiale della Biblioteca nazionale* cit., p. 77. Il medesimo trattamento fu riservato anche ai codici non fiorentini che erano stati alluvionati perché conservati presso la Soprintendenza bibliografica in attesa di restauro (vedi *supra*, p. 142) e che furono tutti affidati alle cure dell'ICPL.

198

tuissero la tipologia di impianto utilizzata in via preferenziale: a Bologna, Perugia, San Giustino Umbro e Città di Castello. Alla Fattoria autonoma tabacchi di quest'ultima città furono in modo particolare indirizzati i giornali – per quali in un primo momento si temette molto, vista la cattiva qualità della carta di stampa – tanto che solo qui fu scaricato il contenuto di 311 autocarri[73].

Per Bologna, la scelta di utilizzare strutture di questo tipo va fatta risalire agli impiegati – e in particolare ad Antonio Mendogni – della Soprintendenza bibliografica della città, che si era presa in carico un lotto di 641 volumi dei fondi antichi, per lo più in folio o in quarto, da essiccare presso la Manifattura tabacchi di Bologna, messa a disposizione dalla Direzione generale del Monopolio tabacchi su interessamento dell'onorevole Giovanni Elkan[74]. Due impiegati della Soprintendenza, fra cui Costanzo Marcone, poi passato in servizio alla Nazionale, insieme a Barberi, che alloggiava a Bologna, iniziarono fin dai primi giorni della settimana successiva al 4 novembre a prendere in consegna lotti di volumi alluvionati caricati su camion civili o militari. In un primo momento li accompagnarono alla Badia di Praglia, ma dopo i primi carichi i monaci non furono più in grado di accettare altro materiale e quindi i volumi che continuavano ad affluire furono diretti al monastero di Santa Maria del Monte, presso Cesena; anche qui però la capacità ricettiva del laboratorio fu presto saturata. Fu allora che il soprintendente pensò di utilizzare l'essiccatoio della Manifattura tabacchi di Bologna, che era costituito da una galleria ad aria riscaldata in cui passava un nastro trasportatore: un sistema vantaggioso perché non necessitava di temperature troppo alte. Il lavoro fu condotto con molta cura, anche perché vi lavorarono quasi esclusivamente persone competenti – bibliotecari o impiegati della Soprintendenza – cui si aggiunsero solo due o tre operaie della Manifattura. Visti i buoni risultati, dopo lo sfangamento condotto dai monaci, furono indirizzati alla Manifattura tabacchi anche i circa duecento volumi inizialmente inviati a Praglia e a Cesena. La metodologia prevedeva il distacco delle coperte da parte di un bibliotecario, che prendeva appunti il più accurati possibile per permetterne poi l'identificazione, la seguente pulizia dei volumi, da cui ve-

---

[73] Cfr. De Gregori *Un anno fa il 4 novembre* cit., p. 788.
[74] Vedi la lettera di Mendogni a Casamassima del 3 dicembre 1966 in cui si dice pronto alla restituzione del materiale, recuperato al cento per cento (Archivio BNCF, Restauro 1).

nivano asportate le incrostazioni esterne di fango[75], e il loro posizionamento sul nastro trasportatore ben chiusi (limitando così fortemente le deformazioni rispetto ad altre modalità di lavorazione), con sei o sette cannucce di plastica inserite attraverso le carte in varie posizioni e altezze, per favorire, secondo un'idea del soprintendente, la circolazione dell'aria all'interno del volume così da ottenere una più uniforme asciugatura. I volumi essiccati venivano quindi serrati fra due cartoni, su cui venivano apposte tutte le annotazioni necessarie a una sua successiva identificazione, legati con lo spago e inscatolati separatamente dalle coperte.

Il grande coinvolgimento dell'Umbria e delle sue ditte si deve invece all'iniziativa di Roberto Abbondanza, allora direttore dell'Archivio di Stato di Perugia. La famiglia di Abbondanza risiedeva infatti a Firenze, nei pressi di piazza D'Azeglio, e la sua esperienza di archivista e di studioso lo legava strettamente ai due principali istituti bibliografici fiorentini alluvionati: l'Archivio di Stato e la Biblioteca nazionale. Precipitatosi a Firenze il 6 novembre e constatate di persona le gravi condizioni di inadeguatezza in cui versavano le operazioni di soccorso nei due istituti[76], ritornò a Perugia, dove era atteso a una riunione del Lions Club che doveva celebrare il cinquecentesimo anniversario della costruzione del campanile della basilica

---

[75] Questa operazione, effettuata in tutti gli essiccatoi prima dell'inserimento dei volumi nelle celle, era di grande importanza, perché la presenza di depositi di fango sull'esterno del pezzo avrebbe impedito, via via che mutavano le condizioni di temperatura e umidità, il movimento dei materiali che costituiscono ciascuna unità bibliografica, poiché il fango asciugandosi diventa secco, e perciò stesso rigido. Le legature distaccate furono riconsegnate assieme ai volumi, Mendogni scrive infatti a Casamassima, nella succitata lettera: «Saranno consegnati a codesta Direzione materiali vari (rivestimenti in pelle e in pergamena, con fregi e stemmi, di legatura antiche, frammenti di mss. rintracciati nell'interno delle legature eliminate, alcuni ql. di carta assorbente nuova e già usata ma ancora utilizzabile, risme di carta filtro, etc. etc.)», e nell'elenco allegato dei materiali riconsegnati, ai punti 2 e 3, si legge: «n° 2 scatole (una di grandi dimensioni ed una piccola) contenenti rivestimenti in pelle ed in pergamena di legature con ornamenti; n° 1 scatola contenente frammenti di mss. rintracciati nell'interno delle legature eliminate».

[76] Nel ricordo di Abbondanza è viva l'immagine di Casamassima che tentava di combattere l'acqua nell'immediato dopo alluvione con l'ausilio di poche stufette a gas, simbolo quasi della latitanza dello Stato. Alla fine del 1967 fu affidato proprio ad Abbondanza, allora responsabile di un quarto del materiale archivistico fiorentino alluvionato depositato negli essiccatoi intorno a Perugia, il compito di illustrare, negli Stati Uniti, i lavori di recupero fino a quel momento realizzati in favore del patrimonio bibliografico alluvionato di archivi e biblioteche.

di San Pietro. Quando ancora i media nazionali minimizzavano le conseguenze dell'alluvione, Abbondanza si presentò alla riunione volutamente – e provocatoriamente – infangato, denunciando la grave situazione di bisogno di Firenze e dei suoi beni librari, ottenendo l'immediato appoggio degli industriali presenti che misero a disposizione spazi e mezzi di trasporto e, fra questi, uno dei titolari dell'industria dolciaria Perugina, che offrì diciassette camion per il trasporto dei libri. Il materiale archivistico – proveniente per lo più dall'Archivio di Stato – cominciò così ad affluire nel perugino, dove gli ambienti erano stato dotati di scaffalature metalliche dal Ministero dell'interno[77], mentre quello librario fu indirizzato in modo preferenziale all'alta valle del Tevere.

Agli essiccatoi del Consorzio Tabacchicultori di San Giustino Umbro, come a quello di Città di Castello, la Nazionale inviò quindi la maggior parte dei giornali e delle miscellanee[78]. Qui prestavano la loro opera un centinaio di operaie del tabacchificio – sotto la supervisione di archivisti e bibliotecari giunti da tutta Italia e di due impiegati inviati a turno dalla Nazionale, quattro a partire dal 31 gennaio 1967 – che trattavano tutte le carte con spugne e acqua corrente

---

[77] L'Archivio di Stato aveva montato sei chilometri di scaffalature in due grandi ambienti ricavati negli essiccatoi e qui conservò il materiale lavorato in attesa che fossero pronti spazi idonei per accoglierlo. Prima di tale immagazzinamento però, appena terminato il processo di essiccazione, le tabacchine, con l'ausilio di stecche d'osso, si occupavano di separare, una a una, tutte le carte dei documenti essiccati. Tutto questo materiale venne trattato con una mistura di ossido di etilene e di ossido di carbonio e rimase nei tabacchifici dall'aprile 1967 fino al luglio 1968 (vedi Francesca Morandini, *Interventi in casi di sinistri: una esperienza diretta. L'inondazione del 4 novembre 1966 a Firenze: descrizione dei metodi e dei sistemi impiegati per recuperare i pezzi danneggiati degli archivi e delle biblioteche*, «Bollettino dell'Istituto centrale per la patologia del libro», 36 (1980), p. 377-392, pubblicato anche in traduzione inglese: Francesca Morandini, *Emergency action: an account of the floods of 4 november 1966 in Florence. Description of the method used in salvaging and administering first aid to damaged archives and libraries*, «Pact», 9 (1985), n. 12, p. 273-294; vedi anche Francesca Morandini, *Sistemi di recupero e di primo intervento sui documenti degli archivi fiorentini danneggiati dall'alluvione del 4 novembre 1966*, in: *La protezione e il restauro dei beni culturali*, Firenze: Regione Toscana, Giunta regionale, 1980, p. 11-25).

[78] Nicolai Rubinstein affermava, nel gennaio 1967, che il numero di volumi inviati a San Giustino dalla Nazionale ammontava a oltre 100.000 e descriveva così la vista del materiale che vi veniva essiccato: i giornali «hang incongruously in colorful festoons from high rafters» (Nicolai Rubinstein, *Return to Florence, January 1967*, «The book collector», 16 (1967), n. 1, p. 26-28).

dove, nei rari casi in cui si fossero già manifestati affioramenti di muffe, era disciolta formalina. Lavoravano in piedi, su tavoli affrontati su cui ciascuna aveva un secchio pieno d'acqua; alla fine di questo lavaggio preventivo i pezzi venivano sistemati aperti nelle celle di essiccazione. Queste ultime, alte circa otto metri per quattro metri di larghezza e sei di lunghezza, erano riscaldate da serpentine a rondelle irradianti, nelle quali circolava il vapore immesso da una caldaia; sul pavimento erano disposte le bacchette dei ventilatori, mentre sul tetto vi era un estrattore di aria calda e umida, in modo che circolasse solo aria calda e asciutta immessa continuamente dall'esterno. La temperatura veniva portata da quella ambientale fino a 40-45 gradi in modo graduale, in circa due ore, per essere poi ricondotta a 20 gradi, secondo una tabella di durata dell'esposizione alle diverse temperature compilata dalla Stazione sperimentale di silvicoltura di Firenze sulla scorta delle esperienze fatte nell'essiccazione dei semi e, in un primo momento, sui libri alluvionati dell'Accademia dei Georgofili. Le carte immesse negli essiccatoi tradizionali impiegavano dai 12 ai 14 giorni per asciugarsi; se introdotte invece in quelli di fabbricazione americana – uguali agli altri, ma dotati di circolazione forzata di aria calda – erano sufficienti dai 9 ai 10 giorni. In genere nelle celle venivano collocati pezzi similari, per dimensioni e soprattutto per spessore, perché i tempi di lavorazione fossero grosso modo uniformi.

Ugualmente adatti allo scopo di una rapida asciugatura del materiale librario alluvionato risultarono essere le fornaci per mattoni (la Brunori di Borgo San Lorenzo), gli essiccatoi di legno (la ditta Saffa a Magenta e a Somaglia, dove venivano fabbricati fiammiferi, e due mobilifici, il Mobilificio Valdarnese di San Giovanni Valdarno e il Fiorilli di Arezzo), gli essiccatoi alimentari (la ditta Matteucci di Marlia), i forni di cottura delle porcellane (la Richard-Ginori di Sesto Fiorentino) e gli essiccatoi per tessuti (la tintoria Pucci di Vernio e molte altre ditte del pratese); altri lotti di volumi furono affidati infine in cura all'Università di Pavia[79], alla tipografia F.lli Stianti di San

---

[79] Il contatto fu in questo caso il medievalista Adriano Peroni, allora, e fino al 1976, direttore del Museo civico di Pavia. Il 25 gennaio Peroni scriveva a Casamassima: «Sono in grado di informarLa che i libri sono già imballati in n. 26 scatole. Si è provveduto ad una numerazione ad unità librarie, comprendendo opuscoli e volumi, ottenendo un totale di 1438 libri o annate di riviste rilegate. Da questo computo restano esclusi n. 12 scatoloni con fascicoli sciolti di riviste (ma anche con qualche annata rilegata). Il materiale è tutto essiccato, e, salvo pochi casi, interamente ripulito dal fango. Sono inclusi anche i volumi che dopo

Casciano Val di Pesa e all'Istituto di merceologia dell'Università di Bari[80].
Nella fornace di mattoni Brunori di Borgo San Lorenzo, che mise a disposizione i suoi moderni forni elettrici, nei quali era possibile regolare il calore, furono trattati circa 20.000 grandi formati con risultati soddisfacenti: la temperatura non fu mai portata oltre i 30 gradi, l'umidità fu fatta passare gradualmente dal 90% al 40%, mentre la ventilazione fu mantenuta costante.

---

l'essiccamento non appaiono ricuperabili. Tuttavia una parte di scarto è stata eliminata già da quando apparve impossibile ogni ricupero, trattandosi di materiale assolutamente marcio. Non abbiamo tenuto registrazione di ciò, ma siamo in grado di garantire nel modo più assoluto che gli scarti sono stati ogni volta controllati. Si tratta in prevalenza di fascicoli delle riviste dei Comuni in carta patinata, o di manuali recenti, con illustrazioni. Nulla di simile è accaduto per i pochi libri di pregio, in quanto essi sono stati subito scelti per l'interfoliazione, con cure particolari». I volumi essiccati a Pavia rientrarono entro la prima decade di febbraio (cfr. il carteggio fra Casamassima e Peroni conservato in Archivio BNCF, filza 1304).

[80] Il contatto con l'Istituto di merceologia dell'Università di Bari fu il prof. Giorgio Nebbia (n. 1926), che lì insegnava merceologia dal 1956. Nebbia sarà poi deputato (dal 1983 al 1987) e senatore (dal 1987 al 1992) per la sinistra indipendente. Nebbia si era proposto per collaborare con la BNCF alle operazioni di recupero il 12 novembre, «come italiano e come studioso [...] ma [...] anche come professore di merceologia e come socio dell'International Institute for Conservation of Historic and Artistic Works». Si proponeva in modo particolare per offrire «un contributo alla pulizia, al riordinamento e al ricupero di opere a stampa come libri e giornali, attraverso trattamenti con solventi, trattamenti antimuffa e attraverso lo studio della soluzione di particolari problemi tecnici»; il contributo dell'Istituto si definisce nel giro di pochi giorni, e infatti già il 16 novembre Nebbia lo descrive a Casamassima in questo modo: «Il lavoro che possiamo fare consiste nel ricevere i libri, nell'ospitarli nelle scaffalature esistenti, spostando temporaneamente i nostri libri, nel procedere al lavaggio – quando occorre – per eliminare il fango, mediante acqua addizionata con tensioattivi ammonici quaternari, sostanze con proprietà tensioattive [...], che cioè facilitano il distacco dello sporco e del fango e nello stesso tempo hanno azione antimuffa [...]. Per l'essiccamento disponiamo di due condizionatori d'aria e di tre deumidificatori in varie stanze; inoltre abbiamo varie stufe ad aria calda, due di queste con circolazione d'aria, per l'essiccazione più rapida di gruppi di libri per volta». La presenza a Bari di Cesare Vasoli, appena trasferitosi da Cagliari all'Istituto di filosofia dell'Università di Bari, e la confidenza che questo aveva con Casamassima, fornì ulteriori garanzie, perché lo stesso Vasoli verificò il buon andamento dei lavori e si offrì il 20 gennaio 1967 di seguire le operazioni di carico del materiale essiccato – circa duemila volumi di giornali – che, pur pronto a febbraio, per questioni organizzative fu l'ultimo a rientrare in BNCF nel mese di maggio (cfr. Archivio BNCF, filza 1304).

203

Buoni risultati furono ottenuti anche nello stabilimento dell'industria milanese Saffa, dove il lavoro fu organizzato dai tecnici della Biblioteca nazionale Braidense. Qui i giornali furono messi sotto pressa, dove furono sottoposti a una pressione di 100 tonnellate per espellere quanta più acqua possibile e, contemporaneamente, irrorati con un getto di acqua tiepida che non poteva penetrare all'interno delle carte, ma che appariva idonea a portar via sporcizia e fango aggrumati; i volumi venivano infine disposti per l'asciugatura in celle di essiccazione dotate di calore e corrente d'aria controllati.

Altri 70.000 volumi[81] circa furono invece trattati all'EUR, nel Palazzo della civiltà del lavoro, per le cure di diversi bibliotecari romani e in particolare di Angela Vinay[82], che aveva offerto l'aiuto della Biblioteca nazionale romana, sotto la cui direzione lavorarono fino a 1.000 studenti al giorno organizzati in squadre fino alla fine di febbraio[83]; in questo caso non ci si occupò solo dell'essiccazione del

---

[81] Il numero è quello fornito dalla direzione dell'ICPL (Vaccaro, *Come si è salvato il materiale della Biblioteca nazionale* cit.), ma altre fonti indicano in 60.000 il numero dei pezzi lavorati all'EUR, fra cui la stessa Vaccaro in *La politica della conservazione libraria in Italia e l'opera di Francesco Barberi* cit., p. 588 e De Gregori in *Un anno fa il 4 novembre* cit., p. 789.

[82] Angela Vinay (1922-1990) sarebbe diventata vicedirettrice della Biblioteca nazionale romana nel 1968, per poi passare, nel 1973, alla direzione della Biblioteca universitaria Alessandrina e poi, nel 1976, alla direzione dell'Istituto centrale per il catalogo unico. Il suo nome è legato alla nascita di Edit16 e di SBN (per una sintetica notizia biografica vedi la scheda redatta da Giorgio de Gregori per il DBBI20, ma anche *Angela Vinay e le biblioteche: scritti e testimonianze*, Roma: ICCU-AIB, 2000). Fra i bibliotecari romani che supervisionarono il lavoro all'EUR anche Armando Petrucci, legato a Casamassima da rapporti di amicizia, che in una lettera al direttore della BNCF del 31 dicembre 1966 si diceva «sempre a disposizione totale sia del centro di Roma (e Barberi lo sa), sia della Nazionale di Firenze: anche l'Accademia [dei Lincei] su questo punto è d'accordo» (Archivio BNCF, 1304). Petrucci (n. 1932) era all'epoca archivista di Stato presso l'Accademia nazionale dei Lincei; sarebbe poi diventato conservatore dei manoscritti presso la Corsiniana, docente di Paleografia e diplomatica presso l'Università di Salerno e di Roma I, docente della Scuola speciale per archivisti e bibliotecari dell'Università di Roma e, dal 1991, professore di Paleografia latina presso la Scuola normale superiore di Pisa.

[83] In Archivio BNCF, filza 1304, è conservata la lettera del primo marzo 1967 in cui la Vinay fa l'elenco delle persone che più si sono spese, a Roma, per il trattamento del materiale alluvionato della BNCF perché Casamassima invii loro una lettera di ringraziamento: fra queste, oltre ai numerosi bibliotecari provenienti da diverse istituzioni romane, Luigi de Gregori, il figlio maggiore di Gior-

materiale – realizzata con l'ausilio di due essiccatoi, uno dei quali impiantato dalla Breda e modificato secondo le indicazioni dei bibliotecari, in modo particolare di Armando Petrucci[84] – ma si cercò di andare oltre, di arrivare a una sua più completa restituzione. All'EUR arrivò principalmente materiale moderno, legato in pelle o in tela, fin dalla prima settimana dopo l'alluvione; per questi volumi furono resi disponibili anche degli essiccatoi per l'uva, ma prima si decise di procedere al distacco, a opera degli studenti, delle legature, anche per il timore che dalla pelle e dalla tela delle coperte migrassero nelle carte tannino e coloranti, che sarebbe stato poi difficile rimuovere. Negli essiccatoi la temperatura era di circa 40° e i bibliotecari romani si occuparono di cambiare periodicamente posizione ai volumi e di girare le pagine per ottenere un'asciugatura il più uniforme possibile. I pezzi venivano quindi riportati al Palazzo della civiltà del lavoro dove, con l'aiuto di bisturi, venivano staccati i depositi di fango ormai secco; i volumi passavano poi alla disinfezione, effettuata con formaldeide, sotto la guida di Fausta Gallo[85], ricercatrice dell'ICPL. In un primo momento i volumi così lavorati furono indirizzati verso laboratori artigiani di Roma, ma quando a Firenze si venne precisando un "sistema" di intervento, secondo le modalità individuate dalla scheda di restauro, questa pratica fu interrotta, perché troppo difforme da quanto veniva fatto nel capoluogo toscano. I volumi attendevano quindi il loro ritorno a Firenze in locali resi disponibili all'interno del Palazzo delle tradizioni popolari.

---

gio, e numerosi presidi di scuole medie inferiori e superiori, per aver permesso agli studenti di assentarsi da scuola e di partecipare ai lavori al Palazzo della civiltà del lavoro. Per un resoconto giornalistico delle operazioni vedi, nella cronaca di Roma, *Hanno passato la domenica al lavoro per salvare i "libri di Firenze"*, «Paese sera», 28 novembre 1966, p. 4.

[84] Vedi in Archivio BNCF, 1304, la lettera di Petrucci a Casamassima del 26 novembre 1966, «sera»: «Qui al centro dell'Eur, dove continuiamo tutti a lavorare, il primo essiccatoio impiantato dalla Breda si è risolto [...] in un vero fallimento. Io ho fatto a questo proposito una dettagliata relazione al Ministero [...]. Gli errori erano relativi al locale (troppo alto), all'impianto (a grado troppo basso di calore, con bocche alte anziché basse, e con poca ventilazione), alla disposizione delle plance. Dopo giorni e giorni di prove e di arrabbiature sono riuscito ad ovviare ad alcuni di questi difetti: ora la temperatura è a 40°, la ventilazione migliore, l'umidità minore, e la disposizione dei libri più razionale; il primo carico di libri (quasi 3000) è quasi completamente asciutto».

[85] Fausta Gallo (n. 1931), laureata in scienze naturali all'Università di Roma, all'ICPL dal 1952, ne dirigeva il laboratorio scientifico.

I risultati ottenuti nei diversi centri non furono naturalmente uniformi, a causa sia delle diverse temperature e dei differenti livelli di umidità relativa cui il materiale alluvionato fu esposto, sia del diverso operato del personale delle biblioteche e delle soprintendenze cui la Nazionale si appoggiò per la sorveglianza e la guida dei lavori, ma anche degli impiegati di quest'ultima, inviati in missione là dove non era stato possibile appoggiarsi a istituzioni locali. A detta di Anthony Cains, direttore tecnico dal 1967 al 1971 del Centro di restauro che si costituirà in Nazionale, c'era una notevole differenza «between the carefully processed and boarded items [...] from Bologna and the far less efficiently processed items [...] from another center» ed è proprio osservando questo scarto che Cains riflette sulla necessità di saper individuare e interrompere, anche in situazioni di grave emergenza, procedure sbagliate o dannose[86].

Al loro ritorno i volumi essiccati – alcuni dei quali caratterizzati da un inconfondibile odore di tabacco[87] – che cominciarono a rientrare fin dalla fine di novembre, ma che da gennaio assunsero un ritmo di quattro o cinque camion al giorno[88] per terminare entro il mese

---

[86] Anthony Cains, *The "system" of the Biblioteca nazionale in Florence: the international contribution to its philosophy and development during the period 1966-1971*, in: *Dal 1966 al 1986* cit., p. 125-137.

[87] Cfr. la testimonianza della Guiducci Bonanni nel video *L'alluvione di Firenze* cit.

[88] In base alle note di consegna conservate in Archivio BNCF, 1305, il materiale essiccato a Città di Castello, nella Fattoria autonoma tabacchi, rientrò in Biblioteca dal 30 gennaio al 18 marzo 1967, al ritmo di uno-tre camion al giorno. Fino al 7 marzo rientrarono i giornali, fino a 3.520 pacchi al giorno, per un totale di 48.215 pacchi, anche se già il 21 febbraio un camion trasportava 540 pacchi di giornali e 70 sacchi di libri e il 23 febbraio un altro scaricava 900 pacchi di giornali e 56 pacchi di libri; dal 9 al 15 marzo rientrarono i libri, fino a 6.900 al giorno, per un totale di 24.190; dal 16 marzo rientrarono i casi più problematici: 2.160 volumi in carta patinata il 16 marzo, 480 pacchi di riviste, 86 giornali, 52 carte geografiche e 21 libri antichi il 17 marzo, 244 volumi macchiati, 480 «volumi normali», 540 volumi in carta patinata, una scatola di libri antichi e una scatola di copertine il 18. Il materiale essiccato presso il Consorzio tabacchicultori di San Giustino Umbro, invece, rientrò in Nazionale dal 15 febbraio all'11 aprile 1967, al ritmo di uno-due camion al giorno. Fino al 3 marzo rientrarono i giornali, fino a 2.400 pacchi al giorno, per un totale di 21.794 pacchi, anche se già il camion del 15 febbraio trasportava 1.200 pacchi di giornali e manifesti e il 3 marzo un primo camion scaricava 506 riviste e 694 pacchi di giornali e un secondo 932 pacchi di riviste; dal 4 marzo rientrarono i libri, fino a 140 scatole giorno, per un totale di 1.092 scatole, dove il 6 aprile si precisa trattarsi di cento

di maggio, venivano collocati, per essere selezionati e conservati in attesa dei successivi trattamenti, in magazzini provvisori installati in Biblioteca, ma soprattutto al Forte di Belvedere, dove vennero ricoverati i Magliabechiani, i grandi formati, le opere moderne (provenienti dalle collezioni e dalla sala di lettura) e le riviste. Quando però gli altri fondi cominciarono a rientrare a Firenze dall'Umbria, i primi furono trasferiti al piano terreno rialzato, al piano superiore del vecchio edificio della Biblioteca e nei tre piani dell'ala nuova[89]. I giornali e i quotidiani erano destinati a seguirli, mentre per le miscellanee, i duplicati, le tesi francesi e tedesche e i manifesti era prevista una prolungata permanenza al Forte.

Secondo il giudizio di Casamassima: «l'intera operazione [...] ha avuto indubbiamente successo; per la grande maggioranza del materiale librario, e soprattutto per i giornali, che a causa della scadente qualità della carta davano maggiori motivi di timore, i risultati dell'essiccagione devono essere riconosciuti come insperatamente positivi»[90].

3.5 Gli aiuti

La presenza, sugli scalini della BNCF, di giovani pronti a offrire il proprio lavoro fin dalla mattina del 5 novembre, quando Casamassima fu finalmente in grado di raggiungere l'istituto che dirigeva, viene riferita da diversi testimoni[91]; fu così che fin dai primissimi giorni

---

scatole di miscellanee, mentre l'11 aprile uno dei camion trasportava un non meglio determinato «carico di volumi in carta patinata».

[89] La mancanza di spazio nell'edificio principale della Nazionale fece però pensare fin dai primi mesi del 1967 alla necessità di costruire due nuove torri librarie per alloggiarvi i volumi essiccati, una nel giardino, di cinque piani e circa 800 m^3 di capacità, e un'altra, sempre di cinque piani ma di capacità minore, al centro del cortile della Biblioteca: si trattava di un'esigenza molto sentita da Casamassima, che la ribadiva in tutte le relazioni presentate periodicamente al Ministero, che non fu però soddisfatta. Gli spazi aggiuntivi necessari furono allora recuperati dal riallestimento degli spazi precedentemente destinati al pubblico della BNCF (vedi oltre, p. 242).

[90] Casamassima, *Una legge speciale per la Biblioteca nazionale centrale di Firenze* cit., p. 294.

[91] Le testimonianze parlano di due giovani studentesse americane che si presentarono chiedendo se potevano fare qualcosa (cfr. De Gregori, *Un anno fa il 4 novembre* cit., p. 787), sono «due bionde diciassettenni americane» nel ricordo di Barberi (*Esperienza di un disastro*, «Associazione italiana biblioteche. Bollet-

la BNCF conobbe la solidarietà di volontari, italiani ma anche stranieri, non solo perché era una delle istituzioni più gravemente colpite, ma anche perché si trattava di uno degli istituti bibliografici maggiormente frequentati da studiosi e studenti, proprio per aver assunto nel corso degli anni quell'errata funzione di biblioteca di pubblica lettura che il direttore stesso aveva denunciato nel suo rapporto alla Commissione Franceschini[92].

I primi stranieri, fra i quali anche alcuni tecnici del settore, precedettero la macchina organizzativa dei comitati, arrivando in forma privata: fra questi Hans Heiland, restauratore di Stoccarda, che il 4 novembre si trovava in Svizzera per lavoro e che, forte di esperienze di recupero precedenti – prima fra tutte quella ad Amburgo dopo la terribile alluvione dell'Elba della notte fra il 16 e il 17 febbraio 1962 – il 10 novembre partì da Lucerna pensando correttamente che ciò di cui a Firenze si sarebbe sentita maggiormente la necessità era una direzione tecnica ed organizzativa del lavoro volontario. Heiland non conosceva Firenze e le sue biblioteche, ma avendo saputo dell'entità della catastrofe durante una sosta a Milano, si diresse subito in Nazionale, pensando che il suo aiuto fosse più utile laddove ci si doveva confrontare con i grandi numeri, e si presentò a Casamassima con una lettera di referenze dei suoi datori di lavoro elvetici: Heiland poté così iniziare subito a lavorare e il secondo giorno dal suo arrivo

---

tino d'informazioni», n.s., 6 (1966), n. 5-6, p. 135-143); Baglioni le ricorda invece come giovani borsiste. Ne parla anche Hamlin, *The libraries of Florence* cit., p. 144: «Nearly everyone with whom I talked mentioned that the very first student volunteers at the Biblioteca Nazionale were two young American girls. "Is there anything we can do to help?" they said». In un articolo apparso in un quotidiano emiliano qualche mese dopo, un bibliotecario di Parma, Giovanni Pettenati, dette una propria versione di quel momento: «Di fronte alla marea di volumi, lanciati dapprima fino al soffitto, dove ancòra se ne evidenzia l'impronta scialba come in una radiografia, e acquetatisi in una morta palude di fanghiglia, agli scaffali sgangherati e pericolanti, il direttore dottor Casamassima e il centinaio di dipendenti della Biblioteca rimasero qualche tempo inerti, come paralizzati per non sapere da quale parte prendere avvio. Ci si dice che due studenti americani, accostatisi agli impiegati, abbiano chiesto se potevano essere utili, dare una mano; poi giunse una ragazza inglese, allungò la mano e trasse fuori un volume enormemente appesantito dal fango. Questi fatti così semplici parvero spalancare come per incanto la strada: si misero di lena al lavoro» (*La biblioteca di Firenze, ora*, «Gazzetta di Parma», 31 marzo 1967, p. 3).

[92] Vedi paragrafo 1.3. I volontari, come vedremo, entreranno a far parte in modo stabile del sistema di recupero impiantato in BNCF e rimarranno a lungo, tanto che, nel luglio 67, Casamassima ne contava 150.

poté telefonare in Germania per chiamare in aiuto il figlio e l'aiutante, che già il giorno successivo lo raggiunsero in BNCF e che rimasero in Biblioteca per tre settimane, aiutandolo a fornire il supporto tecnico necessario a portare a termine le prime caotiche operazioni di recupero e a supervisionare il lavoro degli studenti cui venivano affidati compiti che prevedevano la manipolazione di volumi alluvionati[93].

Il *team* che lasciò però un'impronta indelebile del proprio operato, assumendosi la direzione e il coordinamento dei lavori, impostando un sistema coerente di operazioni, perfezionando e trasformando quello che veniva fatto prima del suo arrivo, fu quello costituito dai restauratori inglesi, che arrivarono a Firenze a partire dal 26 novembre e che entro il 9 del mese successivo avevano già dato vita a uno stadio embrionale di quello che sarebbe stato il "sistema"[94].

L'iniziativa di rivolgersi all'estero in cerca di legatori e restauratori esperti, in grado di realizzare operazioni di pronto soccorso su manoscritti e libri a stampa alluvionati, ma anche di affiancare gli studenti, organizzandone il lavoro volontario e insegnando loro come operare, fu della Pro Firenze di Gabriele Caprara. L'organizzazione puntava ad affidare a ciascun esperto gruppi grossomodo stabili di volontari, che venivano accettati se disponibili per almeno dieci giorni; a loro veniva rimborsato il viaggio, organizzata la sistemazione e pagate cento lire al giorno. Fu proprio questo comitato che mise originariamente in contatto quello che sarebbe diventato il *team* con la BNCF e che pagò i primi tre legatori britannici che partirono per Firenze. Caprara cercava legatori creativi e capaci di lavorare con gli studenti e fu anche per questo che gli inglesi che furono indirizzati a Firenze dalla biblioteca del British Museum, attraverso la quale

---

[93] Heiland ha raccontato la sua esperienza, presentandola anche come un modello di *disaster management*, in un articolo dal titolo *Dokumentation über die Rettungsarbeiten in der Biblioteca Nazionale Centrale in Florenz* pubblicato in due puntate su una rivista che allo stato attuale delle ricerche non è stato ancora possibile identificare: l'articolo, infatti, è stato reperito da Stefan Heiland nell'archivio privato del padre, ritagliato e incollato su cartoncino, privo di annotazioni sulla sua provenienza. Assieme ad esso erano conservati, fra gli altri, un articolo di Wilhem Bleicher (vedi oltre, p. 256), dal titolo *Wasser, Schlamm und harte Arbeit*, estratto allo stesso modo dal suo contesto editoriale originale.

[94] «The Italian Art and Archive Rescue Fund's team of bookbinders: I do not recall the word team being applied in a consistent way to any other foreign group working in Florence after the flood of November 1966» (Cains, *The "system" of the Biblioteca nazionale in Florence* cit., p. 125).

furono reclutati, erano per la maggior parte titolari di corsi di restauro e legatoria presso diversi *college.*

Il terzetto che il 26 novembre raggiunse l'Italia, diretto proprio alla Biblioteca nazionale, era costituito da Peter Waters – accompagnato dalla moglie Sheila, calligrafa – Dorothy Cumpstey e Anthony Cains; il gruppo però si accrebbe nel giro di pochi giorni perché già il primo di dicembre arrivarono il socio in affari di Waters, Roger Powell – accompagnato dalla moglie Rita, anch'essa legatrice – Sally Lou Smith, Philip Smith, John Corderoy e John Vivian, seguiti a loro volta, a breve distanza di tempo, da Sydney Morris Cockerell, Christopher Clarkson, Elizabeth Greenhill, Charles e Pamela Gott e Faith Shannon, che risposero all'appello ai legatori del Regno Unito lanciato da Nixon ai primi di dicembre perché si rendessero disponibili a partire per la città toscana. Da allora, per i mesi che seguirono, una trentina furono i britannici che parteciparono ai lavori di recupero in Nazionale, una decina dei quali erano dipendenti dello Stationery Office della biblioteca del British Museum[95]; qualcuno tornò più volte per insegnare o dare il proprio contributo alla costituzione del sistema, fino a raggiungere un massimo di dodici esperti britannici presenti contemporaneamente, nel mese di gennaio del 1967.

La grande capacità operativa e lo spirito di gruppo che animò i legatori britannici va ricercata nel loro radicamento comune nella recente storia dell'artigianato in Gran Bretagna, poiché tutti facevano riferimento all'insegnamento di Douglas Cockerell ed erano membri della Guild of Contemporary Bookbinders[96].

---

[95] Her Majesty's Stationery Office (usualmente abbreviato HMSO), fondato nel 1786, aveva negli anni assunto anche il ruolo di tipografia della Corona, soprattutto negli anni '80 dell'Ottocento, e il suo archivio aveva sede presso il British Museum. A partire dagli anni Ottanta il suo ruolo si è in parte trasformato, fino alla creazione, nel 2005, dell'Office of Public Sector Information (OPSI); vedi www.opsi.gov.uk.

[96] Per ulteriori notizie a proposito dei componenti del *team* inglese, vedi Dorothy A. Harrop, *Craft binders at work III: Roger Powell*, «The book collector», 22 (1973), n. 4, p. 479-486; *Roger Powell, the complete binder: Liber amicorum*, edited by Guy Petherbridge and John L. Sharpe, Turnhout: Brepols, 1996; Dorothy A. Harrop, *Craft binders at work XI: Sally Lou Smith*, «The book collector», 30 (1981), n. 3, p. 315-334; Philip Smith, *An autobiography of indebtedness*, «The new bookbinder», 1 (1981), p. 39-51; Frantisek Kusy, *Philip Smith and his contribution to bookbinding art*, «The new bookbinder», 9 (1989), p. 22-29; Sally Lou Smith, *A tribute to John Corderoy*, «The paper conservator», 1 (1976), p. 1 (Corderoy, nato nel 1909, era morto quell'anno); il capitolo dedicato a Sydney M. Cockerell in John Farleigh, *The creative craftsman*, London: G.

Douglas Cockerell (1870-1945) – che era stato in diretto contatto, a partire dagli anni '80 dell'Ottocento, con il fondatore dell'Arts and Crafts Movement William Morris, di cui il fratello Sydney era segretario personale alla Kelmscott Press[97] – era stato un rivoluzionario nel campo della legatoria, dal momento che aveva introdotto per la prima volta i concetti di stabilità e durabilità (*permanence* e *durability*), non solo delle strutture, ma anche dei materiali che le costitui-

Bell, 1950; Dorothy A. Harrop, *Craft binders at work IV: Sydney Morris Cockerell*, «The book collector», 23 (1974), n. 2, p. 171-178; Nancy Bell – Christopher Clarkson, *Personal and professional reflections: a conversation with Christopher Clarkson*, «The paper conservator», 25 (2001), p. 71-84; *Chris Clarkson winner of the Plowden Medal 2004 for striving tirelessly to raise standards in book and manuscript conservation*, «Paper conservation news», 29 (2004), n. 110, p. 1-3; il sito http://www.clarksonconservation.com; *Elizabeth Greenhill, bookbinder: a catalogue raisonné*, Foss, Pitlochry: K.D. Duval, 1986; Dorothy A. Harrop, *The Elizabeth Greenhill collection of fine bindings*, «The new bookbinder», 7 (1987), p. 3-8; Bernard Middleton, *Elizabeth Greenhill at ninety*, «The new bookbinder», 17 (1997), p. 3-4. Per maggiori informazioni sulla Guild of Contemporary Bookbinders, che ha poi cambiato nome in Society of Designer Bookbinders, vedi http://www. designerbookbinders.org.uk, nonché Trevor Jones, *The Guild of contemporary bookbinders, 7 April 1955-7 December 1968: notes for a future historian*, «The new bookbinder», 10 (1990), p.13-30.
[97] Per Arts and Crafts Movement si intende quel gruppo di artigiani, artisti, designer e architetti che volevano innalzare lo status delle arti applicate a quello delle belle arti; criticavano l'estetica dell'industrializzazione e le sue conseguenze sul piano sociale, mentre ne propugnavano una essenzialmente antiaccademica, celebrativa dell'individualità dell'artista e del diritto del designer a sperimentare ed esplorare tutte le possibilità offerte dal materiale su cui opera. Nato in Gran Bretagna, negli anni '80 e '90 dell'Ottocento acquistò visibilità con la fondazione della Century Guild, dell'Art Workers' Guild e della Home Arts and Industries Association nel 1884, della Guild and School of Handicraft e della Arts and Crafts Exhibition Society nel 1888, oltre che attraverso le pubblicazioni della Kelmscott Press diretta da William Morris (vedi Henry Halliday Sparling, *The Kelmscott press and William Morris master-craftsman*, London: Macmillan, 1924; John William Mackail, *The life of William Morris*, with an introduction by Sydney Cockerell, London: Oxford University Press, 1950; Eugene D. LeMire, *A bibliography of William Morris*, New Castle: Oak Knoll Press, 2006; per Sydney Carlyle Cockerell (1867-1962), vedi invece William Blunt, *Cockerell: Sydney Carlyle Cockerell, friend of Ruskin and William Morris and director of the Fitzwilliam Museum, Cambridge*, London: H. Hamilton, 1964 e le tre Sandars Lectures di Christopher de Hamel: *Cockerell as entrepreneur*, «The book collector», 55 (2006), n. 1, p. 49-72; *Cockerell as museum director*, «The book collector», 55 (2006), n. 2, p. 201-223; *Cockerell as collector*, «The book collector», 55 (2006), n. 3, p. 339-366).

scono, in una concezione del libro visto come strumento destinato all'uso. Questo tipo di approccio portava la sua scuola a un forte interesse per la storia della legatura, che veniva studiata non per motivi estetici, alla ricerca di stilemi da utilizzare in strutture moderne, ma come punto di partenza per la manifattura di strutture durevoli e di migliori modalità di conservazione. Il suo *Bookbinding and care of books*, del 1901, divenne un testo fondamentale per la formazione dei legatori inglesi; se i suoi insegnamenti ebbero però una fortuna effimera presso i contemporanei, furono i suoi allievi e i suoi amatori a portare avanti e a sviluppare le sue idee: fra questi i legatori inviati a Firenze dal laboratorio di restauro della biblioteca del British Museum. Sydney Morris Cockerell[98] era infatti il figlio di Douglas, del cui fratello portava il nome, mentre Powell ne era stato il miglior allievo al Royal College of Art e, nel 1936, era divenuto socio della Douglas Cockerell & Son di Letchworth, dove era rimasto fino al 1947[99]. I due, legati al nome di un laboratorio di restauro librario tanto famoso, erano considerati i migliori legatori del tempo. Waters, nominato da Nixon coordinatore del gruppo fiorentino, era stato a sua volta l'allievo prediletto di Powell (succeduto nell'insegnamento a Douglas Cockerell) ed era suo socio dal 1956, anno in cui gli era a sua volta succeduto come docente[100]. Cumpstey e Pamela Gott erano stati assistenti di Powell, mentre Philip Smith, Clarkson e Cains avevano lavorato in periodi diversi per Sydney Cockerell[101]. Di tutti loro i due che rimasero più a

---

[98] In gran parte dei documenti Sydney Morris Cockerell (1906-1987) viene chiamato con il diminutivo "Sandy".

[99] Douglas Cockerell aveva fondato la Douglas Cockerell & Son, destinata a diventare il più noto laboratorio di legatoria e restauro dell'epoca, nel 1924. Il laboratorio rimase in funzione fino alla morte di Sydney, nel 1987.

[100] La società fra Waters e Powell, il cui laboratorio era denominato The Slade, si sciolse nel 1971, quando il primo lasciò la Gran Bretagna per gli Stati Uniti, dove era stato chiamato dalla Library of Congress alla direzione del costituendo laboratorio di restauro. Al laboratorio The Slade, situato a Froxfield, Nixon dedicò un breve testo, uscito nel 1965, dal titolo *Roger Powell & Peter Waters*. L'archivio privato di Waters, che conserva soprattutto materiale relativo all'alluvione e al laboratorio della Library of Congress, alla cui direzione Waters rimase fino al 1995, anno del pensionamento, è conservato dalla moglie Sheila, che sta lavorando a una biografia del marito. Le fotografie riguardanti l'alluvione sono state digitalizzate, mentre il lavoro di descrizione di queste ultime attraverso perspicue didascalie è stato interrotto dalla morte dell'autore, avvenuta nel 2003.

[101] Nell'archivio privato di Cains è conservata la minuta della lettera con cui il restauratore inglese si propose per partire per Firenze, dove è brevemente rias-

lungo a Firenze furono Clarkson, incaricato fino al 1968 dell'insegnamento delle legature utilizzate nel laboratorio, ma soprattutto Cains, direttore tecnico di quest'ultimo fino al marzo 1972[102]. Sally Lou Smith (n. 1925), allieva di Corderoy, che aveva a sua volta appreso il mestiere alla Central School of Arts and Crafts, fortemente influenzata dagli insegnamenti di Douglas Cockerell, fu la prima a offrirsi come volontaria a Gabriele Caprara, con il quale furono poi messi in contatto tutti gli altri. Quando il gruppo partì, non era ben chiaro cosa si stesse facendo in Biblioteca; Nixon aveva ricevuto alcune informazioni e una copia delle istruzioni di lavoro che venivano impartite ai volontari che si presentavano in Nazionale, ma «in one or two cases it is not absolutely clear to our Italian experts what precisely they are doing, but the general idea seems to come through all right»[103]. Quando gli inglesi giunsero a Firenze gli Hei-

---

sunta la sua carriera, fino a quel momento: sette anni di apprendistato in legatoria artistica, assistente di Sydney Cockerell per tre anni, periodo durante il quale lavorò su importanti volumi in carta e pergamena – incluso Codex Bezae Cantabrigensis, codice del nuovo testamento del V-VI secolo conservato presso la Cambridge University Library – impiegato al British Museum per un breve periodo prima di mettere su un proprio studio, qualche esperienza didattica.

[102] In un appunto di Nixon, non datato ma risalente probabilmente all'estate del 1967, conservato nel suo archivio, è riportato un elenco dei «binders who went out to Florence», dove sono elencati i nomi di 34 restauratori, fra cui, oltre ai già citati Corderoy, Philip Smith, Vivian, Cumpstey, Sally Lou Smith, Clarkson, Greenhill, Cockerell, anche Bernard C. Middleton (n. 1924) storico della legatura e legatore di fama (suoi i più volte ripubblicati *A history of English craft bookbinding technique*, New York, London: Hafner, 1963; *The restoration of leather bindings*, Chicago: ALA, 1972), sua moglie Dora (1922-1997), che nel 1972 sarà nominata *honorary fellow* della Guild of Contemporary Bookbinders, Bill Topping, legatore presso la Lambeth Palace Library e in seguito professore incaricato presso il Camberwell College of Arts, i legatori del British Museum Denis E. Blunn e George Jolly, Ivor Robinson (n. 1924), dal 1955 *fellow* della Guild of Contemporary Bookbinders e dal 1959 al 1989 docente di legatoria presso l'Oxford College of Technology (divenuto Oxford Polytechnic nel 1970), Paul C. Delrue, che dal 1961 al 1964 era stato apprendista presso la University College London Bindery, per poi metter su nel 1971 un proprio laboratorio, George Kirkpatrick, della Graphic Design School del Royal College of Art.

[103] Dalla nota di Nixon a Cains, datata 25 novembre 1966, con le ultime istruzioni per il viaggio, conservata nell'archivio privato di Cains. Questa difficoltà di comprensione in merito alle operazioni che venivano condotte in Nazionale, ancora senza un piano preciso, continuò anche dopo l'arrivo a Firenze: riferendosi a quei giorni Waters affermava «it was difficult to obtain a clear picture of what was going on and exactly how many volumes were damaged. It was clear to us, however, that no long-term plans for restoration were being made» (Wa-

land stavano per lasciare la città per motivi di lavoro, eccetto Hans, che rimase per il periodo necessario al passaggio delle consegne: fu quindi chiesto ai legatori inviati dal British Museum di subentrare nel ruolo di supervisori del lavoro dei volontari. Proprio in quei giorni si avviava a conclusione la prima concitata fase del salvataggio: il prelievo dei volumi alluvionati dai magazzini.

Il *team* era già all'opera e aveva già cominciato a selezionare i volumi alluvionati di maggior pregio che sarebbero stati lavorati secondo nuove modalità, quando lo IAARF inviò a Firenze lo stesso Nixon, dal 4 al 6 dicembre, per stringere maggiormente i contatti con le diverse realtà che operavano in favore della città alluvionata, per cercare di ottimizzare gli aiuti britannici. Giunto in città alle sei di sera di domenica 4 dicembre, Nixon incontrò in rapida successione i protagonisti del recupero della Nazionale: accolto da Caprara e Casamassima, la sera fu ospite di quest'ultimo, insieme ai legatori inglesi, in un ristorante appena riaperto; per il direttore dell'alluvione era la prima sera senza stivali e la seconda notte a casa, abbandonata la branda allestita nei locali della direzione il 5 novembre. Dopo cena Nixon si diresse a villa I Tatti, assieme a Waters e ai Powell, dove si confrontò con i dirigenti del CRIA. Fu anche dagli incontri e dalle riunioni tenute il giorno successivo, dopo aver visitato la galleria degli Uffizi, che scaturì la decisione, per lo IAARF, dell'assunzione di patrocinio nei confronti della BNCF e dei suoi libri, in modo da poter sviluppare appieno le capacità e le potenzialità organizzative dei legatori inglesi già a lavoro.

Il compito di questi ultimi all'inizio consisté nell'individuare una serie di semplici operazioni che potessero essere portate a termine da mani volenterose ma inesperte, a partire dall'osservazione delle esperienze fatte fino a quel momento, oltre che nel coordinare il lavoro dei tecnici arrivati in Biblioteca da tutto il mondo. La prima decisione che assunsero fu quella di interrompere tutte quelle operazioni che stavano sommando nuovi danni a quelli già prodotti dall'alluvione: lo smontaggio dei volumi ancora bagnati alla centrale termica e l'interfoliazione come metodo di essiccazione. I tecnici inglesi trascorsero inoltre molte ore al Forte di Belvedere, osservando i libri e cercando di individuare al loro interno degli elementi comuni, alla ricerca di formule che potessero rispondere ai terribili danni che rile-

---

ters, *Problems of book conservation* cit.). Cains ricorda che, prima della partenza, gli fu suggerito di acquistare una piccola paletta da giardinaggio in acciaio, utile per la rimozione del fango, a dimostrazione di quanto poco si fosse capito del lavoro che gli inglesi sarebbero andati a svolgere a Firenze.

vavano: fu ben presto chiaro che la varietà dei materiali, delle tipologie bibliografiche e dei danni richiedevano una selezione preliminare del materiale e questa fu la base di partenza della riorganizzazione britannica.

Il "sistema", come inizialmente ideato, doveva rappresentare lo schema base di intervento per i volumi antichi e di pregio – 120.000 dei volumi più importanti furono selezionati dalla Biblioteca per entrare in questo percorso – ed era forse il primo tentativo di organizzazione di un restauro di massa in campo librario. Erano scelte difficili, ma i protagonisti evocano il periodo trascorso a Firenze con e-mozione, ricordando l'entusiasmo e la fecondità di momenti in cui c'era tutto da scoprire e ci si poteva confrontare con i più grandi specialisti del settore, presenti in Nazionale o in contatto con essa[104].

Nel frattempo nasceva il Comitato per la Biblioteca nazionale: sorto nella settimana successiva all'alluvione in forma embrionale a opera del direttore insieme agli storici Elio Conti, Cesare Vasoli, Giovanni Miccoli, al geografo Giuseppe Barbieri e ai sociologi Pietro De Marco e Andrea Messeri a sancire l'intesa nata durante l'emergenza fra la Biblioteca da una parte e studenti e professori accorsi in suo aiuto dall'altra, il Comitato si costituì in associazione, con atto notarile, il 9 febbraio 1967, con lo scopo di contribuire alla raccolta dei mezzi finanziari necessari a restituire piena funzionalità all'istituto attraverso lavori di risanamento, riordinamento e reintegrazione, di coordinare e appoggiare tutte le iniziative volte a questo scopo e di sollecitare l'opinione pubblica per ottenere i necessari provvedimenti legislativi.

Il volantino prodotto dal Comitato, datato 21 gennaio 1967, recitava[105]:

---

[104] «What I am certain about is that it was a privilege to work for the Biblioteca Nazionale under the leadership of Emanuele Casamassima and his dedicated staff, the student volunteers of the emergency period and the staff of the centre that followed them and whom we helped train» (Cains *The "system" of the Biblioteca nazionale in Florence* cit., p. 127).

[105] Archivio CRIA, 24, fasc. 2, n. 3. Lo statuto fu sottoscritto anche dagli storici Michele Ranchetti e Roberto Vivarelli, da Giorgio de Gregori, da Stelio Giannini, dal bibliografo e storico della letteratura Carlo Cordiè, da Alfiero Manetti, Ivaldo Baglioni e Marcello Vigni e il 21 gennaio 1967 si aggiunsero anche il direttore de *Il Ponte* Enzo Enriques Agnoletti, Myron Gilmore, gli storici Giorgio Mori e Giorgio Spini e Nicolai Rubinstein.

Di fronte alle disastrose conseguenze dell'alluvione del 4 novembre, che ha devastato circa un terzo del patrimonio librario della Biblioteca Nazionale di Firenze minacciandone la stessa esistenza come centro di studio, constatata la necessità di affiancare l'iniziativa esterna all'opera non sempre tempestiva ed efficiente della burocrazia, tra i volontari e il personale della Biblioteca impegnati nella prima opera di salvamento del patrimonio bibliografico si è costituito un Comitato permanente. Scopo di tale Comitato è quello di cooperare all'immane lavoro di risanamento, riordinamento, reintegrazione del patrimonio bibliografico alluvionato, e di riorganizzazione di tutti i servizi della Biblioteca, onde garantire la sollecita ripresa della piena funzionalità di questo Istituto in una diversa e migliore strutturazione. A tal fine il Comitato si propone di contribuire alla raccolta degli ingenti mezzi economici necessari, di coordinare o appoggiare tutte le iniziative sorte in proposito, di sollecitare l'opinione pubblica per gli opportuni provvedimenti anche di carattere legislativo. Pertanto tutti coloro che condividano gli scopi della nostra iniziativa e desiderino aiutare la Biblioteca Nazionale, sono invitati a rivolgersi a questo Comitato.

Ad alcuni dei professori firmatari – che prestarono il proprio aiuto in forma privata – Casamassima assegnò dei ruoli ben precisi nell'organizzazione dei lavori di primo intervento, proseguendo nella sua linea di assegnare compiti e responsabilità in base alle competenze e alle capacità pratiche di ognuno, indipendentemente non solo dai ruoli professionali ricoperti – come nel caso ormai famoso di Manetti e di Baglioni – ma anche istituzionalizzando il ruolo di persone esterne alla Biblioteca. È il caso, ad esempio, di Roberto Vivarelli, cui fu affidata l'organizzazione dei lavori di recupero dei giornali.

Oltre a quello inglese si realizzarono in favore della Biblioteca rilevanti interventi di altri comitati stranieri – sotto forma di finanziamenti, di assistenza tecnica, di prestazione di manodopera volontaria, di invio di attrezzature e materiale – che assunsero un grande rilievo al momento dell'istituzione dei laboratori di restauro all'interno della Nazionale. Dall'Australia, governo del New South Wales, giunsero ad esempio, nel 1967, i finanziamenti destinati a coprire interamente l'installazione del reparto di restauro delle stampe e dei libri illustrati, curato da William Boustead[106]. Fin dalla primavera del 1967 si stabi-

---

[106] William Morris Boustead (1912-1999), è da molti considerato il padre della professione di restauratore in Australia, per il suo impegno nell'innalzare i restauratori da uno *status* prettamente artigianale a uno professionale, che unisse alle competenze artigianali e artistiche, quelle tecniche e scientifiche. Assunto nel 1946 dalla Art Gallery del New South Wales, Boustead si interessò subito ai

lirono per questo fine contatti fra l'ambasciata inglese e quella australiana: Boustead infatti, specializzato nel restauro di opere d'arte, fu sorpreso dall'assenza, a Firenze, di un laboratorio di restauro finalizzato alle stampe, presente già allora nella gran parte delle biblioteche nazionali estere, e propose pertanto, per il suo allestimento e per l'addestramento del personale addetto, un progetto approvato in agosto dal comitato australiano; per parte sua, Casamassima si impegnò a che tale laboratorio diventasse permanente.

Il CRIA garantì invece per anni i fondi necessari a mettere a disposizione della Biblioteca molti tecnici non italiani, fra cui anche gli inglesi, stipendiandoli in modo regolare, a partire dalla metà del 1967, e si occupò inoltre di finanziare fruttuosi scambi con tecnici stranieri e visite professionali all'estero di lavoratori del laboratorio di restauro della Nazionale, dotandoli così di nuove conoscenze e offrendo loro nuovi stimoli. I fondi del comitato americano inoltre, facilmente disponibili e velocemente impiegabili, furono utilizzati per l'acquisto di una cella per la disinfestazione con ossido di etilene, concessa alla Biblioteca in prestito perpetuo, e per l'installazione, a partire dall'autunno del 1967, del laboratorio fotografico, in collaborazione con la University Microfilms[107].

Per il Centro nordico lavorarono invece in Nazionale nel 1968 alcuni specialisti, fra cui i danesi Henning Madson e Anne Muller Pederson, mentre altri tecnici furono inviati dal comitato svizzero e da quello tedesco, che ne affidò il coordinamento a Joachim Wieder, legato a Casamassima da rapporti di amicizia[108].

L'Unesco, oltre a fare da intermediario fra esigenze della Biblioteca e finanziatori esteri, fornì anche due piccole celle per la disinfestazione sotto vuoto, mentre il Verein des Kunsthinstorisches Instituts in Florenz si sobbarcò non solo tutte le spese necessarie alla deumidificazione dei locali della Nazionale, che furono portate a termine fra l'inverno e la primavera del 1967 con l'assistenza di Ale-

---

problemi della conservazione, in modo particolare di quella preventiva, fino a diventare conservatore del museo nel 1954. A lui si deve anche l'istituzione dei corsi di conservazione e restauro che hanno formato un'intera generazione di conservatori australiani.

[107] Vedi *supra*, p. 108-109.
[108] Per Joachim Wieder (1912-1992), bibliotecario tedesco di chiara fama, vedi *Bibliothekswelt und Kulturgeschichte. Eine internationale Festgabe für Joachim Wieder zum LXV Geburstag von seinen Freunden*, ed. Peter Schweigler, München: Verlag Dokumentation, 1977, con una bibliografia degli scritti.

xander Kreuter[109], ma anche quelle necessarie a impiantare la legatoria industriale – che fu installata nell'estate del 1967 – destinata a lavorare il materiale moderno non di pregio e i giornali, sviluppata e perfezionata assieme ai tecnici britannici. Il comitato austriaco spesò invece il restauro di varie migliaia di volumi alluvionati nei laboratori di Vienna[110], mentre fondi ungheresi coprirono parte delle spese necessarie al recupero e a un primo riordinamento dei giornali. Legatori e restauratori furono inoltre inviati a più riprese dal comitato tedesco e da quello nordico, mentre dai musei cecoslovacchi arrivarono restauratori di carta e pergamena; il CRIA pagò il viaggio anche a una restauratrice ungherese che voleva studiare la possibilità, realizzata su un numero ristretto di esemplari in via sperimentale, di procedere al placcaggio, alla laminazione cioè con materiali plastici, dei giornali.

Il laboratorio di restauro, o Centro – come venne poi chiamato nell'auspicio condiviso dall'Unesco che diventasse luogo di formazione, studio e sperimentazione nel campo del restauro librario a livello internazionale – nacque quindi e si sviluppò all'interno e attraverso la collaborazione instauratasi fra numerosi paesi, una cooperazione che gli era imprescindibile e che contribuì a formare una base comune di esperienze e di idee fra tutti coloro che vi presero parte o che furono in qualche modo in contatto con esso.

La ricerca scientifica, parte integrante del laboratorio installato in Nazionale nello sforzo di migliorare continuamente l'approccio ai problemi presentati dai danni provocati dall'alluvione sulle diverse tipologie di materiale, fu portata avanti da Joe Nkrumah, Ronald Reed e Margaret Hey[111], ma furono fondamentali la stretta collabora-

---

[109] Tesoriere dal 1960 al 1963 del Verein zur Erhaltung des Deutschen Kunsthistorischen Institutes (Associazione per la conservazione dell'Istituto germanico di storia dell'arte), poi membro con diritto di voto del comitato scientifico dell'Istituto dal 1970 al 1974, venne a Firenze all'indomani dell'alluvione per occuparsi di persona del ripristino dell'Istituto e coordinò la raccolta dei fondi tedeschi per il recupero del patrimonio artistico e bibliografico fiorentino danneggiato (vedi Hans W. Hubert, *L'Istituto germanico di storia dell'arte di Firenze: cent'anni di storia (1897-1997)*, Firenze: Il ventilabro, 1997).

[110] Le spese necessarie a far rientrare i volumi a Firenze furono sostenute invece dal governo italiano (vedi p. 238 per maggiori informazioni).

[111] Il ghanese Joe Nkrumah (1939-2009), aveva lavorato al British Museum fra il 1964 e il 1965 e si trovava a Bruxelles quando lo raggiunse la notizia dell'alluvione fiorentina; i contatti che aveva con l'Inghilterra fecero sì che i suoi aiuti si indirizzassero fin da subito alla BNCF. La sua attività venne finanziata dal CRIA, su richiesta di Casamassima, a partire dall'ottobre del 1967 (ve-

218

zione con William Barrow[112] e con il laboratorio di ricerca del British Museum guidato da Anthony Werner e David Baynes-Cope[113], oltre che l'assistenza offerta negli anni dallo staff scientifico dell'ICPL.

Riassumendo, secondo i dati offerti dalle autorità italiane all'interno del notiziario dedicato proprio a rendicontare sui lavori di recupero conseguenti all'alluvione del 4 novembre, di cui uscirono tre numeri, al dicembre 1967 la Biblioteca nazionale risultava aver ricevuto i seguenti fondi[114]:

> Contributi dello Stato, L. 880 milioni [di cui i primi 100 accreditati all'Università di Firenze e giunti in biblioteca con molti mesi di ritardo]; di enti e di privati italiani e stranieri L.18.896.130 versate alla Biblioteca direttamente e di cui 5 milioni della Banca Commerciale italiana, 5 milioni della Mediobanca, un milione del Kunsthinstorisch Institut in Florenz, un milione e mezzo del dott. Agosti, un milione del dott. Enriques Agnoletti, 2 milioni dell'Ente Nazionale per le Biblioteche Popolari e

---

di Archivio CRIA, 24, fasc. 3, n. 14) e fino al 1974 quando, dopo sette anni di permanenza a Firenze, Nkrumah fu costretto a lasciare la città. Nkrumah è poi diventato direttore della fondazione per l'arte contemporanea di Accra, in Ghana. Ronald Reed (1919-1990) era un famoso esperto in analisi della pelle e della pergamena. A lui negli anni '50 e nei primi anni '60 furono spediti frammenti dei rotoli del Mar Morto perché vi conducesse analisi in grado di datarli e di ricostruirne i metodi di fabbricazione. Ha lavorato alla University of Leeds dal 1943 al 1980; suo *Ancient skins, parchments and leathers*, uscito nel 1972. Margaret Hey, chimico della National Gallery di Londra, lavorerà per un periodo all'ICPL, demandata dall'Imperial College nell'ambito della collaborazione fra i due istituti; passerà poi al laboratorio di restauro che Cains installerà al Trinity College di Dublino e infine alla Columbia University.

[112] William James Barrow (1904-1967) restauratore di materiale bibliografico, fondatore e direttore del W.J. Barrow Research Laboratory for the study of paper permanence (1961-1977), si è occupato di degrado chimico della carta e dei relativi metodi di contrasto, in modo particolare delle tecniche di deacidificazione.

[113] Anthony Werner (1911-2006) e David Baynes-Cope (1928-2002), entrambi chimici, ricoprivano rispettivamente i ruoli di *keeper of the British Museum Research laboratory* e di *conservation officer*; mentre gli interessi del primo si sono rivolti principalmente all'applicazione dei polimeri di sintesi alla conservazione di reperti archeologici e opere d'arte, il secondo si è occupato soprattutto di carta, e in modo particolare di mappe e globi, suo il testo *The study and conservation of globes,* uscito nel 1985.

[114] «Notiziario del Comitato centrale di coordinamento per il restauro e la conservazione del patrimonio artistico e culturale danneggiato dall'alluvione del 4-11-1966», 1 (1967), n. 2, p. 10.

Scolastiche; 4 milioni versati al Comitato per la Biblioteca Nazionale, di cui 2 milioni del CRIA, 800 mila lire dell'Università di Parma. Infine il Comitato per il fondo internazionale [...] ha contribuito finora, soprattutto per il pagamento di mano d'opera e per spese di prosciugamento e di restauro, con la somma di L.82.021.131. [...]

Comitato inglese Ashley Clarke [Italian Art and Archive Rescue Fund]: invio di legatori e restauratori presso la Biblioteca, in numero vario (da tre fino a dodici) [...]. Esso ha inoltre offerto di restaurare circa 5 mila volumi di pregio nei laboratori inglesi.

Comitato americano (CRIA): prestito perpetuo alla Biblioteca di una cella sottovuoto di metri cubi 18 per la disinfezione dei libri con ossido di etilene; assistenza tecnica per il restauro; impegno al finanziamento del laboratorio per tre anni, per 37 milioni l'anno (pagamento di tecnici e di mano d'opera).

Unesco: prestito di apparecchi deumidificatori e di due celle piccole per la disinfezione sottovuoto; assistenza tecnica; impegno alla pianificazione e alla assistenza tecnica per meccanizzare alcuni servizi della Biblioteca.

Verein des Kunsthinstorisches Insituts in Florenz: organizzazione dei lavori per il prosciugamento del seminterrato della Biblioteca e il taglio e l'isolamento di due pareti e pagamento della massima parte delle spese relative; dono del macchinario per la legatoria industriale e l'assistenza tecnica per l'organizzazione del lavoro.

Comitato austriaco: restauro di 1.001 volumi di pregio a Vienna e impegno per altre migliaia di volumi.

Comitato scandinavo: invio di un restauratore.

Stiftung des Volksvagenwerk: impegno a inviare due restauratori per un periodo di tempo da determinare.

University Microfilms: impegno a provvedere la Biblioteca dell'apparecchiatura fotografica occorrente per la riproduzione dei cataloghi e inventari e successivamente dei giornali quotidiani.

American Library Association (ALA): impegno a cooperare con l'Unesco per la meccanizzazione di alcuni servizi della Biblioteca e per la riorganizzazione della Bibliografia Nazionale Italiana.

Australia: allestimento e organizzazione di un laboratorio per il restauro delle stampe e incisioni.

Comitato per il Fondo internazionale: impegno a finanziare il laboratorio di restauro della Nazionale per un periodo di tre anni e per l'ammontare di 20 milioni annui (spese di mano d'opera).

3.6 Il sistema

La nuova organizzazione inglese trasse dunque origine dalle lunghe ore trascorse nei primi giorni dal *team* inglese al Forte di Belvedere[115]:

> It was not a pleasant sight to see these books, ghostly and abstracted forms of their original appearance, representing in their stricken condition such a total waste of human effort. It was a sobering thought too, that the number of man-hours needed for complete restoration could easily be as much as 6.000.000.

Gli inglesi trovarono al Forte, già essiccati, 200.000 volumi, per lo più appartenenti alle collezioni antiche. I risultati ottenuti fino a quel momento apparivano soddisfacenti, perché rari erano i casi di attacchi microbici e le carte sembravano aver resistito piuttosto bene all'acqua e al fango. Le coperte apparivano invece molto danneggiate, soprattutto se in pergamena: la decisione di separare, almeno nei grandi formati, le coperte dal blocco delle carte prima dell'essiccazione, aveva permesso di evitare distorsioni irreversibili, ma aveva distrutto in modo spesso irrimediabile l'unità dei singoli pezzi.

Gli inglesi avrebbero voluto utilizzare in modo prevalente gli spazi del Forte di Belvedere, per le condizioni ambientali ideali che potevano offrire, con le basse temperature garantite dalla mancanza di riscaldamento e la buona aerazione, confermate dai limitatissimi attacchi biologici che i volumi qui conservati mostravano ai controlli periodici; la mancanza però di abbondante acqua corrente, in un periodo in cui la fornitura pubblica d'acqua era ancora incerta, e di spazi adatti dove utilizzarla, continuava a rendere necessario l'uso della centrale termica, che insieme alla palazzina del Forte andò quindi a formare la sede del primo embrionale laboratorio di restauro della Nazionale fino al suo trasferimento, nel marzo del 1967, nei locali di piazza dei Cavalleggeri.

---

[115] Waters, *Problems of book conservation* cit., p. 1191.

All'arrivo dei britannici, e poi per alcuni mesi, sembrava evidente la necessità di avvalersi, per le operazioni di restauro della carta e di legatoria, di laboratori esterni, sfruttando la disponibilità offerta da numerose istituzioni e associazioni straniere. Quello di cui si dovevano occupare quindi gli inglesi era di trovare un sistema rapido, razionale e non dannoso per i circa 120.000 volumi pre-ottocenteschi selezionati dalla Biblioteca perché entrassero in questo programma, per prepararli nel più breve tempo possibile al trasferimento, finché l'attenzione internazionale verso i beni culturali fiorentini alluvionati rimaneva alta. Gli interventi da portare a termine erano quindi la disinfezione e il lavaggio, oltre che l'individuazione delle caratteristiche strutturali delle legature che i laboratori di restauro esterni avrebbero dovuto realizzare per i volumi della BNCF. Le operazioni per via umida infatti, essendo lunghe e richiedendo ampi spazi e attrezzature, soprattutto tenendo conto dei grandi numeri in gioco e del degrado del materiale da trattare, che presentava danni gravi e insoliti, erano proibitive per la grande maggioranza dei laboratori allora esistenti. Distribuire questo compito fra diversi enti non avrebbe perciò dato alcuna garanzia circa gli standard di lavorazione e poteva essere molto dannoso vista la fragilità dei volumi, infatti: «despite good superficial cleaning before drying and the wise rule by the Director at the beginning that none of the books should be opened before arrival at the driers, many of them resembled abstract sculptural forms»[116]. Il lavaggio doveva essere quindi condotto per tutto il patrimonio in un medesimo luogo, utilizzando attrezzature disegnate appositamente allo scopo di affrontare la tipicità dei problemi presentati dai volumi della Nazionale: «the end-product is the sections of the book, collated in their correct order, clean, disinfected, pressed, and, it is hoped, resistant to fungus growth, in a brown paper wrapper. In this state they can be dispatched anywhere ready for binding»[117].

Nelle sale della palazzina del Forte, dove veniva già convogliato in dodici chilometri lineari di scaffalature metalliche il materiale essiccato di ritorno da tutta Italia, gli inglesi organizzarono i lavori di preparazione dei volumi alle operazioni per via umida e innanzi tutto la selezione del materiale: tutti i libri venivano esaminati da tecnici, che poi disegnavano simboli su strisce di carta resistenti all'acqua inserite all'interno del volume in modo che la parte disegnata fuoriuscisse dai tagli; questi avevano il compito di fornire informazioni a

---

[116] *Ibidem.*

[117] Nixon, *British aid for Florence* cit., p. 35.

chi poi avrebbe preso in mano il libro per avviarlo alle operazioni di restauro intorno al suo stato di conservazione e a come dovesse essere maneggiato. Fu deciso l'uso dei simboli perché internazionalmente comprensibili e in grado di esprimere in modo rapido idee complesse[118], anche se furono subito approntate e poste in bella vista legende in quattro lingue. I primi tre ad essere utilizzati furono:

OK [verde] – nessun problema, si può procedere regolarmente

è [rosso] – stop: libro di estremo valore, la cui legatura può essere recuperata; deve essere trattato unicamente da restauratori esperti

!!! [rosso] – da maneggiare con estrema cura e attenzione

Ma poi furono aggiunti anche:

~ [marrone] – presenza importante di fango, che rende difficile lo smontaggio; se accompagnato da "OK" significa che il libro può essere smontato, ma che necessita in via preliminare di un'accurata pulizia a secco; se da solo o accompagnato da un punto interrogativo, tale operazione deve essere effettuata da un lavoratore esperto

M [verde] – presenza di muffa che spolvera: è necessaria una spolveratura a pennello prima di procedere allo smontaggio

X [blu] – presenza di macchie blu, forse di origine microbica: prima di procedere allo smontaggio provare a eliminarle con l'ossido di etilene o con altri disinfettanti

? [nero] – libro difficile (ad esempio, tutte le carte sono strappate alla piega, oppure la collazione è difficile, o è privo di cartulazione o paginazione, o ancora contiene stampe acquerellate, o altro ancora): deve essere in un primo momento trattato da un restauratore esperto

---

[118] Per permettere però una buona comprensione fra il *team* e il personale della Biblioteca, intorno al 20 gennaio del 1967 lo IAARF assunse come interprete e dattilografa Barbara Mastellone – moglie britannica di Salvo Mastellone, professore di Storia delle dottrine politiche presso la Facoltà di scienze politiche dell'Università di Firenze – che aveva già prestato il proprio aiuto gratuitamente per otto settimane, lavoro che le fu in parte rimborsato; allo stipendio di 6 sterline e 10 scellini a settimana, lo IAARF ne aggiunse altre 22 per l'affitto di un'automobile (Archivio Nixon).

R [= reselection] [rosso] – il libro non deve essere maneggiato dagli studenti prima di essere nuovamente sottoposto ad analisi, quando il simbolo potrebbe cambiare; dopo la nuova analisi il libro può passare subito al legatore, perché il lavaggio e il rinsaldo non sono necessari

N.T. [= no titlepage] [nero] – privo di frontespizio

S [= sizing] [nero] – il volume può essere smontato, ma è necessaria molta attenzione perché alcune delle carte possono essere estremamente fragili; necessita un immediato rinsaldo, o un lavaggio seguito da rinsaldo

++-   [nero] – entrambi i piatti mancanti
++-

++-   [nero] – piatto anteriore mancante
+--

+--   [nero] – piatto posteriore mancante
++-

" [nero] – libro smontato e lavato subito dopo l'alluvione, senza essere preventivamente collazionato; potrebbe essere incompleto

D [nero] – già disinfettati

SD [nero] – non ancora disinfettato

I libri antichi venivano collocati con il taglio anteriore rivolto verso l'esterno per favorire l'asciugatura delle carte, mentre quelli con data di stampa successiva al 1800 venivano ricollocati con il dorso in vista: i bibliotecari li avrebbero poi esaminati per determinarne il valore e decidere se inserirli nel circuito dei libri antichi, perché rari o preziosi, o in quello più semplice dei libri moderni.

Fra i simboli tracciati dagli inglesi che accompagnavano i volumi, si andarono presto ad aggiungere quelli che indicavano quali parti del libro fotografare: si decise infatti che a tutti i volumi, prima di essere smontati, doveva essere dedicato almeno uno scatto: in questo modo si favoriva l'identificazione dei pezzi e si stabiliva un punto si partenza preciso e certo per la storia della loro lavorazione; venivano così inoltre documentate tutte quelle caratteristiche strutturali o conservative che al selezionatore sembrassero degne di nota e quindi di memoria. La collocazione del volume ritratto veniva poi trascritta sulle foto, mentre con il rullino veniva conservata la lista delle relative collocazioni.

Al Forte i volumi ricevevano quindi una prima collazione[119], seguita da un'accurata pulizia a secco, per essere poi smontati e trasferiti, nel portabagagli di un'automobile, al lavaggio. Le operazioni di smontaggio, facilitate dal fatto che gli adesivi utilizzati nella legatura erano stati allentati dalla lunga permanenza in acqua, venivano condotte dagli studenti, sotto la supervisione dei Powell[120]; di solito venivano tagliati i fili di cucitura sul dorso, dove visibili al di sopra dei supporti di cucitura. I libri cosiddetti "difficili" venivano affidati a specialisti, che potevano contare su buone capacità manuali e sull'uso di strumenti adeguati e di soluzioni in varia percentuale di acqua e alcool. La segnatura, se conosciuta, o il titolo – individuati in un primo momento da chi smontava il volume, poi dai bibliotecari distaccati al Forte, che potevano contare sulla conoscenza dei libri e delle collezioni della Biblioteca – veniva riportata a lapis sul frontespizio, sull'ultima carta, sulle carte di guardia, sulla striscia con i simboli già presente all'interno del libro, su altre due strisce inserite a caso nel blocco delle carte, sui piatti che venivano distaccati e sulla busta dove questi ultimi venivano conservati assieme agli altri frammenti della legatura originale. Prima di essere smontati i volumi venivano controllati e paginati, secondo modalità molto simili a quelle tuttora in uso presso il laboratorio di restauro della BNCF[121].

---

[119] Questa prima collazione, da effettuarsi prima dello smontaggio del volume, non fu introdotta immediatamente, ma nei giorni in cui il sistema veniva messo a punto.

[120] Secondo la testimonianza di Nixon, ai primi di dicembre 1966 gli studenti che lavoravano allo smontaggio dei volumi al Forte erano fra i dodici e i venti (cfr. Nixon, *British aid for Florence* cit., p. 35).

[121] Secondo le norme generali, la segnatura doveva essere riportata a matita sul frontespizio, sull'occhietto, su tutte le carte bianche, su tutte le incisioni, sui due piatti e sul verso dell'ultima carta stampata; la lettera Z tracciata sull'ultima pagina stampata; le carte di guardia bianche, fino alla prima pagina stampata, contrassegnate con le lettere dell'alfabeto, mentre sulle carte dei preliminari, se non numerate, doveva essere apposta una numerazione in caratteri romani, fino – e incluso – alla prima pagina numerata; la numerazione del libro doveva proseguire dall'ultima pagina numerata su tutte quelle non numerate, comprese le carte di guardia posteriori; nel caso ci fosse più di un libro, la numerazione del primo doveva continuare fino alla numerazione del secondo e così via (così le norme contenute in *Collazionatura* (dattiloscritto), archivio Cains). Per le norme in uso presso l'attuale laboratorio di restauro, vedi Carlo Federici – Libero Rossi, *Manuale di conservazione e restauro del libro*, Roma: La Nuova Italia scientifica,

225

Una volta smontati, protetti alle due estremità con nuove carte in carta filtro, resistente all'acqua, e imballati in carta da pacchi, i volumi passavano al lavaggio: per quanto possa sembrare paradossale, infatti, per poter eliminare dalle pagine il fango e le altre impurità che vi si erano depositate senza danneggiarne o abraderne la superficie e per restituire alle carte le loro corrette proprietà meccaniche era necessario far loro affrontare un secondo passaggio in acqua, un lavaggio pagina per pagina che, nelle intenzioni degli e-sperti inglesi, sarebbe stato utile anche per ridurre la possibilità di futuri attacchi microbici, non solo grazie all'addizione di sostanze fungicide nell'acqua di lavaggio, ma anche per la semplice riduzione della collatura originale che, rigonfiata a causa della forte umidità cui era stata esposta, risultava un ottimo terreno di coltura per gli agenti microbici e tratteneva al suo interno ogni sorta di impurità. Le operazioni per via umida venivano effettuate alla centrale termica, dove furono presi alcuni accorgimenti per migliorare la qualità del lavoro e preservare le carte da ulteriori danni; qui la Nazionale aveva distaccato, come responsabile, Maria Cochetti[122], e gli inglesi, a partire dalla fine di dicembre, le affiancarono Clarkson. In via delle Ghiacciaie si proseguì ad effettuare il lavaggio: dopo aver rimosso i depositi di fango a secco, piegando leggermente le carte, i fascicoli venivano immersi in acqua tiepida con una soluzione satura di Topane[123] nelle vasche di fortuna già utilizzate fino a quel momento, ma foderate con un doppio strato di fogli di polietilene per evitare il contatto con le carte, così come furono coperte di plastica tutte le superfici utilizzate per lavorare i libri. Generalmente, se in presenza di volumi di piccole dimensioni, il libro veniva immerso intero, comprese le carte protettive esterne inserite alla fine

---

1983 e successive riedizioni, nonché Gisella Guasti, *All'inizio del restauro: la preparazione del materiale a stampa, descrizione e collazione*, Manziana: Vecchiarelli, 1995.

[122] Maria Cochetti (1935-1998), in BNCF dall'anno precedente, dirigerà poi la Biblioteca nazionale di Bari e la Biblioteca universitaria Alessandrina di Roma, prima di passare al ruolo di docente presso la Scuola speciale per archivisti e bibliotecari (vedi Maria Teresa Biagetti, *Maria Cochetti (Napoli 9.12.1935-Roma 6.7.1998)*, «Il bibliotecario», n.s., 15 (1998), n. 2, p. 7-12, oltre che, per una breve notizia biografica, DBBI20).

[123] Nei primi giorni era stato invece utilizzato il timolo disciolto in alcool come agente disinfettante, secondo le istruzioni di Baynes-Cope, ma il preparato risultava difficile da solubilizzare in acqua; fu a partire all'incirca dal Natale 1966 che l'uso del Topane divenne stabile.

dello smontaggio, tenuto saldamente alla piega con una mano, mentre con l'altra, con lievi movimenti, veniva facilitata la penetrazione dell'acqua fra le pagine; se invece il volume era troppo grande per essere trattato tutto insieme, veniva suddiviso in gruppi di fascicoli. La regola generale era di evitare alle pagine movimenti che non fossero strettamente necessari e di non tentare di rimuovere il fango completamente, per non provocare alle carte una perdita rilevante di fibre. Inizialmente si faceva tutto con le mani ma, dopo qualche tempo, per trattenere alla piega i fascicoli, furono introdotte delle ingegnose morse di legno, disegnate da Philip Smith, in seguito sostituite da morse in acciaio inossidabile; i depositi di fango presenti sulle carte, supportate da piccole assi di legno flottanti – ancora secondo un'idea di Smith – venivano rimossi con l'aiuto di un pennello a setole morbide passato delicatamente sulla loro superficie. Dopo il lavaggio le carte venivano leggermente pressate per rimuovere l'eccesso di acqua e infine stese – utilizzando uno strumento che tecnicamente può essere chiamato aspetto, uno strumento a T, cioè, comunemente utilizzato a questo scopo nelle cartiere – su fili in terilene sistemati al piano superiore, dove erano presenti correnti di aria calda provenienti dalle caldaie:

I fogli erano leggermente sovrapposti in modo che, asciugati, bastava far scorrere le mani lungo i fili per raccoglierli molto rapidamente, a gruppi […]; il difetto stava nella lentezza del processo e nella quantità di spazio necessaria alla stenditura dei libri lavati in un giorno[124].

Evidentemente la leggera sovrapposizione serviva anche a non perdere l'ordine delle carte. Lavorare in prossimità delle caldaie, in un ambiente adattato, ma sporco e inadeguato al restauro non rendeva le cose facili:

I remember one dreadful moment when one of the power station workmen opened a great boiler door and the burst of hot air lifted all the bifoliums off the lines and they drifted up into the extremely high roof of the power station, then flew around like seagulls until they gradually descended, with all of us trying to catch them before they hit the oily machinery, dirty boilers or wet floor[125].

---

[124] Crocetti – Cains, *Un'esperienza di cooperazione* cit., p. 38.

[125] Così ricorda Clarkson negli appunti per una lezione dal titolo *The Florence flood and its aftermath, 4th November 1966*, tenuta nel 1997 alla Scuola di specializzazione per conservatori-restauratori di beni librari di Spoleto e poi

Una volta asciutto il volume veniva quindi ricomposto, nuovamente collazionato da un bibliotecario, pressato, protetto all'inizio e alla fine con due cartoni leggeri tagliati a misura delle carte e impacchettato con carta da pacchi – che in breve tempo il produttore si preoccupò di impregnare di Topane – così da risultare, alla fine del processo, pronto per essere immagazzinato[126].

Al gennaio 1967 i libri lavati, sottoposti a disinfezione, asciugati e riassemblati, ammontavano a 70-100 al giorno. I libri macchiati di nafta venivano invece trattati direttamente al Forte dove furono tentati diversi metodi di rimozione con solventi o con materiali assorbenti.

In generale gli esperti inglesi si divisero fra il Forte, dove lavoravano i *leaders* del gruppo, che potevano affiancare ampie conoscenze teoriche all'abilità tecnica (in modo particolare Waters, Powell, Cockerell, Middleton, Smith, Cains), impiegati principalmente nell'organizzazione generale, nella selezione dei libri e nella redazione delle specifiche necessarie alla confezione delle nuove legature, nonché altri legatori, per lo più quelli che potevano vantare esperienze di insegnamento, che si occupavano di controllare e istruire gli studenti che lavoravano allo smontaggio dei volumi alluvionati; i legatori professionali invece, che provenivano dal British Museum e dalle biblioteche delle università inglesi, prestarono la loro opera alla centrale termica.

---

nuovamente alla National Diet Library di Tokyo il 5 dicembre 2003, quando è stata parzialmente pubblicata in «National Diet Library Newsletter», 2004, n. 135, http://www.ndl.go.jp/en/publication/ndl_newsletter/135/Lecture0312-1.pdf:, p. 13.

[126] Secondo quanto riferisce la Horton, nel mese di dicembre erano già stati preparati 15.000 volumi perché fossero inviati a Vienna per essere rilegati (Horton, *Saving the libraries of Florence* cit., p. 1040): quello era infatti il numero di pezzi che il comitato austriaco si era proposto di restaurare, anche se poi in effetti ne lavorò molti meno. Prima che l'edificio della BNCF fosse reso nuovamente disponibile, i volumi così preparati venivano riportati al Forte e lì conservati.

Quando si decise il trasferimento nei locali della Nazionale[127], tutti i volumi, compresi quelli che erano al Forte, furono sterilizzati con l'ossido di etilene, in una cella di 18 m^3 realizzata dall'ICOM di Pozzuoli, offerta in prestito perpetuo dal CRIA e giunta in BNCF in gennaio, e in altre due più piccole, della ditta Mallet, di circa 3 m^3, fornite dall'Unesco già ai primi di dicembre del 1966[128], secondo una proposta dell'ICPL fatta propria da Casamassima. Infatti[129]

sia per arrestare il limitato sviluppo di microrganismi che si era manifestato in parte delle collezioni librarie [...], sia per bloccare incipienti attacchi microbici non ancora facilmente individuabili, sia perché il materiale era stato bagnato da acqua inquinata, contenente una flora talvolta

---

[127] Il lavaggio alla centrale termica fu interrotto il 21 febbraio e il 23 iniziarono i lavori in Biblioteca. In BNCF furono trasferiti tutti i volumi antichi, destinatari originali del sistema che si andava organizzando, nonché i giornali e i periodici, per i quali si stava mettendo in piedi un complesso reparto destinato alla loro identificazione e al loro riordinamento, mentre opuscoli, tesi francesi e tedesche, manifesti e duplicati, rimasero in deposito al Forte.
La destinazione di spazi del Forte a vantaggio della Nazionale divenne con il tempo un'acquisizione stabile, anche se la Biblioteca ha poi dovuto lasciare la palazzina, perché potesse essere di nuovo destinata a esposizioni temporanee, per la vicina casermetta dove, dal 1992, sono conservati tutti gli originali dei giornali fino al 1984 incluso (per le segnature Ga, Ge, Gi) o fino al 1999 (per la segnatura g).
[128] In Archivio CRIA, 24, fasc. 1, n. 4, è conservato il telegramma con cui Casamassima, il 4 dicembre 1966, informava Meiss del loro arrivo. L'Unesco, oltre a fornire le due celle, mise a disposizione della Biblioteca numerosi deumidificatori. Le bombole di ossido di etilene furono fornite dalla S.I.O. (Società per l'industria dell'ossigeno e di altri gas) di Firenze, nonché dalla Montecatini-Edison e dalla Montesud petrolchimica di Milano, che fornirono anche sacchi in polietilene.
[129] Gallo, *Moderni metodi di prevenzione e di lotta* cit., p. 1150. È tuttavia necessario rilevare come, negli interventi che all'epoca propugnavano l'uso dell'ossido di etilene (impiegato per sterilizzare i prodotti del settore biomedicale fin dalla metà degli anni '60), nessuno parlasse della elevata tossicità per l'uomo di tale gas, classificato dalle più recenti normative dell'Unione Europea come cancerogeno ed esplosivo. L'ossido di etilene, che viene fumigato in celle sottovuoto miscelato con freon o anidride carbonica a umidità relativa molto bassa, viene infatti assorbito ed emette residui per lungo tempo, diverso a seconda del tipo di materiale sottoposto a lavorazione, e per questo ancora in cella di fumigazione viene sottoposto a numerosi lavaggi d'aria, prima di essere sottoposto a spolveratura per rimuovere eventuali spore residue. Anche per questo oggi il suo uso nel restauro si è molto ridotto.

patogena per l'uomo, per tutti questi motivi biologi e biochimici dall'Istituto di patologia del libro proposero di eseguire un trattamento disinfettante con ossido di etilene. Tale gas, che ha un'energica azione battericida e fungicida, ha consentito di ottenere, come dimostrano i controlli di laboratorio da noi periodicamente effettuati, la totale distruzione della flora microbica presente sulla carta.

La cella offerta dal CRIA poteva contenere fino a 5-6.000 volumi di medio formato sistemati in grosse ceste di vimini, che venivano esposti agli effluvi gassosi in due cicli di 20 ore, separati da una adeguata aerazione. In accordo con l'ICPL e gli esperti del British Museum, i fondi da sterilizzare furono ordinati non solo in base al loro pregio, ma anche in base al rischio di effettivo attacco microbico, per cui passarono nelle celle prima gli antichi, poi i moderni e le riviste, infine i giornali e i quotidiani; per ultimi sarebbero stati trattati i fondi destinati a una lunga permanenza al Forte: le miscellanee, i duplicati, le tesi francesi e tedesche e i manifesti. L'ossido di etilene garantiva un'ottima penetrazione e una veloce lavorazione, ma non lasciava nessuna protezione sulla carta contro attacchi futuri; per questo gli inglesi, confortati anche dal parere dei tecnici dell'ICPL, ritennero opportuno l'utilizzo del Topane anche per l'immagazzinamento dei volumi lavati. Il processo di disinfezione risultava completato ad agosto 1968.

Con il passaggio ai locali della Biblioteca, a partire dal mese di marzo del 1967, per quanto l'organizzazione delle operazioni rimanesse sostanzialmente la stessa, fu possibile non solo servirsi di nuove e sofisticate attrezzature disegnate allo scopo dagli stessi restauratori, cui Casamassima concesse carta bianca quanto all'allestimento delle nuove aree destinate al restauro, ma anche di usufruire dell'assistenza scientifica offerta dai comitati, di affiancare agli studenti volontari alcuni lavoratori fissi e di operare in condizioni maggiormente controllate. Poco alla volta infatti, per garantire una buona continuità al lavoro, passati i primi mesi dell'emergenza, si decise di offrire ai volontari una retribuzione, per poi inquadrarne una parte in una cooperativa, la Coop.L.A.T. – per aggirare la norma che impediva alla Biblioteca di assumere se non attraverso concorso pubblico – mentre la direzione del Centro rimaneva nelle mani di bibliotecari italiani (sotto la direzione di Luigi Crocetti[130]) e tecnici stranieri (coordinati da Peter

---

[130] Ricorda Crocetti: «Da un punto di vista bibliotecario l'ho un po' subita [la scelta di passare al restauro] perché i miei interessi in quel momento erano di

Waters, fino al settembre del 1967, e da Cains, resosi disponibile per un periodo di tre anni, che subentrò a partire dall'ottobre dello stesso anno)[131]: tale suddivisione rappresentava solo una soluzione formale e giuridica attuata per superare ostacoli di legge, ma non implicava in alcun modo una frattura del Centro, che rimaneva a tutti gli effetti una cosa sola.

La nozione di sistema si è formata lentamente, con il precisarsi delle sue articolazioni e con la progressiva acquisizione di conoscenze da parte dei tecnici riguardo ai materiali colpiti, alle tipologie di danno e ai metodi di contrasto: «We were particularly cautious of any temptation to "feed a system": a system should develop out of the needs of the books and not the other way round»[132].

---

tutt'altro genere. Tuttavia l'ho accettata con gioia, perché avevo la netta sensazione, come tante persone intorno a me, che qualcosa bisognasse fare, che qualcosa bisognasse cambiare». E ancora «il sottoscritto […] aveva l'ultima parola sempre come bibliotecario e anche su certe questioni tecniche. Questo può sembrare un po' assurdo visto che la competenza era tutta da un'altra parte; tuttavia la cosa credo fosse giustificata per la coscienza che il bibliotecario portava di essere in questa grande biblioteca di tradizioni, con i suoi fondi specifici che andavano visti come un insieme» (Maini, *Un'occasione perduta* cit., p. 21).

[131] Cfr. Rossi, *Die florentinische Alluvione* cit., p. 16. Parte degli studenti entrarono nella cooperativa, mentre altri operai furono scelti fra i disoccupati. Nata il primo febbraio del 1946, su iniziativa di nove soci fondatori, ex dipendenti di una ditta privata che, prima e durante la guerra, svolgeva pulizie sui treni presso la stazione di Firenze Santa Maria Novella, la cooperativa aveva lavorato esclusivamente per le Ferrovie dello Stato, con appalti che venivano rinnovati di anno in anno, fino al 1965, quando perse la gara; contava allora cento soci. La necessità della BNCF di assumere nuova manodopera permise alla cooperativa di sopravvivere e di crescere, assumendo nuovo personale, spesso tra le fila di chi aveva perso un lavoro, come gli ex operai della Birra Wührer, inquadrandoli con il contratto dei Poligrafici dello Stato. Negli anni '70 la cooperativa si accrebbe, anche fuori Firenze, attraverso la fusione con altre cooperative, diversificando progressivamente le proprie attività, ma indirizzandosi prevalentemente verso due settori, quello dei servizi sociali e quello dell'ecologia, trasformandosi in una delle maggiori cooperative italiane attive nel settore dei servizi. Per notizie sulla storia della cooperativa vedi Elisabetta Vagaggini, *Lungo i binari del tempo: 1946-1996, cinquant'anni di storia della cooperativa L.A.T.*, Firenze: Graficalito, 1996, aggiornato poi in Elisabetta Vagaggini, *Lungo i binari del tempo, 1946-2006: sessant'anni di storia della Cooperativa L.A.T.*, Firenze, 2006, e il sito www.cooplat.it; per la sua presenza in Nazionale, vedi invece Cooperativa LAT, *Un'esperienza di restauro: la Coop. LAT per i beni culturali*, Firenze: Cooperativa LAT, 1974.

[132] Waters, *Problems of book conservation* cit., p. 1196.

Il sistema in questa fase era organizzato in un percorso che prevedeva una serie di tappe fisse per tutto il materiale:
1) Di tutti i volumi veniva fatta una foto dell'esterno della legatura (e di altri particolari danneggiati, se particolarmente interessanti), prima dell'inizio di qualsiasi operazione, sia come testimonianza dello stato del pezzo precedente il restauro, che come mezzo di identificazione, che infine come guida al momento della prescrizione della nuova legatura.
2) Tutti i volumi venivano esaminati e selezionati attraverso il sistema dei simboli, che col tempo assunse una complessità maggiore e che si stabilizzò poi attraverso l'inserimento dei simboli stessi all'interno della scheda di restauro, dove venivano date le direttive per tutti i trattamenti da eseguire e indicati gli elementi della legatura.
3) A questo punto il volume riceveva una prima collazione, operazione fondamentale in un sistema che prevedeva il passaggio dalle mani di tante persone diverse: si stabiliva in questo modo un punto fermo sulla consistenza del pezzo prima che venisse smontato.
4) Si procedeva quindi a una pulizia a secco dei residui di fango, segatura o altro presenti sui volumi, oltre che alla rimozione con un aspiratore delle spore fungine rimaste sulle carte dopo la disinfezione gassosa[133].
5) A questo punto i volumi venivano smontati, venivano cioè separati i fascicoli attraverso la rimozione della cucitura.
6) Le coperte venivano catalogate e immagazzinate in modo da garantire un futuro ricongiungimento fra la coperta e il blocco delle carte: ricongiungimento materiale, se possibile, o quanto meno ideale.
7) I libri venivano preparati al lavaggio, venivano cioè interfogliati a intervalli opportuni con carta filtro, che supportasse le carte durante l'immersione e impedisse ogni forma di controstampa durante lo spianamento. A questo punto, se erano presenti colorazioni instabili, si procedeva al loro fissaggio con nylon solubile.
8) Il lavaggio veniva quindi condotto con le medesime modalità, ma potendo usufruire di 13 ampie unità di vasche termostatiche in acciaio inossidabile, per un totale di 38 comparti. Nell'acqua di lavaggio, mantenuta intorno ai 40° di temperatura, continuava ad essere disciolto del Topane che però non è immediatamente solubile in ac-

---

[133] Secondo la testimonianza di Clarkson: «First the cakes of mud were cracked by flexing the sheet, and flaked off dry. This method was the safest. Then the book were sorted out into categories» (Clarkson, *The Florence flood and its aftermath* cit., p. 10).

qua; fu perciò ideato uno speciale filtro da applicare nelle vasche, dove venivano trattenuti i cristalli e dove l'acqua poteva passare a bassa pressione[134]. La rimozione delle macchie di nafta inoltre fu realizzata con numerosi solventi o sostanze assorbenti, mentre per il fango si ottennero buoni risultati con l'utilizzo, sempre in lavaggi a pelo d'acqua, di tensioattivi, e in particolare della schiuma di metilcellulosa. Presto furono realizzati anche degli angoli in acciaio inossidabile per mantenere in posizione le piccole assi in legno compensato di pino sfruttate per il lavaggio a pelo d'acqua e garantirne quindi un migliore utilizzo.

Seguivano quindi, se necessari, trattamenti di sbiancamento, per lo più con ipoclorito di sodio, e di deacidificazione. Il controllo del pH prima e dopo il lavaggio veniva fatto a campione[135].

9) Le carte, impilate stese, venivano passate sotto pressa.

10) Si passava quindi all'asciugatura, realizzata in celle speciali di essiccazione[136], riscaldate elettricamente e controllate automaticamente, in cui venivano introdotti dei carrelli con i ripiani coperti da rete metallica: su questi ultimi venivano stese le carte e su ogni carrello veniva attaccata la scheda identificativa del volume in lavorazione.

11) A questo punto veniva eliminata l'interfoliazione, i fascicoli venivano ricomposti e veniva portata a termine una seconda collazione a opera dei bibliotecari.

12) I volumi venivano infine chiusi fra due cartoni e avvolti in carta da pacchi impregnata con Topane, pronti per essere trasferiti ai laboratori di restauro e sicuri nell'attesa dei successivi interventi.

---

[134] Le vasche furono realizzate da S.O.M. Arredamenti in Firenze, su disegno di Philip Smith e Anthony Cains.

[135] Come già ricordato, quasi tutti i restauratori notarono come il passaggio nell'acqua dell'Arno avesse avuto sulle carte un effetto deacidificante. Vedi quanto afferma Waters nel film di Roger Hill *The restoration of books* (vedi p. 268-269).

[136] Le celle erano state disegnate da Sydney Cockerell, con la collaborazione di altri membri del *team*. Prima di decidere per questo sistema, molti erano stati i progetti, come tunnel a essiccazione continua con carrelli contenenti libri, sistemi rotativi o essiccazione dielettrica. Nel realizzare un efficace sistema di essiccazione era necessario infatti bilanciare due esigenze: da una parte il calore utilizzato non doveva essere troppo forte per non rischiare di danneggiare la carta, rendendola fragile e privandola dell'elasticità necessaria, dall'altra non doveva essere troppo blando, perché il gran numero di volumi da trattare imponeva tempi rapidi.

Sull'esterno di ciascun pacco veniva annotata la segnatura, se disponibile, e l'indicazione, se necessario, delle carte mancanti.

A questo stadio di sviluppo del sistema il personale impiegato era costituito da 2 bibliotecari e 8 dipendenti della Biblioteca, 8 legatori, 42 operai e 81 studenti volontari.

4. Il restauro del patrimonio alluvionato (1967-1971)

4.1 Il sistema si sviluppa

Fu entro il mese di aprile del 1967 che, sull'idea originaria di far partire i volumi lavati ed essiccati, perché ne fosse completato il restauro, all'indirizzo di diversi laboratori in Italia e all'estero, laddove comitati di varia natura rendessero disponibili risorse e professionalità adeguate[1], prevalse la tesi opposta di investire i fondi a questo scopo destinati nella creazione di un grande laboratorio presso la sede della BNCF. Divenne infatti chiaro che il progetto iniziale non avrebbe dato risultati soddisfacenti a causa della difformità nelle tipologie di intervento allora in uso nei diversi paesi che avevano offerto il loro aiuto: era infatti problematico mantenere criteri standard di intervento, come difficile risultava la comprensione fra restauratori di lingua e cultura professionale diverse, quando ancora l'inglese non si era affermato come lingua franca internazionale, né la formazione fondamentalmente artigianale dei restauratori aveva permesso la nascita di un vocabolario comune[2]; promettenti apparivano inoltre

---

[1] Nel mese di gennaio del 1967 lo IAARF pensava ad esempio di far inviare in Inghilterra 15.000 volumi in 4-5 anni, da distribuire fra i laboratori presenti sul suolo britannico, oltre ai 5.000 volumi destinati al British Museum (PRO 39/83/1).

[2] Fin dall'inizio il progetto di spedire all'estero i volumi da restaurare era apparso comunque di difficile realizzazione e si era pensato per questo di mandare fuori dall'Italia solo i pezzi più semplici, insieme a libri campione e a chiare linee generali di intervento. Nell'archivio privato di Cains è stato possibile rintracciare un documento intitolato *Biblioteca nazionale Firenze. Palatine Collection. Standard for binding – General specifications*, redatto con ogni probabilità da Roger Powell nel febbraio del 1967, di cui si conservano diverse versioni. Il testo inizia con un preambolo, in cui si rileva la difficoltà di far restaurare in paesi diversi il materiale della BNCF, soprattutto per la mancanza di accordo fra le diverse scuole di restauro, e in cui ci si augura pertanto che le istruzioni in oggetto vengano seguite puntualmente e che venga posta attenzione all'uniformità di trattamento fra i libri. Tali istruzioni prevedono l'utilizzo della scheda di restauro elaborata per la BNCF sia per la parte descrittiva che per quella prescrittiva e la registrazione di tutte le operazioni che vengono volta volta realizzate. Per lo sbiancamento, quando necessario, si prescrive l'utilizzo di cloramina T (un composto solubile in acqua, dove, per idrolisi, produce ione ipoclorito, che con la sua azione ossidante produce un effetto sbiancante); per il rinsaldo viene prescritta invece la gelatina animale addizionata con Topane in soluzione acquosa

i risultati ottenuti dalla formazione *in loco* di personale del tutto ine-
sperto[3] e facevano quindi sperare nella possibilità di trattare tutto il
materiale in un medesimo luogo. Per questo fu deciso che le operazioni di restauro dovessero continuare all'interno della Nazionale, che a-
vrebbe usufruito della collaborazione internazionale non sotto forma di
interventi di restauro su singoli volumi, ma come contributo alla costituzione di un grande Centro di restauro, frutto della partecipazione e
del confronto delle diverse metodologie, culture e conoscenze e per
questo patrimonio comune[4]. Sarebbe stata un'opportunità unica, che

---

o, nei casi in cui la gelatina renda la carta troppo friabile, il nylon solubile. Si
consiglia quindi di ricucire i fascicoli sui vecchi fori, aggiungendo eventualmente, se necessario, un supporto per dare maggior forza alla nuova struttura. Viene
sottolineato il divieto di rifilare le carte, operazione accettata però nei rari casi di
margini particolarmente irregolari, friabili o danneggiati. Le specifiche relative
alle nuove legature evidenziano la generale difficoltà di recupero di intere coperte e vietano interventi intrusivi su quelle originali per farle rientrare sui libri; si
suggerisce quindi di non fare legature in stile anche perché, visto che l'alluvione
sarebbe diventato per la storia della BNCF un evento discriminante, viene considerato positivo che i libri trattati in tale occasione siano riconoscibili (nelle istruzioni viene anche suggerito, ad esempio, l'impiego di ferri creati appositamente,
il cui disegno simboleggi in qualche modo l'alluvione). Difficoltà di comunicazione esistevano anche fra gli inglesi e gli italiani perché, come affermava Nixon
all'inizio del 1967, «No binder in this country [England] who speaks fluent Italian has yet been discovered!» (Nixon, *British aid for Florence* cit., p. 35). A Firenze però Barbara Giuffrida, un'americana sposata a un italiano, si unì al gruppo degli inglesi, lavorando principalmente come interprete, ma anche diventando
una legatrice esperta, tanto da essere poi autrice, insieme a Cains e a Maighread
McParland, di un manuale di restauro librario, basato principalmente
sull'esperienza fiorentina, uscito in sei puntate sul periodico *The new bookbinder*, dal volume 1 (1980) al volume 6 (1985) (vedi in particolare le due parti di
cui la Giuffrida appare come autrice, *Book conservation workshop manual, part
three: endbands*, «The new bookbinder», 2 (1982), p. 29-39 e *Book conservation
workshop manual, part four: the repair of parchment and vellum in manuscript
form*, «The new bookbinder», 3 (1983), p. 21-41); l'attività della Giuffrida venne finanziata dal CRIA, su richiesta di Casamassima, a partire dall'ottobre del
1967 (vedi Archivio CRIA, 24, fasc. 3, n. 14).
[3] Waters, in una lettera a Casamassima del 15 giugno 1967 (Archivio Nixon;
Archivio Clarkson), affermava che «the so-called unskilled labour is proving to
be a great success because the Florentine is a natural craftsman with tools and
materials who possesses an integrity not often encountered».
[4] «Generally speaking, the BNCF staff, visiting advisers and leading craftsmen
and women participated in the experiment and development work perfecting
methods and learning together. This was the essence of the unique experience
provided by the rescue work» (Cains, *The "system" of the Biblioteca nazionale
in Florence* cit., p. 134). In una relazione conservata in Archivio BNCF, 1302,

avrebbe anche permesso di formare e aggiornare i restauratori di libri e di carta italiani, ma soprattutto fiorentini, andando a formare un gruppo di lavoratori specializzati, in grado di portare avanti, negli anni successivi, l'immenso lavoro di recupero del patrimonio bibliografico alluvionato in un centro di eccellenza capace di esportare a sua volta conoscenze e metodologie[5]. Secondo le parole di Waters: «a restoration Centre in the National Library [...] is clearly the safest way of deal-

---

datata April 1967 e intitolata *Plan for international restoration centre for books and archives*, dove si calcola che con cento addetti il centro impiegherebbe venti anni per restaurare l'alluvionato (ma si potrebbe arrivare a ottanta anni se gli addetti fossero ridotti a venticinque unità), i tempi di entrata a regime del sistema sono così ricostruiti e calcolati: fase 1, dal 5 novembre 1966: prime operazioni di recupero e essiccazione; fase 2: lavaggio e asciugatura con attrezzature di fortuna, poi sostituite, a partire dal 21 febbraio 1967, da quelle appositamente realizzate per la BNCF; fase 3: allestimento dei laboratori in BNCF, perché siano pronti per i primi di luglio e si possa formare, grazie all'intervento di esperti stranieri, un gruppo circa 25 disoccupati che, insieme ai 28 del lavaggio vadano a formare la base di partenza del sistema; fase 4: dai primi di ottobre, introduzione di una legatoria fine ed espansione della legatoria industriale con quella editoriale, con l'impiego di 25 lavoratori a tempo pieno; fase 4, dai primi di dicembre: ampliamento delle operazioni esistenti, con l'aggiunta di 25 lavoratori, per raggiungere le cento unità.
[5] Ci fu però un restauratore fiorentino, Giuseppe Masi, che lavorò come privato all'interno della BNCF, completando il restauro di una sessantina di volumi. Masi (1928-1998) era titolare, assieme ad Armando Andreoni, di un laboratorio di restauro in via Tripoli e, fino all'alluvione, era stato il restauratore di fiducia della Nazionale, dove disponeva, nei sottosuoli, di una propria stanza, alluvionata assieme ai libri in corso di restauro, lì conservati in cassaforte. La ditta Masi-Andreoni disponeva infatti di locali propri in tutte le principali biblioteche e archivi fiorentini, e i due titolari si erano divisi gli istituti, in modo tale che ciascuno avesse un solo referente, Masi nel caso della BNCF. In un primo momento, quando ancora non si era affermata l'idea di creare in BNCF un laboratorio in grado affrontare tutte le fasi di restauro del libro, si era creduto di poter affidare a lui, affiancato da due o tre operai, una larga parte del lavoro, ma la sproporzione esistente fra la mole di materiale da trattare e la pochezza del gruppo di lavoro (si parla, nel luglio del 1967, di nove volumi completati in due settimane), nonché l'utilizzo in questi primi volumi di prova di metodi e materiali che gli anglosassoni non approvavano, indusse la direzione della Biblioteca ad abbandonare in tempi brevi questa idea (vedi memorandum di Banks a Lowry, 5 luglio 1967, Archivio CRIA, 23, fasc. 2, n. 6). Dopo l'alluvione Masi mantenne una stanza al piano terreno della BNCF, entrando a sinistra della sala cataloghi, dove si occupava soprattutto del restauro ordinario e, solo saltuariamente, dell'alluvionato, già lavato ed essiccato. La ditta di Masi, divisisi da Andreoni agli inizi degli anni Settanta, esiste ancora, a Rovezzano, sotto la direzione della figlia Alessandra.

ing with a book restoration problem which is more colossal than any previous one ever attempted»[6].

Prima che la pratica di allontanare dalla BNCF il materiale lavato fosse interrotta, lo IAARF fece però in tempo a rivolgersi al British Museum che, similmente a quanto fatto dalla Österreichische Nationalbibliothek di Vienna[7], finanziò il restauro di un lotto di 5.000 volumi alluvionati da lavorare nell'arco di cinque anni presso i propri laboratori, sotto la supervisione di Nixon: per tutti i volumi dovevano essere realizzate legature nuove, grosso modo la metà in tela buckram [8], per volumi ottocenteschi, il resto, per volumi sei-sette-

---

[6] Lettera a Casamassima del 15 giugno 1967, cit.

[7] Il primo lotto di volumi lavorati dalla Österreichische Nationalbibliothek nei propri laboratori consisteva infatti in 1.001 volumi provenienti dai fondi storici della BNCF, fra cui grandi formati ricchi di incisioni, come l'Anatomia del Mascagni del 1819, collocata Magl.2._.14. L'omologa austriaca della BNCF si era dotata infatti, fin dal 1948, di un laboratorio di restauro. Nato come sezione del dipartimento manoscritti, negli anni Sessanta aveva progressivamente acquistato autonomia, trasformandosi, nel 1965, in istituto, l'Institut für Restaurierung, responsabile della conservazione e il restauro di tutte le collezioni della biblioteca (libri, autografi, giornali, mappe, globi, stampe, disegni, acquerelli e fotografie), ma si presentava anche come centro di formazione per conservatori di tutto il mondo (vedi http://www.onb.ac.at/ev/about/ifr/ifr_about.htm). Tale istituto aveva preferito non allontanare i propri esperti, ma farli invece lavorare in sede su volumi ivi trasportati da Firenze. I volumi restaurati a Vienna si riconoscono da un cartoncino (45 x 95 mm) su cui si legge «Konserviert durch Österreichische Florenhilfe, Wien» (vedi, ad esempio, il Petrarca giolitino in 12° del 1557 con segnatura Magl. 3.8.385). Le modalità di restauro seguite a Vienna sono descritte in: Helmut Kortan, La restauration de gravures de la Bibliothèque Nationale de Florence par la Classe de conservation et technologie de l'Académie des Beaux-Arts de Vienne (dattiloscritto), relazione presentata al 6th Joint meeting of the Icom Committee for Museum Laboratories and of the Sub-committee for the Care of Paintings, Bruxelles, 1967, conservata a Roma, presso la biblioteca dell'ICCROM (collocazione: Icom 1967/33). Tre furono i lotti inviati a Vienna, l'ultimo nel febbraio 1970; dopo il primo lotto, per i laboratori austriaci furono selezionati in genere valori bassi, con danni lievi, ciascun libro accompagnato da una scheda con le specifiche redatte in tedesco (vedi la lettera della Guiducci Bonanni a Waters del 14 luglio 1969, conservata in Archivio BNCF, Restauro 5). I laboratori austriaci avevano dato la propria disponibilità a restaurarne anche molti altri, ma, in seguito alla nascita del Centro di restauro in BNCF, la proposta non ebbe seguito.

[8] La tela buckram è un tipo di tela comune in legatoria: realizzata in cotone pesante, dalla trama piuttosto fitta, viene impregnata o coperta con sostanze diverse, per lo più collanti, al fine di ottenere una tela molto resistente, compatta e impermeabile

238

centeschi, in pergamena floscia[9]. Si trattava, per il British Museum, di un impegno rilevante, sia in termini finanziari (il prezzo di una legatura in tela buckram fu calcolato in poco più di 3 sterline, di una pergamena floscia in poco più di 4) che in termini operativi: fu necessario infatti assumere due legatori in più, per permettere al laboratorio di continuare il lavoro corrente, visto anche che fino alla fine del 1967 il British Museum si dovette privare dei propri esperti, in particolare di Jolly e Blunn[10], per lunghi periodi di tempo, soprattutto dopo la decisione del CRIA, del giugno 1967, di contribuire alle operazioni di recupero non con l'invio di propri esperti, ma finanziando quelli di altri comitati. In un primo tempo si era pensato di far arrivare a Londra i 5.000 volumi tutti insieme, per farli poi tornare a Firenze al ritmo di 120 al mese, ma prevalse poi l'opzione di un invio scaglionato.

Il primo lotto, di cinquanta volumi, che doveva servire a saggiare il percorso che avrebbero poi seguito tutti i 5.000 volumi destinati al British Museum, raggiunse Londra il 4 dicembre del 1967 e fu completato entro la fine del mese. Dopo che questo primo lavoro fu verificato e approvato a Firenze dagli esperti della BNCF, partirono, a cominciare dal mese di febbraio del 1968, altri lotti di libri, ciascuno di tre-quattrocento pezzi: alla fine del mese di novembre ne risultavano completati già cinquecento[11]. Solo la legatura era a carico del museo inglese, mentre tutte le altre operazioni, dal lavaggio al restauro delle carte, venivano preventivamente realizzate a Firenze o, per alcuni pezzi, in Gran Bretagna, nel laboratorio di Waters e Powell; la finitura veniva infine realizzata al ritorno dei libri in BNCF, dagli operatori della Biblioteca. I volumi continuarono a percorrere

---

[9] Vedi PRO 30/83/70, ma soprattutto STAT 14/3560 (consultabile sempre presso il Public Record Office di Londra), che contiene le carte della British Museum Bindery relative ai lavori sui volumi fiorentini alluvionati.

[10] Dennis Blunn guadagnerà poi una certa notorietà per aver sviluppato una macchina per il *leaf casting* nel suo laboratorio privato di restauro carta di Reading assieme a Petherbridge (vedi, in proposito, Denis Blunn – Guy Petherbridge, *Leaf casting: the mechanical repair of paper artifacts*, «The paper conservator», 1 (1976), p. 26-32). L'ultima autorizzazione a lasciare il British Museum per trascorrere un periodo di tempo a Firenze rilasciata a Jolly e Blunn è del 20 dicembre 1967.

[11] Fu Luigi Crocetti ad accompagnare uno dei primi lotti: raggiunse Londra il 27 gennaio del 1968, con 500 volumi destinati al British Museum e 100 volumi da indirizzare al laboratorio di Waters e Powell, e rimase in Gran Bretagna per due settimane a studiare, guidato da Waters, la realtà del restauro inglese.

la via di Londra fino al lotto di 851 pezzi inviato fra il settembre del 1970 e il febbraio del 1971: fu allora che la BNCF, nella persona del suo direttore, decise di sospendere le spedizioni, visto l'ormai buon funzionamento del Centro[12]. Gli aiuti del British Museum si chiusero allora con l'invio di cento metri di tela buckram uguale a quella utilizzata sui libri della BNCF già completati.

Ancora nel 1967, comunque, piccoli lotti di volumi furono inviati in altri paesi per essere restaurati[13] e un'importante eccezione alle nuove regole che si andavano affermando fu fatta per i 102 pezzi dei fondi antichi che furono affidati al laboratorio di Powell e Waters nell'aprile del 1968; si trattava di volumi di grande pregio, scelti perché rappresentassero in miniatura l'intera gamma delle difficoltà che i restauratori dei libri fiorentini dovevano affrontare e la varietà delle tipologie e degli stili di legature presenti nei fondi antichi della Biblioteca, e fossero quindi motivo e occasione di studi su materiali e tecniche storiche e conservative: doveva essere una sorta di «fitting tribute to their [Powell e Waters] skill and to the message of hope that they brought to Florence in that tragic November when all seemed lost»[14]. L'idea dei due grandi restauratori inglesi, che ricevettero numerose donazioni per portare a termine il restauro e lo studio approfondito di alcuni di questi volumi, era di formare un gruppo internazionale di "Amici della BNCF" ciascun membro del quale si sarebbe assunto il patrocinio di un volume – su cui poi sarebbe stato scritto il suo nome e di cui avrebbe ricevuto documentazione – per una spesa di circa 300 dollari[15].

---

[12] Lettera di Casamassima del 28 ottobre 1971 (PRO, STAT 14/3560).

[13] Clarkson, negli appunti per la citata lezione *The Florence flood and its aftermath*, ricorda che «Governments and institutions offered their services, even the Queen of England. This caused many headaches, we had no idea of the skills and expertise being offered, and found ourselves in the minefield of international politics» (p. 16 della versione pubblicata su *National Diet Library Newsletter*). Nell'archivio di Nixon è conservata la lettera, datata 2 febbraio 1967, con cui quest'ultimo avverte il bibliotecario della regina che Casamassima ha accettato la sua proposta di restaurare sei libri della BNCF che siano in qualche modo legati all'Inghilterra; per non incorrere in eventuali incongruenze con il sistema, il *team* decise di selezionare volumi per i quali dovesse essere realizzata una legatura nuova.

[14] Dall'intervento di Luigi Crocetti in: *La catastrofe dei libri*, London: Powell & Waters, 1969, p. [1-3].

[15] Progetti di "adozione" di libri da parte di privati per finanziare il restauro di singoli volumi sono comuni, a partire dagli anni '80, alle principali biblioteche di conservazione del mondo, soprattutto di area anglosassone (cfr. il sito della

Nel frattempo a Firenze avanzava il progetto del Centro di restauro e cresceva la convinzione di poter raggiungere e garantire al suo interno i più alti standard qualitativi via via che procedeva la lavorazione del materiale alluvionato: in un primo tempo si era pensato che a Firenze potessero essere portate a termine solo le prime operazioni di cui il materiale essiccato necessitava – la collazione, il lavaggio e la disinfezione – ma quando queste operazioni raggiunsero un buon livello di organizzazione e un buon ritmo di lavoro, si cominciò a pensare al passo successivo[16]. In un primo tempo furono quindi installati i reparti che si dovevano occupare del rinsaldo e del restauro della carta, due operazioni molto lunghe, poi – quando fu pronta una buona scorta di volumi pronti per essere cuciti – il Centro continuò a progredire, dotandosi di un reparto che doveva completare l'ultima fase di restauro: la manifattura di legature nuove. I laboratori della BNCF si organizzarono lentamente, quindi, fino a che, nella primavera del 1967, apparve realizzabile il progetto di trattenere in sede i volumi perché qui fossero sottoposti a tutti i processi di lavorazione di cui avevano bisogno[17].

Questo progetto appariva realizzabile anche grazie al fatto che entro maggio era stata completata buona parte del riassetto dell'edificio: era stata ripulita la facciata, da cui erano state rimosse le tracce di fango, riparati i pavimenti e i soffitti dal Dipartimento di ingegneria civile di Firenze per conto del Ministero dei lavori pubblici, erano state riparate porte, finestre, impianti di sicurezza, riscaldamento, aria condizionata, salvando il salvabile delle vecchie apparecchiature. Il trasferimento dei laboratori all'interno dell'edificio della Nazionale comportò inoltre, insieme a una completa redistribu-

---

British Library dedicato al progetto: http://adoptabook.bl.uk). L'idea di finanziare in questo modo il restauro di libri alluvionati è stata ripresa anche nel 2006, in occasione del quarantennale dell'alluvione, dall'associazione statunitense con sede a Firenze Angels of Florence.

[16] Affermavano Cains e Crocetti nel 1970: «In che modo è sorto questo Centro? Non certo intero e tutto armato come Atena dal cervello di Zeus, ma poco alla volta. Anzi, da molti punti di vista, è bene considerarlo come un organismo ancora in via di formazione e d'organizzazione. Ci sono state varie tappe e varie fasi nella sua costituzione e si può dire che a ciascuna d'esse corrisponda una diversa situazione della Biblioteca, una diversa prospettiva e diverse possibilità di lavoro» (Crocetti – Cains, *Un'esperienza di cooperazione* cit., p. 28).

[17] Nixon venne in missione a Firenze dal 20 al 25 aprile assieme a Edward W. Hiscox, *examiner bookbinder* del British Museum, che fece delle riprese del lavoro di restauro per il programma della BBC *Let's look at the week*, che andò in onda, alle undici di sera, domenica 7 maggio 1967.

zione degli spazi, la realizzazione di altre opere: negli ambienti dove fu installato il restauro si cercò di ottenere infatti il massimo possibile di luce naturale; si cercò di sfruttare meglio gli spazi adiacenti al chiostro di Santa Croce, dove ad esempio vennero riaperte le finestre originali, al piano terreno, per far luce alla legatoria meccanizzata; sul lato nord del chiostro, al secondo piano, vennero quindi riadattati e acquisiti dalla BNCF gli spazi della vecchia biblioteca di Santa Croce, e questa scelta restituì alla città un reperto fino ad allora sconosciuto: durante i lavori venne infatti rimosso il soffitto piatto ottocentesco, riportando alla luce il soffitto ligneo medievale che si conservava in perfetto stato.

Il reparto che si occupava del restauro della carta (*mending*), disegnato per trenta lavoratori – il numero massimo di persone che poteva essere accolto e stipendiato con lo spazio e i finanziamenti a disposizione – fu collocato in quella che, prima dell'alluvione, era la grande sala di lettura generale, dove verrà poi installata anche la legatoria[18]. Le attrezzature tecniche, per la scelta delle quali Casamassima concesse agli esperti inglesi massima libertà decisionale, furono

---

[18] La consapevolezza del carattere provvisorio della localizzazione scelta per tali sezioni del laboratorio di restauro fece sì che fosse realizzato un arredamento di tipo modulare, che ne permettesse lo smontaggio e il riallestimento altrove, come avvenne nel 1969-1970, quando furono trasferiti nel sottosuolo la maggior parte dei laboratori di restauro, trasformando la sala in deposito librario su tre piani per trecentomila volumi (destinati ad accogliere i giornali, i quotidiani e le miscellanee alluvionati via via che venivano identificati e riordinati), come già prospettato da Casamassima nella relazione al Ministero della pubblica istruzione datata 29 dicembre 1966 e conservata in Archivio BNCF, 1302 e come resosi indispensabile quando andò in fumo il progetto della costruzione di due torri librarie per ampliare i magazzini (anche la cosiddetta rotonda dei periodici fu trasformata in un magazzino per sessantamila volumi, per ampliare il magazzino delle riviste esistente, mentre la BNI fu trasferita nella palazzina di via Tripoli, assieme agli uffici di schedatura e al catalogo di servizio). Alla lettura generale fu destinata la grande sala cataloghi (con 260 postazioni) e relativa antisala (con 20), a quella dei periodici la sala informazioni (con altre 20 postazioni e gli ultimi fascicoli di circa 2.000 periodici di livello scientifico), mentre i cataloghi furono trasferiti nella sala distribuzione. La preparazione dei volumi veniva realizzata nel salone al terzo piano dell'ala nuova, le operazioni preliminari in quattro locali del piano terreno del vecchio edificio – in precedenza ufficio e sala periodici e ambienti della Soprintendenza – mentre l'ampio locale del seminterrato che una volta ospitava il magazzino dei giornali fu destinato alla legatoria industriale. Quando nel 1990, durante la direzione della Guiducci Bonanni, la sala generale di lettura fu destinata nuovamente alla sua originaria funzione, fu intestata alla memoria di Emanuele Casamassima.

acquistate in Italia e in Gran Bretagna grazie ai fondi messi a disposizione non solo dallo IAARF e dal CRIA, ma anche dal comitato tedesco e dal Fondo internazionale per Firenze. L'arredamento della sala, disegnato da Waters, fu terminato in agosto, quando si dette inizio alla formazione degli operatori.

Tutti i lavoratori del Centro che stava nascendo erano infatti completamente digiuni di conoscenze relative al restauro e il loro addestramento fu uno dei compiti più importanti e più dispendiosi in termini di tempo e di denaro fra quelli realizzati dagli esperti provenienti da ogni parte del mondo che si erano messi a disposizione della BNCF, alternandosi nel corso dei mesi[19].Gli addetti alle operazioni di *mending* e cucitura, quasi tutti donne, furono istruiti cominciando da un gruppo di cinque persone, cui se ne andarono ad aggiungere cinque a settimana, per un periodo complessivo di docenza di circa tre mesi. Nella formazione dei nuovi tecnici la pressione esercitata dalla grande mole di lavoro in attesa fu vinta dalla suggestione esercitata sugli insegnanti dall'opportunità di creare un grande laboratorio che potesse usufruire, nei suoi diversi settori, delle tecniche più aggiornate: la qualità del lavoro fu quindi il primo obbiettivo, cui fu sacrificata la velocità nell'eseguirlo, che sarebbe comunque venuta col tempo. Questa modalità di istituzione dei laboratori creava una forte richiesta di documentazione: fu così che per i tecnici e per i la-

---

[19] Solo per il restauro della carta furono fatte delle vere e proprie lezioni; per quanto riguarda invece le tecniche di legatoria, furono organizzate piuttosto delle dimostrazioni, nella convinzione che si apprendesse molto più facilmente osservando un tecnico lavorare che sentendolo parlare, per quanto fosse tradotto. Secondo il programma pianificato da Nixon il 12 luglio del 1967 (Archivio Nixon) fino al termine dell'anno il lavoro dei tecnici inglesi si sarebbe così articolato: la gestione dei lavori sarebbe stata affidata a Waters fino alla fine di settembre, per poi passare a Cains; George Jolly, che sarebbe rimasto a Firenze fino a Natale, e P. Tannett (subentrato a Blunn e che a sua volta poi, all'arrivo di Tushingham sarebbe stato destinato alla formazione) avrebbero continuato a lavorare nei laboratori di nuovo allestimento; Corderoy (a Firenze dal 24 luglio agli inizi di settembre), Robert C. Akers, legatore presso il British Museum e futuro insegnante presso il Camberwell College of Arts, (dal 24 luglio alla metà di agosto), Cumpstey (dalla metà di luglio ai primi di settembre), Clarkson (dal 23 luglio al 5 settembre), Desmond Shaw (dal 23 luglio al 10 agosto), Mary Freeman (dal 23 luglio al 26 agosto), M. B. Cheshire (dal 23 luglio al 18 agosto), Hiscox (dal 10 agosto all'8 settembre) si sarebbero dedicati alla formazione del personale italiano del Centro. Così facendo, entro il mese di dicembre, tutto sarebbe stato pronto per il passaggio delle consegne nelle mani degli italiani, fatta salva la presenza di Cains.

voratori del Centro fu allestita una biblioteca tecnica, una piccola biblioteca di consultazione su tutti gli aspetti del restauro del libro e della carta in generale, costituita quasi interamente da pubblicazioni ricevute in dono o acquistate con i fondi del CRIA e affidata alla cura di Barbara Mastellone, che si occupava anche di compiere ricerche bibliografiche, selezionare articoli e monografie, catalogare per autore e per soggetto il posseduto e tradurre dal francese o dall'inglese, su richiesta degli operatori, gli articoli che avessero ritenuto utili al loro lavoro.

Lo sviluppo del sistema portò alla costituzione di sette reparti principali: prima specificazione, smontaggio, lavaggio e asciugatura, collazione finale, restauro carta, legatoria fine (in contrapposizione alla legatoria da biblioteca, che sarebbe sorta più tardi), finitura[20].

Il primo di questi reparti prevedeva la redazione di una scheda di restauro abbastanza complessa, che nasceva dallo sviluppo del sistema dei simboli utilizzati precedentemente al Forte di Belvedere[21] e che, salvo lievi modifiche, è ancora in uso nei laboratori di restauro della BNCF. La scheda si venne sviluppando perché il complesso delle informazioni riguardanti il libro, i danni subiti e il processo di restauro cui era stato sottoposto assumessero forma stabile e organica.

Tale scheda, che nella sua versione originale fu redatta e curata nella parte grafica da Peter e Sheila Waters e che fu poi aggiornata per accogliere un maggior numero di dettagli fino a raggiungere cen-

---

[20] Molti di questi reparti furono all'epoca e sono tuttora noti con i nomi inglesi di *Specification, Pulling, Washing & Drying, Final collation, Mending, Binding, Finishing* (o *Titling*). Secondo le parole di Sergio Marchini «ogni reparto costituisce una parte *inscindibile* dal sistema, ma con una sua fisionomia ben precisa ed uno suo determinato raggio d'azione; esso è "indipendente" dagli altri reparti, perché dotato di propri materiali, metodi e mezzi atti allo svolgimento di una sola fase dell'intero processo. È bene sottolineare però che questa struttura non comporta parcellizzazione o chiusura, e ciò grazie ad una serie di collegamenti tra i responsabili di reparto e i tecnici stessi. Il momento unitario, di coagulo, è rappresentato dal rapporto dialettico col direttore del Centro che, come bibliologo, indica o consiglia, in base a ragioni storiche, il tipo di intervento più idoneo a non ledere la struttura del libro, senza per questo fare dei falsi» (dall'intervento contenuto in: *Il problema della conservazione e il Centro di restauro della Nazionale*, «Centro Erre», numero unico in attesa di autorizzazione (20 giugno 1970), p. 5-14: p. 8).

[21] Vedi *supra*, p. 223-224. I simboli utilizzati per definire le condizioni dei volumi alluvionati e per indicare il tipo di operazioni necessarie avevano raggiunto la trentina ed erano spiegati in lingue diverse in manifesti appesi nei magazzini e in fogli distribuiti ai volontari.

to voci, era il cuore del sistema, in quanto incarnava e rappresentava l'idea di restauro e il modo di operare del *team* inglese. In essa era prevista innanzi tutto la registrazione degli elementi identificativi del volume, compreso il numero della fotografia scattata all'inizio del processo di restauro[22] e l'anno di stampa del volume, che sarebbe servito a stabilire il gruppo di valore di appartenenza. Il laboratorio aveva infatti diviso i volumi da restaurare, per organizzare meglio il lavoro, in cinque "valori":

valore 1 → 1500 – 1560
valore 2 → 1560 – 1770
valore 3 → 1770 – 1820
valore 4 → 1820 – 1840
valore 5 → dopo il 1840

Il gruppo di appartenenza determinato dall'anno di stampa poteva essere però variato a seconda della rarità o comunque del valore intrinseco del singolo pezzo[23].

A questa sezione della scheda ne seguiva un'altra, dedicata alla descrizione della legatura originale e dei danni presentati dal libro: i grandi numeri in gioco e il fatto che numerose persone mettevano le mani su ogni volume, lungo il suo tragitto fra i reparti, e annotavano sulla scheda quanto facevano, rendeva però necessariamente schematiche, e perciò stesso in parte inadeguate, queste osservazioni; allo stesso tempo però il fatto che il volume venisse a contatto con tanti specialisti diversi permetteva che la sua comprensione – e le conseguenti scelte in merito al restauro – si complicasse e, per quanto possibile, completasse. La sezione descrittiva della scheda, sviluppatasi

---

[22] Queste fotografie sono conservate tuttora presso il laboratorio di restauro, ciascuna insieme alla scheda di riferimento, e rappresentano tuttora uno strumento di lavoro rilevante per i volumi il cui restauro non è stato ancora completato. Iniziare, già a gennaio 1967, a fotografare tutti i libri in modo sistematico fu un'intuizione importante, come rileva Crocetti in una lettera a Helen Jolly del 17 marzo 1969: «preserving thus a valuable record of bindings which had to be removed in order to preserve the text. These also now help to some extent in the tracing of books» (Archivio BNCF, Restauro 3).
[23] Questa divisione, che comportava delle differenze nelle modalità del restauro che sarebbe seguito e nella tipologia di legatura che il volume avrebbe ricevuto, rispecchia il fatto che il sistema fu inizialmente pensato e strutturato per i libri antichi, ma che col tempo venne a diversificarsi e a ingrandirsi andando a coprire materiali di tutte le epoche.

negli anni in modo sempre più esplicito[24], mostrava inoltre una grande sensibilità nei confronti di quelle notizie che potevano diventare poi irrecuperabili al termine del restauro: nel Centro si venne infatti affermando la convinzione che sia «inerente allo smontaggio del libro un processo di carattere distruttivo: [...] scucendo si distrugge la forma d'un volume, l'allineamento degli orli e la loro decorazione, se si tratta d'orli goffrati, la cucitura, i rivestimenti interni; l'intero carattere del libro va perduto anche se l'operazione è condotta con la massima sensibilità, cura e precisione»[25].

Venivano quindi registrate sulla scheda la struttura e i materiali delle carte di guardia separate dal blocco delle carte al momento dello smontaggio, le eventuali decorazioni, titolazioni o annotazioni presenti sui tagli, le caratteristiche della cucitura che veniva distaccata, ma anche le tracce di eventuali precedenti cuciture ricostruibili dai segni che avevano lasciato sulla piega dei fascicoli, la struttura e i materiali dei quadranti, dei capitelli, della coperta, dell'eventuale custodia, dei lacci e dei fermagli, oltre che le caratteristiche del dorso e della titolazione. Ognuno di questi "titoli" era scomposto in una serie di voci numerate affiancate da due file di quadrati da barrare, dove quello di sinistra indicava le caratteristiche degli elementi strutturali originali, quello di destra quelle della legatura prescritta. Nel caso della cucitura, i quadrati da barrare che descrivevano la legatura originale erano sdoppiati, per permettere, come detto, la registrazione delle caratteristiche di eventuali più antiche cuciture[26]. La numerazione delle voci serviva a permettere appunti organizzati in fondo alla scheda, stampata su un cartoncino bianco per metà, proprio per consentire un ampio uso di annotazioni libere[27]. Una volta completata la sua redazione, la scheda, conservata in archivio, veniva a rappresentare una preziosa fonte di informazioni sul libro come docu-

---

[24] Da un'assenza di annotazioni sulla struttura originale, si passò a una ventina di voci separate dedicate alla descrizione di coperta, cucitura e capitelli originali, per arrivare poi alla scheda a cento voci che permette una registrazione ampia e virtualmente completa della struttura che il restauratore va smontando.

[25] Crocetti – Cains, *Un'esperienza di cooperazione* cit., p. 35.

[26] La grande attenzione di cui la cucitura viene fatta oggetto è dovuta alla possibilità di risalire, per suo tramite, analizzandone modalità e supporti, ricostruibili dai fori e dalle macchie lasciate sulla piega, alla tipologia e fors'anche all'epoca della struttura perduta.

[27] La scheda prevedeva inoltre che, non appena una operazione fosse completata, l'operatore apponesse le proprie iniziali, la data e il tempo impiegato a realizzarla di fianco alla lettera che indicava quella particolare operazione.

mento, ma purtroppo, a oggi, tali schede vengono considerate un mero strumento di lavoro del laboratorio e per questo non sono a disposizione degli studiosi, né vengono utilizzate dalla BNCF in sede di aggiornamento del catalogo.

Dopo questa prima analisi, i volumi venivano collazionati e smontati, per cura principalmente dei bibliotecari, e le carte lavate e asciugate. Tali operazioni rimasero pressoché immutate nel tempo, fatta salva la possibilità di usufruire di strumenti via via sempre più adeguati, come le celle di essiccazione progettate dagli inglesi, già pronte nel mese di maggio[28]. Col tempo però coloro che si occupavano di smontare i volumi cominciarono a interfogliarli con carta filtro, così da impedire ogni tipo di controstampa, prima di passarli al lavaggio. Cambiarono poi le tecniche di deacidificazione e rinsaldo: sulla scorta infatti degli studi realizzati da William Barrow per la BNCF nel corso del 1967, l'immersione in soluzione deacidificante a base di bicarbonato di calcio o di magnesio entrò a far parte in modo stabile dei processi di lavaggio, perché fosse così possibile lasciare nelle carte un tampone di contrasto alle fonti di acidità con cui potevano venire in contatto in futuro; allo stesso modo anche il rinsaldo, al termine delle operazioni per via umida, divenne sempre più frequente, poiché si verificò che il lavaggio causava una rilevante perdita della collatura originale delle carte.

Completate le operazioni per via umida e portata a termine la collazione finale, il blocco delle carte e la coperta originale venivano ricongiunti e portati al bibliotecario addetto e al direttore tecnico del laboratorio perché redigessero le specifiche finali, perché venissero cioè stabilite le successive operazioni di restauro e in modo partico-

---

[28] Le videro infatti Carla Thorneycroft e Nathalie Brooke, in visita a Firenze per conto dello IAARF dall'11 al 19 di maggio. In tali celle veniva fatta passare aria filtrata alla temperatura di 38°C. L'equipaggiamento del reparto lavaggio si arricchì poi con vasche termostatiche in acciaio inossidabile dove era possibile mantenere una temperatura di 40° C, in cui l'acqua veniva addizionata, nella misura dello 0,05%, di Preventol (un biocida a base di composti del sale quaternario d'ammonio solubile in alcoli, chetoni, idrocarburi clorinati). Per mantenere le carte in posizione mentre venivano passate col pennello per rimuovere i depositi di fango, venivano usate le già note piccole assi di legno flottanti mantenute ferme nelle vasche da angoli di acciaio. A lavaggio ultimato le carte venivano immerse per trenta minuti in un bagno di Preventol allo 0,07% (molte di queste attrezzature sono ancora in uso presso l'attuale laboratorio di restauro della BNCF). Nel caso di libri dove fosse difficile separare le carte, si procedeva all'immersione delle stesse in una soluzione di alcool e/o acqua, addizionati con il Preventol, per facilitarne la separazione.

lare le caratteristiche della nuova legatura da realizzare in laboratorio, o le modalità, quando possibile, della riapplicazione della legatura originale.

A questo punto le carte passavano al *mending*. La tecnica di restauro della carta adottata fu quella della fibra lunga, con l'utilizzo di carta giapponese e colla d'amido[29]: introdotta da Waters dopo una visita al laboratorio viennese di Otto Wächter[30], fu insegnata da Stella Patri[31] negli ultimi mesi del 1967 e poi da George Jolly nei primi mesi del 1968. Col tempo fu anche realizzato un velo precollato da utilizzare per gli strappi e in modo prevalente sui volumi moderni. In generale i valori 1 e 2 ricevevano un restauro delle carte completo, mentre dei valori 3 e 4 venivano sanati solo quei danni che potevano degenerare, anche se i primi e gli ultimi fascicoli, che avrebbero dovuto sostenere un'usura maggiore, ricevevano un trattamento completo[32]. Terminato il *mending* e, se necessario, l'imbrachettatura dei fascicoli, il blocco delle carte passava alla legatoria. Molti erano i volumi che portavano danni alla piega, dovuti spesso alle prime disordinate operazioni di recupero: Waters calcolava che in media, in

---

[29] Si fecero anche prove con numerose colle sintetiche, che furono però poi, almeno nei primi anni, per lo più confinate alla preparazione di veli precollati.

[30] Nato nel 1923, Otto Wächter aveva fondato all'inizio degli anni '50 l'Institut für Restaurierung presso la Österreichische Nationalbibliothek, così come il settore dedicato al restauro della carta della facoltà di restauro e conservazione presso l'accademia di arti figurative della capitale austriaca. Nel 1966 Wächter lavorava sia come restauratore che come docente, contribuendo a stringere il già forte legame fra le due realtà, tuttora molto vivo.

[31] Stella Nicole Patri (1896-2001) legatrice e restauratrice americana, fu a Firenze per tre volte, a partire dal 1966, per collaborare con il *team* al recupero dei libri della BNCF. Patri si era dedicata alla legatoria e al restauro solo dal 1958, all'età di 62 anni – per quanto avesse già fatto qualche esperienza negli anni '30 – studiando in California, in Italia presso l'ICPL, in Francia e in Inghilterra e aveva poi iniziato a lavorare per l'University of California Medical Center, diventando uno dei restauratori più noti d'America. La corrispondenza con il CRIA relativa alla sua presenza a Firenze è conservata in Archivio CRIA, 18, fasc. 2.

[32] Alla p. 18 di *The restoration system of the Biblioteca nazionale centrale di Firenze*, un piccolo pamphlet dove venivano esposte le metodologie di lavoro in uso in BNCF, redatto nel 1969 per la penna dei responsabili del Centro e legato all'interno di una scheda di restauro piegata a metà, si legge: «It must be pointed out here that books of lower value are not mended any less carefully: the mends that are done are given the same amount of attention as those done on a book of high value but the aesthetic aspects are given less consideration».

ogni fascicolo, due erano le pieghe che avevano necessità di essere imbrachettate[33].

La legatoria, fin dalle sue origini, cercò di realizzare delle strutture che corrispondessero a criteri di funzionalità e durabilità, cercando di trarre profitto dalla possibilità unica che si era offerta ai restauratori dei volumi alluvionati fiorentini, di studiare in profondità antiche strutture e di osservare come avevano risposto all'evento traumatico cui erano state sottoposte[34]. Se un volume riceveva una legatura che manteneva le caratteristiche dell'originale, non era mai per fare una legatura all'antica, ma perché quella struttura aveva mostrato buone caratteristiche meccaniche. Si cercava insomma di fare in modo che fosse il libro stesso a determinare quale legatura di restauro dovesse ricevere, e non i legatori, con le limitazioni loro imposte dalla cultura o dalla formazione ricevute.

La struttura che diventò tipica della BNCF e che tuttora nell'ambito del restauro viene chiamata "fiorentina" fu la pergamena floscia, osservata negli esemplari italiani della prima metà del Cinquecento posseduti dalla Biblioteca e studiata, nonché sviluppata come legatura conservativa, in modo particolare da Clarkson, a partire dalla primavera del 1967, per le sue buone caratteristiche meccaniche, ma anche per la neutralità dei materiali con cui era possibile realizzarla[35]. Fu proprio quest'ultimo, incaricato dell'insegnamento

---

[33] Vedi *The restoration of books: Florence 1968*, il film di Roger Hill con testi di Peter Waters – sponsorizzato dallo IAARF e prodotto dal Royal College of Art di Londra – realizzato per pubblicizzare il lavoro fatto e raccogliere fondi, visto che già allora il laboratorio di restauro della BNCF appariva «in danger of being lost for lack of money».

[34] Fu proprio per sfruttare le grandi potenzialità di studio delle diverse strutture e dei diversi materiali che, per volontà in modo particolare di Clarkson, fu deciso di non restaurare un gruppo di volumi significativi per qualche loro aspetto appunto strutturale o materiale (vedi Christopher Clarkson, *The beginning of a historical bookbinding study collection as an aid in the training of the book conservator, BNCF 1967*, in: *Dal 1966 al 1986* cit., p. 142-150 e Christopher Clarkson, *An historical study collection. A fundamental tool for the training of the book conservator*, «Bollettino dell'Istituto centrale per la patologia del libro», 44-45 (1990-1991), p. 187-212). La collezione è tuttora conservata dal laboratorio di restauro della BNCF e, pur se non valorizzata, può essere visionata su richiesta.

[35] Per pergamena floscia si intende una struttura in cui la coperta in pergamena non è supportata da alcun rinforzo cartaceo, né sui piatti, né sul dorso. Tali strutture sono comuni a partire dagli anni '20 e '30 del Cinquecento e in un primo momento sono caratterizzate dal fatto che i nervi di cucitura e l'anima dei capi-

delle legature in pergamena – Donald Etherington[36] si occupava invece di quelle in pelle – a elaborare per i lavoratori del Centro una grande carta su cui erano disegnate le strutture di carte di guardia elaborate dal *team* e un'altra che illustrava la manifattura e le caratteristiche della pergamena floscia. Fra l'altro l'idea di creare uno stile proprio della Biblioteca rispose a un'esigenza che era stata presente fin dai primi momenti nelle idee dei tecnici che vi lavoravano[37].

Nel reparto del Centro che si occupava di legatoria fu fatto un grande sforzo nel tentativo di riapplicare le coperte originali nel maggiore numero di casi possibile. Furono ad esempio rimontate coperte in piena pelle di porco di area tedesca del XVI secolo dopo trattamenti di reidratazione e asciugatura in acetone o attraverso altre metodologie, come una nuova conciatura all'allume. Veniva però prestata grande attenzione a non riapplicare le coperte a ogni costo, considerando che nella maggioranza dei casi non era possibile, non solo perché la coperta era troppo gravemente danneggiata, ma anche perché si sarebbe potuto portare a termine il nuovo montaggio solo a prezzo di una perdita di informazioni inaccettabile, o perché si riteneva che l'operazione non avrebbe garantito al libro una buona sopravvivenza.

Prima del ritorno sullo scaffale il volume veniva infine sottoposto ad alcune operazioni di finitura, limitate e diversificate a seconda del tipo di struttura e di materiale di copertura. Tutti gli elementi puramente decorativi e quindi non strutturali erano comunque rifiutati. I

---

telli, per lo più in pelle allumata, passano sulla coperta, rendendo la struttura resistente ed elastica. Vedi Christopher Clarkson, *Limp vellum binding and its potential as a conservation type structure for the rebinding of early printed books*, Hitchen: The Red Gull Press, 1982. Clarkson racconta nelle sue lezioni di avere giocato a calcio, insieme a Casamassima e agli altri tecnici inglesi, con un modello di pergamena floscia in uno dei cortili interni della Biblioteca, per evidenziarne i punti deboli e saggiarne la maneggevolezza. Per comprendere appieno l'entusiasmo del *team* nei confronti di questa struttura bisogna considerare che si tratta di una legatura tipicamente italiana, soprattutto nella sua robusta versione primitiva, molto rara invece in Gran Bretagna, dove la gran parte dei fondi antichi, in seguito ai fenomeni ottocenteschi di collezionismo e accentramento delle collezioni, è chiusa in moderne legature in piena pelle, le stesse che i laboratori di restauro artigianali continuavano ad applicare ai libri loro affidati.

[36] Vedi p. 257-258.

[37] «It is intended to devise a style in limp vellum, unique to the Library», affermava Waters nel settembre 1967, che parlava della pergamena floscia come di una «long-lasting binding, strong and pleasant to handle and fairly quick to make» (Waters, *Problems of book conservation* cit., p. 1201).

frammenti della legatura originale venivano inseriti all'interno del cartone posteriore[38], mentre gli *ex-libris* venivano incollati all'interno di quello anteriore, così come altri frammenti interessanti. Questo fu uno degli ultimi reparti a essere installato, perché lunga fu la discussione sul tipo di titolazione che i volumi nuovamente rilegati dovevano ricevere.

Non appena fu possibile, le raccolte alluvionate furono ricomposte negli ambienti dell'ala nuova della Biblioteca in ordine di segnatura: accanto ai libri restaurati venivano immagazzinati quelli solo lavati e impacchettati, in via di recupero; i volumi invece ancora da lavare furono sistemati, sempre nel medesimo ordine, su delle scaffalature allestite nei corridoi adiacenti ai veri e propri magazzini.

Importante e sintomatica di un'idea di restauro che si proponeva in modo programmatico di superare il tradizionale approccio artigianale ed empirico ai problemi, fu inoltre la particolare attenzione sempre accordata alla qualità dei materiali utilizzati, ricercati in tutta Europa perché garantissero le migliori caratteristiche possibili dal punto di vista meccanico e chimico: dalla carta a mano fabbricata per la Nazionale, in quattro colori e altrettante grammature diverse, dalla cartiera Magnani di Pescia[39], alla pelle allumata prodotta dalla ditta artigianale Gentili di Roma, alla corda e al filo di puro lino della Barbour Threads Ltd. dell'Irlanda del Nord, alle pelli di capra nigeriane e alla pergamena della ditta La pergamena di Verona[40].

---

[38] Questa soluzione con gli anni è stata abbandonata e si è preferito dar vita a un fondo separato di legature e frammenti di legature staccate, conservato presso il laboratorio di restauro della Nazionale, che non è però ancora consultabile.

[39] Si tratta di una carta rinsaldata con acquapel – un collante neutro o leggermente alcalino – con una filigrana composta da quattro onde da cui si leva la freccia del Sagittario, simbolo del mese di novembre, che ricorda l'alluvione di Firenze. Cains non la considerava però completamente soddisfacente perché non dotata di una buona resistenza allo strappo.

[40] Nell'archivio Cains è stato possibile rintracciare un indirizzario databile probabilmente al 1970, con i dati completi dei vari fornitori del Centro: per quanto riguarda i materiali di copertura dei libri, per la pelle ci si rivolgeva alla Russell Bookcrafts (Hitchin, Hertfordshire, Inghilterra) e alla conceria Il cigno, di Dino e Giuseppe Masini (Santa Croce sull'Arno); per la pergamena alla Elzas & Zonen, Ltd. (Celbridge, Irlanda), a Enrico Gentili (Roma) e a La pergamena (Verona); per il buckram infine a Pietro Giardini (Milano). Per i materiali e le sostanze chimiche necessarie al laboratorio, il fornitore era invece la Dyestuffs Division delle Imperial Chemical Industries (Manchester, Inghilterra), per nylon solubile, oli e detergenti, invece, la Divisione Sesacolor dell'I.C.I. (Italia) S.p.a. (Milano); la Hoechst-Emelfa S.p.a. (Milano) e la Kalle (Weisbaden, Germania) per la me-

Si trattava insomma di un grande lavoro di *équipe*, fra bibliotecari, tecnici del restauro e di laboratorio, ma anche fra lavoratori e responsabili, che si basava sul presupposto concettuale che il lavoro di descrizione, prescrizione e restauro necessiti dell'incontro di numerose capacità e discipline: «non crediamo che un'unica persona possa riunire in sé tutte le conoscenze necessarie a un'esatta descrizione dello stato del libro e a un'esatta prescrizione di ciò che si deve fare»[41].

A dirigere il Centro, che a fine 1967 contava circa 100 operai riuniti in cooperativa, erano infatti affiancati un bibliotecario, Luigi Crocetti, e un direttore tecnico, che a partire dal settembre del 1967 fino al marzo del 1972 fu Anthony Cains, inviato dallo IAARF ma stipendiato dal CRIA[42]. Ai vari settori in cui si articolava il sistema fu affiancato ben presto un laboratorio scientifico, affidato alla guida di Nkrumah, che era disponibile a una lunga permanenza e che poteva già vantare una buona esperienza nel campo della conservazione.

---

tilcellulosa; la Hoechst Chemicals Ltd. (Londra), o le sue filiali italiana e irlandese per l'acido polivinilico (PVOH), venduto con il nome commerciale Mowiol e utilizzato nella fabbricazione delle colle; la Montecatini (Milano) per le colle viniliche, insieme alla Scott Bader Ltd. (Wellingborough, Inghilterra); la Farbenfabriken Bayer (Leverkusen, Germania) o le sue filiali italiana e irlandese per il Preventol; Davide Bocci (Firenze) per l'amido di riso; l'Amideria Terrazzi (Busto Arsizio) per le destrine utilizzate nella preparazione delle colle e le divisioni Chimica industriale e Apparecchi scientifici della Carlo Erba (Milano) per le sostanze chimiche di laboratorio. Per le carte ci si rivolgeva invece alla J. Barcham Green (Maidstone, Kent, Inghilterra); per i veli, la carta e i cartoni, oltre che alle Cartiere Miliani (Fabriano) e a quelle Magnani (Pescia), alle cartiere Ambrogio Binda (Milano) per la carta filtro e alla Technical Paper Sales Ltd. (Londra) per la carta siliconata; alla T.N. Lawrence & Son Ltd. e alla Oskar Vangerow KG per la carta giapponese. Per quello che riguarda invece le attrezzature, la A.E.I. (Harlow, Essex, Inghilterra) fornì i ferretti a caldo per il restauro, nati da una trasformazione dei ferri per saldare; Carlo Crespi (Milano), R. Cappelletti (Milano) e Q. Vagelli (Firenze) le attrezzature necessarie per la legatoria; ancora Carlo Crespi quelle che servivano alla finitura; Albert Steffen (Adliswil, Svizzera) la strumentazione per la pulizia a secco; O. Martelli (Firenze) le spatole; la Barbour Thread Ltd. (Hilden, Lisburn, Irlanda del Nord) e l'Industria filati di lino e canapa (Vimercate) i fili e le fettucce.

[41] Crocetti – Cains, *Un'esperienza di cooperazione* cit, p. 44.

[42] Il CRIA, che fin dal mese di giugno aveva preso contatti con lo IAARF in questo senso, accettò di stipendiare Cains nell'agosto del 1967, dopo un positivo incontro fra Gilmore e il restauratore inglese (PRO 39/83/49; Archivio CRIA, 24, fasc. 3, n. 7); vedi anche la lettera del 22 agosto 1967 di Clarke a Gilmore e la risposta di Gilmore a Clarke del 25 agosto 1967, entrambe in copia presso l'archivio Cains).

Il laboratorio si doveva occupare di ricerca solo quando strettamente necessario[43], visto che il Centro poteva, per ricerche di più ampia portata, vantare l'appoggio dell'ICPL[44] e dell'Imperial College of Science and Technology di Londra – con i quali la BNCF concordò fin dal dicembre del 1967 un programma di ricerche indirizzate principalmente all'indagine sui materiali – ma soprattutto doveva dedicarsi a operazioni pratiche, come lo sbiancamento, la preparazione delle soluzioni deacidificanti, delle colle e dei veli precollati[45], oltre che, naturalmente, assumere il compito di testare e poi monitorare la validità delle modalità operative e dei materiali utilizzati. Dall'idea che il programma di ricerche necessario a supportare il Centro fosse

---

[43] L'attività di ricerca consisteva soprattutto nella sperimentazione di nuove lavorazioni, come l'uso di colle o di metodi di rinsaldo differenti.

[44] Fu seguendo le conclusioni di studi condotti dall'ICPL che negli anni si andarono sostituendo alla colla d'amido e alla gelatina le colle sintetiche, più resistenti agli attacchi biologici (e in particolare la metilcellulosa, sperimentata da Nkrumah dalla fine del 1969), fino a un quasi completo abbandono delle prime.

[45] Passavano attraverso procedure di sbiancamento le carte la cui lettura risultava pregiudicata, per lo più a causa della migrazione di sostanze concianti dalle coperte o della presenza di macchie oleose. Nel primo caso si usava una soluzione di sodio ipoclorito, secondo una tecnica introdotta in modo particolare da Boustead, in una concentrazione che variava dal 3 al 10%, mentre per la rimozione di macchie di ruggine veniva utilizzato l'acido ossalico, in concentrazione massima del 5% o, localmente, anche del 15%; dopo le procedure di sbiancamento le carte venivano immerse in soluzione anti-cloro a base di sodio trisolfato e poi risciacquate per almeno quattro ore in acqua corrente fredda; solo nei rari casi di macchie leggere veniva fatto uso di cloramina T; nel secondo caso venivano applicati solventi organici, quali tricloroetilene, benzina bianca rettificata, benzene, eteri del petrolio, la cosiddetta terra di Fuller (un'argilla a base di silicato di alluminio idrato dotata di forte potere adsorbente) o altro ancora. Dalla scuola di Otto Wächter fu mutuato invece l'uso di perossido di idrogeno vaporizzato. Per la deacidificazione le carte venivano immerse in un bagno contenente bicarbonato di magnesio (il cosiddetto *Barrow one-shot method*), oppure in un primo bagno in cui era disciolto idrossido di calcio seguito da un secondo con bicarbonato di calcio (*Barrow two-shot method*). Per la collatura, applicata sia per immersione che a pennello, furono testate e utilizzate sostanze diverse, dalla gelatina di pergamena, alla carbossimetilcellulosa, all'alcool polivinilico, al nylon in soluzione alcolica. Nel laboratorio veniva preparata inoltre la colla d'amido utilizzata nel restauro della carta e in legatoria. Per i veli precollati si usava invece inizialmente un'emulsione di acetato polivinilico, prodotta dalla Scott Bader, messa a punto dal programma di ricerca dell'Imperial College codiretto da Waters, che aveva il difetto però di rimanere troppo vischiosa; in seguito venne invece utilizzata un'emulsione di metilmetacrilato, prodotta da Rohm and Haas, introdotta da Nkrumah e testata da Margaret e Joe Hey.

troppo vasto per qualsiasi istituto e fosse quindi necessaria una fattiva collaborazione fra quelli esistenti, a livello internazionale, che avrebbe permesso che le conoscenze acquisite diventassero rapidamente patrimonio collettivo, nacque il programma di ricerca triennale codiretto da Peter Waters e James Lewis[46], con sede all'Imperial College – che fin dall'inizio lavorò in associazione con il Royal College of Art di Londra – e finanziato dallo statunitense Council on Library Resources[47], che aveva come obbiettivi la ricerca su problemi specifici relativi al restauro sorti in seguito all'esperienza fiorentina, lo sviluppo e la valutazione di tecniche e di attrezzature da utilizzare nel restauro – con particolare attenzione alla rilevazione delle basi scientifiche dei metodi tradizionali al fine di coprire il *gap* esistente fra ricercatori e artigiani, cercando di mettere subito a disposizione dei restauratori risultati certi – il supporto tecnico e informativo alla BNCF, nonché la consulenza nel lavoro quotidiano, la ricerca su problemi particolari, sviluppando la collaborazione internazionale già esistente e mantenendo gli stretti contatti con l'ICPL, il coordinamento di progetti specifici affidati alla ricerca individuale.

Il Centro disponeva infine di un piccolo, indipendente e ben attrezzato laboratorio di restauro stampe, interamente messo in piedi e finanziato dal governo del New South Wales[48], a partire dal novembre 1967, dove erano impiegati cinque operatori, formati da William

---

[46] Professore incaricato presso l'Imperial College, James Lewis era specialista in test sperimentali e in strumentazione, nonché socio dell'International Group for Cooperation in Scientific Paper Conservation.

[47] In Archivio BNCF, Restauro 5, è conservato il materiale relativo alla gestazione del progetto, reso possibile dall'appoggio di Frank Francis, e alle sue fasi successive: in particolare, le bozze di progetto da presentare al CLR e il progetto definitivo: *Proposal for research on the conservation of library materials submitted to the Council of Library Resources INC 1028 Connecticut Avenue Washington DC 20036 by the Imperial College of Science and Technology (University of London) London SW7 England, May 1968*, per la firma di Lewis e Waters. Il CLR finanziò il progetto per 75.000 dollari l'anno per tre anni, ponendo come condizione che le ricerche si occupassero anche di deacidificazione di massa della carta prodotta a partire dal 1840, degli effetti degradanti dell'inquinamento e delle tecniche di manifattura della carta moderna, sviluppando così gli studi pionieristici di Barrow.

[48] In realtà «they had offered to furnish a reading room with exotic Australian woods, but more practical requirements were argued for and won», come ricorda Clarkson nella più volte citata lezione *The Florence flood and its aftermath* (frase non riportata nella versione pubblicata in *National Diet Library Newsletter*).

Boustead fra giugno e ottobre, capace di una produttiva collaborazione con gli altri settori del Centro[49]. Le operazioni di restauro che qui venivano realizzate erano la pulitura a secco, l'eventuale fissaggio, l'eliminazione, dove necessario, delle macchie di nafta, il lavaggio, spesso ripetuto, lo sbiancamento, la deacidificazione, il rinsaldo e la disinfezione; trattandosi di un settore molto delicato, dove non era possibile lavorare in blocco, ma era necessario affrontare ogni stampa in modo diverso, erano spesso necessari anche esami microscopici per determinare le tecniche incisorie e le tipologie di colore. Anche quest'ultimo dipartimento si sviluppò con il passare dei mesi, e finì per avere una sua propria legatoria, sotto la guida di Gian Paolo Mei. Le operazioni che vi erano condotte erano in tutto simili a quelle realizzate negli altri dipartimenti, ma la presenza di stampe, spesso colorate a mano, richiedeva talvolta l'impiego di fissativi[50], che presupponevano una preliminare e molto accurata pulizia a secco. Il valore estetico intrinseco a tale tipo di materiale richiedeva inoltre un più frequente e mirato uso di agenti sbiancanti e un impiego massiccio di tensioattivi applicati localmente a pennello[51].

Per quanto riguarda la sistemazione dei libri moderni e dei periodici, per i quali si andava in cerca di valide e rapide tecniche di ripristino (per quanto numerosi editori e tipografi collaborassero reintegrando parte del patrimonio perduto, relativo soprattutto agli anni 1964-1966), nel maggio 1967 fu installata nel seminterrato una lega-

---

[49] Vedi William Boustead, *The anatomy of a book, or the restoration of a flood damaged 19th century illustrated book*, «ICCM bulletin», 2 (1976), n. 4, p. 30-35, che ripercorre le operazioni di restauro realizzate sul secondo dei dieci volumi in folio di Johannes Sibthorp, *Flora Graeca, sive Plantarum rariorum historia, quas in provinciis aut insulis Greciae legit, investigavit, et depingi curavit, Johannes Sibthorp ... characteres omnium, descriptiones et synonyma, elaboravit Jacobus Eduardus Smith* ... London, 1806-1840 (Palatino, 6.B.B.8.18; 478 x 326 mm). Per l'opera di Johannes Sibthorp (1758-1796), professore di botanica presso l'università di Oxford, vedi H. Walter Lack – David J. Mabberley, *The Flora Graeca story: Sibthorp, Bauer, and Hawkins in the Levant*, Oxford, Oxford University press, 1999.
[50] Come agente fissante veniva utilizzata una soluzione alcolica di nylon modificato, l'N-metoximetil nylon, venduto sotto i nomi commerciali di Calaton e Maranyl. Menzionata in letteratura per la prima volta nel 1958, questa sostanza è rapidamente entrata nell'uso nel campo della conservazione, come consolidante di una grande varietà di materiali, quali tessuti, pietra, legno, affreschi, piume, oltre che, naturalmente, carta.
[51] In modo particolare a questo scopo veniva utilizzato un tensioattivo anionico prodotto dalle Imperial Chemical Industries: il Lissapol-N.

toria industriale sotto la supervisione di Wilhelm Bleicher, legatore di Monaco indicato in febbraio dal Verein des Kunsthistorisches Institut in Florenz, che finanziò gran parte del progetto. Il lavoro di quest'ultima, che produceva quella che all'epoca veniva definita una *storage binding*, una legatura da magazzino, era molto semplice: i libri venivano puliti esternamente e stirati dove necessario, nuove carte di guardia erano incollate alla cerniera e, se la cucitura originale appariva solida, il dorso veniva messo in squadra e passato in colla polivinilica, se invece si riteneva inaffidabile la cucitura originale, la piega veniva asportata dalla taglierina e il dorso passato in colla senza cucitura; a questo punto veniva applicata una indorsatura in tela, che sopravanzava di circa 5 cm su entrambi i piatti, dove venivano incollati cartoni privi di copertura preparati nella macchina per collare. Come ultima operazione il libro veniva pressato e i tre tagli passati alla taglierina, mentre sulla tela del dorso veniva scritto a macchina l'autore e il titolo abbreviato dell'opera. Il fatto di rifilare le carte semplificava anche il lavoro di *mending*, visto che la gran parte dei danni era concentrata lungo i margini. I macchinari arrivarono in Biblioteca in aprile e a metà maggio Bleicher installò il laboratorio; in agosto il reparto lavorava già a pieno ritmo, con quattordici addetti[52].

In un secondo momento, nell'agosto 1967, il CRIA incaricò invece Kenneth Atkinson, della ditta Dunn & Wilson di Falkirk, Scozia[53],

---

[52] Vedi lettera di Casamassima a Kreuter del 23 agosto 1967 in Archivio BNCF, 1304. Kenneth Atkinson invece, nella sua relazione, ne conta 18 (vedi sotto, nota 53).

[53] Crocetti, che l'aveva visitata nel 1968, la descriveva così: «una delle impressioni più forti ricevute durante la visita nel Regno Unito è stata lo spettacolo offerto dalla legatoria Dunn & Wilson (Falkirk, Scozia). Questa grande legatoria industriale riceve libri – oltre che da editori e privati in genere – dalle biblioteche d'ogni parte del Regno Unito e provvede a rilegarli in maniera molto semplice ma resistente. I *paperbacks* nuovi vengono, diciamo così, laminati con un film di poliestere che salvando la presentazione editoriale del libro rende la copertina rigida e durevole. La maggior parte degli altri libri presenta cuciture in buone condizioni [...]; se così non è viene usata una cucitura a macchina. La legatura è a cartella [...] L'aspetto che mi ha colpito di più è l'accuratezza e rapidità di lavorazione, basate su criteri strettamente industriali. Credo che la produzione s'aggiri sui 15.000 volumi a settimana» (*Relazione sulla visita compiuta nel febbraio 1968 nel Regno Unito*, relazione, datata 3 marzo 1968, presentata da Crocetti, all'epoca responsabile del laboratorio di restauro della BNCF, alla direzione della Biblioteca, e pubblicata in «CABnewsletter», n.s., 6 (1996), numero speciale dedicato al trentennale dell'alluvione fiorentina, p. 28-32: p. 29-30). Kenneth Atkinson (n. 1922) era entrato nella Dunn & Wilson nel 1959 per

di studiare la fattibilità e i costi dell'impianto in Biblioteca di una legatoria di serie, appoggiandosi, quando necessario, a Waters e alla Horton, che aveva in programma di stare a Firenze per tre settimane, nel mese di settembre, proprio per occuparsi di legatoria meccanizzata[54]. Il suo progetto, che nelle intenzioni doveva servire anche ai libri di altre biblioteche fiorentine alluvionate, necessitò di una complessiva rivisitazione, perché «non centrava le vere necessità della Biblioteca [...] non teneva conto cioè delle reali condizioni dei libri, puntando tutto sulla loro legatura e sottovalutandone la preparazione, cioè il macchinario e il tempo necessari alla loro preparazione»[55]; la proposta fu quindi migliorata, secondo una relazione redatta da Cains nel marzo 1968[56] seguendo un progetto pilota realizzato con l'aiuto di Donald Etherington, Desmond Shaw, Patricia Pugh[57] e Christo-

---

rimanervi fino al pensionamento, nel 1983; dirigeva la ditta con sede a Falkirk con il ruolo di *senior production manager*. La ditta esiste ancora; per informazioni vedi il sito www.rdw.co.uk.

[54] Nella lettera con cui Banks affida l'incarico a Atkinson, datata 21 agosto 1967, si precisa però che quest'ultimo lavorerà spesso da solo. Il CRIA è interessato a ricevere dal tecnico britannico soprattutto una relazione sui costi, il progetto è infatti che il CRIA fornisca alla BNCF 180.000 dollari per tre anni per lo stipendio dei lavoratori impegnati in questo nuovo reparto, e che la Biblioteca si attivi in prima persona per procurarsi i macchinari necessari (Archivio Nixon). La relazione redatta da Atkinson, dal titolo *Report on visit to Florence, Italy to report on the practicability of establishing a mechanised bindery in the Biblioteca nazionale centrale,* insieme alla lettera di accompagnamento della stessa a Gilmore, datata 19 settembre 1967, è conservata presso Archivio CRIA, 24, fasc. 3, n. 12 e, la sola relazione, in Archivio CRIA, 24, fasc. 13, n. 2.

[55] Crocetti – Cains, *Un'esperienza di cooperazione* cit., p. 40.

[56] Dal titolo *Report on value 5*, la relazione copriva in modo dettagliato tutte le operazioni di cui i volumi moderni sarebbero stati oggetto, portando numerose esemplificazioni e illustrando con foto e immagini le operazioni suggerite. Il primo breve paragrafo della relazione è intitolato *The proposal by the Director* e recita: «The proposal is that a work unit be formed for the purpose of repairing, binding and lettering the books of the BNCF "Value 5". That this unit should comprise fifteen personnel and that the production aimed for should be, on average, somewhere in the region of one hundred books each day. That the degree of mechanization be limited to an approximate capital outlay of 12.000.000 lire» (archivio Cains; archvio CRIA, 24, fasc. 11, n. 2).

[57] Patricia Pugh, restauratrice originaria di San Francisco, fu assunta in modo stabile dal CRIA per lavorare presso i laboratori della BNCF nell'ottobre del 1967 (vedi carteggio conservato in Archivio CRIA, 24, fasc. 3, n. 13), il lavoro di Etherington e Shaw, legatore con base a Cambridge in contatto con Cockerell, fu in gran parte finanziato sempre dagli statunitensi (vedi Archivio CRIA, 24 fasc. 3, n. 18). Donald Etherington, dopo aver lavorato in Europa e negli Stati

pher Clarkson, tenendo conto delle condizioni in cui si presentavano questi volumi, con danni in niente inferiori a quelli riportati dai volumi antichi: si trattava di affiancare una legatoria meccanizzata, o editoriale, a una industriale: la differenza principale era che nella prima i libri venivano cuciti, se pur a macchina. Il reparto, che fu realizzato nei sotterranei bonificati della Biblioteca, era stato pensato per realizzare circa 150 libri al giorno e si basava sul concetto che, se il procedimento di legatura vero e proprio fosse stato standardizzato e meccanizzato, avrebbe assorbito una minima quantità di tempo e se ne sarebbe risparmiato molto a vantaggio delle operazioni che dovevano invece essere diverse da pezzo a pezzo, e quindi calibrate alle necessità di ognuno, tenendo conto che il libro moderno si presenta spesso in condizioni difficili a causa dei materiali di cattiva qualità con cui è costruito e dell'uso sbagliato che ne è stato fatto. «Noi speriamo che questa "legatoria da biblioteca" possa diventare un modello tecnico per tutte le legatorie non commerciali del mondo. Quando i legatori commerciali parlano di miglioramenti tecnici intendono miglioramenti produttivi; noi intendiamo un vero miglioramento tecnico dal punto di vista della conservazione»[58]. Questo modo di lavorare e questo tipo di impianti rappresentavano una novità assoluta per l'Italia, dove era ancora sconosciuto il lavoro meccanizzato, e rivela una volta di più il valore del confronto che si ebbe a livello internazionale sulle modalità di risoluzione degli inediti problemi di organizzazione del restauro presentati dall'alluvione fiorentina; anche per questo il CRIA era pronto a investire molto nel progetto: «apparently mechanized, mass-production library binding is unknown in Italy; the work is done almost exclusively in very small, unmechanized shops», come rileva Banks nella lettera in cui propone ad Atkinson di partire per Firenze[59]. L'operatività del laboratorio fu inoltre molto buona, se nell'agosto del 1970, terminati i lavori di identificazione e riordinamento delle opere moderne e delle riviste, recuperate per oltre il 90%, Casamassima poteva dire che queste ultime per i tre quarti erano già a completa disposizione del pubblico restaurate e rilegate,

---

Uniti scelse una via diversa da quella dei suoi colleghi, fondando nel 1987 l'Etherington Conservation Center, un istituto privato che offre lavoro e consulenza in tutti settori della conservazione e del restauro di beni librari e archivistici. Il centro è entrato a far parte dell'HF Group come Etherington Conservation Services (vedi www.thehfgroup.com/ecsover.htm).

[58] Crocetti – Cains, *Un'esperienza di cooperazione* cit., p. 41.

[59] Lettera di Paul N. Banks a Kenneth Atkinson, 14 agosto 1967. Ringrazio Kenneth Atkinson per avermene fornita una copia.

mentre solo per un quarto di esse, ancora in lavorazione, i servizi e-
rano limitati alla sola lettura[60].

In Biblioteca rimasero però un gran numero di frammenti e spezzoni da identificare; per questo, in vista di un loro possibile reinseri-
mento all'interno del volume di origine, fu elaborato un metodo basato sull'impiego di schede perforate che permetteva la codificazione
delle varie caratteristiche presentate dal frammento e un rapido controllo visivo attraverso la collimazione ottica dei fori. Se pure non
così strutturato, anche il problema del riconoscimento delle coperte
si basava sui medesimi principi[61].

Nel 1968 fu costituito un ulteriore reparto, quello di microfilm e
fotografia, finanziato dal CRIA e dalla University Microfilms di Ann
Arbor[62].

---

[60] Vedi Archivio BNCF, 1303.

[61] Vedi Maria Cochetti, *L'ordinamento dei frammenti dei volumi alluvionati nella Biblioteca nazionale di Firenze*, «Bollettino dell'Istituto centrale per la patologia del libro», 28 (1969), p. 3-7. Utilizzando questo metodo gli spezzoni da
identificare furono ridotti ma non eliminati. Negli anni si è cercato di risolvere il
problema attraverso una loro sommaria catalogazione, che mettesse in evidenza
le caratteristiche che potevano essere identificative di ciascun elemento. Dal
1997 ha avuto infine inizio un nuovo progetto di identificazione, chiamato progetto ISPA (Identificazione Spezzoni Alluvionati), che prevede la creazione di
un software che permetta l'accostamento di un frammento con altri aventi caratteristiche simili o con libri scompleti. Il programma, chiamato Henning, «dal
nome di un volontario tedesco che per molti anni, dopo l'alluvione, ha staziona-
to, in condizioni precarie, nel sottosuolo della Biblioteca, assumendosi il compito di rimettere insieme ed identificare i "pezzetti" delle tesi tedesche alluvionate», è stato ideato da Gisella Guasti e realizzato da Alessandro Bologna, della
Softeam Ware, e da Gianna Megli, della BNCF (Alessandro Bologni, Gisella
Guasti, Gianna Megli, *Progetto ISPA (Identificazione Spezzoni Alluvionati)*,
«CAB Newsletter», 2 (1997), n. 1, p. 2-5).

[62] Il progetto di microfilmatura dei giornali e dei cataloghi venne promosso da
Casamassima a partire fin dal mese di febbraio del 1967 (vedi sottoserie contenente la corrispondenza relativa ai progetti di microfilmatura conservata in Archivio CRIA, 24, fasc. 8, dove è evidente l'importante ruolo giocato nel progetto, per University Microfilms, dal fondatore Eugene Barnum Power (1905-
1993), a proposito del quale vedi Eugene Barnum Power, *Edition of one: the
autobiography of Eugene B. Power, founder of University Microfilms*, Ann Arbor: University Microfilms International, 1990; Philip H. Power, *Eugene Barnum Power (4 June 1905-6 December 1993)*, «Proceedings of the American philosophical society», 139 (1995), n. 3, p. 300-304). Power vedeva nel progetto
della BNCF un progetto pilota, che avrebbe potuto diffondere in Italia e in Europa la pratica della microfilmatura: «It seems to me that the presence of such a
laboratory in the National Library under your direction, would do much to raise

I manifesti non rientrarono nel "sistema" non solo perché il loro ripristino rappresentava un lavoro molto lungo e difficile, visto che non erano mai stati catalogati, ma anche perché la Biblioteca riteneva, e ritiene tuttora, che, costituendo un fondo specifico e separato, il loro recupero possa in futuro essere affidato in blocco all'esterno, come è avvenuto, a partire dal 2005, per le carte geografiche, il cui lavoro di recupero si era limitato all'essiccazione e, solo molto lentamente nel corso degli anni, all'identificazione: in occasione delle celebrazioni per il quarantennale dell'alluvione sono stati presentati i risultati del progetto e sono stati esposti alcuni pezzi di cui era stato concluso il restauro[63].

---

the level of microfilm production in Italy, ad in its use as well. This could also be a very vital step in realizing a long-term goal of all international library associations, namely that of a world-wide sharing of the knowledge and information which has been so carefully accumulated and preserved in your Library, and in others as well» (lettera di Power a Casamassima del 16 maggio 1967, Archivio BNCF, 1306). Secondo la tradizione bibliotecaria anglosassone la microfilmatura avrebbe reso possibile per la Biblioteca lo scarto dell'originale, risparmiando il denaro necessario alla conservazione di un supporto cartaceo di cattiva qualità e facendo guadagnare spazio nei magazzini. Meiss era preoccupato però che tale uso non riuscisse a imporsi anche in BNCF – come in effetti è stato – e che dopo il lavoro di riproduzione fosse necessario spendere altro denaro per il restauro dell'originale; anche Hamlin, in visita a Firenze nel marzo del 1967, cercò di spingere Casamassima a buttare, dopo la microfilmatura, almeno i giornali posseduti anche da altre biblioteche e quelli in cattive condizioni: «it is obviously desiderable to discard most newsprint after filming but this decision must rest with the library. I can well understand a desire to keep in physical format unique copies on reasonably good paper» (Arthur T. Hamlin, *Report of a visit to Florence and Rome on behalf of the American Library Association – March 1967* (dattiloscritto), Archivio CRIA, 23, fasc. 2, n. 2). Per la polemica sorta alla fine degli anni Novanta intorno a questa pratica, vedi Nicholson Baker, *Double fold: libraries and the assault on paper*, New York: Random House, 2001 e *Do we want to keep our newspapers?*, edited by David McKitterick, London: Office for humanities communication, 2002. L'UMI aveva fornito sette macchine fotografiche per microfilm, una stampatrice, una sviluppatrice, cinque lettori per microfilm, alcune apparecchiature sussidiarie nonché l'assistenza tecnica necessaria per l'organizzazione del laboratorio e per la formazione della manodopera.
[63] Nel progetto di restauro di 16.849 carte geografiche e di 217 atlanti alluvionati, è rientrata anche la digitalizzazione di 8.000 mappe perché rientrassero nel progetto *Dig Map*, cofinanziato dalla Comunità europea (cfr. i dati forniti da Luciano Scala nella *Premessa* e da Antonia Ida Fontana nell'*Introduzione* in: *Contro al cieco fiume* cit., p. 4; p. 5-6: p. 6; per maggiori notizie su *Dig Map* vedi il sito http://www.digmap.eu).

Per quanto riguarda invece il recupero del catalogo, furono portate avanti molte iniziative, nella piena consapevolezza della sua importanza ai fini di una ripresa della vita culturale della Biblioteca, così come di un'efficace campagna di restauro del materiale colpito e di una rapida individuazione del materiale danneggiato o perduto del tutto. Per lo più per le schede alluvionate si trattò di sfangamento e disinfezione (processo completato entro il maggio 1967), seguito dalla ricopiatura a macchina o dalla riproduzione xerografica di quelle maggiormente danneggiate – realizzata sistemando le schede da riprodurre a quattro a quattro in apposite sagome – per procedere poi a una completa microfilmatura, con i macchinari offerti dallla University Microfilms, operazione finanziata dall'Unesco per circa l'80% per portare a termine la quale il Ministero inviò a Firenze in missione per un mese dieci fra bibliotecari e aiuto-bibliotecari. Il catalogo fu poi stampato mediante Copiflo su schede di formato internazionale – eliminando così le schede di formato non standardizzato utilizzate fino a quel momento, conservate come mero catalogo di lavoro – in doppia copia: una destinata all'utenza della Biblioteca, l'altra all'ICCU, per la costituzione del catalogo unico nazionale.

Le schede, per lo più manoscritte, del vecchio inventario della Magliabechiana invece, che erano conservate alla base delle cassettiere della sala dei cataloghi ma che non avevano subito troppi danni perché erano molto pressate dentro le cassette, furono essiccate e riordinate; le antiche segnature furono quindi ripassate a penna in modo che risultassero più leggibili: da un ordinamento alfabetico invece che topografico delle copie fotografiche delle schede così recuperate si venne a creare un catalogo che poté sostituire degnamente i vecchi cataloghi a volume; tale riproduzione fu effettuata in tre copie, in modo che fosse possibile utilizzarne una per fare l'inventario delle opere danneggiate o perdute e un'altra per lo schedario di restauro. Il progetto prevedeva, infine, la microfilmatura e riproduzione in schede di formato internazionale del catalogo magliabechiano e la conseguente fusione dei tre cataloghi in uno solo, a uso del pubblico[64]. Un

---

[64] Tale fusione non è però mai avvenuta e la Magliabechiana è rimasta con un catalogo separato, così come le schede della Palatina, integrate con quelle di altri fondi, non sono mai state riunite al catalogo generale. Grazie all'avvento dell'informatica e al progressivo riversamento del retrospettivo in rete, il problema dei cataloghi separati è però ormai in gran parte superato.

lavoro di sfangamento e copiatura, simile a quello del catalogo, fu portato avanti anche per gli schedoni dei giornali.

I periodici furono recuperati invece secondo criteri elaborati da una commissione coordinata da Casamassima: furono suddivisi alfabeticamente per prima lettera del titolo a opera degli studenti e sistemati su scaffalature metalliche montate in tutti gli spazi liberi della Biblioteca, quindi si operò a «ricostruire la collezione dei giornali attraverso la collazione delle testate recuperate ed il confronto con gli schedoni originali, impiantando nuovi schedoni che identificassero e quantificassero i danni»[65]. Le testate quindi, dopo il riordino e la registrazione, venivano divise in pacchi, sui cui venivano annotate le note bibliografiche necessarie; il materiale veniva poi immagazzinato in attesa di un vero e proprio restauro[66]. Nei progetti della direzione era prevista la microfilmatura dell'intera emeroteca, che sarebbe proceduta di pari passo al riordinamento, controllo e restauro e che avrebbe interessato anche le nuove annate dei giornali[67], operazione che sarà poi realizzata soltanto in piccola parte.

---

[65] Marchini, *Periodici nel fango* cit., p. 24. Nel medesimo articolo Marchini afferma: «Ho ancora oggi nel mio archivio i quaderni con le piante degli scaffali che, in tutto l'edificio, a tutti i piani, contenevano i periodici i cui titoli iniziavano per A o per B e così per tutte le lettere dell'alfabeto». Ad agosto 1970, fra i giornali e i quotidiani divisi in pacchi per la prima lettera, erano ormai ordinati definitivamente per segnature, annate e numeri quelli relativi alle lettere (A,D,O,Q,Z) (Archivio BNCF, 1303). Per ulteriori notizie sui progetti di recupero dei giornali della BNCF, vedi anche Anna Lenzuni, *Problemi e programmi per la conservazione dei giornali alla Biblioteca nazionale centrale di Firenze*, in: *I periodici nelle biblioteche: un patrimonio da salvare, atti del convegno promosso dalla Biblioteca nazionale Braidense, Milano, 26 febbraio 1983*, a cura di Carlo Carotti e Lorenzo Ferro, Milano: F. Angeli, 1984, p. 93-96.

[66] Secondo il ricordo di Francesco Barberi, datato aprile 1967: «Dei molti segni di rinascita che presenta dopo appena cinque mesi dall'alluvione la Biblioteca Nazionale di Firenze il più spettacoloso è offerto dalle migliaia e migliaia di lussureggianti sacchetti di cellophane, disposti l'uno sull'altro in chilometri di nuove scaffalature metalliche, con dentro i giornali tornati asciutti e puliti dagli essiccatoi di tabacco. In quel pulito, protetto ammasso di carta stampata sarebbe difficile riconoscere gl'impasti fangosi di pochi mesi fa. La visione luccicante della gioiosa prospettiva, per una non troppo misteriosa associazione di sensazioni, mi fece venire alle labbra l'andantino saltellante, felice, della *Trota* di Schubert» (Francesco Barberi, *Firenze*, «La parola e il libro», 50 (1967), p. 638-640: p. 640).

[67] A novembre 1968 erano già a disposizione del pubblico le copie microfilmate di tutte le testate (oltre cento) per il 1967 e il primo semestre del 1968 (*Relazione sommaria sui lavori di ripristino e di recupero eseguiti presso la Biblioteca*

Il sistema continuò così a crescere, sperimentando nuovi materiali, tecniche e prodotti, fino a raggiungere, nel 1970, un numero di lavoratori pari a 140 unità[68].

I complessi lavori di recupero non si esaurivano però con le operazioni di restauro, perché il lavoro più propriamente biblioteconomico dell'identificazione delle segnature dei volumi danneggiati e del riordinamento e reintegro delle serie e delle raccolte richiese anch'esso anni, procedendo parallelamente al primo. Casamassima aveva in modo particolare posto di fronte a sé alcuni obbiettivi, di

_____

nazionale centrale di Firenze dopo il settembre 1967 (data della ultima relazione inviata alla Direzione generale), datata 8 novembre 1968, Archivio BNCF, 514); la microfilmatura del 1968 risultava conclusa nel maggio dell'anno successivo, quando il progetto della microfilmatura dell'intera emeroteca veniva messo in forse, immaginando un piano per la duplicazione dei microfilm in possesso di altre biblioteche (*Relazione sommaria sui lavori di recupero e di ripristino eseguiti presso la Biblioteca nazionale centrale di Firenze fino al maggio 1969*, datata 26 maggio 1969, Archivio BNCF, 514); ad agosto 1970 risultavano riprodotte in microfilm tutte le serie correnti dei quotidiani per gli anni 1967, 1968, 1969 e parte del 1970 (Archivio BNCF, 1303).

[68] Secondo stime fatte dal *team*, con una media di 100 lavoratori, il lavoro di restauro del patrimonio antico alluvionato sarebbe stato completato entro venticinque anni, come riferito da Sheila Waters nel suo intervento *The development of mass treatments: an overview of the experience of book and paper conservators*, tenuto il 10 novembre 2006 all'interno di *Conservation legacies of l'alluvione: a symposium commemorating the 40th anniversary of the Florence flood*, convegno tenuto a Firenze, a Villa La Pietra nel novembre 2006, dato che corrisponde a quanto affermato da Waters nel 1968 (vedi Hill, *The restoration of books* cit.), dove precisa che le operazioni di lavaggio ed essiccazione dei volumi antichi sarebbero state completate invece in tre anni. Il personale impiegato all'interno del laboratorio di restauro della BNCF è però diminuito negli anni in maniera costante. Per avere un'idea dei numeri, secondo la relazione di Casamassima datata agosto 1970 e conservata in Archivio BNCF, 1303, entro quella data erano stati interamente restaurati e rilegati 15.115 volumi magliabechiani e palatini (di questi, 3.400 in laboratori esterni, di cui 1.700 a Vienna e 500 a Londra); lavati e, ove necessario, rinsaldati 23.976 volumi; scompaginati, fotografati e preparati al restauro 54.900 volumi; restaurati nelle carte e quindi pronti per la cucitura 4.000 volumi. Per quanto riguarda invece le stampe, erano stati lavati 350 volumi, per oltre 30.000 tavole e 20.000 erano quelle completamente restaurate. Per quanto riguarda infine la legatoria industriale, dove venivano lavorate opere moderne, giornali e quotidiani risalenti al XX secolo, dal maggio 1967, quando era entrata in funzione, erano stati completati 3.398 quotidiani, 2.470 settimanali, 2.542 riviste e 66.437 opere moderne, per un totale di 74.847 volumi, cui erano da aggiungere 29.479 volumi realizzati esternamente alla Biblioteca (Archivio BNCF, 1303).

medio e lungo termine, che avrebbero dovuto permettere alla Biblioteca di andare finalmente a rivestire quei compiti, propri di una biblioteca nazionale, che le competevano, ma che da anni ormai fatica-
va a ricoprire. Fra i piani a medio termine il direttore inseriva il raggiungimento di tre traguardi: il compimento delle operazioni di identificazione delle segnature dei volumi danneggiati e il riordinamento
delle serie e delle raccolte, che si prevedeva di realizzare entro la fine
del 1969[69], il risanamento dei cataloghi e degli inventari, entro la fine
del 1967, e la costruzione di due magazzini librari di cinque piani nel
giardino della Biblioteca e nel cortile esistente tra i due corpi principali dei magazzini, dotati di impianti di aerazione e condizionamento,
magazzini che – come abbiamo visto – non vedranno invece mai la
luce. Fra quelli a lungo termine Casamassima collocava il restauro
dei volumi più antichi o di pregio e la legatura meccanizzata dei volumi dei giornali, delle riviste e delle opere moderne, la collazione
delle raccolte danneggiate con gli inventari e la stesura definitiva
dell'elenco delle opere perdute e dei volumi lacunosi (operazione
questa che si sperava di poter concludere per la fine del 1969), la
reintegrazione delle raccolte[70], delle opere e delle parti di opere muti-
late, la riproduzione fotografica in formato internazionale delle sche-

---

[69] La fine del 1969, obbiettivo espresso in Emanuele Casamassima, *La Nazionale di Firenze dopo il 4 novembre 1966,* «Associazione italiana biblioteche. Bollettino di informazioni», n.s., 7 (1967), n. 2, p. 53-66 (datato marzo 1967), diventa però la fine del 1970 già in Emanuele Casamassima, *Una legge speciale
per la Biblioteca nazionale di Firenze,* in: *L'alluvione lunga un anno* cit., p.
293-298.

[70] L'ingente problema della reintegrazione delle raccolte fu affrontato fin dai
primi giorni, anche se non era possibile muoversi in modo deciso finché non fosse stata conclusa l'identificazione delle opere alluvionate. Molti editori, biblioteche, associazioni, privati cittadini si resero disponibili in questo senso, anche con
omaggi simbolici. Già il 10 novembre 1966 Alberto Mondadori, ad esempio,
inviava alla direzione della Biblioteca un telegramma che recitava «prego consi-
derarmi totalmente a vostra disposizione per integrare libri di nostra edizione
andati smarriti aut distrutti», mentre sul telegramma inviato dalle edizioni Ponte
Vecchio il 21 novembre 1966 si legge: «Io e mio figlio profondamente addolora-
ti danno subito ad opere insostituibili dell'arte e del pensiero dell'uomo mettia-
mo a vostra disposizione nostro archivio salvato dal coraggio dei nostri dipendenti nel quale si trovano centinaia di riproduzioni palatina e magliabechiana»
(Archivio BNCF, 1306). Kristeller fu tra i primi a sollecitare Casamassima in
questo senso (vedi le lettere di Kristeller conservate in BNCF, 1304). Fin dal
1967 fu creato un ufficio deputato al recupero delle opere pubblicate nel biennio
1964-1966 presso gli editori, nei cui magazzini si riteneva probabile fossero ancora disponibili.

de del catalogo per autori, dei cataloghi dei periodici, delle carte geografiche, della musica, delle stampe, e la riproduzione xerografica dei cataloghi a volumi, del catalogo a schede per soggetti e degli inventari (lavorazioni queste ultime che certamente non sarebbero state concluse prima della fine del 1970).

Nel frattempo, nel marzo 1967, riprese a funzionare la tipografia interna alla Biblioteca nei seminterrati ristrutturati, dove aveva sede anche la legatoria da biblioteca. Ancora, fin dal primo marzo del 1967, la BNCF riaprì la sala dei manoscritti e dei rari e le sale di consultazione del piano superiore[71] e, sempre nello stesso mese, iniziò la registrazione delle nuove accessioni, premessa indispensabile alla ripresa della BNI e della scheda a stampa, che si riorganizzarono nei mesi immediatamente successivi[72]. All'inizio del 1968 la Biblio-

---

[71] Ricorda Crocetti: «Casamassima, durante tutto il periodo della chiusura forzata, ebbe sempre come *idée fixe*, spesso taciuta ma sempre pensata, la riapertura al pubblico: un'urgenza che allora sentivo semplicisticamente come un'ansia di normalizzazione, [...] come un'ansia di uscire dal mondo capovolto e friabile della Nazionale alluvionata, e che solo molto più tardi avrei compreso completamente. Un'urgenza che sovrastava perfino quella del restauro, e faceva parte del modo di Casamassima di sapere che cos'è veramente una biblioteca» (Crocetti, *Casamassima e Firenze* cit., p. 14).

[72] La Biblioteca nazionale centrale di Roma era nel frattempo subentrata nella redazione di quei fascicoli della BNI che la Nazionale di Firenze era stata impossibilitata a realizzare: il settimo fascicolo del 1966 è infatti preceduto da un avviso: «Questo fascicolo è stato redatto in condizioni particolarmente difficili, con le schede che si sono potute recuperare dal fango dell'alluvione del 4 novembre che, con le altre cose, ha gravemente colpito e disperso le strutture di lavoro della Bibliografia nazionale italiana. Non è stato possibile controllare le schede direttamente sulle pubblicazioni descritte, anche queste perdute o indisponibili. La redazione della *Bibliografia nazionale italiana* riprenderà con le pubblicazioni edite e stampate dopo il 1° gennaio 1967. Per necessità organizzative le pubblicazioni anteriori a questa data saranno descritte dalla Biblioteca Nazionale Centrale Vittorio Emanuele II di Roma, che si è assunta la redazione dei fascicoli VIII-XII dell'annata 1966». Tali fascicoli riportano infatti, sulla prima pagina, la dicitura «Questo fascicolo è stato redatto dalla Biblioteca Nazionale Centrale Vittorio Emanuele II di Roma». L'annata 1967 sarà poi stampata dalla Tipografia F.lli Stianti di San Casciano Val di Pesa, che aveva collaborato con la BNCF anche per le operazioni di essiccamento del materiale alluvionato (vedi *supra*, p. 202). In questo modo fu possibile per la BNI non subire contraccolpi quanto alla tempestività delle uscite: Casamassima, nel suo *Riepilogo dello stato dei lavori di ripristino e ristrutturazione nella Biblioteca nazionale centrale di Firenze. Previsioni di tempi e costi per l'opera futura* destinato al Ministero e datato 9 settembre 1967 (Archivio BNCF, 1306) affermava infatti che era stato appena consegnato in tipografia il fascicolo V-VII del 1967.

teca riaprì infine per i servizi di lettura in sede e per il prestito, anche se limitatamente alle collezioni rimaste indenni e a quella parte del materiale alluvionato che aveva già terminato il suo percorso di recupero.

4.2 Le prospettive

Nei suoi primi mesi di vita sembrò che il Centro, che si era venuto formando a partire dalla collaborazione di tante esperienze diverse, potesse diventare una struttura duratura e stabile di levatura internazionale deputata allo studio, alla formazione e alla ricerca: si trattava di un'opportunità emersa chiaramente fin dai giorni in cui il sistema veniva istituito; ne parla infatti già Rubinstein nei primi mesi del 1967 nel suo intervento pubblicato sulla rivista *The book collector*, in cui sottolinea l'utilità di un'istituzione di questo tipo anche per coordinare il restauro fra i maggiori istituti colpiti e le biblioteche minori, prive di laboratori interni, oltre che per addestrare i numerosissimi restauratori che si sarebbero resi necessari a Firenze negli anni a venire[73]; lo afferma anche Waters nella già citata lettera a Casamassima del 15 giugno 1967:

> There is a tremendous opportunity to create in Florence a centre of restoration second to none. To achieve this however, there must be a continuing enthusiasm for it and belief in its value and importance from the worker right up to government level. The prospect of attracting the finest restorers in the world to come to help set up such a system, to teach workers and later on to study is a most exciting one.

In questo periodo furono in effetti numerose le collaborazioni offerte da centri di ricerca e di restauro dispersi per il mondo e molti gli esperti che si misero in viaggio per Firenze per contribuire alla costi-

---

[73] Rubinstein, *Return to Florence* cit. Già nel mese di dicembre 1966 Rubinstein parla del progetto di costituzione di un «National Institute for Book Restauration» (PRO 30/83/35, memorandum di una conversazione telefonica del 29 dicembre 1966 avuta con Clarke). Il Centro si occupò in effetti anche del restauro di volumi provenienti da altre biblioteche: nel gennaio 1969 furono trattati volumi della Colombaria, della biblioteca della Facoltà di lettere, dell'Istituto storico del Risorgimento e del conservatorio Cherubini; nonostante si trattasse di qualche centinaio di volumi, si trattò però di un'esperienza tutto sommato marginale.

tuzione del sistema e allo stesso tempo per apprendere le tecniche innovative che quest'ultimo stava sperimentando[74].

L'alluvione di Firenze aveva inoltre fatto emergere non solo la mancanza di preparazione delle istituzioni nel campo della conservazione di materiale bibliografico, ma aveva anche rivelato l'assenza sul territorio di un tessuto di restauratori in grado di supportarle con la propria esperienza e le proprie conoscenze: appariva quindi quanto mai auspicabile la nascita di un centro che si occupasse di formazione, aggiornamento e ricerca. Riuscire a dar vita a una simile istituzione non era però facile: era necessario infatti raggiungere una buona autonomia dal governo italiano pur senza estrometterlo, perché il suo riconoscimento era imprescindibile e perché l'Unesco si sarebbe mossa solo su diretta richiesta del paese interessato; era altresì fondamentale coinvolgere quante più istituzioni possibile a livello internazionale, perché la pressione sugli organismi nazionali e sovranazionali fosse intensa e perché fosse possibile reperire fonti stabili di finanziamento che non compromettessero l'autonomia del Centro che si andava costituendo. Nella sezione relativa al restauro dell'archivio moderno della BNCF sono conservati i verbali delle numerose riunioni che trattarono questo tema, nonché il fitto carteg-

---

[74] Solo nel mese di settembre del 1969, ad esempio, il Centro ospitò per l'intero mese Helga Clerici, restauratrice di stampe viennesi, e Margit Spies, legatrice di Düsseldorf; nello stesso periodo Dag-Ernst Petersen, conservatore della Herzog August Bibliothek di Wolfenbüttel, Hans Peder Pedersen, conservatore capo dell'Archivio di Stato danese, che collaborava con il Centro Nordico, e Valerie N. Converse, impiegata presso il laboratorio chimico della BNCF, ma anche come segretaria di Cains, lasciavano Firenze dopo un periodo di permanenza e di lavoro, per tornare ai loro paesi, mentre i laboratori della BNCF ricevevano le visite di Rubinstein per lo IAARF, di rappresentanti dell'Imperial College, di Hamlin per l'American Library Association, di Emerenziana Vaccaro, Fausta Gallo e Ludovico Santucci per l'ICPL, di Peter Waters e del fornitore di pelli romano Gentili. Gli esperti del Centro inoltre studiavano e coltivavano i contatti con l'estero: solo nello stesso mese Clarkson compì un breve viaggio di studi presso diverse biblioteche e archivi italiani per osservare e analizzare esempi di legature storiche, Nkrumah si assentò dall'8 al 24 per seguire la riunione plenaria dell'ICOM, che si tenne ad Amsterdam dal 5 al 19 del mese, e per visitare l'Imperial College of Science and Technology a Londra; Cains fu assente invece dall'11 al 15 per visitare una mostra di legature a Zurigo, mentre il 29 Casamassima, Crocetti, Waters, Cains e Nkrumah si riunirono per discutere della nascita di un centro di formazione internazionale per restauratori, bibliotecari e addetti alla conservazione (vedi *General report, 1-30th September 1969* (dattiloscritto), Archivio BNCF, Restauro 3; per l'abitudine del Centro di tenere una sorta di diario mensile delle attività, vedi oltre, p. 282).

gio scambiato fra Casamassima e Waters, che si poneva come intermediario fra le esigenze degli organismi anglosassoni che avrebbero fornito la maggior parte dei finanziamenti – e in modo particolare del Council of Library Resources, interpellato da Frank Francis[75] – e le delicate questioni burocratiche e amministrative poste dal direttore della BNCF[76].

Questa ipotesi di lavoro, fortemente caldeggiata dalla direzione della Biblioteca, oltre che dai lavoratori del Centro, fu appoggiata non solo dai numerosi comitati stranieri intervenuti a Firenze, ma anche da organismi sovranazionali[77]. I primi si preoccuparono innanzi tutto di diffondere la conoscenza di quanto era stato realizzato in BNCF, ma allo stesso tempo di rendere conto ai finanziatori di come erano state impiegate le loro donazioni; di particolare interesse, a questo proposito, il film realizzato nel 1968 dallo IAARF, con il contributo del CRIA, dove il regista britannico Roger Hill, attraverso le parole di Peter Waters, mostrava in modo ampio e dettagliato le operazioni che costituivano il sistema, dal lavaggio alla legatura, e lanciava un appello affinché la scarsità di mezzi finanziari ad esso dedi-

---

[75] Dai documenti conservati si evince che notevoli furono gli sforzi spesi dagli inglesi e da Casamassima per fornire a Frank Francis gli elementi necessari per poter rappresentare di fronte al CLR con la dovuta forza, nel 1969, prima che finissero i finanziamenti legati al CRIA, la posizione e le esigenze del Centro, nonché la sua effettiva utilità.

[76] Vedi Archivio BNCF, Restauro 5, nonché, sempre nello spezzone d'archivio conservato presso il laboratorio di restauro, la busta contenente la corrispondenza di Crocetti e i rapporti relativi alla costituzione del centro internazionale per gli anni 1969-1970.

[77] Già nel luglio del 1967, però, i rappresentanti del CRIA rilevavano la differenza di atteggiamento fra Casamassima, realmente interessato alla nascita di un centro di restauro internazionale indipendente e autonomo, e gli altri direttori di istituti bibliografici fiorentini, che agli occhi degli americani apparivano troppo attaccati al potere e timorosi di perderlo, anche se solo in parte. Vedi in proposito il memorandum di Banks a Lowry, datato 5 luglio 1967, che relaziona sull'incontro tenuto il 6 aprile 1967 presso la soprintendenza archivistica, alla presenza di rappresentanti dell'Archivio di Stato, della BNCF, del Comitato del Fondo internazionale per Firenze, di archivi privati, dello IAARF e del CRIA: «the only Italian who seemed to be seriously pushing the idea of an autonomous international foundation was Casamassima [...] this problem is so large that if the work is to get done in any reasonable length of time (twenty instead of hundred years, say), it is going to require efficiency, cooperation and mass methods, devised for this particular situation, that are apparently completely foreign to Italian thinking, and certainly not common elsewhere» (Archivio CRIA, 23, fasc. 2, n. 6).

cato non portasse alla fine di questa esperienza e alla perdita del patrimonio di conoscenze e competenze che a Firenze si erano formate[78]. Dal 28 al 30 luglio 1969 si riunirono poi a Firenze i comitati tecnico-consultivi costituiti dal governo italiano per iniziativa del direttore generale dell'Unesco, nel quadro della Campagna internazionale a favore di Firenze e Venezia, per discutere sui progetti cui indirizzare gli aiuti raccolti e sui mezzi necessari per realizzarli[79]. I lavori, dopo la cerimonia di apertura tenuta nel Salone dei Duecento, presieduta dall'allora ministro della pubblica istruzione Mario Ferrari Aggradi, si tennero a Villa Tornabuoni. Il comitato, rilevata la difficoltà di giustificare ulteriori sforzi a una tale distanza temporale dall'alluvione, sottolineò l'importanza per la campagna internazionale di acquisire nuovo slancio attraverso l'impegno nella «trasformazione con criteri moderni delle istituzioni culturali fiorentine danneggiate dall'alluvione, delle quali possano giovarsi non più soltanto Firenze e l'Italia, ma anche studiosi e specialisti del mondo intero»[80]. A questo fine il comitato redasse nove raccomandazioni, una delle quali, la quarta, direttamente riferita alla Nazionale che, rilevando la strettissima interdipendenza ormai esistente nel settore delle biblioteche fra restauro e ammodernamento delle strutture tecniche, individuava alcuni obbiettivi principali cui indirizzare gli aiuti internazio-

---

[78] Hill, *The restoration of books* cit. Nell'archivio del CRIA si trovano tracce del progetto e della sua attuazione datate aprile 1968 (24, fasc. 4, n. 13-14).
[79] Vedi Carlo Frattarolo, *L'Unesco per Venezia e Firenze*, «Accademie e biblioteche d'Italia», 37 (1969), n. 4-5, p. 339-345. Il comitato fiorentino era formato da sette membri italiani e sette stranieri: Piero Bargellini; Carlo Gessa, relatore generale del CNEL; Antonello Gerbi, direttore generale della Banca commerciale italiana; Arnoldo Mondadori, editore; Giovanni Polvani, rettore dell'Università di Milano; Carlo Ludovico Ragghianti; Marcello Rodinò, presidente dell'Unione cristiana imprenditori dirigenti manifatture cotoniere meridionali; German Bazin, conservatore capo del servizio di restauro dei dipinti del Louvre; Johannes Bartholomeus Broeksz, presidente dell'Unione europea radiodiffusione; Myron Gilmore; Alexander Kreuter; Stanislaw Lorentz, direttore del Muzeum Narodowe di Varsavia; Hans Lüthy, direttore dello Schweizerisches Institut für Kunstwissenschaft di Zurigo; René Suyers, direttore dell'Institut royal du patrimonie artistique di Bruxelles. Ai lavori partecipavano inoltre, come osservatori, rappresentanti del Ministero degli affari esteri, del Ministero della pubblica istruzione e del Ministero degli interni (per le questioni riguardanti gli archivi). Il comitato che si doveva occupare di Venezia, diversamente formato, si riunì invece fra il 21 e il 26 luglio 1969. Ulteriore documentazione relativa al convegno si trova in Archivio CRIA, 7, fasc. 2-3.
[80] Ivi, p. 343.

269

nali: la meccanizzazione e automazione della BNI e di altri servizi della Biblioteca, la creazione di un centro internazionale di studi e di formazione per la conservazione e il restauro del materiale librario di pregio, affiancato ai laboratori di restauro già esistenti presso la BNCF, la creazione nella Biblioteca di un centro di informazione bibliografica, per farla partecipare a un sistema collettivo di catalogazione, e l'inserimento della Biblioteca stessa nel progetto MARC II[81] relativamente alla bibliografia retrospettiva; per realizzare questi obbiettivi la Biblioteca avrebbe dovuto avvantaggiarsi, come già stava facendo, della collaborazione della Library of Congress, dell'Imperial College of Science and Technology e del Council of Library Resources.

Per verificare le reali possibilità di realizzazione di tale proposta e per sondare il favore rispetto a un'iniziativa di questo tipo, fu inviato ai direttori dei più importanti archivi e biblioteche del mondo, nel novembre 1969, un breve testo di cinque pagine seguito da quattro domande intitolato, nella sua versione italiana, *Proposta di un Centro internazionale per la preservazione di libri e manoscritti*[82]. Dopo

---

[81] «The MARC formats are standards for the representation and communication of bibliographic and related information in machine-readable form» secondo la definizione che ne dà la Library of Congress sul sito dedicato (www.loc.gov/marc). L'idea dei formati di scambio si è sviluppata con la diffusione dei computer per permettere il trasferimento di informazioni bibliografiche fra sistemi informatici diversi e ridurre così la duplicazione del lavoro di catalogazione implicita nell'acquisizione e catalogazione da parte di diverse biblioteche del medesimo materiale a stampa. Per la biblioteca nazionale statunitense a metà degli anni Sessanta lo sviluppo di sistemi di comunicazione divenne indispensabile per permettere l'applicazione dell'Higher Education Act del presidente Johnson del 1965, che prevedeva per la Library of Congress l'acquisizione di molto materiale in tutto il mondo e una sua rapida catalogazione. Il MARC (MAchine-Readable Cataloguing) ha conosciuto diverse fasi di sviluppo, ma nel giugno 2004 il MARC 21, del cui mantenimento si occupa appunto la Library of Congress, è diventato lo standard più diffuso a livello internazionale, quando la British Library ha abbandonato in suo favore l'UKMARC, lo standard che fino a quel momento aveva sviluppato e utilizzato.
[82] In precedenza Francis aveva sondato il favore rispetto a iniziative di questo tipo presso quindici biblioteche di conservazione americane, ricevendo dieci risposte positive e cinque negative, ma necessitava di un risultato più netto per poter presentare al Council of Library Resources la proposta di costituzione del Centro. A proposito del dibattito che precedette la redazione del questionario, vedi in modo particolare *Report of meeting held on September 29th between professor E. Casamassima, dott. L. Crocetti, Peter Waters, esq., Anthony Cains, esq., Joe Nkrumah, B. Sc. The proposed International restoration and conserva-*

aver sottolineato il carattere sovranazionale dei problemi della conservazione del materiale librario e le nuove possibilità che offriva l'impiego di «un'avanzata tecnologia», dopo aver riconosciuto nell'inquinamento, nel «difettoso immagazzinaggio», nella «naturale tendenza dei libri a deteriorarsi», nei «rischi naturali», nella «mancanza di cure adeguate» e nell'«inesperienza di certi restauratori», oltre che in «sistemi e pratiche di preservazione irragionevoli», le cause principali di deterioramento del patrimonio, veniva evidenziata la difficoltà per i bibliotecari e gli archivisti di acquisire una sufficiente formazione e un adeguato aggiornamento su questi temi, vista da una parte la generale ignoranza dei principi di conservazione propria anche dei restauratori, dall'altra le limitate disponibilità finanziarie degli enti in gioco. Il testo proseguiva quindi affermando:

> Appare evidente l'opportunità di costituire un centro che faccia capo alle sezioni di conservazione esistenti e sia in grado di trarre profitto dal loro materiale e dalla loro esperienza, pur essendo allo stesso tempo principalmente impegnato nel programma di ricerca e addestramento. Lo scopo del presente scritto è quello di formulare una proposta d'istituzione di un Centro internazionale di addestramento nella preservazione di libri e manoscritti che possa far fronte alle presenti necessità [...].
>
> L'opera svoltasi nella Biblioteca Nazionale Centrale di Firenze ha riunito numerosissimi esperti internazionali che hanno lavorato insieme e messo in comune la loro esperienza. Molti restauratori inviati ad addestrare personale inesperto hanno da una parte fatto dono della loro capacità professionale, che ha contribuito allo sviluppo di nuovi metodi, ma

---

tion training centre to be set up in Florence, the draft copy of a pamphlet suggesting the proposal and a discussion of arrangements for a general conference to discuss the foundation of the centre: la discussione ruotava in modo particolare intorno alle lingue nelle quali redigerlo, ai destinatari, a coloro che dovevano apparire come promotori, al luogo dove stamparlo, al numero di copie, alla data in cui tenere il convegno dove i risultati del questionario sarebbero stati presentati. Questo documento è conservato in Archivio BNCF, Restauro, busta non numerata dedicata alla corrispondenza di Crocetti e ai rapporti sulla costituzione del centro internazionale di restauro relativamente agli anni 1969-1970, dove si conserva anche una cartella che raccoglie, oltre a una copia in italiano del questionario e al pamphlet *Requirements for an international center for preservation of books and manuscripts* a firma Peter Waters, che raccoglie il suo intervento al convegno del marzo 1970, le risposte ricevute dalla Biblioteca e una copia delle analisi dei loro risultati realizzate da Lewis e spedite a Francis perché le sottoponesse al Council of Library Resources (lettera di Lewis a Francis del 13 gennaio 1970).

dall'altra hanno riportato al loro paese concezioni nuove e nuovi concetti.
[...]
  Sembrerebbe naturale e vantaggioso approfittare di questa situazione
per stabilire un centro che operi a vantaggio delle biblioteche del mondo
e al tempo stesso sviluppi ulteriormente le possibilità d'addestramento
del personale italiano in loco.
  Si propone quindi d'istituire un'organizzazione a carattere internazionale, indipendente, con sede a Firenze, amministrata da un comitato
organizzativo affiliato al Centro internazionale per lo studio della conservazione e del restauro dei beni culturali in Roma, in collaborazione
con l'Istituto di patologia del libro di Roma e l'Università di Firenze.

Secondo la proposta il comitato si sarebbe occupato dei corsi,
dell'assunzione del personale docente permanente e della partecipazione di conferenzieri esterni, oltre che della selezione dei candidati,
mentre i locali sarebbero stati messi a disposizione dalla BNCF. Le
materie di studio sarebbero state:

1. Lo sviluppo storico della tecnologia del libro, studi comparativi e valutazione della struttura materiale del libro; esperimenti in tipi di legatura indistruttibile; composizione e collaudo dei materiali; studi pratici di
restauri reversibili di manoscritti, libri, stampe e documenti. Esame di
progetti di deacidificazione di massa.
2. Le principali cause di deterioramento del materiale di biblioteca e
d'archivio; cura giornaliera; sistemi d'ispezione delle raccolte per stabilire le priorità nella conservazione.
3. Misure d'emergenza, trattamento e immagazzinaggio di materiale
danneggiato da fuoco e acqua.
4. Studio del libro in relazione ai sistemi di conservazione visti da studiosi, tecnici e restauratori.
5. Amministrazione di programmi di preservazione nelle biblioteche.

La raccomandazione dell'Unesco e le risposte positive ricevute al
questionario trovarono nell'incontro di studi organizzato dalla Nazionale dal 12 al 14 marzo 1970, dedicato ai problemi della cooperazione internazionale per la salvaguardia di libri e documenti, un momento di ulteriore approfondimento ed elaborazione[83]. In tale occa-

---

[83] Gli atti del convegno, per realizzare il quale fu ottenuta la piena collaborazione dell'Unesco, si possono leggere in «Bollettino dell'Istituto centrale per la patologia del libro», 29 (1970), n. 1-4. A fine lavori fu emesso un comunicato, riportato in «Centro Erre», a. 1, n. 1 (ottobre 1970), p. 24, che, nella parte finale,
recita: «Dalle relazioni, comunicazioni e interventi è risultato che la grande
maggioranza dei partecipanti al convegno è in favore della creazione d'un Cen-

sione fu nominato un comitato di studio, che si riunì in seguito nuovamente a Firenze fra il 26 e il 27 marzo 1971 per redigere uno
schema generale per la costituzione del Centro, le cui finalità erano
«lo sviluppo della conservazione di libri e documenti attraverso la
formazione professionale nel campo e la diffusione della ricerca su
scala internazionale»[84]. In modo particolare le finalità del settore formazione venivano individuate nella «creazione di personale specializzato in grado di formulare programmi di prevenzione e di attuarli e,

tro internazionale per la conservazione di libri e documenti, con sede a Firenze,
che dovrebbe svolgere la sua attività nel campo dello studio storico-tecnico dei
problemi della conservazione e nel campo dell'insegnamento pratico e della preparazione professionale dei conservatori e restauratori. A tale scopo, il Convegno [...] ha provveduto alla nomina d'un Comitato che avrà il compitato di preparare il progetto definitivo del Centro [...]. Il Comitato ha tenuto la sua prima
riunione nel pomeriggio del giorno 14 e ha formato alcune commissioni ristrette
destinate a lavorare ciascuna su problemi specifici, con l'impegno di elaborare la
prima stesura del progetto entro il 15 giugno p.v., data della prossima riunione
del Comitato». Ulteriore documentazione relativa al convegno (programma, e-
lenco dei partecipanti, testi degli interventi e rendiconto spese) sono conservati
in Archivio CRIA, 7, fasc. 7.
[84] Il progetto redatto dal comitato nel marzo 1971 si può leggere in traduzione
italiana in Ove K. Nordstrand, *Centro internazionale per la salvaguardia di libri
e documenti*, «CAB Newsletter», numero speciale dedicato al trentennale
dell'alluvione fiorentina, n.s., 6 (1996), p. 32-36. Il comitato provvisorio, cui il
progetto affidava la direzione del Centro fino all'approvazione definitiva del suo
statuto, presieduto da Ove K. Nordstrand (della Kongelige Bibliotek di Copena-
ghen), era formato da Arie Arad (degli Israel State Archives), Francesco Barberi,
Emanuele Casamassima, Luigi Crocetti, Rudolf Fiedler (direttore della Österreichische Nationalbibliothek), Françoise Flieder (del Centre de recherches sur la
conservation des documents graphiques di Parigi), Frank Francis, Carlos Victor
Penna (capo della Divisione biblioteche, documentazione e archivi dell'Unesco),
Harold J. Plenderleith, Franzer G. Poole (dell'Administrative Department del
Preservation Office della Library of Congress), Tibor Tombor (della biblioteca
nazionale ungherese, la Országos Széchényi Könyvtár), Emerenziana Vaccaro,
Alfred Wagner (responsabile del dipartimento dell'Unesco dedicato allo sviluppo di archivi e biblioteche), Peter Waters, Anna Maria Giorgetti Vichi (direttrice
della BNCF dal settembre 1970), Joachim Wieder (della Bibliothek der Techni-
schen Hochschule di Monaco, peraltro legato a Casamassima da rapporti di amicizia personale). Nordstrand, Poole e Tombor in particolare formavano il comitato esecutivo, che, fra i suoi compiti, aveva l'istituzione dei primi uffici, la predisposizione di una bozza di statuto, la ricerca di fondi, sponsorizzazioni e riconoscimenti, oltre che la realizzazione dei primi passi necessari all'organizzazione di un programma di ricerca e di uno di formazione (a Firenze e Roma)
con la cooperazione della BNCF, dell'ICPL e del Centro di fotoriproduzione,
legatoria e restauro degli Archivi di Stato.

273

contemporaneamente, la costituzione di un apparato amministrativo che includa i corsi di formazione», destinati sia a conservatori e restauratori professionisti che a bibliotecari e archivisti, divisi in corsi di informazione di breve durata, in corsi di formazione di media durata, in corsi di studio di lunga durata e in corsi di specializzazione, tutti articolati in una sezione teorica e in una pratica. Le finalità del settore ricerca dovevano essere invece la «soluzione di quei problemi di conservazione e restauro che hanno il più ampio campo d'applicazione nell'ambito dei materiali librari» e le principali attività articolate in tre settori:

1. Indagini sulla struttura fondamentale dei materiali librari e problemi teorici;
2. Indagini su problemi pratici di degradazione, conservazione e restauro dei materiali librari: agenti biologici nel deterioramento della carta; fattori chimici nella manifattura e nel deterioramento della carta; fattori ambientali;
3. Tecniche e materiali usati nella conservazione e/o restauro: prove e controlli di qualità su forniture e materiali.

In parallelo alla campagna per la nascita del Centro internazionale, si sviluppò, a partire dall'aprile 1967[85], quella in favore di una legge speciale per la Biblioteca nazionale, che ne aumentasse fondi e personale, in un impegno nazionale sancito dal Parlamento, perché se da una parte le conoscenze scientifiche e tecniche acquisite in seguito all'alluvione costituivano un patrimonio internazionale da esportare, nato dal confronto di tali e tante nazionalità diverse, i laboratori della BNCF costituivano ormai invece principalmente una questione nazionale, sia perché interamente finanziati dallo Stato italiano, sia per

---

[85] Già nell'intervista di Casamassima alla rivista *Il ponte*, risalente al dicembre 1966, si prospetta quanto mai opportuna l'approvazione di una legge speciale in favore della BNCF, che risolva i problemi di ripristino, di ammodernamento e di sviluppo della Biblioteca: «Una tale opera di ricostruzione è impegno nazionale: deve essere fatica e interesse di tutti; non può risolversi attraverso un dialogare faticoso e opaco tra la Biblioteca e la burocrazia. Nulla di più pericoloso, a mio avviso, che una ripresa parziale della Biblioteca [...] e se questa operazione non è vista nella prospettiva di una ristrutturazione dell'Istituto e del sistema bibliotecario italiano. [...] non va perduto di vista, nella frammentarietà dell'azione, nell'urgenza degli interventi, pur nelle soluzioni particolari dettate dalle contingenze, il disegno finale che abbiamo il dovere, tutti, di realizzare» (Emanuele Casamassima, *La Biblioteca nazionale*, in: *Firenze perché* cit., p. 1405-1411: p. 1407-1408).

l'inquadramento professionale degli operatori che vi prestavano servizio[86]. L'idea era quella di affiancare all'ICPL, che sarebbe tornato così a occuparsi esclusivamente di ricerca scientifica, i laboratori della Nazionale, riconosciuti quale Centro nazionale di restauro del libro e microfilm – a sua volta appoggiato al Centro internazionale per la preparazione professionale e la ricerca – i due andando a costituire così il perno su cui si sarebbe potuto articolare un sistema nazionale per la conservazione del libro in Italia.
Secondo le parole del direttore dell'alluvione[87]:

> Noi vogliamo opporre ad una concezione disorganica della conservazione, qual è quella attuale, un principio dinamico; ad una tradizione artigianale che poteva essere valida ai suoi inizi ma che è oggi involuta, depauperata, una concezione, una pratica della conservazione che è viva, in cui l'incontro di metodi, di principi, di mezzi – scientificamente verificati –, la ricerca scientifica, la critica del lavoro stesso che si viene svol-

---

[86] Casamassima, in una lettera a Clarke, datata 9 luglio 1967, parlando dei lavori in corso e del lavoro fatto per ottenere fondi e riconoscimento da parte degli organi ministeriali italiani li definisce «perhaps with exaggeration and presumption [...] a cultural Battle of Stalingrad» (Archivio Nixon). Le finalità della legge speciale venivano indicate dal Comitato per la Biblioteca nazionale, in un comunicato stampa del 24 febbraio 1967: l'aumento dell'organico fino al triplo di quello presente, che prevedeva 110 posti, articolando le assunzioni in 5 anni, con concorsi specifici per la BNCF; la concessione alla BNCF della facoltà di assumere, con contratti a termine, personale scientifico e tecnico, sia italiano che straniero, ogni volta servisse per problemi particolari una collaborazione esterna relativamente a «restauro, collaborazione per acquisti, rari, ecc.»; la dotazione di tre miliardi e mezzo, ripartiti in cinque anni, per il restauro; la dotazione di due miliardi, ripartiti in cinque anni, per la reintegrazione delle raccolte; l'aumento della dotazione ordinaria e straordinaria fino a 300 milioni annui (era allora di circa 50 milioni); il finanziamento, per un ammontare non ancora determinato, ripartito in dieci anni, della riproduzione in microfilm di tutti i cataloghi e gli inventari della BNCF, dei manoscritti, dei rari, delle opere moderne più importanti, compresa l'emeroteca nazionale; l'obbligo di invio alla BNCF da parte degli editori di una copia delle pubblicazioni per una tempestiva segnalazione in BNI (modificando quindi la legge relativa al deposito legale allora in vigore); la ripartizione della direzione in due uffici: una direzione scientifico-tecnica e una direzione amministrativa, con responsabilità e compiti distinti (Archivio BNCF, 1300).
[87] Dal resoconto dell'intervento di Casamassima alla tavola rotonda sul tema *Il problema della conservazione e il Centro di restauro della Nazionale, Palazzo Medici-Riccardi, 6 aprile 1970*, sintetizzata in un articolo dal medesimo titolo in «Centro Erre», numero unico in attesa di autorizzazione (20 giugno 1970), p. 5-14: p. 7-8.

gendo, la partecipazione dei lavoratori alla vita della biblioteca danno tutto un altro valore e tutta un'altra dimensione. Vogliamo opporre all'interesse privato un interesse di tutt'altra natura; cioè l'interesse di chi partecipa direttamente e consapevolmente alla conservazione intesa come funzione di natura scientifica e culturale. [...] La conservazione deve divenire una funzione e un servizio pubblico, fondati su criteri razionali e scientifici. Per nessuno di noi sarebbe pensabile che fossero affidati ad una iniziativa privata e all'interesse del privato l'uso pubblico della biblioteca, la ricerca bibliografica, la pubblica lettura, il prestito, e tutti gli altri servizi variamente articolati della funzione bibliotecaria; così deve essere anche per la conservazione.

Il riconoscimento del Centro non doveva quindi tradursi in una semplice sistemazione del personale nei ranghi dello Stato:

Vogliamo invece portare nelle biblioteche italiane, a cominciare dalla conservazione, l'affermazione e la realtà di un principio nuovo: quale è rappresentato, appunto, dallo spirito del Centro e dalla concezione che esso rappresenta.

Una legge speciale per la BNCF veniva poi considerata imprescindibile perché gli imponenti lavori in corso alla Nazionale non si trasformassero in un semplice tentativo di ripristino dello *status quo ante*, già gravemente insoddisfacente, come aveva denunciato Casamassima alla Commissione Franceschini nel maggio 1965 e come quest'ultimo non si stancava di ripetere[88]:

Perché l'opera che abbiamo intrapreso abbia veramente successo, e deve riuscire se vogliamo che la cultura italiana non esca dalla prova mutilata e umiliata per sempre, è necessario che sia programmata e attuata in un piano organico di rinnovamento, di ristrutturazione della Nazionale. [...] Non si parli quindi per la Nazionale soltanto di ripristino, di restituzione. La catastrofe del 4 novembre non ha soltanto danneggiato le raccolte della Nazionale, non ne ha soltanto fermato l'attività; ripropone bensì in termini perentori il problema del nostro Istituto e dell'intero sistema bibliotecario e bibliografico italiano.

Risorse si rendevano quindi necessarie innanzi tutto per l'ampliamento dell'edificio della BNCF, dove in tutti gli spazi disponibili erano stati allestiti magazzini di fortuna, dagli uffici ai corridoi, alle sale di esposizione e a quelle di studio, del piano terreno

---

[88] Casamassima, *La Nazionale di Firenze dopo il 4 novembre 1966* cit., p. 56-58.

come del piano superiore sia del vecchio che del nuovo edificio su via Magliabechi. Anche i servizi di lettura e di studio in sede, nei progetti del direttore, dovevano essere riformati, perché «il distribuirsi dei lettori nelle sale corrisponde*sse* non ad una distinzione tra privilegiati e pubblico comune, ma funzionalmente alla destinazione delle diverse sale, alla specializzazione degli apparati bibliografici», mentre, come già proposto dall'Unesco, il riordinamento dei fondi librari e il risanamento dei cataloghi, come la ripresa dei lavori della BNI, dovevano far sì che la ripresa del progetto del catalogo collettivo nazionale prevedesse l'uso degli allora nuovi strumenti offerti dalla meccanografia e dai procedimenti fotomeccanici; per i cataloghi a schede l'adozione del formato *standard* internazionale era caldeggiata da Casamassima, che rilevava anche come si imponesse la risoluzione dei problemi posti dal catalogo collettivo della stampa periodica e dalla traduzione delle serie nelle microschede, e come fosse necessaria una più attiva e pianificata politica degli acquisti e degli scambi in campo nazionale e internazionale[89]:

Occorre dunque muovere da una chiara concezione della natura e dei compiti di una biblioteca nazionale e studiare un piano di rinnovamento delle strutture che contemperi esigenze di mezzi ed esigenze di personale. Di più: la rivalutazione della Nazionale deve essere concepita in un quadro assai ampio; occorrerebbe parlare di una riorganizzazione dell'intero sistema bibliotecario e bibliografico, prima sul piano regionale e poi sul piano nazionale, della preparazione professionale, della cooperazione con altri istituti e centri di ricerca, anzitutto con l'Università. [...] Occorre inoltre che sia riformato il deposito obbligatorio delle pubblicazioni, che vengano programmaticamente divisi i compiti e gli acquisti tra le varie biblioteche, sul piano regionale e nazionale, che sia organizzato un più razionale servizio del prestito esterno e internazionale, che venga infine iniziata una stretta collaborazione tra la Biblioteca Nazionale di Firenze e la Nazionale di Roma. [...] La ricostruzione della Nazionale di Firenze e del sistema bibliotecario italiano deve essere vista nella prospettiva dell'urgente e organica riforma degli strumenti e delle linee di intervento statale per la tutela del patrimonio artistico e culturale.

Fu così che, realizzando gli auspici dell'Unesco e di Casamassima, all'interno dei progetti di collaborazione e solidarietà con le biblioteche alluvionate, prese vita il "Rapporto Finzi": un'indagine, della du-

---

[89] Ivi, p. 60-61.

rata di sei settimane, sponsorizzata dall'American Library Association, in collaborazione con Casamassima e la Library of Congress, sui servizi bibliotecari offerti dalla Nazionale, realizzata da John Charles Finzi[90], del Collections Development Office della biblioteca nazionale statunitense[91]:

> It had, in fact, became quite evident to both Dr. Casamassima and to the Special Committee to Aid Italian Libraries of the American Library Association that while the restoration of library materials damaged in the flood was fundamental to the survival and to the future life of the National Library, the modernization of certain basic services and library operations was, at this point in time, equally fundamental and a primary facet in the task of up-dating and developing major library operations to meet the needs of and to support more adequately the central functions of the National Library at both the national and the international levels. The main objectives of the assignment were, therefore, for the consultant to discuss problems involved in the desired modernization of certain services and operations with the Director of the National Library, to survey key operations, and to prepare a set of recommendations to be submitted by the consultants to Dr. Casamassima and to the Special Committee.

La BNCF aveva quindi bisogno di una legge speciale che stabilisse l'aumento del personale, i contributi speciali per il ripristino e l'aumento della dotazione annua in suo favore[92], ma anche che rico-

---

[90] John Charles Finzi (n. 1920), di origini italiane, si era trasferito con la famiglia negli Stati Uniti nel 1941 e qui aveva proseguito gli studi, per poi intraprendere la carriera bibliotecaria fino ad approdare alla Library of Congress. Nel 1979 meritò il Superior Service Award.

[91] Da *Foreword: the Assignment*, in: John Charles Finzi, *Report of a survey of the National Library, Florence, November 6 to December 14, 1967, Washington D.C.*, May 12 1968 (dattiloscritto). Tale progetto fu illustrato dallo stesso Finzi in occasione del convegno sull'automazione dei servizi tenuto a Firenze dal 29 al 31 novembre del 1968 (per il quale cfr. *Razionalizzazione e automazione nella Biblioteca nazionale centrale di Firenze*, incontro di studi organizzato dall'Unesco e dal Ministero della pubblica istruzione, Firenze, 29-31 ottobre 1968, atti a cura di Diego Maltese, Firenze: Biblioteca nazionale centrale, 1970). Del testo esiste anche una versione in lingua italiana, dal titolo *Rapporto di un'indagine sulla Biblioteca nazionale centrale di Firenze, dal 6 novembre al 14 dicembre 1967*; entrambe le versioni sono conservate in Archivio CRIA, 24, fasc. 11, n 3-4.

[92] Il progetto di legge aveva evidentemente l'appoggio di tutti i comitati stranieri che avevano contribuito alla nascita del Centro, perché «it would be the greatest pity if this, by now the most experienced book repair workshop in the world,

278

noscesse e istituzionalizzasse il Centro. Quest'ultima battaglia, portata avanti principalmente dalla direzione della Biblioteca e dai lavoratori della Coop.L.A.T., fu fatta propria da una parte delle istituzioni locali, soprattutto dall'amministrazione provinciale – che sempre appoggiò la Biblioteca nelle sue iniziative di crescita e di progressiva autonomia, in modo particolare per opera di Giorgio Mori, assessore alla cultura e alle biblioteche[93] – e da un'ampia fetta del mondo culturale fiorentino: il 6 aprile 1970 in Palazzo Medici-Riccardi le riviste *Astrolabio, Mondo Nuovo, Il Mulino, Politica, Il Ponte, Rinascita,* organizzarono infatti, assieme alla commissione di studio del Centro, una tavola rotonda sul tema *Il problema della conservazione e il Centro di restauro della Nazionale*[94], cui presero parte anche due parlamentari: Marino Raicich e Francesco Loperfido[95].

---

should dwindle for lack of financial support» (Barker, *The Biblioteca nazionale in Florence* cit., p. 20).

[93] Giorgio Mori (n. 1927), storico dell'economia, è stato assessore alla cultura della Provincia di Firenze fino al 1970, quando è stato eletto all'assemblea regionale toscana nelle fila del PCI.

[94] Per una sintesi dei lavori della Tavola rotonda vedi *Il problema della conservazione e il Centro di restauro della Nazionale*, a cura di Libero Rossi, «Centro Erre», 1 (1970), n. 1, p. 5-14. Negli stessi anni, ai convegni qui menzionati, che discutevano di programmazione, pianificazione, cooperazione e preparazione professionale nel campo della conservazione, si affiancarono altri più propriamente tecnici, che ugualmente traevano spunto e sostanza dall'esperienza fiorentina: la sezione della XLI Riunione della Società italiana per il progresso delle scienze intitolata *La scienza al servizio del patrimonio archivistico-archeologico e bibliografico*, tenuta a Siena nel settembre del 1967 (vedi *Atti della XLI Riunione della Società italiana per il progresso delle scienze, Siena, 23-27 settembre 1967*, Roma: R. Capasso, 1968) – al termine del quale si era tenuto un *meeting* informale, dove molti, fra i quali Santucci, si erano detti favorevoli all'istituzione di un comitato internazionale di ricerca che fosse di supporto tecnico-scientifico al Centro – e il convegno indetto dall'amministrazione degli archivi della Bassa Sassonia presso l'archivio di Bückeburg nel febbraio 1970 dedicato al restauro di massa del materiale cartaceo alluvionato (vedi Francesca Morandini, *Un convegno sul restauro di massa del materiale cartaceo danneggiato dall'acqua: Archivio di Stato di Bückeburg, 17-18 febbraio 1970*, «Rassegna degli archivi di Stato», 30 (1970), n. 2, p. 427-437).

[95] Marino Raicich (1925-1996), professore di storia moderna presso l'Università di Firenze, era stato eletto alla Camera, nelle liste del PCI, il 19 maggio 1968 ed era capogruppo dei deputati comunisti presso la Commissione istruzione e belle arti. In precedenza era stato, dal 1965 al 1969, consigliere comunale della città di Firenze, anche in questo caso occupandosi principalmente di istruzione, facendo oggetto della propria attività politica anche la BNCF, argomento di un suo intervento di critica nei confronti dell'amministrazione comunale durante la discus-

La caratterizzazione politica di sinistra, infatti, era stata propria dell'esperienza del Centro fin dalle sue origini, per l'impostazione delle personalità che ne avevano accompagnato la nascita, per l'apporto della cultura studentesca prima e poi di quella operaia – introdotta dai lavoratori della Coop.L.A.T. [96] – ma anche per l'esperienza stessa che il recupero e la rinascita della BNCF aveva rappresentato per tanti fra quelli che ne presero parte, per l'autonomia sperimentata, per la lotta ingaggiata contro la burocrazia, per il sogno intravisto di trasformare la rovina dell'alluvione in una sorta di rivoluzione, quantomeno culturale; con il passare del tempo tale caratterizzazione venne quindi ad essere sempre più marcata, saldandosi alla cultura militante delle riviste e appoggiandosi all'attività parlamentare di fiorentini eletti nelle liste del Partito comunista italiano, marcando in questo modo sempre di più la distanza da Roma.

---

sione per l'approvazione del bilancio per l'anno 1969. Raicich rimarrà alla Camera fino all'estate del 1979 per passare poi, dal 1980 al 1984, alla direzione del Gabinetto Vieusseux (vedi il volume di studi in suo ricordo: *Marino Raicich, intellettuale di frontiera*, Firenze: Olschki, 2000, e in particolar modo, al suo interno, Giorgio Bini, *Dieci anni in Parlamento*, p. 73-89, e Luigi Tassinari, *L'impegno nella vita politica fiorentina*, p. 97-105). Francesco Loperfido (n. 1923), insegnante, era stato eletto nelle fila del PCI nel collegio di Bologna e aveva fatto parte della Commissione Franceschini.

[96] Molti commentatori sottolineano il valore dirompente che ebbe in quegli anni l'ingresso in un ambiente impiegatizio come la Biblioteca della cultura operaia di cui erano portatori i lavoratori della Coop.L.A.T., evidente fra le righe degli articoli della rivista da loro prodotta. Tale approccio politico fu sempre presente nei primi anni di vita del laboratorio, attraverso la presenza attiva e costante dell'assemblea dei lavoratori, che portò a scelte organizzative quali quella di eleggere, nel mese di dicembre 1969, i capi reparto dei settori in cui il Centro era articolato, in seguito a un accordo intercorso tra direzione della Biblioteca, Coop.L.A.T., sindacato provinciale poligrafici e commissione interna del Centro. Il caporeparto, che risultava così essere una personalità mista e dipendente, in modo diverso, sia dalla BNCF che dalla Coop.L.A.T., veniva eletto per votazione dell'assemblea di reparto e rimaneva in carica sei mesi, salvo rielezione. Poteva essere rimosso, secondo precise procedure, su istanza sia dei lavoratori del reparto, che della direzione del Centro – per incapacità tecnico-organizzativa – che della cooperativa – in caso di provvedimenti disciplinari – ma la decisione doveva essere presa all'unanimità dalle tre parti e ad essa doveva sempre seguire l'assemblea generale dei lavoratori, che avrebbe espresso un giudizio in merito (vedi *Comunicazione della Commissione di studio al Convegno sulla cooperazione internazionale per la conservazione del libro*, «Centro Erre», numero unico in attesa di autorizzazione (20 giugno 1970), p. 26-27).

280

La proposta di legge, comunque, che scaturiva dall'incontro delle forze diverse presenti alla tavola rotonda, dove fu presentata da Loperfido, e nota come proposta di legge Romanato, nelle intenzioni rispondeva a un'intesa di massima di tutte le forze parlamentari, di governo come di opposizione[97]; essa mirava a riconoscere e valorizzare l'esperienza di autonomia nella gestione fatta dalla Biblioteca, attraverso l'istituzionalizzazione dei laboratori della Nazionale come Centro nazionale di restauro del libro, con sede in appositi locali della BNCF, con compiti di studio (in collaborazione con l'ICPL, il CNR e l'Università) e di preparazione del personale addetto al restauro del patrimonio bibliografico pubblico, nonché di supervisione sui restauri eseguiti[98].

Secondo il quarto punto del documento conclusivo della tavola rotonda, approvato all'unanimità dai partecipanti, questi ultimi «prendono atto della proposta legislativa [...] chiedono agli organi statali e in primo luogo al ministro della pubblica istruzione che i laboratori creati presso la Nazionale di Firenze siano tolti dall'attuale stato di precarietà e diventino un acquisto permanente delle biblioteche italiane».

Il terzo punto di tale documento conclusivo auspicava invece la pubblicazione, da parte del Centro, di un periodico «che sia la voce delle nuove esigenze che si presentano nel nostro paese a chi si interessa del nostro patrimonio storico-culturale». E i lavoratori del Centro pubblicarono in effetti tre numeri di una rivista, che chiamarono

---

[97] Giuseppe Romanato (1916-1985), insegnante, allora presidente della Commissione istruzione e belle arti della Camera, veniva dalle fila della DC; fra gli altri firmatari della proposta di legge c'erano però, oltre al democristiano Pierantonio Berté (n. 1918), deputati di altri partiti, quali Alberto Giomo (1917-1980) del PLI, Carlo Sanna (n. 1920) del PSIUP, Dino Moro (1923-2005) del PSI, Emanuele Terrana (1923-1979) del PRI; Loperfido e Raicich del PCI. Quest'ultimo termina la lettera con cui illustra ai lettore de *L'Unità* la proposta di legge chiedendosi chi siano coloro che le si oppongono: «burocrati incartapecoriti? Alti funzionari autoritari e accentratori? Nemici di quell'autonomia della ricerca culturale che in questo e in altri casi è da promuovere e non da mortificare o soffocare?» (*Lettera del compagno Raicich sul Centro di restauro del libro*, «L'Unità», 14 gennaio 1971).

[98] Secondo la proposta di legge, oltre che essere dotato di autonomia amministrativa, il Centro sarebbe stato dotato di laboratori di restauro, legatoria, gabinetto microfilm e fotografia e retto da un consiglio di amministrazione, di cui avrebbero fatto parte il direttore BNCF, due membri scelti dal Consiglio superiore delle accademie e biblioteche, uno designato dal Ministero e tre eletti dai dipendenti del Centro.

Centro Erre, da loro redatta e completamente autofinanziata[99], allo scopo di sensibilizzare le forze politiche e di «contribuire a un dibattito tuttora aperto sui problemi del restauro e della conservazione»: «È nostra speranza che la rivista [...] possa diventare una tribuna aperta a tutte le forze interessate ai problemi del restauro e della conservazione e, più in generale, all'articolazione del dibattito culturale (particolarmente Ente locale e Regione) e contribuire, in definitiva, a stabilire un nuovo rapporto tra cultura e lavoratori, tra intellettuali e masse popolari»[100].

Dopo un primo numero unico, datato 20 giugno 1970, la rivista contò solo altri due numeri, che rivelarono però una grande vitalità e attenzione alla realtà circostante, nel tentativo costante di inserire le problematiche presentate dal restauro nella viva attualità.

È importante ricordare come *Centro Erre* non fosse un fenomeno isolato o estemporaneo, ma si inserisse in una galassia di iniziative che caratterizza gli anni che stiamo descrivendo: le riviste, numerose

---

[99] Per maggiori informazioni, vedi Piero Innocenti, *Nasce «Centro R»*, «Il Ponte», 26 (1970), n. 11, p. 1618-1621, poi ripubblicato in: *Il bosco e gli alberi, storie di libri, storie di biblioteche, storie di idee*, Firenze: Giunta Regionale Toscana, La Nuova Italia, 1984, 2, p. 137-140, che afferma che volontà del nuovo organo era dare «libera e specifica cittadinanza» al «duplice approfondimento politico-sindacale (il centro di Firenze come esempio di autogestione democratica) e teorico (il centro di Firenze come esempio di efficienza tecnica che, ci dice Anthony Cains e lo ribadisce il preambolo della proposta di legge Romanato, viene ora preso a modello di studio da parte della Library of Congress)» (p. 138) e apprezza nello stile della rivista un «tono di proclama scritto sul tamburo nell'ora della zuffa» (p. 139). Venivano così trasformati in strumento di dibattito pubblico i *General report* prodotti dal Centro a partire dal gennaio 1968 a uso interno «to indicate personnel movement, changes in technique and productivity in all departments» (come recita l'introduzione al primo, che copre le settimane dal 22 gennaio al 17 febbraio 1968). Nei *General report*, realizzati con cadenza mensile fino al giugno del 1970, erano registrate le statistiche di produzione, il diario interno, i resoconti di esperienze, tecniche o materiali testati, ma anche, dal gennaio 1969, su richiesta di Waters, schede e relazioni tecniche, con lo scopo di mantenere memoria di quanto veniva fatto e comunicare con i tecnici inglesi rientrati in patria, che seguivano però a distanza i lavori; per questo la maggior parte di essi sono stati redatti sia in italiano che in inglese da chi ricopriva anche funzioni di segreteria per il Centro e per Cains in particolare, Susannah J. Ellis, poi Valerie N. Converse, quindi ancora la Ellis e infine Jane Bridgeman. Una copia di ciascuna di queste relazioni è conservata in Archivio BNCF, Restauro 3.

[100] *Forse una premessa*, in «Centro Erre», numero unico in attesa di autorizzazione (20 giugno 1970), p. 3-4.

e vitali, furono infatti il luogo del dibattito, talvolta aspro, che animò non solo una sinistra italiana in grande fermento, che vedeva il nascere e il primo affermarsi della sinistra extraparlamentare, ma anche il mondo cattolico progressista vicino alle ACLI, che propugnava in quegli anni la fine del collateralismo nei confronti della DC.

Sul secondo numero della rivista fu pubblicata proprio quella proposta di legge Romanato, che sarebbe stata presentata «nei prossimi giorni alla Camera», imperniata sui seguenti criteri fondamentali:

a) creazione di un sistema nazionale per la conservazione del libro, come esiste un sistema nazionale per l'uso pubblico delle biblioteche; la conservazione, cioè, deve divenire una funzione e un servizio pubblico, fondati su criteri razionali e scientifici;
b) un certo grado di autonomia nella struttura organizzativa che consenta al Centro di assolvere pienamente ai suoi compiti istituzionali;
c) "atipicità" delle carriere.

L'articolo 2 di tale proposta di legge fissava in quattro punti gli scopi dell'istituendo «Centro nazionale del restauro del libro»:

a) di eseguire e controllare il restauro delle opere stampate e manoscritte di proprietà dello Stato;
b) di studiare sul piano applicativo i mezzi tecnici per la migliore conservazione e per il restauro del patrimonio librario nazionale, in collaborazione con l'Istituto di patologia del libro in Roma, con le università e con il Consiglio nazionale delle ricerche;
c) di esprimere pareri sulle materie di sua competenza;
d) di impartire l'insegnamento delle tecniche della conservazione e del restauro.
Il Centro può esplicare la sua attività, per le materie di sua competenza, anche per il patrimonio librario non di proprietà dello Stato.

L'articolo 5 stabiliva invece membri e funzioni del Consiglio d'amministrazione che avrebbe dovuto amministrare l'organismo di nuova formazione: formato dal direttore della BNCF, da quattro esperti, designati due dal Consiglio superiore delle accademie e biblioteche, uno dal ministro della pubblica istruzione e uno dal senato accademico dell'Università degli studi di Firenze oltre che da quattro membri eletti dal personale, con il voto consultivo del direttore del Centro, ne avrebbe pianificato i lavori, approvato contratti e convenzioni, deliberato in merito a singoli progetti di restauro, pianificato i corsi di formazione. Agli undici articoli della proposta di legge, ne seguivano altri sei di «norme transitorie e finali» miranti in modo particolare a stabilire la necessaria copertura finanziaria e alla sistemazione dei rapporti con la Coop.L.A.T. e i suoi soci, facendoli entrare nei ruoli dello Stato, prescindendo, per l'accesso alla qualifica iniziale della dotazione dei ruoli organici del personale della carriera amministrativa e tecnica, dal possesso del titolo di studio e riconoscendo, ai fini dell'anzianità di lavoro e pensionistica, il periodo di lavoro prestato per la Coop.L.A.T. all'interno della BNCF.

4.3 Il declino

Quattro anni sono pochi per la storia di una biblioteca, soprattutto di una biblioteca che, seppure attraverso diverse metamorfosi, annovera tre secoli e mezzo di storia. In politica invece quattro anni sono un'eternità e il fallimento – perché di fallimento si tratta – del Centro di restauro e quindi del progettato rinnovamento della BNCF aveva più una matrice politica che bibliotecaria. I quattro anni che vanno dalla fine del 1966 all'autunno del 1970 comprendono infatti il fatidico 1968, con la rivolta degli studenti parigini e poi di quelli americani del campus di Berkeley: erano sbocciati i semi piantati nel fango dell'alluvione, ma già si intravedeva il primo apparire della lotta armata e di quelli che saranno poi etichettati come "anni di piombo". In questi quattro anni lo Stato italiano aveva perso il controllo del sistema universitario e l'irritazione delle vecchie generazioni di fronte alle prime manifestazioni, a metà degli anni Sessanta, di una gioventù "diversa", si stava tramutando in paura e voglia di repressione con l'avvento degli anni Settanta.

In questa situazione è impensabile che la "deriva" della BNCF – tale appariva nei palazzi romani – potesse ricevere una valutazione che si basasse esclusivamente sugli aspetti bibliotecari e culturali del progetto, o che apprezzasse il profondo significato di quanto era successo sulle rive dell'Arno. La normalizzazione, se per certi versi appare come l'ultimo atto di una tragedia shakespeariana, con il palcoscenico cosparso di cadaveri, agli occhi del governo italiano e delle istituzioni romane fu vista come indispensabile per restaurare l'ordine delle cose.

L'essere al centro di tante iniziative e dibattiti rappresentava infatti di per sé, per la BNCF, un motivo di scontro con il Ministero, che non vedeva di buon occhio la progressiva autonomia che l'istituto stava acquisendo, né i legami sempre più forti che quest'ultima andava stringendo con realtà estere e sovranazionali, a discapito di quelle italiane. La maggior parte delle iniziative dovettero quindi scontrarsi con la resistenza opposta dagli organi centrali, che, per quanto presenti alla discussione con propri delegati, non stanziarono mai sufficienti fondi né intrapresero azioni concrete per la buona riuscita dei progetti. Per un efficace piano di ripristino e allo stesso tempo di rinnovamento era infatti necessario un supporto politico, programmatico e finanziario da parte del Ministero – nel corso del 1967 il sostentamento del Centro era passato infatti dal Fondo internazionale per Firenze quasi interamente allo Stato italiano – ma questo fu sempre insufficiente: lo dimostra il fatto che a marzo 1967 il personale della Biblioteca non fosse aumentato di una sola unità rispetto al 4 novembre dell'anno precedente, che i contributi speciali per lo stesso anno ammontassero a soli 500 milioni e che fosse mantenuta per la Biblioteca l'irrisoria dotazione annua di 50 milioni; nell'estate del 1969 poi, nonostante che in più occasioni il Ministero avesse concordato con la direzione della Biblioteca un progetto di ampliamento su tre anni – dal '68 al '70 – dell'organico, quest'ultimo risultava addirittura diminuito di nove unità[101].

---

[101] La circostanza fu all'origine di un'indignata lettera di dimissioni – evidentemente respinte – di Casamassima alla Direzione generale del 16 luglio 1969, data in cui la Biblioteca aveva appreso, dalle lettere di trasferimento, che il primo agosto di quell'anno 11 impiegati (5 di gruppo A, 4 di B, 2 di C) avrebbero contemporaneamente abbandonato la BNCF per rientrare a Roma. Affermava il direttore che nulla, «dobbiamo ripetere con fermezza: nulla», si era fatto per venire incontro alle esigenze di personale della BNCF, tanto che a due anni dall'accettazione da parte della Direzione generale del piano di aumento di organico su tre anni contenuto nella relazione alla Direzione generale datata 31 luglio 1967, l'organico era diminuito di ben nove unità (117 contro 108); continua Casamassima: «siamo di fronte ad una situazione assurda che non posso accettare senza scadere nel ruolo di servo sciocco [...]. Con mio rammarico sono costretto a chiederLe di accettare le mie dimissioni dalla Direzione della Biblioteca Nazionale Centrale di Firenze. Ho fatto tutto quello che potevo nell'assolvere un compito molto difficile; ma è per me evidente che non sono riuscito nel mio intento se oggi la Nazionale si trova, per quanto riguarda l'elemento più importante per la vita di una Biblioteca, l'organico, in una situazione peggiore di quella di alcuni anni fa. Un altro direttore, che goda della fiducia dell'Amministrazione Centrale, potrà certamente fare meglio: è questo il mio sincero augurio alla Biblioteca Nazionale»; sottolineando infine il fatto che il gesto nasceva da intima persuasione e fermissima volontà, concludeva «Le sarò molto grato, quindi, Sig. Direttore Generale, se vorrà venire incontro alla mia richiesta (è la prima volta che chiedo qualcosa per me), per risparmiarmi l'unica

La freddezza dei rapporti che fin dal 1967 regnava fra Roma e Firenze, è dimostrata da quanto accadde al momento del conferimento, da parte dell'allora ministro alla pubblica istruzione Luigi Gui, di una medaglia d'oro al merito al direttore dell'alluvione nel dicembre di quell'anno; Casamassima, infatti, compì un gesto che a Firenze contribuì ad accrescergli l'affetto dei suoi estimatori, mentre a Roma fu interpretato come segno di plateale sprezzo nei confronti delle istituzioni[102]: la rifiutò, perché fosse assegnata al personale dell'istituto.

Casamassima aveva già più volte esposto il proprio pensiero quanto ai riconoscimenti che volevano essere assegnati alla sua persona; in una lettera indirizzata ad Accardo, con gli elenchi dei «meritevoli» affermava[103]:

---

alternativa che altrimenti mi resterebbe, ossia, la domanda di dimissioni dall'Amministrazione» (Archivio BNCF, 514).

[102] Anche Barberi, che pure stimava Casamassima, ne criticò il gesto, annotando nelle sue *Schede*: «il rifiuto della medaglia d'oro ministeriale da parte di Casamassima rivela un generico atteggiamento anarcoide, che col tempo verrà riassorbito. Se il rifiuto ha un movente più specificamente politico, è fuori luogo: vorrebbe essere l'equivalente simbolico della bomba contro il tiranno, quando il tiranno non esiste: poteva essere eroico verso Mussolini, non lo è verso l'on. Moro. In guerra si danno non solo promozioni "per merito", ma anche medaglie: nessun combattente (Casamassima è stato valorosissimo) le rifiuta» (Barberi, *Schede* cit., p. 221). Si tratta questo di un giudizio non reso noto all'epoca: parte delle *Schede* furono pubblicate infatti nella rivista *La parola e il libro* fra il 1962 e il 1967, ma in esse non sono presenti le riflessioni pungenti e i giudizi taglienti che caratterizzano invece la raccolta del 1984. Per quanto riguarda più direttamente l'alluvione, scarni sono gli accenni che troviamo nelle schede del 1967: alle pagine 639, riflessione datata novembre 1966, e 640, datata aprile 1967). Giunti ricorda l'evento con queste parole: «alla fine di dicembre, il dott. Domograndè [*alter ego* letterario di Casamassima] riunì, con una grande cerimonia nel salone della "Distribuzione", le pubbliche autorità. Venne anche il Ministro della Pubblica Istruzione che consegnò al direttore una medaglia d'oro, in riconoscimento dell'opera che aveva dato per il salvataggio e la ricostruzione dell'Istituto. Ma Domograndè, da uomo semplice e schivo qual'era, chiese che la medaglia fosse attribuita al personale che tanto s'era prodigato per lo scopo» (*Alluvione* cit., n. 3, p. 17).

[103] Lettera di Casamassima a Salvatore Accardo del 24 ottobre 1967 (Archivio BNCF, 1304). Anche De Gregori commenta il rifiuto in una lettera a Casamassima il 5 novembre 1967: «Non voglio polemizzare sul tuo rifiuto [...]: sono convinto che questa nostra democrazia bambina abbia bisogno di buoni pediatri che l'assistano, la curino, la facciano crescere sanamente. Più saranno i pediatri, più saranno le possibilità d'un'adolescenza e d'una maturità efficiente: anche il rifiuto di una medaglia può essere un'operazione pediatrica per la salute della democrazia, quando si intende con tale rifiuto affermare che la democrazia ha,

abbiamo incontrato molte difficoltà per stendere soprattutto l'elenco degli enti e dei privati italiani e stranieri che hanno aiutato in varie maniere (e in misura quanto mai diversa) la Biblioteca Nazionale [...]. Per quanto riguarda la folla appassionata e anonima dei giovani, di coloro che hanno lavorato nel fango, sarebbe umanamente impossibile fare elenchi senza commettere ingiustizie: e per il numero delle persone e le lacune nelle nostre liste (si tratta di migliaia e migliaia di studenti universitari, studenti delle scuole secondarie, altre persone e di ogni categoria sociale) e perché i volontari per questa estrema varietà di origine e d'iniziativa sfuggono anche ad elencazioni rappresentative per Università, scuole, provveditorati, opere universitarie, facoltà, etc. come pure avevamo pensato in un primo momento [...]. Per questi oscuri eroi l'unico riconoscimento possibile può consistere nella consegna simbolica della ricompensa a due o tre rappresentanti (studenti e non studenti), accompagnata da alcune ben centrate parole del Signor Ministro dedicate a tutti i giovani che sono stati al nostro fianco. Per quanto riguarda il personale della Biblioteca l'elenco è molto comprensivo: vi si leggono i nomi di tutti coloro che hanno fatto il loro dovere [...]. Per due impiegati della Nazionale [...] la giusta ricompensa sarebbe la promozione al gruppo o almeno al grado superiore: sono il Sig. Ivaldo Baglioni e il Sig. Alfiero Manetti. Un tale riconoscimento sarebbe la migliore ricompensa a tutto il personale della Biblioteca. Lei sa già quale sia il mio sentimento per quanto riguarda la mia persona. Torno a ripeterLe la mia preghiera: la ricompensa sia data ufficialmente alla Biblioteca e al personale; sul diploma non dovrebbe figurare il mio nome. Che poi, come direttore della Nazionale, sia io a riceverla materialmente dalle mani del Sig. Ministro mi sembra naturale; è anzi un dovere al quale non saprei sottrarmi. Le sarò sommamente grato se potrà esaudire il mio desiderio e onorare al tempo stesso in maniera così significativa la Biblioteca Nazionale.

La forte presenza straniera, che si protraeva negli anni, e l'interesse da parte degli stati esteri per quel che avveniva in BNCF era inoltre spesso percepito a Roma come una fastidiosa ingerenza, come un tentativo da parte della Biblioteca di svincolarsi dal consueto ordine gerarchico ministeriale, ed in effetti in BNCF si stava lavorando in

---

come presupposto essenziale, la verità delle cose, l'equità dei giudizi, per cui se il tuo rifiuto è motivato dal fatto che la stessa medaglia è data a "cani e porci", è un atto in favore della democrazia [...]. Te e i tuoi collaboratori le vere medaglie ve le siete date da voi stessi con quello che avete fatto in un anno: ma non per quello, soltanto, che avete dato di vostro impegno, di vostre energie; ma perché questo impegno, queste energie hanno imposto al Governo di darvi mezzi – larghi mezzi, riconoscilo – per operare. Credi che chiunque sarebbe stato capace di una tale imposizione? Io no!» (Archivio BNCF, 1302).

quegli anni, consapevolmente, a una rivoluzione nella gestione della cosa pubblica: rovesciamento degli usuali rapporti gerarchici, apertura verso l'esterno, rappresentato in modo ufficiale dal Comitato per la Biblioteca nazionale, forte riconoscimento del ruolo del sindacato attraverso una stretta collaborazione con la commissione interna (per altro, secondo quanto ricorda Baglioni, la BNCF era in quegli anni l'ente più sindacalizzato d'Italia), ricerca di autonomia gestionale e amministrativa, rapporti diretti con istituzioni straniere, non mediati dal Ministero degli esteri. Tutto questo aveva, nel 1966, una forte valenza politica, che non sfuggiva al Ministero che in più occasioni inviò in Biblioteca ispettori e controlli, dalla polizia politica che verificò, sulla base di denunce anonime, se fossero nascoste armi nell'istituto, agli ispettori della finanza, che controllavano se i soldi venivano spesi in maniera regolare; fra questi Baglioni ricorda un ispettore di finanza genovese che in un primo momento trovò da ridire per i troppi soldi spesi in cioccolata, sigarette, caramelle e mortadella, mostrando in di non capire affatto come si era lavorato in Biblioteca nei primi mesi. Nessuna delle ispezioni portò però a rilievi di alcun genere nei confronti della BNCF e della sua direzione, ma tutte contribuirono ad aumentare la tensione nei rapporti.

La proposta di legge, che in un primo momento pareva poter trovare appoggio da tutte le parti politiche, fu così lasciata cadere – anche a causa delle elezioni che nel maggio 1972 dettero vita alla VI legislatura – e il Centro non trovò mai alcun riconoscimento della sua specificità, né si provvide ad un aumento dei fondi o, come detto, del personale. Per quanto riguarda poi la creazione del Centro internazionale per la conservazione del libro e del manoscritto, scrive Maini[104]:

L'idea e il comitato trovarono [...] la massima resistenza, la massima avversione nella burocrazia italiana, rappresentata in quel momento dalla Direzione generale delle Accademie e biblioteche e dalla Direzione dell'Istituto di patologia del libro. Attraverso metodi che definirei di resistenza passiva riuscirono ad affossare il progetto.

In assenza dell'appoggio del ministero, la causa della Nazionale venne difesa dalle amministrazioni locali e, se la città di Firenze, saldamente in mano alla Democrazia cristiana, fu poco coinvolta – e

---

[104] Maini, Un'occasione perduta cit., p. 20.

Crocetti riconosce sia stato un errore[105] –, fu la Provincia a farsi promotrice di numerose attività e manifestazioni in suo favore, non solo con la presenza attiva a tutte le occasioni di dibattito del suo assessore alla cultura e alle biblioteche Mori, ma anche con azioni politiche: nell'aprile 1970, ad esempio, la Giunta provinciale fece proprio il documento finale della tavola rotonda organizzata dalle riviste e anche il Consiglio si espresse in favore del raggiungimento degli obbiettivi lì delineati. *La Regione* inoltre, la rivista dell'Unione regionale delle province toscane, edita con il patrocinio della Provincia di Firenze a partire dal 1954, offrì ampio spazio al progetto, pubblicando, fra l'altro, un intervento a firma di Casamassima proprio sulla necessità dell'approvazione di una legge speciale in favore della BNCF[106].

Continuava così la contrapposizione fra autonomia – fors'anche autogestione – e centralismo, la prima trovando appoggio nei partiti di sinistra, che amministravano la provincia fiorentina, il secondo in quelli conservatori, rappresentati dalle istituzioni romane; il Comune dei conservatori Bargellini e Bausi, pur caratterizzato da un atteggiamento non ostile nei confronti di quest'esperienza, non fu o non si fece coinvolgere. Fu sempre in quest'ottica che il Centro ricevette la solidarietà e l'appoggio di molte biblioteche altrove in Toscana, come la Biblioteca comunale Forteguerriana di Pistoia, il cui «personale subalterno» inviò al Centro stesso una lettera in cui non soltanto lodava i risultati raggiunti, ma soprattutto auspicava che quest'ultimo prendesse consapevolezza «del ruolo che esso può svolgere nell'ambito di una politica culturale regionale, che preveda quei rapporti di interscambio fra tutte le strutture esistenti attualmente in Regione»[107].

La rottura si ebbe nel 1970, quando Casamassima, alla fine di agosto, lasciò la direzione della Biblioteca, allorché si presentò la possibilità di passare all'università come docente di paleografia latina e ormai lo scontro con le istituzioni governative era diventato troppo acuto. La dicotomia della battaglia di Casamassima, contro gli effetti dell'alluvione da una parte e contro la burocrazia di Roma dall'altra,

---

[105] *Ibidem.*
[106] Emanuele Casamassima, *Una legge speciale per la Biblioteca nazionale di Firenze,* in: *L'alluvione lunga un anno* cit., p. 293-298.
[107] Giovanni Barbi – Olinto Vestri, *Centro di restauro, enti locali e Regione,* «Centro Erre», 1 (1970), n. 1, p. 20-21.

trova ampia conferma nelle testimonianze dei docenti universitari che collaborarono nell'organizzazione dei soccorsi studenteschi[108]:

A buon ragione, quindi, Casamassima avrebbe potuto dire a pochi mesi dall'alluvione che, a conti fatti e considerata la misura del disastro, la battaglia contro le acque dell'Arno era stata una battaglia vinta. Ma a questo punto cominciava una battaglia nuova e più dura contro quell'insieme di enti burocratici, il mondo kafkiano dei ministeri e delle direzioni generali, che per semplicità chiamerò col nome della nostra capitale: Roma. Cominciava la battaglia con Roma [...], il cui bilancio complessivo – non nascondiamocelo – è un bilancio amaro.

A fine anno, inoltre, veniva in scadenza il contratto che legava la Coop.L.A.T. alla BNCF. La cooperativa aveva infatti ricevuto l'appalto del restauro del materiale bibliografico della Biblioteca a norma della legge 28 marzo 1968, n. 525, che autorizzava a questo fine una spesa di 1 miliardo e 150 milioni. L'appalto, terminato con la fine del 1969, era stato poi rinnovato per un anno per un ammontare di 280 milioni. Il rinnovo aveva già, a suo tempo, scatenato numerose polemiche, perché avvenuto per assegnazione diretta senza un preventivo dettagliato da parte della cooperativa stessa. La questione era approdata al Consiglio di Stato, sezione prima, che nella sua adunanza del 17 aprile 1970 suggeriva: «Talché, ove si palesasse la necessità dell'esecuzione di ulteriori opere al titolo predetto, opportuno sarebbe provvedervi su la base di singoli preventivi di spesa, prodotti dalla cooperativa prescelta, con specifica indicazione delle opere da

---

[108] Intervento di Roberto Vivarelli, del 1970, in *Per Emanuele Casamassima* cit., p. 19-23: p. 20. Secondo le parole di Crocetti: «Casamassima pensa che le biblioteche, una volta fornite dei mezzi necessari, possano e debbano fare da sé: perché sono esse in possesso delle capacità tecniche, e dalla loro autonomia nasceranno mille cose [...] lui disprezza e rifiuta la politica della burocrazia, e vorrebbe che tra biblioteca e politica – e più in generale tra cultura e politica – non ci fosse alcun intermediario» (*Casamassima e Firenze* cit., p. 13). Secondo l'interpretazione della Giorgetti Vichi, il Ministero silurò di fatto Casamassima, accettando le dimissioni che il direttore dell'alluvione più volte aveva minacciato di fronte all'ostilità delle istituzioni romane nei confronti dei suoi progetti di riforma della BNCF e che invece erano state sempre rifiutate finché la sua presenza carismatica era stata indispensabile alle operazioni di recupero.
Casamassima tenne la cattedra di paleografia latina dell'Università di Trieste fino al 1974, quando rientrò a Firenze, come docente e direttore dell'Istituto di paleografia.

eseguire e dei relativi costi»[109]. Sempre nel mese di aprile, il sottosegretario di Stato al Ministero della pubblica istruzione Elena Gatti
Caporaso, sollecitato dalla cooperativa stessa, nella persona del suo
socio Claudio Montelatici, a un'indagine conoscitiva su quali provvedimenti fossero allo studio riguardo alla Coop.L.A.T., inviò al
Centro una lettera, poi pubblicata su *Centro Erre*, nella quale affermava che «superata la fase eccezionale, non sarà più necessaria la
presenza di tante unità a Firenze» e che, vista l'intenzione del governo di impiantare laboratori di restauro anche in altre biblioteche pubbliche statali e di lasciare interamente all'ICPL i compiti di ricerca
«fondamentale e applicata» nel campo della conservazione di materiale bibliografico, «l'intero contingente non potrà essere assegnato
in via permanente ai laboratori fiorentini, ma dovrà essere assegnato
agli analoghi laboratori istituiti in altre biblioteche pubbliche statali,
secondo un criterio razionale di distribuzione territoriale»[110]. Il governo puntava cioè ad una normalizzazione che comportava una di-
sgregazione del Centro: una proposta destinata a scontrarsi con la

---

[109] Anche l'avvocatura distrettuale dello Stato di Firenze, interpellata dalla Giorgetti Vichi, il 18 dicembre 1970, esprimeva il parere che «ogni ulteriore spesa
per i lavori di restauro del materiale bibliografico dovrà quindi effettuarsi secondo l'ordinaria disciplina procedimentale e con l'osservanza delle normali forme
di contrattazione».

[110] *Le armi nel cassetto*, «Centro Erre», numero unico in attesa di autorizzazione
(20 giugno 1970), p. 16-17, dove alla lettera di Elena Gatti Caporaso, datata
Roma, 27 aprile 1970, segue una risposta a firma della redazione del giornale.
Questa era anche la posizione di Barberi, come ricostruita dalla Vaccaro: «Poco
prima del suo collocamento a riposo, in data 22 aprile 1970, in una lettera al Direttore Generale, l'ispettore bibliografico [Francesco Barberi] tornava sulla *ve-
xata quaestio* del laboratorio di restauro creato presso la Biblioteca Nazionale di
Firenze al tempo dell'alluvione e il cui personale richiedeva una sistemazione.
Alcuni ricorderanno ancora le polemiche sorte intorno alla proposta di istituire
Firenze un "Centro internazionale di restauro" [...]. Poiché un centro direzionale
di restauro esiste in Italia da oltre un trentennio e gode meritatamente di prestigio, il laboratorio di Firenze sia da vedere come il primo (in quanto attivo da
oltre un triennio) e il più importante di quelli che il Ministero ha deciso di istituire presso le altre biblioteche pubbliche statali a cominciare dalle nazionali. Spet-
terà ovviamente all'Istituto di Patologia del Libro, adeguatamente rafforzato nelle strutture e nel personale, la sorveglianza e il coordinamento di tutti i laboratori
statali e di quelli privati che operano per commissione dello Stato». Il fatto che
la Vaccaro consideri questa posizione ricca di «buon senso e obbiettività», senza
alcuna concessione al Centro fiorentino, mostra quale fosse il livello di scontro
raggiunto allora con Roma e l'ICPL (Vaccaro, *La politica della conservazione
libraria in Italia e l'opera di Francesco Barberi* cit. p. 589-590).

ferma opposizione da parte dei lavoratori dei laboratori della BNCF, guidati da obbiettivi diametralmente opposti.

Il Ministero nominò allora alla carica lasciata vacante dal direttore dell'alluvione una persona che nelle intenzioni di Roma avrebbe dovuto rappresentare l'anti-Casamassima: Anna Maria Giorgetti Vichi[111], inviata a Firenze proprio con lo scopo di normalizzare, riprendendo in mano le redini di una situazione da troppo tempo sfuggita di mano, ma che il governo fino a quel momento per opportunità aveva appoggiato. La distanza fra Casamassima e il suo successore si misura dalle parole dell'ormai ex-direttore[112]:

> Il dado è tratto: dal 1° sono un uomo libero, anche se un po' amareggiato. Direttrice è (come sapevamo da lunga pezza) la Giorgetti: ordinaria amministrazione, raffigurata nell'iconografia Bizantina in piedi, di fronte, con [...] crocette di cavaliere e di grande ufficiale; il *biblío* (ossia il regolamento) nella mano sinistra e il modello della Biblioteca nella destra; ai piedi si vedono prosternati gli impiegati della Biblioteca.

Nuova direttrice dal primo settembre 1970[113], la Giorgetti Vichi rese evidenti le sue intenzioni fin dal discorso che tenne al personale al momento del suo insediamento e dal primo ordine di servizio, affermando che i "tempi eroici" dell'alluvione erano terminati. La nuova direzione rifiutava il nuovo corso che si era venuto affermando in Biblioteca, dove si trovavano ad aver voce in capitolo realtà inconsuete, come la commissione interna o i comitati stranieri, con i quali raffreddò quindi o interruppe del tutto le relazioni, rifiutandosi di assegnare loro un ruolo che non fosse meramente consultivo[114]. La dif-

---

[111] Prima di assumere la direzione della BNCF, dove rimase dal 1970 al 1973, Anna Maria Giorgetti Vichi era stata direttrice della Biblioteca Angelica di Roma, dal 1964 al 1970; dal 1981 al 1988 dirigerà invece la Nazionale di Roma.

[112] Lettera di Casamassima a Barberi, 3 settembre 1970, conservata nell'archivio storico dell'AIB e pubblicata da Piero Innocenti in *Conversando (e litigando) con Diego*, in: *Il linguaggio della biblioteca* cit., 2, p. 469-483.

[113] La Vichi sarà alla guida della BNCF fino al marzo del 1973, quando le succederà, per soli tre mesi, Pietro Puliatti, e poi Maria Luisa Garroni.

[114] Il gelo con il Comitato per la Biblioteca nazionale è dimostrato anche dal fatto, riferito dalla Giorgetti Vichi e confermato da Vivarelli, che quest'ultimo si rifiutò di relazionare alla direttrice sui finanziamenti alla Biblioteca ricevuti direttamente: il Comitato era una associazione privata e quindi poteva opporre un diniego alle richieste della direzione della Biblioteca nazionale, ma il fatto rappresenta in modo evidente l'insanabile frattura che si era verificata e la fine dell'era Casamassima. La Giorgetti Vichi racconta che l'episodio che buona par-

fidenza reciproca era tale, che oggi la Giorgetti Vichi afferma di non aver mai saputo del progetto di fondare in Biblioteca un centro internazionale di restauro, nonostante, in quanto nuova direttrice, fosse annoverata fra i componenti il comitato provvisorio, cui era stata affidata la direzione del Centro fino all'approvazione definitiva del suo statuto; ai suoi occhi si trattava comunque di un'iniziativa utopica e sbagliata, proprio per i motivi per cui i suoi sostenitori avevano tanto battagliato: l'autonomia amministrativa, i suoi legami più forti con l'estero che con l'Italia, la varietà delle fonti di finanziamento.

In modo particolare però si fecero subito molto tesi i rapporti con il Centro, mentre il personale della Biblioteca si spaccava, fra chi solidarizzava con la cooperativa e voleva idealmente proseguire sulle orme della gestione Casamassima e chi invece si sentiva finalmente tutelato contro l'invasione degli studenti e degli operai, entrati in Biblioteca in modo non regolare e percepiti come ad essa fondamentalmente estranei: l'esperienza dell'alluvione in BNCF infatti preconizza anche in questo, seppur con modalità sue proprie, quel legame fra mondo studentesco e mondo operaio che caratterizzerà la contestazione negli anni successivi. Questo tipo di spaccatura fra i dipendenti della BNCF si era venuto formando nel tempo, fin dall'indomani dell'alluvione, ma, secondo la testimonianza di Crocetti, un punto di equilibrio fra le due visioni della biblioteca era stato possibile trovarlo proprio nella persona di Casamassima, nel suo carisma e nella generale stima di cui godeva[115], venuta a mancare la quale diventava impossibile non andare allo scontro. Anche in questo caso, evidentemente, la distanza che separava le due realtà era anche e soprattutto una distanza politica.

---

te dei finanziamenti statunitensi fosse stata depositata su di un conto corrente privato creò dei problemi a Meiss, che dovette per questo affrontare un'indagine dell'FBI, come le fu riferito da un agente che nel 1972 si rivolse a lei per le sue indagini.

[115] «I rapporti [fra Biblioteca e Centro] hanno avuto parecchie difficoltà [...] non si guidano facilmente duecento persone che non hanno alcuna esperienza di biblioteca, né si convive facilmente. Tuttavia io credo di poter dire che dopo pochissimo tempo si è stabilito un rapporto molto buono tra i bibliotecari incaricati del restauro e i restauratori [...] ci sono state lotte con la burocrazia romana, anche qualche lotta interna alla biblioteca, il tutto però fino al '70 dominato dalla figura di Casamassima, che riusciva a risolvere parecchi se non tutti questi problemi e che ha sempre goduto anche nel centro di restauro della massima stima» (Maini, *Un'occasione perduta* cit., p. 22).

Il problema dei preventivi si delineò presto come un *casus belli*. Il Centro negava di poter lavorare a preventivo, pena il decadimento della qualità del lavoro, in una coscienza della propria specificità e capacità innovativa nel campo del restauro librario che, per quanto reale, era certo un po' troppo smaccata e idealista per riuscire a raccogliere maggiori consensi. A detta dei lavoratori della cooperativa, introdurre i preventivi nella loro realtà di lavoro avrebbe portato ad una serie di conseguenze così schematicamente delineate[116]:

> *a*) intanto si instaura un rapporto privatistico (come per una comunissima ditta), con la conseguente contrapposizione cooperativa-Biblioteca. Da ciò ridimensionamento o addirittura scomparsa del ruolo della Direzione della Biblioteca, oggi presente tramite un suo rappresentante che è il bibliologo il cui ruolo è molto importante ai fini del restauro nel "rispetto del libro";
> *b*) il possibile o certo abbandono di quel lavoro di raccolta e statistico, indispensabile per una elaborazione scientifica;
> *c*) scadimento della qualità a beneficio della quantità;
> *d*) il non controllo dei materiali e delle tecniche.

Il fatto che la nuova direzione abbia dato massima importanza all'aspetto economico e al rispetto delle norme vigenti nei rapporti che stabilì con il Centro, rivela una netta distanza rispetto agli anni del dopo-alluvione, quando si considerava un valore aggiunto del nuovo sistema il fatto di non commisurare l'entità degli interventi di restauro al valore antiquario del singolo pezzo in lavorazione, perché appariva irrinunciabile per ogni singolo libro – quand'anche ne fosse rimpiazzabile il testo, o anche l'edizione – il valore di esemplare, con la storia di cui era portatore. Mentre il Centro veniva installato si era comunque sempre creduto che questo fosse vantaggioso anche da un punto di vista economico e della durata degli interventi: nelle relazioni che Casamassima inviava periodicamente al Ministero si affermava infatti che se il numero degli operatori dei laboratori fosse rimasto invariato, la spesa effettiva sarebbe stata circa la metà di quella cui avrebbe portato l'affidamento a laboratori privati e che la durata delle operazioni sarebbe stata intorno ai dieci anni[117].

Essendo giunto a conclusione il precedente contratto, la Giorgetti Vichi, giovedì 17 dicembre 1970, presentò ai lavoratori del Centro

---

[116] *A proposito di preventivi*, «Centro Erre», 1 (1970), n. 1, p. 13-14 (articolo datato 19 ottobre 1970).
[117] Vedi Archivio BNCF, 1302 e 514.

un nuovo contratto, preparato insieme alla Vaccaro, chiedendo che fosse firmato entro la fine dell'anno, pena l'impossibilità, per la direzione, di consentire l'accesso ai locali della Biblioteca ai lavoratori del Centro. Per quanto infatti i progetti di istituzionalizzazione di quest'ultimo parlassero di collaborazione con l'ICPL, la sua direzione era entrata in rotta di collisione con la cooperativa che, ai suoi occhi, nella ricerca di autonomia, si stava sostituendo all'istituto romano, intraprendendo ricerche in proprio, commissionando studi e appoggiandosi ad istituti di ricerca inglesi e di fatto ergendosi a paladino di nuove metodologie di lavoro che negavano quelle tradizionali, ancora accettate e riconosciute dall'Istituto per i restauri in corso in tutto il resto d'Italia.

Il nuovo contratto stabiliva in modo molto preciso prezzi e tempi per il restauro dei volumi alluvionati della BNCF: 80.000 libri moderni l'anno – valore 5^{118} – al costo medio di 1.000 lire, 7.600 libri per la legatoria fine a 35.000 lire, 7.000 stampe a 2.000 lire.

I lavoratori della cooperativa, che consideravano irrecepibile la proposta, decisero allora di passare al contrattacco, cercando a loro volta appoggi a Roma: partì quindi una piccola rappresentanza per conferire con Accardo, che negò di conoscere i contenuti del contratto e promise di cercare un accordo con la direttrice. Quest'ultima dal canto suo, il lunedì successivo, 21 dicembre, convocò Cains in tarda mattinata per avere un suo parere scritto – in forma riservata – sul numero di libri che ciascun dipartimento sarebbe stato in grado di completare in un anno. Tali cifre, presentate l'indomani dall'esperto inglese – non prima di averle discusse però con Crocetti – insieme alla descrizione delle varie operazioni effettuate in ciascun dipartimento e a una quantificazione del tempo richiesto per completarle in relazione alle difficoltà volta volta incontrate, erano in effetti molto lontane da quelle proposte nel contratto, poiché parlavano di 10.000 libri per la legatoria di biblioteca, 2.000 per la legatoria fine e 12.000 pezzi per le stampe.

Nel frattempo, il lunedì stesso, i lavoratori chiesero a Crocetti di esprimere in forma scritta un parere sul nuovo contratto, che evidenziasse quanto i numeri proposti dalla nuova direzione fossero lontani dalla realtà, da inviare ad Accardo e, per conoscenza, alla direzione, e iniziarono a prendere contatti con quei rappresentati politici, eletti nelle fila del PCI e del PSI, che già in precedenza avevano avuto contatti con il Centro e lo avevano appoggiato: in questo modo lo

---

[118] Vedi *supra*, p. 245.

scontro politico si fece più acceso, tanto che la direttrice afferma di aver ricevuto minacce di morte e di essere stata costretta a farsi accompagnare continuamente da due custodi, per garantire la propria sicurezza.

Mercoledì 30 si tenne a Roma un primo incontro fra tre rappresentanti dei lavoratori, un emissario del Ministero, la Giorgetti Vichi e la Vaccaro, durante il quale fu invano proposta ai lavoratori l'assunzione nei ruoli dello Stato in cambio della subordinazione del Centro all'ICPL. Secondo il resoconto degli eventi redatto in quei giorni a firma *BNCF CRIA staff*[119], nella riunione apparve chiara l'insofferenza nei confronti della presenza in Biblioteca di Cains e, in modo particolare, di Nkrumah che, in quanto responsabile del laboratorio scientifico, sembrava volersi sostituire ai tecnici dell'ICPL, e fu fatto oggetto di critica l'approccio al restauro del laboratorio, considerato irrealistico, pedante e antieconomico.

Il giorno successivo furono contattati Casamassima – che a sua volta sollecitò gli eletti in Toscana fra le fila dell'opposizione ad agire in favore del Centro – Gilmore e, in Inghilterra, i rappresentanti dello IAARF e i restauratori che avevano collaborato alla fondazione dei laboratori, nella speranza di creare gruppi di pressione nei confronti del governo italiano, e in effetti Gilmore fu in grado, il 2 gennaio 1971, di fissare un appuntamento con l'allora ministro alla pubblica istruzione Riccardo Misasi[120], che si tenne poi il 14 del mese, a un giorno di distanza dalla scadenza effettiva del contratto, che era stato prorogato di quindici giorni per le difficoltà incontrate nel rinnovo.

Nei giorni successivi i rapporti con la direzione rimasero tesi, perché la Giorgetti Vichi rimaneva sulle sue posizioni di assoluto rispetto delle norme vigenti per tutte le biblioteche italiane, di ferma volontà di riportare la Biblioteca sui binari di una normalità perduta,

---

[119] Il testo, intitolato *BNCF Crisis – Sequence of events*, conservato presso l'archivio Cains, è datato 8 gennaio 1971, ma è stato poi accresciuto con annotazioni che proseguono fino al 15 gennaio. Tale documento termina così: «This is a copy of our office diary – we thought it might make interesting reading, especially to those who have been involved with the BNCF restoration centre. We do not feel very optimistic – in 1966 the books were damages by the flood – today, 1971, they risk being damaged by human stupidity. IF the centre is allowed to continue it risks being forced to prostitute itself to doing no better than a trade binder».

[120] Riccardo Misasi (1932-2000), DC, fu ministro della pubblica istruzione dal marzo 1970 al giugno 1972

mentre i lavoratori del Centro, attraverso deputati e senatori fiorentini, quali Loperfido, Raicich e Tristano Codignola[121], prendevano contatti a Roma per ottenere un contratto diverso, che prevedesse una produttività pari a quella dell'anno appena trascorso.

L'8 gennaio però il conflitto scoppiò sui giornali, con la pubblicazione, da parte del quotidiano cittadino *La Nazione*, politicamente schierato con i partiti conservatori, di un polemico articolo dal titolo *Ci fanno pagare caro il restauro dei libri* a firma Carlo Lienzi, ma che ai lavoratori del Centro parve suggerito dalla direttrice stessa. All'interno dell'articolo si confrontavano i prezzi praticati dalla Coop.L.A.T. con quelli medi dei restauratori privati, come rilevati dall'ICPL (105.000 lire in media per un libro in BNCF, contro le 30.000 lire di un privato, tenendo conto che la cooperativa lavorava in locali offerti dalla Nazionale su cui faceva ricadere le spese generali), senza fare però menzione della specificità dei lavoratori sorti fra le mura della Biblioteca e dell'interesse che essi avevano suscitato all'estero; le posizioni della direttrice vi trovavano invece una buona visibilità, perché veniva sostenuto che la Giorgetti Vichi stava cercando di «non veder spesi centinaia di milioni del pubblico erario se non con le più rigorose garanzie previste dalla contabilità generale dello Stato», trovando i «prezzi preventivati eccessivamente superiori a quelli "congrui", tanto da correre il rischio – quale funzionario dello Stato – di essere sottoposta a giudizio di responsabilità amministrativa davanti alla Corte dei Conti, accettandoli». Sui lavoratori del Centro veniva fatta dell'ironia – «resta da spiegare perché mai a restaurare libri siano lavoratori ausiliari del traffico» – mentre la presenza degli stranieri veniva appena citata come un'anomalia e veniva calcolato inoltre che, al ritmo di 1.850 libri l'anno, quello preventivato dalla Coop. L.A.T., i

---

[121] Tristano Codignola (1913-1981), liberalsocialista, dirigente della casa editrice fiorentina La Nuova Italia, azionista eletto alla costituente, militava allora nelle fila del PSI. Vedi Tristano Codignola, *Scritti politici (1943-1981)*, Firenze: La Nuova Italia, 1987; Tristano Codignola, *Per una scuola di libertà: scritti di politica educativa (1947-1981)*, Firenze: La Nuova Italia, 1987. Le carte di Codignola sono conservate in parte presso l'Istituto storico della Resistenza in Toscana, in parte presso la famiglia (cfr. *Guida agli archivi delle personalità della cultura* cit., p. 184-187). Codignola era in contatto con Casamassima, che teneva al corrente dei lavori parlamentari (vedi le lettere conservate in Archivio BNCF, 1303).

lavori non sarebbero terminati prima del 2010[122], mentre affidare il restauro a persone e ditte diverse avrebbe permesso, oltre a un rilevante risparmio, un notevole incremento nella velocità delle operazioni. Alla proposta di istituzionalizzazione del Centro, vista come illegittima perché frutto di una proposta di legge *ad personam* e come inutile tentativo di creare un doppione dell'ICPL, veniva contrapposta l'ipotesi dell'inserimento in organico da parte dello Stato dei dipendenti della cooperativa, «insomma si tratta di un problema di rigorosa osservanza della buona amministrazione che si scontra con un problema "politico" di impegni e di retribuzioni che si teme possano venir messi in pericolo»[123].

L'articolo fece scoppiare un vero e proprio polverone e quello stesso pomeriggio, mentre Cains si metteva in contatto con l'ambasciatore inglese, i lavoratori del Centro, assieme allo stesso Casamassima, tennero una conferenza stampa, di cui *La Nazione* riferì l'indomani, spiegando come i prezzi maggiori fossero da addebitarsi a lavorazioni più accurate e corrette e, in modo particolareggiato, come fossero stati spesi i soldi impiegati fino a quel momento. Il quotidiano rimaneva però sulle sue posizioni, insinuando che si trattasse di pure rivendicazioni salariali, affermando con ironia che «un libro restaurato a

---

[122] La data del 2010, citata appunto da Lienzi, riapparirà più volte sui giornali nei giorni successivi, nell'infuriare della polemica, e verrà definita a più riprese "fantascientifica" dai lavoratori del Centro. Questa stessa data, che all'epoca sembrava tanto lontana, è ora invece raggiunta, mentre il completamento dei lavori di restauro appare ancora lontano.
Uno degli esperti americani inviati dal CRIA in BNCF dall'aprile al novembre del 1967, Richard F. Young, affermava nella primavera dell'anno successivo: «It is estimated that with staff of about 100 working on book restoration for another 20 years, the Biblioteca Nazionale Centrale in Florence could undo the worst of what Arno river did in minutes during that terrible day in November of 1966» (Richard F. Young, *An American bookbinder's work in Florence. A brief account of his experience*, «Library of Congress information bulletin», Appendix, April 25, 1968). Young, *conservator of rare books* alla Library of Congress dal 1963, aveva fatto apprendistato a Boston presso il laboratorio privato del padre, Frederick W. Young; rimarrà alla Library of Congress fino al 1972, per passare alle dipendenze del Senato degli Stati Uniti, del cui Office of Conservation and Preservation diverrà il primo direttore nel 1990.
[123] Carlo Lienzi, *Ci fanno pagare caro il restauro dei libri*, «La Nazione», 8 gennaio 1971, p. 3, articolo preannunciato già in prima pagina con il trafiletto, seguito da una foto della facciata della BNCF «Troppo cari i libri rari della Biblioteca nazionale centrale in quanto a restauro: costano più a Firenze che in qualsiasi altra città. Un contratto in discussione all'atto del rinnovo solleva un complesso di delicatissime questioni sull'uso del pubblico denaro».

105mila lire sarà come un gioiello raccolto nel fango e restituito alla sua primitiva bellezza»[124].

Il giorno successivo allora Cains fece pervenire alla redazione del giornale una lunga lettera, pubblicata solo in parte dal quotidiano, che scelse di stralciare alcuni dei passaggi emotivamente più significativi[125] e di farla seguire dalle dure considerazioni di «quattro restauratori privati»[126], in cui Cains ripercorreva la storia dei laboratori del Centro per «informare il pubblico italiano del significato più profondo e delle implicazioni di ciò che è avvenuto e sta avvenendo in BNCF», spiegando la decisione, assunta nel corso del 1967, di realizzare l'intero ciclo di restauro dei volumi alluvionati all'interno della Biblioteca, decisione «che portò alla creazione del "Centro di restauro" che voi, il popolo italiano, avete oggi alla Biblioteca Nazionale. Perché non venite a vederlo? Io penso che è un tributo alla cooperazione internazionale e alla immaginazione e lungimiranza delle autorità italiane e dei cittadini». Cains proseguiva spiegando come il Centro fosse diventato un punto di riferimento e un modello per i laboratori di gran parte del mondo e come la presenza dei laboratori della BNCF avesse sollecitato l'ipotesi della creazione a Firenze di un centro internazionale deputato alla formazione e alla ricerca nel campo della conservazione di materiale librario: «purtroppo la proposta non è stata bene accolta dall'Istituto di patologia del libro: non so spiegare questo atteggiamento, a meno che non si tratti del timore di una perdita di prestigio da parte dell'Istituto di patologia, oppure del pericolo che i fondi esigui stanziati dal governo vengano ancora più ridotti» e concludeva «i prezzi suggeriti dalla patologia, se fossero accettati, distruggerebbero ogni valore del centro»: in

---

[124] *Polemizzano (senza smentire) sul costo dei libri restaurati*, «La Nazione», 9 gennaio 1971, p. 4.

[125] Nell'archivio Cains è conservato il testo originale della lettera, in lingua inglese, che termina, dopo un'accurata disamina delle conquiste scientifiche e culturali del Centro: «Put a price on it!». Su *La Nazione* il testo fu pubblicato con il titolo *I libri troppo cari*.

[126] Nel testo *BNCF crisis*, sopra ricordato, uno dei quattro anonimi restauratori viene individuato in Giuseppe Masi, che lavorava in BNCF come una realtà parallela al Centro, con il quale si osservava da lontano, senza veri contatti, semmai con un po' di attrito, così come avveniva per gli altri privati che lavoravano per la BNCF, fra cui alcuni legatori che si occupavano della legatura del corrente. Masi mantenne una propria stanza all'interno della BNCF per tutta la direzione Casamassima e per i primi anni della direzione successiva (vedi anche *supra*, p. 237).

quanto conservatori, «è nostra responsabilità conservare per l'avvenire la grandezza della cultura italiana, non possiamo rischiare di essere additati dalle generazioni future come coloro che hanno perduto un patrimonio».

Il duello mediatico proseguì con una lettera inviata alla medesima testata dalla Commissione interna, pubblicata per stralci il giorno successivo, intercalata dai commenti della redazione del giornale, per raggiungere un vertice di crisi con la pubblicazione, il 13 gennaio, dell'interpellanza dell'onorevole Giuseppe Vedovato, eletto nelle fila della DC[127], presentata ai ministri della pubblica istruzione e del tesoro «per conoscere quali provvedimenti intendano prendere per la tutela della dignità culturale e della sana amministrazione della Biblioteca nazionale centrale di Firenze e per la giusta salvaguardia dell'impiego del pubblico denaro». Lo scontro aveva preso evidentemente una piega dura e politicamente molto chiara, se Vedovato ritenne di usare toni tanto polemici da diventare offensivi agli occhi dei lavoratori del Centro («la cooperativa LAT *si è* attribu*ita* arbitrariamente il ruolo di centro di restauro», o ancora definendo, ad esempio, Crocetti «presunto direttore dello pseudo centro di restauro», o ancora, «semplice bibliotecario di terza classe [...] erroneamente definito direttore dell'inesistente, in quanto privo di personalità giuridica, centro di restauro»), ma che rispecchiavano in pieno la posizione della direttrice, che rifiutava al Centro qualsiasi riconoscimento che non fosse quello di un mero rapporto fra un datore di lavoro e una sua maestranza, regolato da un contratto di natura economica, e che vedeva in Crocetti nient'altro che il rappresentante degli interessi della Biblioteca presso la cooperativa, colui che doveva vigilare sull'operato di manovalanza esterna in presenza di materiale di pregio. Le richieste erano chiare: assegnazione dei lavori di restauro del materiale bibliografico alluvionato per gara d'appalto, allontanamento dei laboratori di restauro della Coop.L.A.T. dagli ambienti della BNCF, la presenza della Giorgetti Vichi al posto di Casamassima e di Crocetti nell'udienza che il quotidiano *L'Unità* affermava il ministro della pubblica istruzione avesse concesso per il 15 del mese ai rappresentanti della cooperativa insieme a Raicich e a Codignola.

Sulle colonne de *La Nazione*, all'interpellanza di Vedovato seguiva una lettera di alcuni bibliotecari della BNCF, che sanciva la rottura che era avvenuta all'interno della Biblioteca fra una parte de-

---

[127] Vedi *supra*, p. 58.

gli impiegati[128] e gli operai della cooperativa. La lettera affermava infatti che il lavoro fatto dalla Coop.L.A.T. al recupero del catalogo era stato molto minore rispetto a quanto affermato dai suoi lavoratori e riportato su *La Nazione* del 12 gennaio e su *L'Unità* del 9 dello stesso mese: «le schede alluvionate dei cataloghi furono salvate *esclusivamente* dal personale della biblioteca», che completò il lavoro di recupero e sfangatura con l'aiuto dei colleghi delle altre biblioteche fiorentine e, nel marzo 1967, di altri bibliotecari momentaneamente dislocati a Firenze dal Ministero. Le operaie della cooperativa si limitarono invece, dal marzo del 1967, a copiare a macchina o fotocopiare le schede maggiormente danneggiate; «la microfilmatura delle schede del catalogo portò al disordine delle schede stesse, che il personale della biblioteca aveva in precedenza accuratamente e pazientemente ordinate. I reclami dei bibliotecari responsabili non furono tenuti in alcun conto»[129]. I risultati della microfilmatura sarebbero stati poi così disastrosi che si imponeva la replicazione del lavoro, tanto le schede copiate erano illeggibili, ed era perciò necessario mettere a disposizione degli studiosi il vecchio catalogo.

La battaglia sui giornali, che stava offrendo grande visibilità al problema, proseguì nei giorni successivi, *La Nazione* dando voce alla direzione, *L'Unità* – che aveva preso parte al dibattito fin dal 9 di gennaio – e l'*Avanti!* sostenendo invece il laboratorio di restauro e i politici che ne appoggiavano lo sviluppo. Il 14 del mese il quotidiano comunista pubblicava una lettera di Raicich in difesa del Centro, mentre su *La Nazione* appariva nello stesso giorno una lettera della direttrice della BNCF, che accompagnava l'invio al giornale che «con tanta tempestività e obiettività ha informato l'opinione pubblica sui termini di una vicenda di cui si auspica l'equa e responsabile soluzione» della comunicazione ministeriale, datata 8 gennaio, con la quale si dava notizia del fatto che da allora in avanti si sarebbe dovuta intraprendere ogni spesa di restauro secondo la normale disciplina

---

[128] Secondo il citato *BNCF crisis*, tale lettera era di mano di Clementina Rotondi (1920-1991), che nel 1966 era passata alla carriera direttiva in BNCF, dal 1969 come bibliotecario principale, curando la sezione periodici. Nel 1979 la Rotondi passerà alla direzione della Biblioteca universitaria di Bologna e nel 1980 della Marucelliana di Firenze (vedi DBBI20).

[129] In effetti, nell'archivio della BNCF, si trova almeno una lettera al direttore del 1969 di Fulvia Farfara, che dirigeva insieme a Carlo Mansuino l'ufficio ricostruzione catalogo, in cui lamenta che cassette del catalogo già riordinate con fatica dal suo ufficio, dopo esser passate per lavorazioni successive, si trovassero nuovamente in disordine (Archivio BNCF, 1302; 1303).

procedurale e con osservanza delle normali forme di contrattazione, tenendo conto che il prezzo medio di ogni pezzo restaurato stabilito dall'ICPL è di 35.000 lire. A tale lettera seguiva, senza soluzione di continuità, quella della Vaccaro che rispondeva, citandoli, ad alcuni punti della lettera di Cains che chiamavano direttamente in causa l'Istituto romano, negando il suo presunto ostruzionismo alla creazione del centro internazionale, affermando però che «nessuna persona seria» poteva dirsi favorevole o meno a un centro di cui a malapena erano stati stabiliti compiti e funzioni e invitandolo a farsi da parte: «non sarebbe forse più opportuno che egli lasciasse un così grave peso [la responsabilità della conservazione del patrimonio bibliografico danneggiato] a coloro che per l'ufficio che ricoprono devono considerarsi i veri responsabili?».

Nello stesso giorno in cui si acuiva in tal modo lo scontro, furono ricevuti a Roma, dal ministro Misasi, Accardo, Casamassima, due rappresentanti della commissione interna, Codignola e Raicich – assente Crocetti per non aver ricevuto dalla direzione il permesso di assentarsi dal lavoro – e fu approvata una mediazione: il contratto alla Coop.L.A.T. sarebbe stato rinnovato, ma i prezzi sarebbero stati stabiliti da una commissione ristretta formata da Crocetti, da un membro della cooperativa e da un rappresentante dell'ICPL: il nuovo contratto avrebbe seguito quindi le indicazioni del Consiglio di Stato, anche considerato che si stava uscendo dal periodo dell'emergenza; il ministro si impegnò inoltre a lavorare affinché l'*iter* della legge speciale per la Biblioteca nazionale fosse il più rapido possibile.

La riunione iniziò però alle otto di sera, dopo che la direttrice aveva inviato al presidente della cooperativa una lettera in cui affermava che i lavoratori non si sarebbero dovuti presentare al lavoro l'indomani, perché, scaduto il contratto, non sussistevano più gli elementi che ne consentissero l'ingresso in Biblioteca, e dopo che, in seguito a tali azioni, erano stati sequestrati i libri contabili del Centro e della cooperativa dalla guardia di finanza. La Vichi ad oggi nega di aver sollecitato l'azione giudiziaria e non interpreta la sua azione come una serrata, ma come la mera applicazione delle norme vigenti; diversamente interpretarono però la vicenda i centosedici lavoratori del Centro. Certo è che fu una telefonata del ministro a sbloccare la situazione, sia che annunciasse il raggiunto accordo, come sostenuto da *La Nazione*, sia che fosse stata posta come pregiudiziale a ogni ulteriore discussione dai partecipanti alla riunione, come riferito da Raicich a *L'Unità*. Nei giornali del giorno successivo trovarono quindi espressione le diverse sensibilità rispetto a tali novità: se *La*

Nazione annunciava l'operazione di polizia giudiziaria come un'ulteriore conferma dell'opportunità della propria battaglia, *L'Unità* denunciava invece con sdegno la serrata[130], interrotta però dall'intervento del Ministero, che aveva reso noti i risultati della riunione del giorno precedente.

Come si innalzava il livello dello scontro fra nuova direzione e Centro, si faceva più acuto il contrasto con i comitati stranieri che avevano contribuito alla nascita del Centro e che tentarono tutte le vie per non interrompere il proficuo percorso fino a quel momento intrapreso[131]. Due diversi modi di vedere la cosa pubblica si trovavano infatti a confronto (e a scontro): la visione anglosassone, abituata al contributo privato e al rapporto diretto con fondazioni e realtà associative, e quella italiana, caratterizzata da un accentuato verticismo, dove era sempre necessario passare da Roma, dal ministero competente, soprattutto in anni in cui non era stato ancora attuato il decentramento regionale, e dove non era possibile prescindere dall'osservanza di *iter* burocratici stabiliti.

I comitati stranieri cercarono di coordinarsi, di mobilitare l'Unesco, nel tentativo di opporsi a un declino cercato e annunciato: il 16 gennaio Clarke scrisse una lettera dai toni accorati a Maheu, lamentando l'abbandono dei progetti fiorentini, la minaccia di dispersione – se non di estinzione – del Centro, in seguito alla decisione delle autorità italiane di ostacolare i finanziamenti in suo favore, il fatto che da un anno e mezzo non venisse convocato il comitato internazionale: «Doit-on conclure que l'Unesco d'ores et déjà se désintéresse du sort de Florence?»[132]. L'Unesco poteva però ben poco

---

[130] Per un elenco completo degli articoli usciti in quei giorni sui quotidiani italiani, vedi Piero Innocenti, *Una montatura scandalistica*, in: *Il bosco e gli alberi* cit., 2, p. 141-144, rielaborazione dell'articolo uscito nel 1971 col titolo *Dopo una montatura scandalistica: ancora sulle biblioteche*, «Il Ponte», 27 (1971), n. 1-2, p. 277-279.

[131] I comitati stranieri coinvolti seguirono con molta attenzione la battaglia mediatica sul Centro: lo dimostra un fascicolo del CRIA (Archivio CRIA, 25, fasc. 3) che conserva i ritagli degli articoli usciti in quei giorni sui diversi quotidiani, ciascuno accompagnato da una traduzione in lingua inglese, oltre che, in versione originale e quindi integrale, le lettere inviate a più riprese dal Centro ai quotidiani, e in modo particolare a *La Nazione*, per spiegare le proprie ragioni o smentire quanto già pubblicato.

[132] Archivio CRIA, 1, fasc. 2, n. 17. Altre lettere documentano il tentativo mosso allora da più parti per ottenere da parte dell'Unesco un intervento forte, magari decisivo per la salvezza del Centro. In Archivio CRIA, 1, fasc. 2, n. 18 è conservata ad esempio una lettera a Gilmore, datata 18 gennaio, in cui il direttore della

senza l'appoggio del governo italiano, poiché per statuto non può assumere alcuna iniziativa senza aver ricevuto specifica richiesta da parte del governo del paese destinatario degli aiuti.

I tecnici e gli esperti stranieri si sentivano defraudati, perché il Centro apparteneva anche a loro, trascendeva i confini nazionali italiani. Così si esprimevano in una lettera indirizzata a Gilmore e datata 10 febbraio 1971 Barbara Gould, statunitense d'origine, che lavorava però presso il Victoria & Albert Museum di Londra, a Firenze come restauratrice di libri e stampe dal gennaio al settembre 1970, Jane Bridgeman, del Courtauld Institute, a Firenze come assistente personale del direttore tecnico del Centro dal luglio 1969 al settembre 1970 e Susannah Ellis, della Wallace Collection, che aveva preceduto la Bridgeman nelle sue mansioni, a partire dal gennaio 1968[133]:

We believe, as citizens of Great Britain and the United States, that the work being carried out by the Centre has more than justified the outpouring of time, interest and money, which our countries and professional conservators have invested in its organization and development. We were greatly disappointed to discover that Dottoressa Giorgetti made

---

sede romana dell'Unesco lo informa delle azioni intraprese per sensibilizzare e mobilitare gli organi centrali dell'organismo sovranazionale, colpito dal memorandum che lo staff del CRIA gli ha fatto pervenire (vedi *supra*, nota 119); la lettera termina con un augurio: «I hope that the voices of those who did so much to help the Library to recover and evolve will have some weight in the present situation. However, if you could not succeed in making yourself heard as yet, I feel some misgivings about the chances of agencies which have acquired much lesser rights to the gratitude of the Library authorities». Allegato alla lettera si può leggere il telegramma inviato il 12 gennaio 1971 a Stanislaw Lorentz: «Alarmis situation Bibliothèque nationale Florence concernant contrats experts étrangers stop Avenir coopération internationale en faveur bibliothèque gravement compromis stop Suggérons votre intervention direction générale bibliothèques auprès ministère instruction publique Rome». Il telegramma indirizzato da Gilmore e Licht a Misasi, Roma, databile ai giorni della crisi, recita invece: «Il Comitato americano CRIA è gravemente preoccupato della situazione del Centro di restauro della Biblioteca nazionale a Firenze stop Preghiamo il suo alto intervento per mantenere la collaborazione internazionale che ha tanto contribuito a salvare il patrimonio bibliografico italiano e ha creato un modello per altri paesi stop Con ossequi Myron Gilmore Fred Licht rappresentanti del CRIA a Firenze» (Archivio CRIA, 1, fasc. 7, n. 40).
[133] Archivio CRIA, 1, fasc. 2, n. 27. La lettera fu inviata per conoscenza anche a Meiss, ad Accardo, a Casamassima, alla Giorgetti Vichi e alla direzione della Coop.L.A.T.

no mention to La Nazione of the enormous financial role played by foreign nations [...] which have jointly contributed several million lire since November, 1966. A failure to acknowledge these contributions, and the part which they should rightly play in the *future* work of the Centre, reflects a surprising lack of appreciation on the part of the Directress, in particular, and the Ministero di Pubblica Istruzione, in general. Returning to our native countries in the past year, we have individually discovered that the Centre today enjoys a world-wide reputation of the highest quality. We should therefore be sorely disappointed to see this significant experiment in International Cooperation ended in discord and misunderstanding.

Fra i documenti prodotti dallo IAARF appare di particolare interesse un memorandum, rintracciato fra le carte di Nixon, redatto in data 11 gennaio 1971, in cui viene ricostruita la vicenda secondo il punto di vista degli inglesi. L'esperto della biblioteca del British Museum vi ricostruiva i progetti nati all'indomani dell'alluvione, ricordando la collaborazione internazionale sviluppatasi intorno al progetto della ristrutturazione dei servizi, fortemente sostenuto da Casamassima, cui avevano preso parte la Library of Congress, l'American Library Association e l'Unesco, che aveva portato al "Rapporto Finzi" e che aveva prodotto, già nel 1970, l'automazione di alcuni servizi – realizzata in accordo con ICCU e IBM per quanto riguarda la BNI – per far entrare la BNCF nel progetto MARC della Library of Congress. Secondo la ricostruzione di Nixon, la Nazionale era stata investita da un'ondata di dinamismo, caratterizzata da novità radicali, dall'attivazione di collaborazioni esterne: una situazione questa che aveva permesso di forzare barriere regolamentari, di rompere chiusi circuiti amministrativi e che aveva visto la partecipazione di forze nuove, del tutto indipendenti dal sistema gerarchico, incoraggiate alla discussione e alla risoluzione dei problemi che via via si presentavano, che aveva formalizzato la politica di grande apertura verso l'esterno coraggiosamente intrapresa da Casamassima fin dall'indomani del disastro e che aveva costituito la premessa indispensabile alla collaborazione internazionale. Nixon sottolineava come l'instaurazione della nuova direzione fosse avvenuta fin dall'inizio all'insegna della normalizzazione – rimase colpito dall'espressione della Giorgetti Vichi «son finiti i tempi eroici...», che riportò fra le sue carte – e della volontà di realizzare una piena restaurazione del potere burocratico, mortificando le nuove iniziative. Ricordava infatti come quest'ultima avesse negato il riconoscimento alla commissione interna fin dai primi giorni del suo mandato, come avesse interrotto i rapporti con l'esterno, come avesse duramente respinto il dialogo col Comitato per la Biblioteca nazionale, come avesse interrotto e anzi rovesciato nel loro significato le innovazioni ispirate al rapporto Finzi, rinviando e scoraggiando l'automazione e l'impiego del MARC nella BNI, come si fosse rifiutata di riconoscere il Centro, considerato come pura e semplice cooperativa legata da un rapporto economico di tipo privatistico alla BNCF: Nixon non aveva dubbi che fosse stata proprio la Giorgetti Vichi a provocare la campagna di stampa ostile al Centro, per imporre il nuovo contratto; rilevava in modo particolare come le cifre fornite a *La Nazione* fossero gonfiate, perché le 105.000 lire indicate come prezzo di restauro di ogni singolo pezzo, corrispondevano invece al preventivo di massima stabilito nel bilancio per i volumi di grande pregio. Nixon attribuiva alla nuova direttrice anche la volontà di liquidare il Centro, affossando la proposta di legge che lo voleva istituzionalizzare e rendendo impossibile il progetto del centro internazionale di formazione e ricerca. Il tecnico inglese ricordava infine come il rapporto con i comitati stranieri avesse raggiunto un tale livello di tensione che questi ultimi minacciavano di riprendersi tutti gli strumenti, per un valore di circa 70.000 dollari, cosa possibile visto che legalmente i macchinari e l'intero gabinetto fotografico erano ancora di proprietà del CRIA, in semplice concessione in comodato alla BNCF.

Tale minaccia non fu però mai attuata, così come non vennero chiusi i laboratori di restauro della Biblioteca, né disperse le sue competenze, ma il fatto che la nuova direzione non investisse più in loro, né tanto meno nei progetti di sviluppo che li vedeva protagonisti, portò a una lenta agonia dei laboratori e all'abbandono delle personalità che fino a quel momento li avevano guidati: a Casamassima seguirono infatti Cains, che lasciò il Centro nel marzo del 1972, e infine Crocetti, nell'ottobre di quello stesso anno[134]; l'indignazione e la delusione allontanarono dalla BNCF anche altri protagonisti della stagione di grande entusiasmo e progettualità che aveva caratterizzato la gestione Casamassima: Manetti lascia nel '71, Baglioni nel '74.

---

[134] Cains si trasferì a Dublino, dove fu chiamato a dirigere il costituendo laboratorio di restauro della Old Library del Trinity College, mentre Crocetti assunse le funzioni di soprintendente bibliografico del Servizio regionale per i beni librari della neonata Regione Toscana; secondo la testimonianza di quest'ultimo, però, l'abbandono della BNCF fu dovuto principalmente al fatto che, per motivi di carriera, sarebbe stato costretto ad accettare un trasferimento fuori Regione.

Il Centro non ottenne l'autonomia sperata, i lavoratori entrarono nelle cariche dello Stato nel 1976 e i laboratori andarono lentamente svuotandosi di personale[135]. La dura opposizione ricevuta dallo Stato centrale fece poi irrigidire i lavoratori del Centro nelle conoscenze ed esperienze vissute negli anni di maggiore sviluppo del Centro stesso, privandoli negli anni seguenti degli stimoli a quell'aggiornamento e a quella ricerca che erano state la linfa vitale del laboratorio; se aggiungiamo a tutto questo il mancato reintegro del personale che negli anni andava in pensione – e quindi l'impossibilità della trasmissione dell'esperienza acquisita in una direzione e del confronto con idee nuove nell'altra – e la mancanza di fondi e di collegamento con l'esterno, si comprende la sclerotizzazione che colpì negli anni il laboratorio di restauro, portandolo a una sorta di isolamento anche dall'istituzione stessa di cui faceva parte, che per lunghi anni non lo ha coinvolto nelle scelte che riguardano la normale conservazione, ma lo ha vincolato al ripristino dei danni causati dall'alluvione[136].

Ben presto fu infranto anche il divieto, che a coloro che avevano vissuto le convulse operazioni di recupero appariva quasi naturale, di riutilizzare gli ambienti del seminterrato come magazzini, ivi trasferiti per far posto ai piani superiori a quattrocentocinquanta postazioni per gli utenti della Biblioteca. E questo nonostante si fosse affermato negli anni precedenti: «è superfluo dire che i libri non torneranno mai più negli sciagurati magazzini del seminterrato» e «never again should books be housed or restored below the flood line. These books have survived remarkably well, with a few complete losses, but another flood could tell a very different story»[137]. Di fatto la continua fagocitazione degli spazi liberi (ed erano tanti in una biblioteca monumentale come la Nazionale di Firenze) iniziata durante l'emergenza, continuò negli anni successivi, quando lo spazio per i magazzini era terribilmente insufficiente e la creazione di nuove strutture suppliva appena all'accoglienza del materiale che arrivava in Biblioteca per deposito legale[138].

---

[135] Il laboratorio conta ad oggi sette restauratori. Tre di loro sono stati assunti nel 1999.

[136] Vedi le riflessioni in merito di Claudio Montelatici, all'epoca direttore tecnico del laboratorio della Nazionale, contenute in Claudio Montelatici, *Firenze perché*, «CAB Newsletter», n.s., 2 (1997), n. 1, p. 6-8.

[137] Casamassima, *La Nazionale di Firenze dopo il 4 novembre 1966* cit.; Waters, *Problems of book conservation* cit., p. 1204.

[138] La grande struttura autoportante della Lips-Vago con la quale era stata scaffalata la sala di lettura generale è stata smontata e ricostruita in parte nei locali del-

Per questo è apparso opportuno nel corso degli anni dislocare all'esterno dell'edificio sezioni funzionalmente autonome dei settori di attività, e in particolar modo si è deciso di trasferire il laboratorio di restauro in locali appartenenti all'ex convento di S. Ambrogio (trasferimento portato a termine nel marzo 1997) e l'emeroteca, almeno per le annate fino al 1984, nella casermetta del Forte di Belvedere, trasformando in acquisizione permanente l'utilizzo dei locali del Forte resosi necessario durante la fase di emergenza del dopo alluvione. Quest'ultimo trasferimento poteva dirsi completato nel 1986, quando vi si tenne la mostra *L'edificio della Biblioteca nazionale centrale di Firenze*[139].

4.4 L'eredità dell'alluvione

La presenza nelle collezioni alluvionate di volumi di particolare valore, che potevano vantare possessori noti e una storia rilevante che, depositandosi sul libro, li aveva resi insostituibili nelle loro caratteristiche materiali, e il fatto inoltre che le collezioni in cui tali libri erano conservati avessero l'ambizione di rappresentare l'archivio della produzione editoriale italiana, ebbe grande importanza nello sviluppo dell'idea di restauro del materiale bibliografico, perché ci si trovò di fronte ad un'enorme quantità di materiale da trattare, di cui si volevano salvare tutte le particolarità strutturali[140]:

> We cannot think – even if it were materially possibile – of "replacing" a book, and we cannot consider a simple restitution of legibility. If we wish to restore these books, in the true sense of the word, we must consider each one as a separate case, respecting its individuality, accurately preserving all its structural characteristics and all its documentary value.

---

la casermetta del Forte di Belvedere. Oggi l'introduzione della scaffalatura compact nella maggior parte dei magazzini ha permesso un allentamento della pressione, producendo un guadagno stimato in 15.000 metri lineari, tanto da poter riaprire al pubblico alcune sale monumentali chiuse da tempo, come la Tribuna galileiana, oggi utilizzata come sala conference.
[139] Il catalogo della mostra è stato pubblicato come *L'edificio della Biblioteca nazionale* cit.
[140] *The restoration system of the Biblioteca nazionale centrale di Firenze* cit., p. 3-4.

Si doveva tentare insomma «costi quel che costi, di recuperare il più possibile dei suoi libri riportandoli allo stato migliore»[141]. Inoltre[142]:

> A very large number of these books are clearly of great value and I am as convinced now as I was on entering the library last November, that the chief concern of every person who handles them must be a great respect for each individual book. This means of course that the system must not be allowed to control the books; rather, the needs of the books must control the system.

Questo concetto, che prevedeva l'adattamento del sistema operativo al singolo volume in lavorazione, e l'approccio a quest'ultimo come a un *unicum* mai completamente assimilabile agli altri, fu raggiunto attraverso l'osservazione dei preziosi fondi antichi della Nazionale, ma una volta che fu assimilato acquistò una propria autonomia teorica e diventò quindi applicabile anche al libro moderno, nonostante l'alto livello produttivo richiesto nelle operazioni di ripristino. Si passava insomma dal libro considerato principalmente come testo da salvaguardare al libro visto come oggetto in grado di rappresentare la cultura materiale dell'epoca che lo ha prodotto e che, anche attraverso le sue caratteristiche fisiche, è capace di parlare dei periodi storici che ha attraversato, facendo giungere fino a noi notizie altrimenti irrecuperabili.

La conservazione e il restauro, grazie all'esperienza fiorentina e attraverso l'elaborazione concettuale del direttore dell'alluvione, si affermarono – o iniziarono ad affermarsi – come servizio pubblico a tutti gli effetti; per dirla con Casamassima, «anche la conservazione e il restauro, come l'uso delle biblioteche, devono essere sentiti come una funzione pubblica, come servizio pubblico. È una funzione che va collocata [...] al centro della costellazione dei compiti dell'amministrazione dei beni culturali»[143]: non solo quindi quando lo stato è di emergenza, ma come funzione fondamentale di *routine*.

I concetti che vennero considerati irrinunciabili nell'organizzazione del sistema, così come formulati dai responsabili del laboratorio nel

---

[141] Francesco Barberi, *Il recupero*, in: Francesco Barberi, *Biblioteche in Italia*, Firenze: Giunta Regionale Toscana, La Nuova Italia, 1981, p. 457-465 (testo del maggio 1967).
[142] Dalla più volte citata lettera di Waters a Casamassima del 15 giugno 1967.
[143] Intervento di Casamassima in: *Per Emanuele Casamassima* cit., p. 43-54: p. 52.

1970, illustrano bene il nuovo atteggiamento nato dall'esperienza del Centro[144]:

1. Ciascun libro è un oggetto a se stante, un *unicum*, e non può essere restaurato come un oggetto di serie.
2. Di quest'oggetto non si restaura questo o quell'aspetto, questo o quel particolare, ma la "struttura".
3. Non s'adoperano materiali che non siano di prima qualità o sui quali non esista una letteratura largamente positiva.
4. Nelle collezioni "storiche" e nelle biblioteche "storiche" la nozione di "valore" del libro, nel senso commerciale del termine, non deve aver luogo.

Ne deriva che, se il restauro dei libri deve seguire questi canoni, che sono in fondo quelli che regolano il restauro delle opere d'arte, si dovranno accettare alti costi e rifiutare tutti quegli atteggiamenti che, nelle biblioteche, spingevano – e spingono ancora oggi – al ribasso. Fino a quel momento si restaurava invece senza potersi rifare a linee guida di riferimento, affidando gli interventi a laboratori esterni sul cui operato era difficile applicare alcun controllo[145].

Il considerare il libro come una struttura, un meccanismo che deve rispondere nel migliore dei modi all'apertura e alla conservazione in piedi sullo scaffale, cambiò completamente l'approccio al collaudo e all'osservazione di una legatura, non considerata più solo per la perfezione del suo aspetto esteriore, ma soprattutto per l'assenza di sforzo nei suoi movimenti e per la durabilità delle sue componenti strutturali. L'osservazione che infatti era stata fatta della flessibilità dei diversi materiali utilizzati come supporto di cucitura, della capacità delle diverse strutture di carte di guardia di inserirsi nel blocco delle carte, dello stress imposto o evitato da certe modalità operative rispetto ad altre e così di seguito, divennero insegnamenti ineludibili nel futuro della legatoria di conservazione.

---

[144] Crocetti – Cains, *Un'esperienza di cooperazione* cit., p. 48.
[145] Come affermava Paul N. Banks nel 1967: «An important American museum would not conceive of sending its objects to the type of local picture framer who has a sign in his window advertising the cleaning and restoring of paintings, yet the majority of important American libraries entrust their rare books to people with exactly analogous qualifications» (Paul N. Banks, *The scientist, the scholar and the book conservator: some thoughts on book conservation as a profession*, in: Società italiana per il progresso delle scienze, *Atti della XLIX riunione* cit., 2, p. 1213-1219).

Fondamentale fu inoltre l'attenzione prestata ai materiali, che portò i responsabili del Centro a farne produrre alcuni con precise caratteristiche chimico-fisiche, ritenute indispensabili a una buona riuscita degli interventi di restauro ed anche ad una vera economia, poiché tutte le lunghe e costose operazioni condotte sul volume potevano essere vanificate dall'uso di un materiale inadatto, che in breve tempo avrebbe nuovamente condotto il volume nelle mani del restauratore, in condizioni peggiori di quelle iniziali.

Una delle principali novità inoltre nell'organizzazione degli interventi di restauro, che doveva essere una risposta razionale alla necessità di affrontare una così gran massa di materiale, fu la divisione del lavoro in singole operazioni che dovevano essere affrontate da persone e tecnici diversi, un modello opposto insomma a quello del mondo artigianale che fino ad allora era stato depositario esclusivo del restauro in campo librario: per dirla con le parole dei responsabili del laboratorio, «la rinunzia alla figura del restauratore "tuttofare" [...] in favore di sistemi organizzati, nei quali le prerogative e le caratteristiche del tipo tradizionale del restauratore siano divise tra il "conservatore" vero e proprio e i restauratori specializzati»[146]. Questa suddivisione del lavoro – che rappresenta un modello tuttora oggetto di vivo dibattito – aveva permesso una più ampia ricerca e sperimentazione nei vari settori, che godevano di ampia autonomia, e per questo il laboratorio aveva potuto testare una grande quantità di materiali e di tecniche diverse, imparando quindi a diversificare il proprio lavoro a seconda delle caratteristiche possedute dal materiale da trattare.

La suddivisione del lavoro era bilanciata dalla stretta collaborazione fra Cains e Crocetti, il restauratore e il bibliotecario conservatore, in un'inedita unità di intenti e comprensione delle esigenze reciproche, che ha rappresentato un possibilità di intensa cooperazione fino ad allora inimmaginabile e a tutt'oggi difficile da raggiungere: lavorando insieme, su tavoli affiancati, diventava comprensibile per il bibliotecario, ad esempio, che le legature più interessanti per il re-

---

[146] Crocetti – Cains, *Un'esperienza di cooperazione* cit., p. 46. Nelle parole dell'attuale direttrice della BNCF, Antonia Ida Fontana, «a brand new term made its appearance in the vocabulary of scientific case history: "mass restoration"» (Antonia Ida Fontana, *Lessons from a disaster: 1966-2002*, in: *A Blue Shield for the protection of our endangered cultural heritage: proceedings of the Open Session co-organized by PAC Core Activity and the Section on National Libraries*, translated and edited by Corine Koch, Paris: IFLA, 2003, p. 25-31: p. 26).

stauratore non fossero le piene pelli coperte di impressioni, ma le pergamene flosce rinascimentali, mentre il restauratore poteva penetrare le caratteristiche storiche della collezione, modulando conseguentemente il proprio intervento.

Inoltre la possibilità unica che si era data in Nazionale di osservare e di lavorare su una così grande e variegata quantità di volumi, fu un grande stimolo e punto di partenza per gli studi di storia della legatura che, fino ad allora – e ancora oggi nelle scuole tradizionali –, si era limitata ad essere storia della decorazione della legatura[147]. La grande attenzione posta alla struttura originale mostrata dalla scheda di restauro adottata dal Centro era, in tutto e per tutto, una novità, in quanto non si riscontrava né presso gli artigiani né presso i laboratori pubblici dell'epoca; anzi il fatto che nella scheda fosse previsto uno spazio anche per registrare eventuali cuciture precedenti all'ultima, individuabili dall'osservazione dei fori presenti sul dorso del volume una volta che fosse stato smontato, appariva agli occhi degli altri operatori come una sottigliezza quasi incomprensibile.

L'esperienza fatta a Firenze della creazione *ex novo* di strutture conservative, partendo dall'osservazione di legature storiche, rappresentò poi un passo importante nello sganciare la legatoria usata nel restauro dalla legatoria tradizionale, legittimando e anzi stimolando il restauratore a un approccio creativo e non normalizzato alla struttura della legatura di singoli volumi o gruppi di volumi.

---

[147] Un approccio alla storia della legatura prevalentemente – se non esclusivamente – storico-artistico è ancora oggi dominante in Italia: ne è prova evidente il fatto che la stragrande maggioranza delle voci dell'opera più imponente a questo tema dedicata uscita negli ultimi anni, Federico e Livio Macchi, *Dizionario illustrato della* legatura, Milano: Bonnard, 2002, è dedicata a stilemi e tecniche decorative, mentre scarsa attenzione ricevono le voci che si riferiscono alle strutture più semplici e quindi più diffuse e rappresentative dei secoli che le hanno prodotte. Vengono ad esempio confuse le legature flosce e le semiflosce (cui non è dedicata alcuna voce specifica), delle quali non viene inoltre evidenziata la varietà strutturale; sono ignorate le flosce in carta, non sono evidenziati gli usi dei diversi paesi che le hanno realizzate e viene anzi presentato il modello olandese, che presenta tipiche modalità di manifattura, come comune in tutta Europa; per illustrare infine questo tipo di struttura sono state scelte due immagini che rappresentano esempi di semiflosce olandesi riccamente decorate in oro, oscurando così la caratteristica fondamentale della floscia: l'essere una legatura comune, semplice e maneggevole, perfetta per i piccoli formati destinati a essere letti e studiati frequentemente (vedi i lemmi *Floscia, legatura*, p. 188 e *Olandese, legatura all'*, p. 337-338, l'immagine riprodotta in calce a quest'ultima voce e la tavola XX).

Numerose furono le modalità operative che, dopo l'esperienza fiorentina, si affermarono a livello internazionale, venendo a costituire dei protocolli dai quali non è stato più possibile prescindere: la documentazione fotografica precedente il restauro, ad esempio, o l'uso della carta giapponese e dei veli precollati nel restauro cartaceo, o ancora la necessità di un'ampia documentazione che permetta di ricostruire anche in futuro le operazioni di restauro e i materiali utilizzati.

Una tale rivoluzione nel restauro del materiale bibliografico fu possibile anche perché in quegli stessi giorni, a Firenze, in tutti i campi del restauro si stavano sperimentando nuove tecniche e materiali: nelle metodologie usate in BNCF è evidente il riflesso di tali esperienze. Una delle novità più rilevanti fu ad esempio nell'uso delle resine, sperimentato ampiamente nel restauro pittorico del patrimonio alluvionato ed utilizzato in BNCF, come abbiamo visto, per la realizzazione di veli precollati; il riconoscimento della "vita" dei materiali sottoposti a restauro, di cui si riconoscevano i movimenti provocati dal variare delle condizioni termoigrometriche dell'ambiente di conservazione portò in BNCF allo studio di legature che non immobilizzassero i materiali più fortemente igroscopici, come la pergamena[148], attraverso un'eccessiva dose di adesivo, come si era fatto per lo più fino ad allora, e a un più generale attento uso delle colle, ma questo tipo di approccio lo si ritrova anche nell'abbandono, nel restauro dei dipinti su tavola, dell'impalchettatura, una tecnica che mirava, anch'essa, a immobilizzare, in questo caso il legno.

Più in generale, l'attenzione per le caratteristiche intrinseche del pezzo sottoposto a restauro, il superamento di un approccio puramente estetico all'opera d'arte in favore di una visione storicamente e filologicamente più attenta, è comune a tutte le branche del restauro all'indomani dell'alluvione, come comune è il contrasto che si venne a creare fra le tecniche "fiorentine", nate dall'esperienza del dopo alluvione, e le tecniche "romane", ministeriali, che non sempre, o non subito, di tali esperienze fecero tesoro. La decisione poi di trattenere a Firenze per quanto possibile il materiale alluvionato, invece di inviarlo al restauro fuori città, e di far confluire in riva all'Arno i

---

[148] Lo studio di pratiche e tecniche di restauro che riconoscessero la natura fortemente igroscopica della pergamena, invece di ignorarla o negarla, è stato portato avanti in modo particolare da Clarkson che ha dedicato a tali riflessioni un famoso articolo: *Rediscovering parchment: the nature of the beast*, «The paper conservator» 16 (1992), p. 5-26.

massimi specialisti internazionali, resisi immediatamente disponibili, trasformando la Firenze del dopo alluvione in un luogo di alta sperimentazione, si riscontra un po' dappertutto, come comune è il nuovo atteggiamento collaborativo fra scienziati e storici dell'arte, fra scienziati e storici del libro, prodotto dai confronti sulle modalità di intervento che si imponevano all'indomani dell'alluvione. In questo modo fu possibile in tutti i settori una decisa sprovincializzazione, il superamento di tecniche autoctone e isolate – se pure talvolta d'eccellenza – in una prospettiva di confronto e dibattito internazionale.

Si venne così a creare una comunità di tecnici e di laboratori impegnati nel restauro librario che potevano contare su esperienze e riflessioni comuni, che mettevano finalmente la teoria del restauro librario in linea con quelle del restauro dei manufatti delle arti maggiori[149]:

> The flood rescue effort must be seen as a milestone in the history of the subject (in particular the conservation of library materials) as it enabled a consolidation of basic attitudes as well as the opportunity for further development of materials and techniques, through the meeting and collaboration of conservators from many countries. [...] The interchange of ideas and the occasion to compare and evaluate the whole range of current conservation procedures and materials encouraged the formation of an international consensus as to which were the most appropriate, as well as the crystallization of shared conservation concepts (without eliminating divergent approaches of course).

Purtroppo gli eventi dei primi anni Settanta portarono al declino di questa grande esperienza e all'allontanamento degli esperti stranieri da Firenze, che partirono per non più tornarvi: il naufragio del progetto di un centro internazionale e la volontà della direzione della Biblioteca di interrompere l'esperienza vissuta fino a quel momento facevano sì infatti che la loro presenza diventasse ingombrante. Ma se l'esperienza che avevano vissuto a Firenze non fu valorizzata in Italia, quest'ultima fu invece riconosciuta all'estero e gli elementi principali delle conoscenze acquisite negli anni dal Centro di restauro fiorentino andarono a costituire la base dei presupposti teorici su cui si fondarono i nuovi laboratori di restauro di materiale librario

---

[149] Guy Petherbridge, *Introduction* in: *Conservation of library and archive materials and the graphic arts*, London: Institute of paper conservation, Society of archivists, 1987, p. 1-12: p. 4.

che nacquero in quegli stessi anni e che ebbero tutti come modello quelli della BNCF, com'erano, ma soprattutto sarebbero potuti essere: Waters dal 1971 assunse la carica di *restoration officer* alla Library of Congress, dove Clarkson a più riprese, a partire dal 1972, si occupò della formazione e dell'aggiornamento del personale, mentre Cains, lasciando Firenze nel 1972, fu invitato dal governo irlandese a occuparsi dell'istituzione del laboratorio di restauro della Old Library del Trinity College di Dublino, dove sono conservati i più famosi manoscritti della tradizione celtica ed in particolar modo il Book of Kells, che all'inizio degli anni '60 era stato restaurato proprio da Powell[150]; Clarkson si dedicò inoltre all'insegnamento e alla

---

[150] È interessante notare, per esempio, come la scheda di restauro in uso presso il laboratorio irlandese sia fortemente radicata in quella fiorentina, da cui è stata tratta sostituendo semplicemente le voci che facevano più diretto riferimento all'alluvione con altre più utili per le caratteristiche delle collezioni del Trinity College. Il fatto che l'alluvione di Firenze abbia rappresentato una pietra miliare nello sviluppo del restauro librario è stato oggetto di studio, per quanto riguarda l'ambito statunitense, di Sherelyn Ogden (*The impact of the Florence flood on library conservation in the United States of America: a study of the literature published 1956-1976*, «Restaurator», 3 (1979), n. 1-2, che sintetizza la M.A. thesis dell'autrice, dal titolo *A study of the impact of the Florence flood on the development of library conservation in the United States: 1966-1976*, discussa alla Graduate Library School dell'Università di Chicago). Partendo dalla considerazione che «the Florence flood of November 4, 1966 is asserted by prominent library conservators to be a turning point in the development in conservation in the United States. Paul N. Banks, Conservator of the Newberry Library, and Peter Waters, Restoration Officer of the Library of Congress (LC), frequently have asserted that library conservation has a Biblical nature, that is, conservators tend to view the field in terms of "before the flood" and "after the flood"» (p. 1), l'autrice ha ripercorso la letteratura dedicata al restauro librario riferita al periodo 1956-1976 per individuare la natura dei cambiamenti determinati dall'alluvione e l'impatto da essa provocato sullo sviluppo della teoria della conservazione. Le conclusioni cui giunge la Ogden sono che l'alluvione ha in genere accelerato processi che già erano in corso, ma «the flood was found to mark a turning point in the physical treatment of books of value as cultural artifacts»; l'alluvione ha permesso discussioni più approfondite ed analisi critiche più efficaci sui temi del restauro librario: «the salvage operations raised the level of awareness of the value of conservation and of what constitutes certain conservation treatments» (p. 22). Negli Stati Uniti l'alluvione di Firenze ha in particolare fatto convergere l'attenzione dei tecnici sui temi della deacidificazione di massa e dei trattamenti di massa in genere, delle operazioni per via umida, delle tecniche di rattoppo, delle caratteristiche strutturali delle legature di conservazione e della ricerca scientifica e ha acceso l'interesse dei bibliotecari sui problemi della conservazione.

consulenza per la Bodleian Library; molti altri, che magari avevano iniziato la carriera proprio a Firenze, esportarono in importanti biblioteche di ricerca le proprie esperienze, spesso istituendo nuovi laboratori di restauro.

Fu così che attraverso l'accentramento delle esperienze nel campo del restauro librario alla fine degli anni '60 a Firenze e la successiva dispersione del patrimonio di conoscenze accumulato agli inizi degli anni '70 si vennero a creare a livello internazionale quelle basi comuni concettuali e di esperienza, la cui mancanza aveva spinto il *team* britannico a rinunciare all'ipotesi dell'invio del materiale della Nazionale all'estero in favore dell'istituzione di un unico grande Centro di restauro, e che oggi consentono invece il dialogo a livello internazionale.

Bibliografia

1966-1996, l'alluvione: protagonismo popolare e solidarietà nei quartieri fiorentini: dall'utopia creativa degli anni '60 al realismo nella società del mercato globale. Atti del seminario, Firenze, 2-3 novembre 1996, Baracche verdi. Firenze: Notiziario comunità Isolotto, 1997

4 novembre 1966 ... inizio di una tragedia non ancora compiuta, numero unico di «Iniziativa sociale», 12 (1966), n. 6, datato dicembre

4 novembre. L'Arno straripa a Firenze, a cura di Donatello De Ninno. Firenze: Gloria, 1966

Salvatore Accardo. *Accademie e biblioteche per la diffusione della cultura.* «Accademie e biblioteche d'Italia», 37 (1969), n. 2, p. 88-99

Alessio Altichieri. *Firenze quel giorno morì: poi tutto il mondo la salvò.* «Corriere della sera», 4 novembre 1986, p. 3

Alessandro Bonsanti nel centenario della nascita. Atti del Convegno di studi, 20 aprile 2004. Firenze: Polistampa, 2004

Alessandro Bonsanti: scrittore e organizzatore di cultura. Atti del Convegno di Firenze, 5-6 maggio 1989, a cura di Paolo Bagnoli. Impruneta: Festina Lente, 1990

Alluvione 1966: mostra di pittura e fotografia, Firenze, Palazzo degli affari, 3-14 novembre 1976. Firenze: Ente provinciale per il turismo, 1976

L'alluvione '66: ricordi, memorie per il futuro, a cura di Luca Giannelli. Firenze: Scramosax, 1996

L'alluvione di Firenze [DVD]. Firenze: La Nazione, RAI trade, 2006

L'alluvione di Firenze: gli angeli del fango [DVD]. Novara: De Agostini, RAI trade, 2008

L'alluvione lunga un anno. «La Regione», 13 (1967), n. 16-18

Angela Vinay e le biblioteche, scritti e testimonianze. Roma: ICCU-AIB, 2000

Cesare Annibaldi. *L'Agricola e la Germania di Cornelio Tacito nel ms. latino n. 8 della biblioteca del conte G. Balleani in Iesi.* Città di Castello: Tipografia della casa editrice S. Lapi, 1907

«Antologia Vieusseux», appendici, 3 (1968), n. 1, p. 52-56; n. 2, p. 36-37; n. 3, p. 33-34

L'archivio magliabechiano della Biblioteca nazionale centrale di Firenze, a cura di Paola Pirolo e Isabella Truci. Firenze: Regione Toscana, Giunta regionale, 1996

Giovanni Battista Arduini. *Non è solo fatalità: terre del finimondo.* «Vie nuove» 21 (1966), n. 45, datato 10 novembre, p. 8-13

Arno '66. Fango e ideali. «DOC speciale Toscana», 5 (2006), n. 20

Atti della XLI Riunione della Società italiana per il progresso delle scienze, Siena, 23-27 settembre 1967. Roma: R. Capasso, 1968

Luigi Balsamo. *La Biblioteca nazionale di Firenze e l'alluvione del 4 novembre 1966*. «La Bibliofilia», 68 (1966), n. 3, p. 323-325

Luigi Balsamo. *Dall'interno della Nazionale fiorentina*. «La Bibliofilia», 108 (2006), n. 2, p. 181-183

Luigi Balsamo – Alberto Tinto. *Le origini del corsivo nella tipografia italiana del Cinquecento*. Milano: Il Polifilo, 1967

Paul N. Banks. *The scientist, the scholar and the book conservator: some thoughts on book conservation as a profession* in: Società italiana per il progresso delle scienze. *Atti della XLIX riunione, Siena, 23-27 settembre 1967*. Roma: Società italiana per il progresso delle scienze, 1968, 2, p. 1213-1219

Nicholson Baker. *Double fold: libraries and the assault on paper*. New York: Random House, 2001

Francesco Barberi. *Esperienza di un disastro*. «Associazione italiana biblioteche. Bollettino di informazioni», n.s., 6 (1966), n. 5-6, p. 135-143

Francesco Barberi. *Firenze*. «La parola e il libro», 50 (1967), p. 638-640

Francesco Barberi. *Il recupero* in: Francesco Barberi. *Biblioteche in Italia*. Firenze: Giunta Regionale Toscana, La Nuova Italia, 1981, p. 457-465

Francesco Barberi. *Schede di un bibliotecario, 1933-1975*. Roma: AIB, 1984

Bernardina Bargellini Nardi. *L'alluvione di Piero Bargellini*, a cura di Annegret Höhler e Grego-rio Nardi. Firenze: Edizioni Polistampa, 2006

Piero Bargellini. *Il fiume*, numero speciale de «La Nazione», 4 novembre 1967, p. 1

Bargellini, sindaco dell'alluvione, a cura di Giuliano Borselli. Firenze: Arti grafiche & Gambi, 1976

Piero Bargellini. *Il miracolo di Firenze. I giorni dell'alluvione e gli "angioli del fango"*. Firenze: Società editrice fiorentina, 2006

Piero Bargellini, *La splendida storia di Firenze*. Firenze: Vallecchi, 1964-1969

Nicolas Barker. Editoriale. «The book collector», 16 (1967), n. 1, p. 7-11

Nicolas Barker. *The Biblioteca nazionale at Florence*. «The book collector», 18 (1969), n. 1, p. 11-22

Giorgio Batini. *4 novembre 1966. Diluvio su Firenze: quarant'anni dopo*. Firenze: Bonechi, 2006

Giorgio Batini. *L'Arno in museo: gallerie, monumenti, chiese, biblioteche, archivi e capolavori danneggiati dall'alluvione*. Firenze: Bonechi, 1967

Luciano Bausi. *Il giorno della piena*. Firenze: Bonechi, 1987

David Baynes-Cope. *The study and conservation of globes*. Wien: Internationale Coronelli Gesellschaft, 1985

Nancy Bell – Christopher Clarkson. *Personal and professional reflections: a conversation with Christopher Clarkson*. «The paper conservator», 25 (2001), p. 71-84

318

Massimo Belotti. *Angeli oltre il mito.* «Biblioteche oggi», 14 (1996), n. 10, p. 24

Maria Teresa Biagetti. *Maria Cochetti (Napoli 9.12.1935-Roma 6.7.1998).* «Il bibliotecario», n.s., 15 (1998), n. 2, p. 7-12

Biblioteca Forteguerriana. *Mostra di codici restaurati dai danni dell'alluvione di Firenze.* Pistoia: Centro italiano di studi di storia dell'arte, 1968

Bibliothekswelt und Kulturgeschichte. Eine internationale Festgabe für Joachim Wieder zum LXV Geburstag von seinen Freunden, ed. Peter Schweigler. München: Verlag Dokumentation, 1977

Dennis Blunn – Guy Petherbridge. *Leaf casting: the mechanical repair of paper artefacts.* «The paper conservator», 1 (1976), p. 26-32

William Blunt. *Cockerell: Sydney Carlyle Cockerell, friend of Ruskin and William Morris and director of the Fitzwilliam Museum, Cambridge.* London: H. Hamilton, 1964

Giorgio Bocca. *Angeli nel fango di Firenze per salvare l'Italia ferita.* «La Repubblica», 8 ottobre 2006, p. 40-41

Simone Boldi. *Trovammo Azelide legata alla finestre: viveva in un seminterrato sommerso in Via delle Casine* in: *Speciale alluvione 1966-2006,* p. 21

Luciano Bollosi. *La mostra degli affreschi staccati al Forte Belvedere.* «Paragone», 17 (1966), n. 201, p. 73-79

Alessandro Bologni – Gisella Guasti – Gianna Megli. *Progetto ISPA (Identificazione Spezzoni Alluvio-*

nati). «CAB Newsletter», n.s., 2 (1997), n. 1, p. 2-5

William Boustead. *The anatomy of a book, or the restoration of a flood damaged 19th century illustrated book.* «ICCM bulletin», 2 (1976), n. 4, p. 30-35

Paolo Bugialli. *Tempi duri per i capelloni che bivaccano in Piazza di Spagna.* «Corriere della sera», 6 novembre 1965

Juliusz Bursze – Gabriela Lipkowa. *Udzial polskich konserwatorow w ratowaniu zabytkow Florencji.* «Ochrona zabytkow», 21 (1968), n. 3, p. 77-88

Anthony Cains. *Il libri troppo cari.* «La Nazione», 10 gennaio 1971

Giulia Camerani. *Bibliografia degli scritti di Sergio Camerani.* «Rassegna storica toscana», 19 (1973), n. 2, p. 13-28

Sergio Camerani. *L'Archivio di Stato.* «Antichità viva», 5 (1966), n. 6, p. 115-118

Enrica Caporali – Massimo Rinaldi – Nicola Casagli. *The Arno river floods.* «Giornale di geologia applicata», 1 (2005), p. 177-192

Gabriele Cappelli – Ilaria Della Monica. *L'archivio del Committee to Rescue Italian Art: Ufficio Palazzo Pitti (1966-1973)* [dattiloscritto] (consultabile presso la Berenson Library)

Mauro Cappelletti. *Il sale dell'alluvionato, frammenti di una cronaca fiorentina: novembre 1966-gennaio 1967.* Torino: UTET, 1967

Carta dell'alluvione del 1966 nella provincia di Firenze. Firenze: Provincia, 2006

Mario Cartoni. *In volo per gli Stati Uniti il documentario su Firenze.* «La Nazione», 29 novembre 1966, p. 2

Emanuele Casamassima. *47° Congresso dei bibliotecari tedeschi.* «Accademie e biblioteche d'Italia», 25 (1957), n. 2-3, p. 191-194

Emanuele Casamassima. *Aspetti della conservazione* in: *Atti del corso di formazione del personale di restauro*, a cura dalla Biblioteca nazionale centrale di Firenze. Firenze: BNCF, 1977, p. 3-7

Emanuele Casamassima. *La Biblioteca nazionale dopo il 4 novembre.* «Paragone», 18 (1967), n. 203, p. 34-40

Emanuele Casamassima. *Le contraddizioni del restauro* in: *Oltre il testo: unità e strutture nella conservazione e restauro dei libri e dei documenti*, a cura di Rosaria Campioni. Bologna: Alfa, 1981, p. 95-98

Emanuele Casamassima. *Introduzione*, in: *La cooperazione internazionale per la conservazione del libro.* «Bollettino dell'Istituto di patologia del libro», 29 (1970), n. 1-4, p. 19-20

Emanuele Casamassima. *Litterae antiquae: contributo alla storia della riforma grafica umanistica.* «Gutenberg Jahrbüch», 39 (1964), p. 13-26

Emanuele Casamassima. *La Nazionale di Firenze dopo il 4 novembre 1966.* «Associazione italiana biblioteche. Bollettino di informazioni», n.s., 7 (1967), n. 2, p. 53-66

Emanuele Casamassima. *Note sul metodo della descrizione dei codici.* «Rassegna degli Archivi di Stato», 23 (1963), p. 181-205

Emanuele Casamassima. *Nota sul restauro delle legature.* «Notizie A.I.B.», 3 (1957), n. 1-2, p. 13-21

Emanuele Casamassima. *Per la rinascita della Biblioteca nazionale di Firenze.* «Bollettino del Sindacato nazionale scrittori», 19 (1968), n. 1, p. 18-32

Emanuele Casamassima. Recensione a Ladislaus Buzás, *Der systematische Katalog der Universitätsbibliothek München.* «Accademie e biblioteche d'Italia», 25 (1957), n. 4-6, p. 410-413

Emanuele Casamassima. *Soggettario e soggetti nella Biblioteca nazionale di Firenze.* «Accademie e biblioteche d'Italia», 19 (1951), n. 5-6, p. 378-382

Emanuele Casamassima. *La soggettazione* in: Centro nazionale per il catalogo unico delle biblioteche italiane e per le informazioni bibliografiche. *Manuale del catalogatore*, a cura della Bibliografia nazionale italiana. Firenze: 1970, p. 231-245

Emanuele Casamassima. *Tipografia* nella voce *Grafica e arte del libro* in: *Enciclopedia universale dell'arte*, 6. Venezia-Roma: Istituto per la collaborazione culturale, 1958, col. 511-527

Emanuele Casamassima. *Viaggio nelle biblioteche tedesche (1956-1963), con un saggio di bibliografia dei suoi scritti, 1951-1995*, a cura di Piero Innocenti. Manziana: Vecchiarelli, 2002

Emanuele Casamassima – Emidio Cerulli. *Aspetti, strutture, strumenti del sistema bibliotecario italiano*. «Accademie e biblioteche d'Italia», 37 (1969), n. 3, p. 181-188

Emanuele Casamassima – Luigi Crocetti. *Valorizzazione e conservazione dei beni librari con particolare riguardo ai fondi manoscritti* in: *Università e tutela dei beni culturali: il contributo degli studi medievali e umanistici. Atti del Convegno, Arezzo-Siena, 21-23 gennaio 1977*. Firenze: La Nuova Italia, 1981, p. 283-302

La catastrofe dei libri. London: Powell & Waters, 1969

Emilio Cecchi. *Firenze*. Milano: Mondadori, 1969

Centro erre, numero unico in attesa di autorizzazione (20 giugno 1970)

Centro erre, 1 (1970), n. 1

Mario Chiesa. *Episodi della tragedia di Firenze*. Firenze: Tipografia M. Chiesa, 1967

Robert Clark. *Dark Water. Flood and redemption in the city of masterpieces*. New York: Doubleday, 2008

Chris Clarkson winner of the Plowden Medal 2004 for striving tirelessly to raise standards in book and manuscript conservation. «Paper conservation news», 29 (2004), n. 110, p. 1-3

Ashley Clarke. *Florence and Venice preserved*. «Apollo», febbraio 1969, p. 142-143

Christopher Clarkson. *The Florence flood and its aftermath, 4th November 1966*. «National Diet Library Newsletter», 2004, n. 135, http://www.ndl.go.jp/en/publicatio n/ndl_newsletter/135/Lecture0312-1.pdf

Christopher Clarkson. *An historical study collection. A fundamental tool for the training of the book conservator*. «Bollettino dell'Istituto centrale per la patologia del libro», 44-45 (1990-1991), p. 187-212

Christopher Clarkson. *Limp vellum binding and its potential as a conservation type structure for the rebinding of early printed books*. Hitchen: The Red Gull Press, 1982

Christopher Clarkson. *Rediscovering parchment: the nature of the beast*. «The paper conservator» 16 (1992), p. 5-26

Maria Cochetti. *L'ordinamento dei frammenti dei volumi alluvionati nella Biblioteca nazionale di Firenze*. «Bollettino dell'Istituto centrale per la patologia del libro», 28 (1969), p. 3-7

Douglas Cockerell. *Bookbinding and care of books*. London: J. Hogg, 1901

Sydney Morris Cockerell. *First aid for Florence*. «Archives», 8 (1967), n. 37, p. 24-25

Sydney Morris Cockerell. *The race to save the books of Florence*. «Cambridge news», 4 febbraio 1967

Tristano Codignola. *Per una scuola di libertà: scritti di politica educativa (1947-1981)*. Firenze: La Nuova Italia, 1987

Tristano Codignola. *La riforma universitaria*. «Scuola e città», 22 (1971), n. 5-6, p. 220-229

Tristano Codignola. *Scritti politici (1943-1981)*. Firenze: La Nuova Italia, 1987

Commissione d'indagine per la tutela e la valorizzazione del patrimonio storico, archeologico, artistico e del paesaggio. *Per la salvezza dei beni culturali in Italia*. Roma: Colombo, 1967

X Congresso nazionale dell'Associazione italiana per le biblioteche e Convegno internazionale sul restauro del libro antico, Trieste, 18-22 giugno 1956. Roma: Palombi, 1956

La conservazione dei beni culturali nei documenti italiani e internazionali, 1931-1991, a cura di Guglielmo Monti. Roma: Istituto poligrafico e Zecca dello Stato, 1995

Conservazione, restauro e archeologia del libro: indagine strutturale e conservativa sui codici malatestiani di Cesena. «Informazioni. Istituto per i beni artistici, culturali, naturali della Regione Emilia-Romagna», 5 (1982), p. 4-15

Contro al cieco fiume: quarant'anni dopo, catalogo della Mostra tenuta alla BNCF dal 4 novembre al 16 dicembre 2006. Siena: Protagon, 2006

Cooperativa LAT. *Un'esperienza di restauro: la Coop. LAT per i beni culturali*. Firenze: Cooperativa LAT, 1974

La cooperazione internazionale per la conservazione del libro. Incontro di studi organizzato dalla Biblioteca nazionale centrale di Firenze, sotto gli auspici dell'Unesco e del Ministero della pubblica istruzione, Firenze, 12-13-14 marzo 1970, Palazzo dei

Congressi. «Bollettino dell'Istituto di patologia del libro», 29 (1970), n. 1-4

Guido Crainz. *Il paese mancato*. Roma: Donzelli, 2003

Luigi Crocetti. *Casamassima e Firenze: dal Soggettario all'alluvione*. «Biblioteche oggi», 24 (2006), n. 3, p. 11-14

Luigi Crocetti. *Due note*. «Annali della Scuola speciale per archivisti e bibliotecari dell'Università di Roma», 9 (1969), n. 1-2, p. 211-214

Luigi Crocetti. *Il nuovo in biblioteca e altri scritti*. Roma: AIB, 1994

Luigi Crocetti. *Relazione sulla visita compiuta nel febbraio 1968 nel Regno Unito*. «CAB Newsletter», n.s., 6 (1996), p. 28-32

Luigi Crocetti. *Ricordo di Emanuele Casamassima*. «Biblioteche oggi», 6 (1988), n. 6, p. 23-24

Iris Cutting Origo. *Il mercante di Prato*. Milano: Bompiani, 1958

Arnaldo D'Addario. *I danni subiti dal patrimonio documentario conservato nell'Archivio di Stato di Firenze in seguito all'inondazione del 4 novembre 1966*. «Archivio storico italiano», 124 (1966), n. 4

Arnaldo D'Addario. *Sergio Camerani: una vita dedicata a Firenze*. «Rassegna storica toscana», 19 (1973), n. 2, p. 3-12

Dal 1966 al 1986, interventi di massa e piani di emergenza per la conservazione del patrimonio librario e archivistico. Atti del convegno e catalogo della mostra, Firenze, 20-22 novembre 1986. Roma: Ministero per i beni culturali e ambientali, 1991

Erasmo D'Angelis. *Angeli del fango, la "meglio gioventù" nella Firenze dell'alluvione*. Firenze: Giunti, 2006

David Lees. Firenze: La Strozzina, 1971

David Lees for Life. Triumph from tragedy: i giorni dell'alluvione. Firenze: Polistampa, 2006

David Lees: l'Italia nelle fotografie di Life. Firenze: Polistampa, 2003

Veniero De Giorgi. *Ore nel fango: il vero non ufficiale*. Pescara: Zero, 1967

Giorgio de Gregori. *Un anno fa il 4 novembre: milioni di libri sotto il fango*. «La parola e il libro», 50 (1967), n. 11, p. 707-711; n. 12, p. 787-796

Giorgio de Gregori. *La mia vita tra le rocce e tra i libri*. Roma: AIB, 2003

Giorgio de Gregori – Simonetta Buttò. *Per una storia dei bibliotecari italiani del XX secolo: dizionario bio-bibliografico*. Roma: AIB, 1999

Gianna Del Bono. *La biblioteca professionale di Desiderio Chilovi, bibliografia e biblioteconomia nella seconda metà dell'Ottocento*. Manziana: Vecchiarelli, 2002

Ilaria Della Monica. *The papers of the Committee to Rescue Italian Art*. «Villa I Tatti», 25 (2005), p. 5

Scott W. Devine. *The Florence flood of 1966: a report on the current state of preservation at the libraries and archives of Florence*. «The paper conservator», 29 (2005), p. 15-24

Giovanni Di Domenico. *Problemi e prospettive della biblioteconomia in Italia*. «Bibliotime», 4 (2001), n. 2, http://www.spbo.unibo.it/bibliotime

Giuseppe Di Leva. *Firenze cronaca del diluvio: 4 novembre 1966*. Firenze: Le Lettere, 1996

Il diluvio oggi. Messina-Firenze: D'Anna, 1967

Elisa di Renzo. *Il fondo dell'Italian Art and Archive Rescue Fund al Public Record Office di Londra*. «La Bibliofilia», 108 (2006), n. 2, p. 197-213

Elisa di Renzo. *Fotografare l'alluvione: un'esperienza di studio e catalogazione della raccolta fotografica conservata dalla Biblioteca nazionale centrale di Firenze*. «Biblioteche oggi», 22 (2004), n. 8, p. 43-49

Elisa di Renzo. *Il luogo e la memoria: l'alluvione di Firenze e la Biblioteca nazionale centrale di Firenze attraverso la raccolta fotografica (4 novembre-31 dicembre 1966)*, tesi di laurea in Bibliografia e biblioteconomia, relatore prof. Neil Harris. Università di Firenze, a.a 2001-2002

Distrutti a Firenze i codici pistoiesi. «La Nazione», 10 novembre 1966, p. 11

Dizionario biografico degli italiani. Roma: Istituto dell'enciclopedia italiana, 1960-2009

Dopo il diluvio. «I problemi di Ulisse», 20 (1967), n. 9

Do we want to keep our newspapers?, edited by David McKitterick. London: Office for humanities communication, 2002

L'edificio della Biblioteca nazionale centrale di Firenze. Firenze,
Forte di Belvedere, ottobre-
novembre 1986. Firenze: Karta,
1986

Elizabeth Greenhill, bookbinder: a
catalogue raisonné. Foss, Pitlochry: K.D. Duval, 1986

Dagmar von Erffa. Florenz, 4 November 1966, Einer Stadt wird geholfen. Erlebnisbericht und Dokumentation. Essen: Stifterverband
fur die Deutsche Wissenschaft,
1969

Chiara Faia. Il contributo di Francesco Barberi al restauro librario.
«Biblioteche oggi», 34 (2009), n.
4, p. 13-20

Giorgio Fanelli. Firenze. Bari: Laterza, 1980

Il fango, l'orgolio, il ricordo: oggi
e quarant'anni fa. «Arti & mercature», 43 (2006), n. 2

John Farleigh. The creative craftsman. London: G. Bell, 1950

Domenico Fava. Per l'inaugurazione della nuova Biblioteca nazionale centrale di Firenze. Roma:
Biblioteca d'arte, 1935

Domenico Fava. Il trasporto e la
sistemazione della Biblioteca nazionale centrale di Firenze nella
nuova sede. Luglio - ottobre 1935 -
XIII, relazione a S.E. il Ministro
della educazione nazionale. Firenze: Il Cenacolo, 1936

Carlo Federici – Libero Rossi. Manuale di conservazione e restauro
del libro. Roma: La Nuova Italia
scientifica, 1983

Silvano Fei. Le vicende urbanistiche del quartiere di Santa Croce

dalle origini ai giorni nostri. Firenze: Comune, 1986

Marco Ferri. L'eredità di fango:
cosa rimane da restaurare a Firenze 40 anni dopo l'alluvione. Firenze, 2006 (suppl. a «Il giornale della
Toscana»)

Firenze 4 novembre 1966. Catalogo della Mostra a cura di Luciana
Bigliazzi e Lucia Bigliazzi, Firenze
4-14 novembre 1996. «Atti
dell'Accademia dei Georgofili», 7
(1966), n. 43

Firenze 4 novembre '66. Firenze: a
cura dei commissariati regionali
toscani ASCI e AGI, 1967

Firenze anno zero. Firenze: Giunti-
Bemporad-Marzocco, 1967

Firenze domani. Firenze: Vallecchi, 1967

Firenze guerra & alluvione: 4 agosto 1944 - 4 novembre 1966, testo
di Paolo Paoletti e Mario Carniani.
Firenze: Becocci, 1986

Firenze, l'Arno e gli angeli del
fango [audiovisivo]. Firenze: Mediateca regionale toscana, 2006

Firenze perché. «Il Ponte», 22
(1966), n. 11-12

Firenze. Rassegna del Comune
1965-1968, fascicolo speciale a
cura dell'ufficio stampa del Comune, Aprile 1968

Firenze, verso la città moderna.
Itinerari urbanistici nella città e-
stesa tra Ottocento e Novecento, a
cura di Andrea Aleardi, Corrado
Marcetti. Firenze: Comune, 2006

The flood at Florence two years
later. «The book collector», 18
(1969), n. 1, p. 7-8

Florence sous les eaux, «Paris match», 18 (1966), n. 919, datato 19 novembre

The Florentine. Special edition : 40th anniversary of the Florence flood, November 4th 2006

Antonia Ida Fontana. *Lessons from a disaster: 1966-2002*, in: *A Blue Shield for the protection of our endangered cultural heritage: proceedings of the Open Session co-organized by PAC Core Activity and the Section on National Libraries*, translated and edited by Corine Koch. Paris: IFLA, 2003, p. 25-31

Miriam J. Foot. *A bibliography, 1934-74, of the works of Howard M. Nixon*. «The book collector», 24 (1975), n. 1, p. 161-171

Anna Forlani Tempesti. *Musei minori*, «Antichità viva», 5 (1966), n. 6, p. 82-90

Francesco Barberi: l'eredità di un bibliotecario del Novecento. Atti del convegno, Roma, 5-6 giugno 2006, a cura di Lorenzo Baldacchini. Roma: AIB, 2007

Elisabetta Francioni. *Bibliotecari al confino: Anita Mondolfo*. «Bollettino AIB», 38 (1998), n. 2, p. 167-189

Carlo Frattarolo. *L'Unesco per Venezia e Firenze*. «Accademie e biblioteche d'Italia», 37 (1969), n. 4-5, p. 339-345

Alfred Friendly. *A labour of love in the stacks of Florence*. «Washington post», 15 gennaio 1967, p. E5

Sergio Galli. *Solidarietà internazionale*. «La Nazione», 25 novembre 1966, p. 1

Fausta Gallo. *Moderni metodi di prevenzione e di lotta contro gli agenti biologici dannosi ai libri* in: Società italiana per il progresso delle scienze. *Atti della XLIX riunione, Siena, 23-27 settembre 1967*. Roma: Società italiana per il progresso delle scienze, 1968, 2, p. 1141-1150

Guido Gerosa. *L'Arno non gonfia d'acqua chiara*. Milano: Mondadori, 1967

Guido Gerosa. *Il giorno in cui tutto il mondo si domandò: Firenze è morta?*, «Epoca», 17 (1966), n. 842, datato 13 novembre, p. 48-52

Guido Gerosa. *Le piccole ombre di Aberfan*. «Epoca», 17 (1966), n. 841, datato 6 novembre, p. 44-47

Guido Gerosa. *Qui Firenze. Dopo il diluvio a denti stretti*. «Epoca», 17 (1966), n. 843, datato 20 novembre, p. 36-43

Antonio Giardullo. *Bibliografia degli scritti di Giuseppe Vedovato, 1933-2003*. Firenze: Biblioteca della Rivista di studi politici internazionali, 2003

Giovanni Grazzini, fiorentino. *Critico, giornalista, scrittore*. «Nuova antologia», 137 (2002), n. 2222, p. 261-281

Owen Gingerich. *An annotated census of Copernicus' De revolutionibus (Nuremberg, 1543 and Basel, 1566)*. Leiden-Boston-Köln: Brill, 2002

Barbara Giuffrida. *Book conservation workshop manual, part three: endbands*. «The new bookbinder», 2 (1982), p. 29-39

Barbara Giuffrida. *Book conservation workshop manual, part four:*

the repair of parchment and vellum in manuscript form. «The new bookbinder», 3 (1983), p. 21-41

Mario Giunti. Alluvione: una cronaca. «Pensiero ed arte», 41 (1986), n. 2, p. 14-20; n. 3, p. 27-32; n. 4, p. 13-17

Arturo Gomondi, Proteste a Firenze: le razioni non bastano, la gente ha fame, «Paese sera», 17 novembre 1966, p. 10

Maria Pia Gonnelli Manetti. L'Esopo ricorda Alfiero Manetti. «L'Esopo», 22 (2000), n. 83-84, p. 91-95

Emilia Granzotto. I libri all'ospedale. «Panorama», 6 (1967), n. 52, datato gennaio, p. 22-28

Filippo Grazzini. Cinema e cultura. Il fondo librario e archivistico di Giovanni Grazzini (1925-2001). «Cartevive», 17 (2006), n. 1, p. 79-86

Giovanni Grazzini. Nel diluvio di fuoco della gioventù. «Corriere della sera», 16 novembre 1966, p. 11

Giovanni Grazzini. Si calano nel buio della melma per amore dei libri e di Firenze. «Corriere della sera», 10 novembre 1966, p. 3

Giovanni Grazzini. Si fruga ancora nel fango per ritrovare i capolavori di Firenze. «Corriere della sera», 9 novembre 1966, p. 3

Gisella Guasti. All'inizio del restauro: la preparazione del materiale a stampa, descrizione e collazione. Manziana: Vecchiarelli, 1995

Gisella Guasti. Seppuku: suicidio rituale del laboratorio di restauro

della Biblioteca nazionale centrale di Firenze (con qualche proposta di recupero "virtuale"). «Biblioteche oggi», 14 (1996), n. 10, p. 28-32

Guida agli archivi delle personalità della cultura in Toscana. L'area fiorentina, a cura di Emilio Capannelli e Elisabetta Insabato. Firenze: Olschki, 1996

Guida ai fondi speciali delle biblioteche toscane, a cura di Sandra Di Majo. Firenze: DBA, 1996

Carla Guiducci Bonanni. La Nazionale di Firenze tra passato e presente. «Medioevo e Rinascimento», 2 (1991)

Joszefa Häcklein – Heinrich Kleindorn – Franz Rothman, Bibliografia degli scritti di Piero Innocenti. Trent'anni (et ultra...) di attività bibliografica, politica, erudita: 1969-2001. «Culture del testo e del documento», 2 (2001), n. 5, p. 55-120

Christopher de Hamel. Cockerell as collector. «The book collector», 55 (2006), n. 3, p. 339-366

Christopher de Hamel. Cockerell as entrepreneur. «The book collector», 55 (2006), n. 1, p. 49-72

Christopher de Hamel. Cockerell as museum director. «The book collector», 55 (2006), n. 2, p. 201-223

Arthur T. Hamlin. Libraries in Florence in: Encyclopedia of library and information science, edited by Miriam Drake. New York: Dekker, 2003, 8, p. 532-545

Arthur T. Hamlin. The libraries of Florence. «ALA bulletin», 61 (1967), p. 141-151

Arthur T. Hamlin. *The library crisis in Italy: the danger of inaction in Rome is a more serious threat to the National Library of Florence than the Arno flood.* «Library journal», 92 (1967), n.13, p. 2516-2522

Arthur T. Hamlin. *The university library in the United States, its origins and development.* Philadelphia: University of Pennsylvania press, 1981

Hanno passato la domenica al lavoro per salvare i "libri di Firenze", «Paese sera», 28 novembre 1966, p. 4

Neil Harris. *De revolutionibus in bibliography: analysing the Copernican census.* «The Library», s. 7, 7 (2006), p. 320-329

Dorothy A. Harrop. *Craft binders at work III: Roger Powell.* «The book collector», 22 (1973), n. 4, p. 479-486

Dorothy A. Harrop. *Craft binders at work IV: Sydney Morris Cockerell.* «The book collector», 23 (1974), n. 2, p. 171-178

Dorothy A. Harrop. *Craft binders at work XI: Sally Lou Smith.* «The book collector», 30 (1981), n. 3, p. 315-334

Dorothy A. Harrop. *The Elizabeth Greenhill collection of fine bindings.* «The new bookbinder», 7 (1987), p. 3-8

Frederick Hartt. *Florentine art under fire.* Princeton: Princeton University press, 1949

Roger Hill. *The restoration of books: Florence 1968* [audiovisivo]. London, 1968

Carolyn Price Horton. *Cleaning and preserving bindings and related materials.* Chicago: LTP/ALA, 1967

Carolyn Price Horton. *Saving the libraries of Florence.* «Wilson Library Bulletin», 41 (1967), n. 10, p. 1034-1043

Hans W. Hubert. *L'Istituto germanico di storia dell'arte di Firenze: cent'anni di storia (1897-1997).* Firenze: Il ventilabro, 1997

Piero Innocenti. *Dopo una montatura scandalistica: ancora sulle biblioteche.* «Il Ponte», 27 (1971), p. 277-279

Piero Innocenti. *Nasce «Centro R».* «Il Ponte», 26 (1970), p. 1618-1621

Piero Innocenti. *L'opera di Luigi Crocetti: un grande insegnamento nelle discipline del libro.* «Culture del testo», 1 (1995), n. 3, p. 23-70

Piero Innocenti. *Pretesti della memoria per Emanuele Casamassima. Studi sulle biblioteche e politica delle biblioteche in Italia nel secondo dopoguerra.* «La Specola», 1 (1991), n. 1, p. 150-263

Piero Innocenti. *Gli scritti "tedeschi" di Emanuele Casamassima: 1956-1963.* «Culture del testo e del documento», 5 (2004), n. 13, p. 81-126

Trevor Jones. *The Guild of contemporary bookbinders, 7 April 1955-7 December 1968: notes for a future historian.* «The new bookbinder», 10 (1990), p.13-30

Joseph Judge. *Florence rises from the flood.* «National Geographic», 132 (1967), n. 1, p. 1-43

Yash Pal Kathpalia. *Restoration of flood-damaged documents: experi-*

ence at Florence. «Conservation of cultural property in India», 5 (1970), p. 41-46

Helmut Kortan. *La restauration de gravures de la Bibliotheque Nationale de Florence par la Classe de conservation et technologie de l'Academie des Beaux-arts de Vienne* [dattiloscritto], relazione presentata 6th Joint meeting of the Icom Committee for Museum Laboratories and of the Subcommittee for the Care of Paintings, Bruxelles, 1967 (Biblioteca ICCROM: Icom 1967/33)

Nicholas Kraczyna. *The great flood of Florence, 1966. A photographic essay*. Florence: Syracuse university press, 2006

Paul Oskar Kristeller. *Iter Italicum: a finding list of uncatalogued or incompletely catalogued humanistic manuscripts of the Renaissance in Italian and other libraries*. London: the Warburg Institute, 1965-1993

Frantisek Kusy. *Philip Smith and his contribution to bookbinding art*. «The new bookbinder», 9 (1989), p.22-29

H. Walter Lack – David J. Mabberley. *The Flora Graeca story: Sibthorp, Bauer, and Hawkins in the Levant*. Oxford: Oxford University Press, 1999

Eugene D. LeMire. *A bibliography of William Morris*. New Castle: Oak Knoll Press, 2006

Anna Lenzuni. *Problemi e programmi per la conservazione dei giornali alla Biblioteca nazionale centrale di Firenze* in: *I periodici nelle biblioteche: un patrimonio da salvare. Atti del convegno promosso dalla Biblioteca nazionale Brai-* *dense, Milano, 26 febbraio 1983*, a cura di Carlo Carotti e Lorenzo Ferro. Milano: F. Angeli, 1984, p. 93-96

Lettere e carte Magliabechi: inventario cronologico, a cura di Manuela Doni Garfagnini. Roma: Istituto storico italiano per l'età moderna e contemporanea, 1988

I libri del Duomo di Firenze. Codici liturgici e biblioteca di Santa Maria del Fiore (secoli XI-XVI), a cura di Lorenzo Fabbri e Monica Sacconi. Firenze: Centro Di, 1997

Fred Licht. *Building a network of support for conservation: the Committee to Rescue Italian Art* [dattiloscritto], inviato al convegno *Conservation legacies of l'alluvione: a symposium commemorating the 40th anniversary of the flood*, Firenze 10-11 novembre 2006

Carlo Lienzi. *Ci fanno pagare caro il restauro dei libri*. «La Nazione», 8 gennaio 1971, p. 3

Il linguaggio della biblioteca. Scritti in onore di Diego Maltese, a cura di Mauro Guerrini. Milano: Bibliografica, 1996

Pier Francesco Listri. *Tutto Bargellini: l'uomo, lo scrittore, il sindaco*. Firenze: Nardini, 1989

Andrea Lombardinilo. *La scomparsa di Guy Tosi, tra i maggiori dannunzisti francesi*. «Rassegna dannunziana», 18 (2000), n. 38, p. 47-48

Federico Macchi – Livio Macchi. *Dizionario illustrato della legatura*. Milano: Sylvestre Bonnard, 2002

John William Mackail. *The life of William Morris*, with an introduction by Sydney Cockerell. London: Oxford University Press, 1950

René Maheu. *For Florence and Venice*. «The Unesco courier», 20 (1967), n. 1, p. 4-5

Roberto Maini. *Un'occasione perduta: i problemi aperti dall'alluvione nella testimonianza di Luigi Crocetti*. «Biblioteche oggi», 14 (1996), n. 10, p. 20-23

Laura Malatesti. *Bibliografia degli scritti di Alessandro Bonsanti*. Firenze: Polistampa, 2003

Beatrice Manetti. *Tutti i nomi delle vittime dell'alluvione di 40 anni fa.* «La Repubblica», 14 ottobre 2006, p. 9 della cronaca di Firenze

Maria Mannelli Goggioli. *La biblioteca Magliabechiana: libri, uomini, idee per la prima biblioteca pubblica a Firenze*. Firenze: L.S. Olschki, 2000

Ugo Maraldi. *Ascoltiamo i tecnici: si può evitare che i fiumi portino la morte*. «Panorama», n. 51 (1966), datato dicembre, p. 14-20

Maro Marcellini – Gian Luigi Corinti. *Acqua passata. L'alluvione del 1966 nei ricordi dei fiorentini*. Firenze: Giunti, 2006

Sergio Marchini. *Periodici nel fango*. «Biblioteche oggi», 14 (1996), n. 10, p. 25-28

Marino Raicich, intellettuale di frontiera. Firenze: Olschki, 2000

Silvia Messeri – Sandro Pintus. *4 novembre 1966: l'alluvione a Firenze. 4th November 1966: the flood in Florence*. Firenze: Ibiskos, 2006

Giovanni Michelucci. *Il quartiere di Santa Croce nel futuro di Firenze*. Firenze: Officina, 1968

Ulrich Middeldorf. *Istituti stranieri e collezioni private*. «Antichità viva», 5 (1966), n. 6, p. 106-107

Bernard C. Middleton. *Elizabeth Greenhill at ninety*. «The new bookbinder», 17 (1997), p. 3-4

Bernard C. Middleton. *A history of English craft bookbinding technique*. New York & London: Hafner, 1963

Bernard C. Middleton. *The restoration of leather bindings*. Chicago: ALA, 1972

Anita Mondolfo. *Biblioteca* in: *Enciclopedia italiana di scienze, lettere ed arti. Appendice I.* Roma: Istituto dell'enciclopedia italiana, 1938, 1, p. 273

Anita Mondolfo. *Salomone Morpurgo (17 novembre 1860-8 febbraio 1942)*. «Accademie e biblioteche d'Italia», 29 (1961), n. 5, p. 341-351

Indro Montanelli. *"Piove, Governo ladro!"*. «La Domenica del Corriere», 66 (1966), n. 48, datato 27 novembre, p. 7

Claudio Montelatici. *Firenze perché*. «CAB Newsletter», n.s., 2 (1997), n. 1, p. 6-8

Claudio Montelatici. *Restauro e conservazione del libro*. «Culture del testo», 6 (1996), p. 95-99

Francesca Morandini. *Un convegno sul restauro di massa del materiale cartaceo danneggiato dall'acqua: Archivio di Stato di Bückeburg, 17-18 febbraio 1970*. «Rassegna degli archivi di Stato», 30 (1970), n. 2, p. 427-437

Francesca Morandini. *Emergency action: an account of the floods of 4 november 1966 in Florence. Description of the method used in salvaging and administering first aid to damaged archives and libraries.* «Pact», 9 (1985), n. 12, p. 273-294

Francesca Morandini. *Interventi in casi di sinistri: una esperienza diretta. L'inondazione del 4 novembre 1966 a Firenze: descrizione dei metodi e dei sistemi impiegati per recuperare i pezzi danneggiati degli archivi e delle biblioteche.* «Bollettino dell'Istituto centrale per la patologia del libro», 36 (1980), p. 377-392

Francesca Morandini. *Sistemi di recupero e di primo intervento sui documenti degli archivi fiorentini danneggiati dall'alluvione del 4 novembre 1966* in: *La protezione e il restauro dei beni culturali.* Firenze: Regione Toscana, Giunta regionale, 1987, p. 11-25

Luciana Mosiici. *Emanuele Casamassima.* «Archivio storico italiano», 147 (1989), p. 909-913.

Franco Nencini. *Firenze è rinata; però trema.* «Quattrosoldi». 7 (1967), n. 10, p. 50-52

Franco Nencini. *Firenze i giorni del diluvio.* Firenze: Sansoni, 1966

Francesca Niutta. *Ritrovamenti e scoperte: tre codici latini acquistati dalla Biblioteca nazionale centrale di Roma.* «Roma moderna e contemporanea», 2 (1994), n. 3, p. 841-845

Howard M. Nixon. *British aid for Florence.* «The book collector», 16 (1967), n. 1, p. 29-35

Howard M. Nixon. *Roger Powell & Peter Waters.* Froxfield: The Slade, 1965

Il nomos della biblioteca: Emanuele Casamassima e trent'anni dopo, a cura di Roberto Cardini e Piero Innocenti. Firenze: Polistampa, 2008

Ove K. Nordstrand. *Centro internazionale per la salvaguardia di libri e documenti.* «CAB Newsletter», n.s., 6 (1996), p. 32-36

Notiziario del Comitato centrale di coordinamento per il restauro e la conservazione del patrimonio artistico e culturale danneggiato dall'alluvione del 4-11-1966, 1 (1967), n. 2

Diego Novelli. *Un cimitero di auto Fiat alluvionate in un acquitrino presso Moncalieri.* «L'Unità», 22 gennaio 1967, p. 8

Novembre 66: non è successo niente, a cura di Tullio Ristori. Firenze: Club degli autori, 1967

Nuovo soggettario. Guida al sistema italiano di indicizzazione per soggetto. Prototipo del Thesaurus. Milano: Bibliografica, 2006

Sherelyn Ogden. *The impact of the Florence flood on library conservation in the United States of America: a study of the literature published 1956-1976.* «Restaurator», 3 (1979), n. 1-2

Alessandro Olschki. *Allora fu il diluvio.* «Società canottieri Firenze», 2006, n. 2, p. 10-13

Alessandro Olschki. *Prima, durante e dopo il diluvio,* «La Bibliofilia», 108 (2006), n. 2, p. 185-196

Omaggio ad Augusto Campana, a cura di Cino Pedrelli. Cesena: Società di studi romagnoli, 2003

Hans Peder Pedersen. *Conservation and restoration of graphic materials from archives, libraries and art collections in the Nordic countries.* «Pact», n. 12 (1985), p. 213-225

Per Emanuele Casamassima, Firenze, Palazzo Riccardi, 23 ottobre 1970. Firenze: Provincia, 1971

Per Emanuele Casamassima, un incontro di studi su scrittura, libro, biblioteche. Firenze, 16-17 marzo 1990. «Medioevo e Rinascimento», n.s., 2 (1991)

Ilaria Pescini. *Bibliografia degli scritti di Emanuele Casamassima.* «Medioevo e Rinascimento», 3 (1989), p. xiii-xxii

Ilaria Pescini. *Bibliografia degli scritti di Emanuele Casamassima. Addendum.* «Medioevo e Rinascimento», 5 (1991), p. ix-xi

Guy Petherbridge. *Introduction* in: *Conservation of library and archive materials and the graphic arts.* London: Institute of paper conservation, Society of archivists, 1987, p. 1-12

Armando Petrucci. *Storia della scrittura come storia di strutture: originalità e tradizione nell'opera di Emanuele Casamassima paleografo.* «Medioevo e Rinascimento», 5 (1991), p. 105-118

Giovanni Pettenati. *La biblioteca di Firenze, ora.* «Gazzetta di Parma», 31 marzo 1967, p. 3

G. Piazzi. *È possibile che un bagno di fiume basti a distruggerci*

l'automobile?. «Oggi», 22 (1966), n. 49, datato 8 dicembre, p. 92-93

Polemizzano (senza smentire) sul costo dei libri restaurati. «La Nazione», 9 gennaio 1971, p. 4

Eugene Barnum Power. *Edition of one: the autobiography of Eugene B. Power, founder of University Microfilms.* Ann Arbor, 1990

Philip H. Power. *Eugene Barnum Power (4 June 1905-6 December 1993).* «Proceedings of the American philosophical society», 139 (1995), n. 3, p. 300-304

Prima documentazione generale della situazione meteorologica relativa alla grande alluvione del novembre 1966. Roma: CNR, 1968

Ilario Principe – Paolo Sica. *L'inondazione di Firenze del 4 novembre 1966.* «L'Universo», 47 (1967), n. 2, p. 192-222

La protezione del patrimonio artistico nazionale dalle offese della guerra aerea. Firenze: Le Monnier, 1942

Giulio Prunai. *Gli archivi non statali della Toscana.* «Antichità viva», 5 (1966), n. 6, p. 119-123

Giulio Prunai. *Gli archivi toscani e i danni del quattro novembre.* «Archivio storico italiano», 124 (1966), n. 4, p. 610-640

Eugenio Pucci. *Il diluvio su Firenze.* Firenze: Bonechi, 1966

Carlo Ludovico Ragghianti. *Firenze dopo l'inondazione: presente e futuro.* «Critica d'arte», 13 (1966), n. 82-84, p. 121-130

Marino Raicich. *Lettera del compagno Raicich sul Centro di re-*

stauro del libro. «L'Unità», 14 gennaio 1971

Rapporto sui danni al patrimonio artistico e culturale. Firenze: Giunti-Barbera, 1967

Razionalizzazione e automazione nella Biblioteca nazionale centrale di Firenze. Incontro di studi organizzato dall'Unesco e dal Ministero della pubblica istruzione, Firenze, 29-31 ottobre 1968, atti a cura di Diego Maltese. Firenze: Biblioteca nazionale centrale, 1970

Ronald Reed. Ancient skins, parchments and leathers. London & New York: Seminar press, 1972

Relazioni internazionali: scritti in onore di Giuseppe Vedovato. Firenze: Biblioteca della Rivista di studi politici internazionali, 1997-2000

Renato Piattoli in memoriam: bibliografia degli scritti e opera postuma. Prato: a cura della Cassa di risparmio e depositi, 1976

The restoration system of the Biblioteca nazionale centrale di Firenze, [testo di Anthony Cains, introduzione di Luigi Crocetti, note sulle stampe e ricetta per la colla di Joe Nkrumah]. Firenze, 1968

Roger Powell, the complete binder: Liber amicorum, edited by Guy Petherbridge and John L. Sharpe. Turnhout: Brepols, 1996

N. Romieri. Operazione alluvione alla Biblioteca nazionale centrale di Firenze. «Il ragioniere segretario economo», 3 (1967), n. 1, p. 4-11

Libero Rossi. Die florentinische Alluvione: cronache di una ricostruzione incompiuta. «Biblioteche oggi», 14 (1996), n. 10, p. 6-19

Libero Rossi. Vecchie e nuove alluvioni. Il piano di emergenza per biblioteche e archivi. Manziana: Vecchiarelli, 2005

Leo Rossi. Firenze quattro anni dopo. «Epoca», 22 (1971), n. 1060, datato 17 settembre, p. 37-52

Clementina Rotondi. Progetti e polemiche per la nuova sede della Biblioteca nazionale di Firenze tra la fine dell'800 ed i primi anni del '900, in: Miscellanea di studi in onore di Anna Saitta Revignas. Firenze: L.S. Olschki, 1978, p. 301-325

Nicolai Rubinstein. Libraries and archives of Florence. «Times literary supplement», 12 gennaio 1966, p. 1133

Nicolai Rubinstein. Return to Florence, January 1967. «The book collector», 16 (1967), n. 1, p. 26-28

Il sapere della nazione: Desiderio Chilovi e le biblioteche pubbliche nel XIX secolo, a cura di Luigi Blanco e Gianna Del Bono. Trento: Provincia autonoma, 2007

Giancarlo Savino. La Biblioteca Forteguerriana e l'alluvione di Firenze. «Bollettino storico pistoiese», 68 (1966), p. 153-154

Giancarlo Savino. Dante e dintorni, a cura di Marisa Boschi Rotiroti. Firenze: Le Lettere, 2003

Giancarlo Savino. Ricordo di Emanuele Casamassima. «Medioevo e Rinascimento», 3 (1989), p. x

Arminio Savioli. Moro per poche ore a Firenze in visita semiclandestina. «L'Unità», 19 gennaio 1966, p. 3

Federico Scianò. *Paolo VI viandante nel dolore*. Firenze: Le Monnier, 1967

Scritti di storia dell'arte in onore di Ugo Procacci, a cura di Maria Grazia Ciardi Dupré Dal Poggetto e Paolo Dal Poggetto. Milano: Electa, 1977

Aristide Selmi. *Firenze un anno dopo il diluvio*. «La Domenica del Corriere», 63 (1967), n. 43, p. 23-33

Giovanni Semerano. *Biblioteche*. «Antichità viva», 5 (1966), n. 6, p. 108-114

Ornella Signorini Paolini. *Il laboratorio di restauro dell'Archivio di Stato di Firenze*. «Kermes», 15 (2002), n. 48, p. 49-55

Randy Silverman. *Toward a National Disaster Response Protocol*. «Libraries & the Cultural Record», 41 (2006), n. 4, p. 497-511

Philip Smith. *An autobiography of indebtedness*. «The new bookbinder», 1 (1981), p. 39-51

Sally Lou Smith. *A tribute to John Corderoy*. «The paper conservator», 1 (1976), p. 1

Soggettario per i cataloghi delle biblioteche italiane, a cura della Biblioteca nazionale centrale di Firenze. Firenze: Il Cenacolo, 1956

Henry Halliday Sparling. *The Kelmscott press and William Morris master-craftsman*. London: Macmillan, 1924

Speciale alluvione 1966-2006, suppl. a «La Nazione», 4 novembre 2006

Speciale Arno [programma televisivo andato in onda su Rai Uno il 4 novembre 1996]

Marcello Staglieno. *Montanelli: novant'anni controcorrente*. Milano: Mondadori, 2001

Storia d'Italia. Volume quinto. I documenti, 2. Torino: Einaudi, 1973

Studi bibliografici. Atti del convegno dedicato alla storia del libro italiano nel V centenario dell'introduzione dell'arte tipografica in Italia, Bolzano, 7-8 ottobre 1965. Firenze: Olschki, 1967

Studi di biblioteconomia e storia del libro in onore di Francesco Barberi. Roma: Associazione italiana biblioteche, 1976

Studi e testimonianze offerti a Luigi Crocetti, a cura di Daniele Danesi, Laura Desideri, Mauro Guerrini, Piero Innocenti, Giovanni Solimine. Milano: Bibliografica, 2004

Josef Stumvoll. *Florenzhilfe*. «Biblos», 16 (1967), p. 235-241

Alfredo Stussi. *Salomone Morpurgo: biografia, con una bibliografia degli scritti*. «Studi mediolatini e volgari», 21 (1973), p. 261-337

Giovanni Targioni Tozzetti. *Disamina d'alcuni progetti fatti nel secolo XVI, per salvar Firenze dalle inondazioni dell'Arno*. Firenze: nella stamp. di S.A.R. per Gaet. Cambiagi, 1767

Andrea Testa. *Quando il denaro è demone*. «Quattrosoldi», 7 (1967), n. 77, p. 46-51

Testimonianze per un maestro. Ricordo di Augusto Campana. Roma, 15-16 dicembre 1995, a cura di

Rino Avesani. Roma: Edizioni di storia e letteratura, 1997

There is nothing dry in Florence but the wit. «The Economist», 221 (1966), n. 6430, datato 19 novembre, p. 786

Alberto Tinto. Annali tipografici dei Tramezzino. Venezia: Istituto per la collaborazione culturale, 1966

Alberto Tinto. Gli annali tipografici di Eucario e Marcello Silber (1501-1527). Firenze: Olschki, 1968

Alberto Tinto. Il corsivo nella tipografia del Cinquecento, dai caratteri italiani ai modelli germanici e francesi. Milano: Il Polifilo, 1972

Alberto Tinto. La tipografia medicea orientale. Lucca: Pacini Fazzi, 1987

Giorgio Torrini. Firenze: immagini 1944-1994. Firenze: Giorgi & Gambi, 1994

Traversando l'alluvione in Toscana. «La Regione», n.s., 13 (1966), n. 13-15

Harold Tribolet. Flood damage to Florence's books and manuscripts. Chicago: The Lakeside press, 1967

Harold Tribolet. Restoration in Florence. Chicago: The Lakeside press, 1967

Ugo Procacci a cento anni dalla nascita. Atti della giornata di studio, Firenze, marzo 2005. Firenze: Edifir, 2006

Università degli studi di Firenze. Catalogo dei fondi speciali. Firenze: Università, 1998

Tomaso Urso. Una biblioteca in divenire: la biblioteca della Facoltà di lettere dalla penna all'elaboratore. Firenze: Firenze University press, 2000

Tomaso Urso. Pagine sommerse. «L'Universo», 47 (1967), n. 4, p. 675-689

Elisabetta Vagaggini. Lungo i binari del tempo, 1946-1996: cinquant'anni di storia della cooperativa L.A.T.. Firenze: Graficalito, 1996

Elisabetta Vagaggini. Lungo i binari del tempo, 1946-2006: sessant'anni di storia della Cooperativa L.A.T. Firenze, 2006

Giuseppe Vedovato. Difesa di Firenze e dei beni artistico-culturali. Firenze: Le Monnier, 1968

Peter Waters. Problems of book conservation: the restoration Center at the Biblioteca nazionale centrale in Florence in: Società italiana per il progresso delle scienze. Atti della XLIX riunione, Siena, 23-27 settembre 1967. Roma: Società italiana per il progresso delle scienze, 1968, p. 1141-1150

Peter Waters. Procedures for salvage of water-damaged library materials. Washington: Library of Congress, 1975

Richard F. Young. An American bookbinder's work in Florence. A brief account of his experience. «Library of Congress information bulletin», Appendix, 25 aprile 1968

Marta Zangheri Balduini. Bibliografia degli studi di storia della scienza di Maria Luisa Righini Bonelli. «Annali dell'Istituto e Museo di storia della scienza di Firenze», 7 (1982), n. 2, p. 169-178

Luciano Zeppegno. *Dieci anni fa l'Arno straripò e la città fu sommersa dal fango*. «Corriere della sera», 5 novembre 1976, p. 13

Valdo Zocchi. *Quattro alla finestra*. Firenze: Istituto professionale «Leonardo da Vinci», 1967

Siti e pagine web consultati

Per tutti si intende che l'ultima consultazione è stata fatta a giugno 2009

http://adoptabook.bl.uk
http://proquest.com
http://www.abbaziagreca.it
http://www.aib.it/aib/editoria/dbbi20/dbbi20.htm
http://www.aib.it/aib/stor/bio/degregorig.htm
http://www.aib.it/aib/stor/bio/maltese.htm
http://www.angelidelfango.it
http://www.bncf.firenze.sbn.it
http://www.clarksonconservation.com
http://www.columbia.edu/cu/lweb/archival/collections/ldpd_4078860/index.html
http://www.columbia.edu/cu/lweb/eresources/archives/collections/html/4079550.html
http://www.cooplat.it
http://www.cultura.toscana.it/architetture/architetture_900/index.shtml
http://www.designerbookbinders.org.uk
http://www.digmap.eu
http://www.fotolocchi.it
http://www.iccrom.org
http://www.icpal.beniculturali.it
http://www.loc.gov/marc
http://www.monteolivetomaggiore.it
http://www.ndl.go.jp/en/publication/ndl_newsletter/135/Lecture0312-1.pdf
http://www.nuff.ox.ac.uk/politics/aberfan/home2.htm
http://www.opsi.gov.uk
http://www.pieroinnocenti.net
http://www.rdw.co.uk
http://www.sba.unifi.it/fondi/economia.htm#7
http://www.sba.unifi.it/fondi/lettere.htm#32
http://www.selvicoltura.org
http://www.spbo.unibo.it/bibliotime
http://www.thehfgroup.com/ecsover.htm
http://www.vieusseux.fi.it

Archivi visionati

Archivio Cains, privato
Archivio Clarkson, privato
Archivio CRIA, conservato presso Villa I Tatti
Archivio IAARF, conservato presso il Public Record Office (PRO) di Londra
Archivio Nixon, conservato presso la British Library
Archivio BNCF, conservato presso la BNCF
Archivio BNCF, Restauro, conservato presso il laboratorio di restauro della BNCF

Indice dei nomi

343

Illustrazioni

La scelta delle fotografie è una commistione fra immagini molto note e più volte pubblicate ed altre finora inedite. Tutte le scelte operate rispondono però al criterio di un legame stretto con il testo sia dell'introduzione sia dei capitoli del libro. Si è cercato inoltre di migliorare l'interpretazione dell'immagine con una didascalia estesa, a sua volta correlata con fatti discussi nel testo. La sequenza delle immagini, nei limiti del possibile, segue l'ordine degli eventi, anche se in alcuni casi le differenze sono di pochi minuti. Ogni didascalia indica il credito del fotografo o dell'agenzia autore o proprietario dello scatto: nel caso delle immagini tratte dall'archivio della BNCF l'indicazione va fatta risalire agli appunti o ai timbri apposti sul retro della foto. Segue l'indicazione della data e, se deducibile da elementi interni alla fotografia, dell'ora probabile dello scatto. Tali indicazioni vengono giustificate in modo sintetico; in particolare, nel caso di Vaghi la data indicata deriva dal timbro che il fotografo ha apposto sul verso delle stampe conservate in BNCF, mentre in quello di Richard F. Young essa è stabilita dal suo periodo di permanenza a Firenze, dall'agosto al novembre 1967.

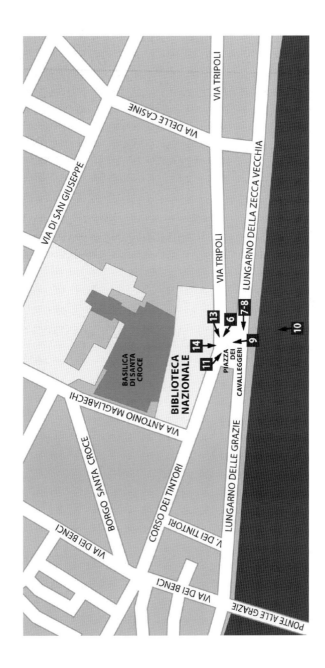

Fig. 1: Gli immediati dintorni della BNCF: le frecce indicano la direzione in cui sono state scattate le fotografie corrispondenti alle fig. 6-11, 13-14.

Fig. 2: Il centro di Firenze.

1. BNCF, sede attuale
2-3. Localizzazioni alternative proposta per la costruzione della BNCF
4. Gabinetto scientifico-letterario G.P. Vieusseux
5. Facoltà di lettere e filosofia
6. Facoltà di giurisprudenza e di scienze politiche
7. Facoltà di architettura
8. P.zza S. Marco (Rettorato e Accademia di belle arti)
9. Conservatorio statale di musica Luigi Cherubini
10. Biblioteca della comunità israelitica
11. Kunsthistorisches Institut in Florenz
12. Istituto storico della Resistenza in Toscana
13. Accademia dei Georgofili
14. Consento delle Oblate (Biblioteca e archivio del Risorgimento, Accademia
    toscana di scienze e lettere La Colombaria, Biblioteca e Archivio comunale)
15. Archivio di Stato
16. Museo dell'Opera del Duomo
17. Museo e Centro didattico nazionale di studi e documentazione
18. Museo nazionale del Bargello
19. Museo Horne

347

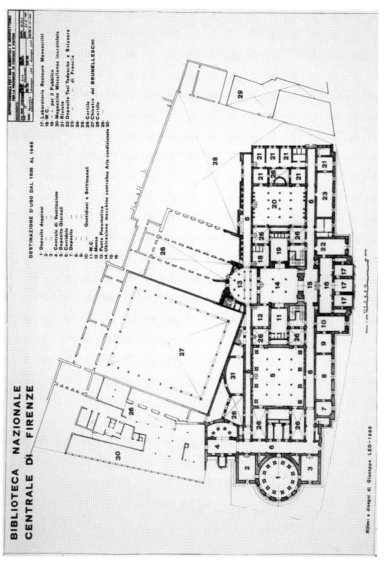

Fig. 3. Destinazione d'uso del piano seminterrato della BNCF dal 1935 al 1945.
Da *L'edificio della Biblioteca nazionale centrale di Firenze* cit., p. 53.

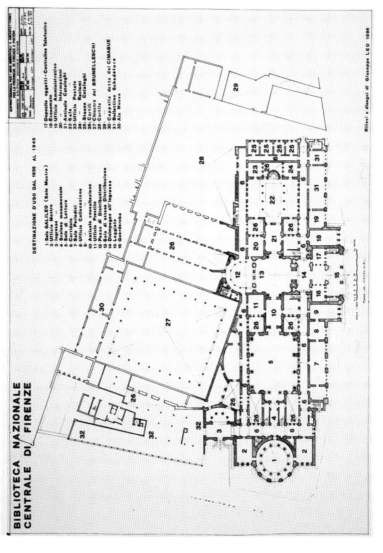

Fig. 4. Destinazione d'uso del piano terreno della BNCF dal 1935 al 1945.
Da *L'edificio della Biblioteca nazionale centrale di Firenze* cit., p. 54.

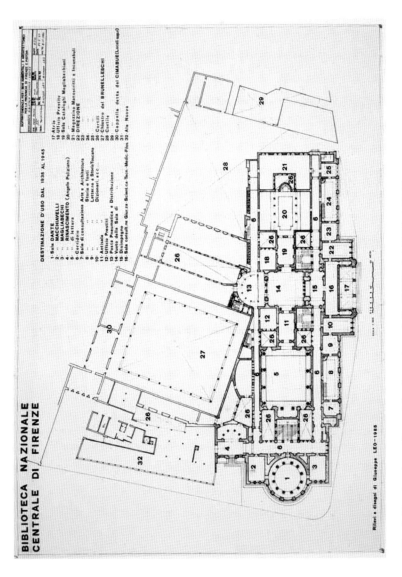

Fig. 5. Destinazione d'uso del primo piano della BNCF dal 1935 al 1945.
Da *L'edificio della Biblioteca nazionale centrale di Firenze* cit., p. 55.

Fig. 6. New Press Photo. 4 novembre 1966, 6.45 circa.
Fiat Cinquecento bianca, con le ruote nell'acqua, parcheggiata accanto
agli scalini dell'ingresso principale della BNCF, sull'angolo fra piazza
dei Cavalleggeri e via Tripoli. Dietro si vede la prima finestra
della sequenza orientale. Sul porticato e sulle scalinate della BNCF sono
visibili le transenne collocate contro il pericolo di caduta di frammenti
dal cornicione (p. 22).

Fig. 7. Masotti (Archivio BNCF). 4 novembre 1966, 7.20 circa.
L'inizio dell'esondazione sul lungarno delle Grazie, con l'acqua che corre
verso piazza dei Cavalleggeri. Nel dente la Fiat Cinquecento targata
FI 282333 e una bicicletta, mentre contro il muro del lungarno
è intrappolato un albero (p. 20).

Fig. 8. Associated Press (La presse). 4 novembre 1966, 7.30 circa.
Foto di Torrini con l'arrivo della piena che, trattenuta dal ponte e dal forte
vento di Ponente, inonda il lungarno delle Grazie. Il livello dell'acqua arriva
alla targa della Fiat Cinquecento e sta per catturare la Fiat Seicento
sull'angolo fra piazza dei Cavalleggeri e il lungarno della Zecca vecchia
(p. 23).

Fig. 9. New Press Photo. 4 novembre 1966, 7.30 circa. Il livello dell'acqua, salendo drammaticamente, trascina attraverso la piazza un furgoncino Fiat 850T galleggiante. A destra si vede la Fiat Cinquecento della fig. 6, dove l'acqua ha ormai raggiunto i finestrini (p. 22).

Fig. 10. Pezzatini (*Firenze perché* cit., fig. 7). 4 novembre 1966, 8.30 circa. Foto scattata da piazzale Michelangelo con piazza dei Cavalleggeri ormai sommersa. Nell'angolo del marciapiede rialzato sopra il dente si vedono due persone con ombrelli. Si riconoscono l'albero intrappolato e la Seicento parcheggiata sull'angolo, mentre il furgoncino è stato spazzato via (p. 24).

Fig. 11. Locchi. 4 novembre 1966, 8.30 circa. Foto di Brunetti dal tetto dell'ala ovest della BNCF, con piazza dei Cavalleggeri sommersa. È visibile soltanto il tetto della Fiat Cinquecento, girata, parcheggiata nel dente. La Seicento, galleggiando, è stata portata avanti di qualche metro sul lungarno (p. 20).

Fig. 12. Pier Luigi Brunetti («Antichità viva», 5 (1966), n. 6, p. 109).
4 novembre 1966, pomeriggio. La sala distribuzione quando le acque hanno
raggiunto ormai il loro massimo livello. I banconi semicircolari stanno
galleggiando sull'acqua, mentre il calendario indica sempre la data
del 3 novembre (p. 19).

Fig. 13. Archivio BNCF. 5 novembre 1966, 16 circa (dalla posizione
dell'ombra sulla piazza). Piazza dei Cavalleggeri vista dal tetto dell'ala est
della BNCF. La Dauphine e una Cinquecento rovesciata su un lato
sono ancora immerse a metà, mentre il muro e una parte del lungarno
sono scomparsi nel fiume (p. 28).

Fig. 14. Archivio BNCF. 6 o 7 novembre 1966, mattina.
Piazza dei Cavalleggeri dai gradini del porticato della BNCF.
Al centro della piazza rimangono sia la Dauphine che la Cinquecento
rovesciata su un lato in un grande cumulo di fango, ma le acque sono calate.
Sul marciapiede rialzato è evidente la scomparsa del muretto interno
(p. 28).

Fig. 15. Guido Sansoni (Archivio BNCF). 12 o 19 novembre 1966 (sabato), ore 14 circa. Due catene di volontari e soldati, sotto il porticato di ingresso della Nazionale, si passano di mano in mano i volumi alluvionati estratti dai magazzini per caricarli sui camion (p. 176-180).

Fig. 16. Vaghi (Archivio BNCF). Prima del 15 novembre 1966.
Catene di volontari si passano di mano in mano volumi alluvionati
nei sottosuoli della BNCF. Lungo le pareti sono accatastate scatole
di miscellanee infangate e sui tubi che corrono lungo il soffitto sono visibili
carte rimaste incastrate al ritirarsi delle acque. Sui muri la "firma"
degli angeli (p. 176-180).

Fig. 17. Vaghi (Archivio BNCF). Prima del 18 novembre 1966.
L'essiccatoio alimentato dagli aerotermi forniti dall'Euratom relizzato
nel corridoio che corre di fronte alla Tribuna galileiana (p. 184).

Fig. 18. Vaghi (Archivio BNCF). Prima del 18 novembre 1966.
L'essiccatoio allestito all'ultimo piano dell'ala nuova dell'edificio
della BNCF. I volumi sono ancora legati e le carte sono raccolte a gruppi
e piegate su se stesse in modo da formare canali attraverso i quali far passare
l'aria (p. 187-188).

Fig. 19. Vaghi (Archivio BNCF). Prima del 20 novembre 1966.
Panoramica della sala distribuzione – dove sul lato sinistro lavora
una catena di volontari – riempita di volumi alluvionati coperti di segatura
(p. 180-181).

Fig. 20. Vaghi (Archivio BNCF). Prima del 20 novembre 1966. Periodici alluvionati e coperti di segatura accatastati lungo il corridoio occidentale di accesso alla sala di lettura, dove sono visibili altri volumi sistemati sopra i tavoli (p. 180-181).

Fig. 21. Vaghi (Archivio BNCF). Prima del 20 novembre 1966.
Lavori di interfoliazione ripresi dal ballatoio della sala cataloghi.
Su scaffalature di fortuna e sopra il ballatoio stesso numerosi volumi
in piedi, con le carte aperte a raggera, posti a essiccare (p. 185-186).

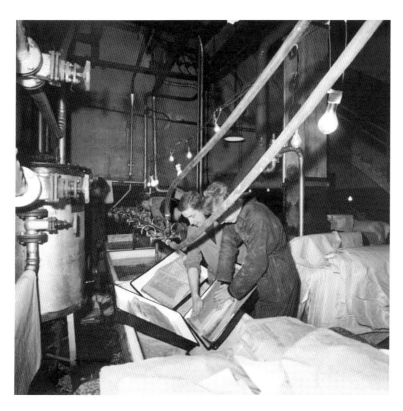

Fig. 22. Vaghi (Archivio BNCF). Prima del 20 novembre 1966.
Sigfried Leitloff mostra a uno dei figli di Casamassima come sgrondare
un gruppo di carte appena tirate fuori dall'acqua alla centrale termica delle
Ferrovie dello Stato (p. 189-190).

Fig. 23. Guido Sansoni (Archivio BNCF). Dicembre 1966.
Carla Guiducci Bonanni esamina alcuni volumi nei locali della palazzina
del Forte di Belvedere (p. 190-191).

Fig. 24. Richard F. Young. Fra agosto e novembre 1967.
Libri essiccati ed esaminati sugli scaffali: dai tagli fuoriescono le strisce
di carta con i simboli identificativi dei danni e delle operazioni di recupero
prescritte (p. 222-224).

Fig. 25. Richard F. Young. Fra agosto e novembre 1967, con ogni probabilità al secondo piano dell'ala nuova della BNCF. Libri essiccati, disinfettati, lavati e immagazzinati dopo essere stati incartati in carta da pacchi impregnata di Topane in attesa delle successive operazioni di restauro (p. 226).

Fig. 26. Richard F. Young. Fra agosto e novembre 1967.
Il laboratorio di restauro installato in quella che era la sala di lettura
generale. In primo piano, di spalle, Stella Patri, a sinistra, e Patricia Pugh,
a destra (p. 242).

Fig. 27. Richard F. Young. Fra agosto e novembre 1967.
La legatoria installata in quella che era la sala di lettura generale.
Da sinistra: George Baer, della Cuneo press di Chicago,
Cornelius Messerschmidt, di Basilea, e Tony Cains (p. 242).

Fig. 28. Richard F. Young. Fra agosto e novembre 1967.
Una sezione del Centro di restauro della BNCF: dietro una delle vasche
di lavaggio si riconoscono Joe Nkrumah e, al centro,
Emanuele Casamassima che parla con William Boustead (p. 254-255).

Fig. 29. Richard F. Young. Fra agosto e novembre 1967.
Giornali essiccati e disinfettati conservati in buste di cellophane su scaffali
metallici al primo piano della Nazionale (p. 262).

Fig. 30. Archivio BNCF. Dopo il 1970. Il laboratorio di restauro della carta trasferito nei sottosuoli della Nazionale, riutilizzando gli arredi modulari creati per la sala di lettura (p. 242).

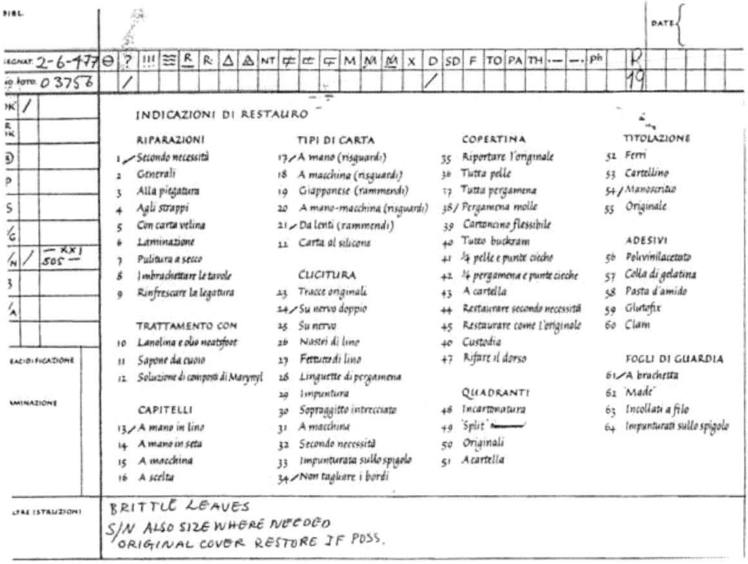

BIBL. — DATE

SEGNAT. 2-6-477 — N° FOTO 03756 — R 19

INDICAZIONI DI RESTAURO

RIPARAZIONI
1 / Secondo necessità
2 Generali
3 Alla piegatura
4 Agli strappi
5 Con carta velina
6 Laminazione
7 Pulitura a secco
8 Imbrachettare le tavole
9 Rinfrescare la legatura

TRATTAMENTO CON
10 Lanolina e olio neatsfoot
11 Sapone da cuoio
12 Soluzione di composti di Marynyl

CAPITELLI
13 / A mano in lino
14 A mano in seta
15 A macchina
16 A scelta

TIPI DI CARTA
17 / A mano (risguardi)
18 A macchina (risguardi)
19 Giapponese (rammendi)
20 A mano-macchina (risguardi)
21 / Da lenti (rammendi)
22 Carta al silicone

CUCITURA
23 Tracce originali
24 / Su nervo doppio
25 Su nervo
26 Nastri di lino
27 Fettucce di lino
28 Linguette di pergamena
29 Impuntura
30 Sopraggitto intrecciato
31 A macchina
32 Secondo necessità
33 Impunturata sullo spigolo
34 / Non tagliare i bordi

COPERTINA
35 Riportare l'originale
36 Tutta pelle
37 Tutta pergamena
38 / Pergamena molle
39 Cartoncino flessibile
40 Tutto buckram
41 ¼ pelle e punte cieche
42 ¼ pergamena e punte cieche
43 A cartella
44 Restaurare secondo necessità
45 Restaurare come l'originale
46 Custodia
47 Rifare il dorso

QUADRANTI
48 Incartonatura
49 'Split'
50 Originali
51 A cartella

TITOLAZIONE
52 Ferri
53 Cartellino
54 / Manoscritto
55 Originale

ADESIVI
56 Polivinilacetato
57 Colla di gelatina
58 Pasta d'amido
59 Glutofix
60 Clam

FOGLI DI GUARDIA
61 / A brachetta
62 'Made'
63 Incollati a filo
64 Impunturati sullo spigolo

DEACIDIFICAZIONE
LAMINAZIONE

ALTRE ISTRUZIONI
BRITTLE LEAVES
S/N ALSO SIZE WHERE NEEDED
ORIGINAL COVER RESTORE IF POSS.

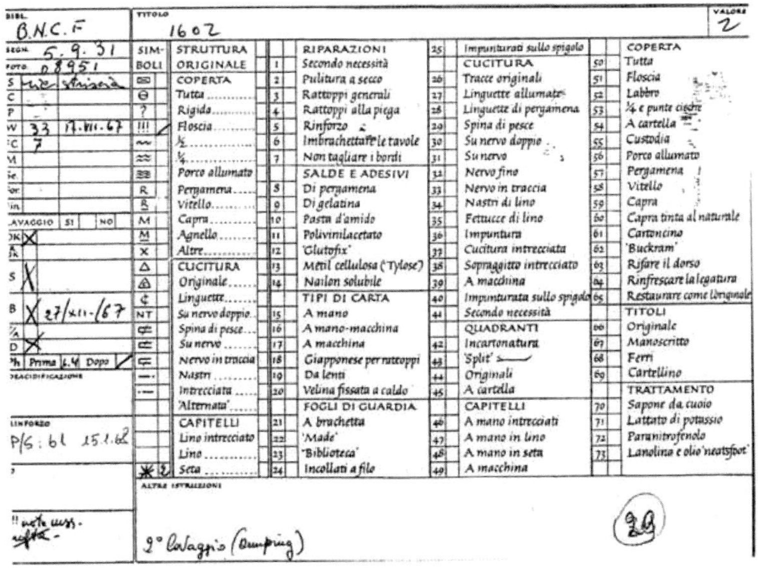

BIBL. B.N.C.F — TITOLO 1602 — VALORE 2

SEGN. 5. 9. 31
FOTO D 8951
S [illegible]
W 33 17.III.67
C 7
LAVAGGIO SI NO
B X 27/XII./67
Ph Prima 6.4 Dopo
DEACIDIFICAZIONE
RINFORZO P/S: 61 15.1.68
!! note mss. [illegible] -

SIMBOLI — STRUTTURA ORIGINALE
COPERTA: Tutta; Rigida; Floscia; ½; ¼; Porco allumato; Pergamena; Vitello; Capra; Agnello; Altre
CUCITURA: Originale; Linguette; Su nervo doppio; Spina di pesce; Su nervo; Nervo in traccia; Nastri; Intrecciata; 'Alternata'
CAPITELLI: Lino intrecciato; Lino; Seta

RIPARAZIONI
1 Secondo necessità
2 Pulitura a secco
3 Rattoppi generali
4 Rattoppi alla piega
5 Rinforzo
6 Imbrachettare le tavole
7 Non tagliare i bordi

SALDE E ADESIVI
8 Di pergamena
9 Di gelatina
10 Pasta d'amido
11 Polivinilacetato
12 'Glutofix'
13 Metil cellulosa ('Tylose')
14 Nailon solubile

TIPI DI CARTA
15 A mano
16 A mano-macchina
17 A macchina
18 Giapponese per rattoppi
19 Da lenti
20 Velina fissata a caldo

FOGLI DI GUARDIA
21 A brachetta
22 'Made'
23 'Biblioteca'
24 Incollati a filo
25 Impunturati sullo spigolo

CUCITURA
26 Tracce originali
27 Linguette allumate
28 Linguette di pergamena
29 Spina di pesce
30 Su nervo doppio
31 Su nervo
32 Nervo fino
33 Nervo in traccia
34 Nastri di lino
35 Fettucce di lino
36 Impuntura
37 Cucitura intrecciata
38 Sopraggitto intrecciato
39 A macchina
40 Impunturata sullo spigolo
41 Secondo necessità

QUADRANTI
42 Incartonatura
43 'Split'
44 Originali
45 A cartella

CAPITELLI
46 A mano intrecciati
47 A mano in lino
48 A mano in seta
49 A macchina

COPERTA
50 Tutta
51 Floscia
52 Labbro
53 ¼ e punte cieche
54 A cartella
55 Custodia
56 Porco allumato
57 Pergamena
58 Vitello
59 Capra
60 Capra tinta al naturale
61 Cartoncino
62 'Buckram'
63 Rifare il dorso
64 Rinfrescare la legatura
65 Restaurare come l'originale

TITOLI
66 Originale
67 Manoscritto
68 Ferri
69 Cartellino

TRATTAMENTO
70 Sapone da cuoio
71 Lattato di potassio
72 Paranitrofenolo
73 Lanolina e olio 'neatsfoot'

ALTRE ISTRUZIONI
2° lavaggio (Dumping)
29

Fig. 31. L'evoluzione della scheda di restauro della BNCF: quella a 64 e quella a 73 voci (p. 244-247).

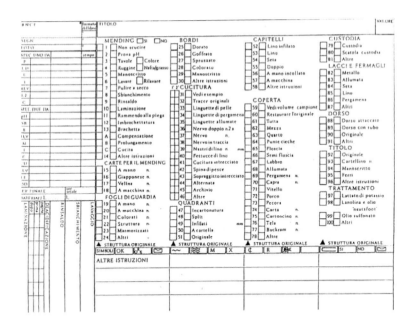

Fig. 32. La versione definitiva della scheda di restauro della BNCF,
a 100 voci (p. 244-247).

Ringraziamenti

Sono passati molti anni da quando ho iniziato ad occuparmi di BNCF e alluvione, gli anni dell'Università e della Scuola di restauro di Spoleto, e molte sono le persone che mi hanno aiutato a portare avanti il lavoro e a rispondere alle domande che mi ponevo, molte quelle che con generosità mi hanno fatto dono dei loro ricordi o che mi hanno dato accesso alle loro carte, molte infine quelle hanno indirizzato le mie ricerche all'interno degli archivi maggiori: vorrei qui ringraziarle tutte.

Il primo grazie è per mio marito: senza il suo appoggio e la sua comprensione, mai sarei riuscita a portare termine questo libro; il secondo grazie è per Neil Harris, che ha creduto nel mio lavoro fin dall'inizio e mi ha spronato negli anni a non abbandonarlo, che mi ha aiutato nelle mie ricerche e che ha scritto una splendida introduzione. Grazie anche ad Andrea Paoli che con pazienza e attenzione ha letto e riletto il testo per portarlo alla sua versione finale.

Ringrazio Anthony Cains e Christopher Clarkson, che per primi mi hanno trasmesso il fascino per l'esperienza esaltante che è stato il lavoro di restauro del dopo alluvione, che hanno risposto alle mie prime domande e che mi hanno permesso un accesso incondizionato ai documenti che avevano conservato nei loro archivi personali.

Ringrazio Richard F. Young per avermi dato la possibilità di pubblicare le sue foto e per avermi aiutato a identificare le persone ritratte, come ringrazio la Biblioteca nazionale per aver potuto inserire nel libro alcune foto appartenenti alle sue collezioni.

Ringrazio Ivaldo Baglioni, per i suoi ricordi e per la sua passione nel comunicarmeli; ringrazio Anna Maria Giorgetti Vichi, per la sua disponibilità, per l'ampiezza delle sue risposte e per l'interesse mostrato nei confronti della ricerca; ringrazio Luigi Crocetti che, pur ormai malato, ne ha visionato i primi stralci, ma purtroppo non ha visto la fine del lavoro; ringrazio Roberto Vivarelli e Roberto Abbondanza, che con i loro ricordi mi hanno aiutato a far luce su alcuni interessanti aspetti del dopo-alluvione.

Ringrazio coloro che, pur da lontano, mi hanno aiutata inviandomi copia delle carte relative all'alluvione che avevano conservato: Stefan Heiland e Kenneth Atkinson e coloro che, per telefono o posta elettronica, hanno riposto ai miei quesiti: Armando Andreoni, Judit Munat, Tomaso Urso, Piero Innocenti, Nicholas Pickwoad.

Ringrazio i figli dei protagonisti che per me hanno ricordato i loro padri: Marco Manetti, Pier Damiano Brunetti e Alessandra Masi; ringrazio le persone che ho incontrato al convegno per il quarantennale dell'alluvione che si è tenuto a Firenze e che ho contattato con successo: Nathalie Brooke, Frances Molineux, Joe Nkrumah, purtroppo da poco scomparso; ringrazio anche Alessandro Olschki, che mi ha raccontato il suo 4 novembre.

Ringrazio quei dipendenti della Nazionale che mi hanno aiutata, in modo particolare Rosaria Di Loreto e Anna Nesi, che mi ha guidata nelle carte della Biblioteca, ma anche Antonio Giardullo, Gisella Guasti, Sergio Marchini, Costanzo Marcone, Stefano Lampredi.

Ringrazio Ilaria Della Monica per avermi mostrato le carte del CRIA, Stephen Parkin per avermi fatto consultare le carte di Nixon alla British Library, e, anche a nome di Neil Harris, Monica Angeli della Biblioteca Marucelliana, Ernesto Berti per i particolari sui normalisti, Cristina Bulletti dell'ACI Firenze per le ricerche d'archivio, Domenico Casadei per i propri ricordi, Paolo D'Elia per le informazioni sulla rete fognaria, Paul Ginsborg per l'interesse e l'incoraggiamento, Filippo Grazzini per le ricerche fra le carte del padre, Amy Kraczyna che ci ha detto del vento, Massimo Moroni che ci ha raccontato le sorti della sua automobile, Lorenzo Pezzatini per la disponibilità e le immagini e Giovanni Tartaglione che ci ha mostrato il diario di Giuseppe Boretti conservato presso la chiesa di San Giuseppe.

Ringrazio le biblioteche che mi hanno fornito notizie biografiche dei loro ex-dipendenti: la Biblioteca Nazionale Centrale di Roma, la Library of Congress, la biblioteca del Kunsthistorisches Institut im Florenz e Mark Roberts del British Institute of Florence.

Ringrazio infine Luigi e Francesco de Gregori: senza di loro e senza il premio dedicato al padre, questo lavoro non avrebbe mai visto la luce.

Finito di stampare
da La Tipografia di Umberto Frisardi s.a.s., Roma
nel mese di ottobre 2009